BARUN LAW

법무법인(유한) 바른

KB156329

바른 '조세팀' 구성원

바른 길을 가는 든든한 파트너!

이원일	하종대	최주영	손삼락	박성호	최문기
대표 변호사	파트너 변호사	팀장 변호사	파트너 변호사	파트너 변호사	파트너 변호사
조세쟁송/자문	조세쟁송/자문	조세쟁송/자문	조세쟁송/자문	조세쟁송/자문	조세쟁송/자문

조현관	김기복	김기목	김현석	추교진	이수경
상임고문	세무사	세무사	세무사	파트너 변호사	변호사
세무조사/자문	세무조사/자문	세무조사/불복	세무조사/불복	조세쟁송/자문	조세쟁송/자문

구성원 소개

이정호	파트너변호사	조세쟁송/자문	김준호	변호사	조세쟁송/자문	정찬호	변호사	조세쟁송/자문
김지은	변호사	조세쟁송/자문	김영미	변호사	조세쟁송/자문	한상연	변호사	조세쟁송/자문
김정준	변호사	조세쟁송/자문	유상화	변호사	조세쟁송/자문	민경찬	변호사	조세쟁송/자문
백종덕	변호사	조세쟁송/자문	이찬웅	변호사	조세쟁송/자문			

Barun Law
Capabilities

법무법인(유한) 바른
서울 강남구 테헤란로 92길 7 바른빌딩 (리셉션: 5층, 12층)
TEL 02-3476-5599   FAX 02-3476-5995   CONTACT@BARUNLAW.COM

01

목차

DL E&C

목차

성 명	직 책	주요 경력
안만식	서현파트너스 회장	
배홍기	서현회계법인 대표이사	산동 KPMG · 삼정회계법인 · 기재부 공공기관운영위원회 위원
마숙룡	세무본부 본부장	서울청 · 중부청 조사국 · 중부청 국세심사위원
김진태	감사본부 본부장	삼정회계법인
최상권	종합서비스본부 본부장	안진회계법인
김병환	컨설팅본부 본부장	한영회계법인

업무 분야	성 명	직책	주요 경력
회계감사 · 재무실사 · IPO 전담	김남국 / 김하연	파트너	삼일회계법인 / 안진회계법인
	공영칠 / 이관호	파트너	삼정회계법인 / 삼일회계법인
	이종인 / 이기현	파트너	서일회계법인 / 대주회계법인
	이기원 / 현명기	파트너	안진회계법인 / 대주회계법인
	구양훈 / 신호석	파트너	한영회계법인 / 삼정회계법인
	김민찬 / 이창근	파트너	한영회계법인 / 한영회계법인
기업회생 · 구조조정 전담	김형남	회계사	안진회계법인
R&D 관련 사업비 정산	박희주	파트너	하나은행 · 서일회계법인
금융기관 여신거래처 경영컨설팅 전담	강정필	파트너	안진회계법인
사업구조 Re-Design 및 Value Up	최상권	파트너	안진회계법인
ERM, Audit Analytics 내부감사 · 내부통제 기업지배구조 · 윤리 · 준법경영	권우철	파트너	삼정회계법인 · 안진회계법인
	한주호	이사	안진회계법인 · 삼정회계법인 · 더존
	오영주	이사	안진회계법인 · 삼성SDS
금융기관 전담	이기원	파트너	안진회계법인
내부회계관리제도	김진태	대표	삼정회계법인
	신호석 / 권준엽	파트너	삼정회계법인 / 안진회계법인
재무자문 (M&A, 실사, 가치평가) · 경영컨설팅전담	김병환	파트너	한영회계법인
	안상춘 / 이현석	파트너	삼일회계법인 / 삼일회계법인 · RG자산운용
방산원가 자문	정명균	전문위원	방위사업청
법인세 및 세무조사지원	마숙룡	대표	서울청 · 중부청 조사국 · 중부청 국세심사위원
	전갑종	대표	산동KPMG · 국세청 심사위원 · 공인회계사세무감리위원
	정시영 / 한성일	파트너	삼일회계법인 · 한영회계법인 / 국세청
	송영석 / 최원일	파트너	삼정회계법인 / 이현회계법인
조세불복 전담	송필재	고문	조세심판원 부이사관
	박환택	변호사	세무대학7기 · 국세심사위원 · 사법연수원 33기
	김준동	변호사	법무법인 두현 대표 · 주요 공공기관 자문변호사
재산제세 전단	박종민	파트너	국세청 세무서 · 서울청 조사국
국제조세 전담	박주일	파트너	국세청 국조 · 서울청 조사국 · 국세청
	강민하	파트너	
가업승계 전담	왕한길 / 신지훈	상무	국세청 / 삼정회계법인

※ 제휴법인 임원 포함

서현파트너스 | 서울시 강남구 테헤란로 440 포스코센터 서관 3층
서현회계법인 | **Tel : 02-3011-1100** ⌁ **02-3218-8000**
이현세무법인 | www.shacc.kr ⌁ www.ehyuntax.com ⌁ www.shcgr.kr
서 현 I C T | 광주지점 **062-384-8211** ⌁ 부산지점 **051-635-0222**

세무·회계 전문 **홈페이지 무료제작**

DIAMONDCLUB

다이아몬드
클럽

다이아몬드 클럽은

세무사, 회계사, 관세사 등을 대상으로 한 조세일보의 온라인 홍보클럽으로
세무·회계에 특화된 홈페이지와 온라인 홍보 서비스를 받으실 수 있습니다.

01 경제적 효과
기본형 홈페이지 구축비용 일체무료 / 도메인·호스팅 무료
홈페이지 운영비 절감 / 전문적인 웹서비스

02 홍보 효과
월평균 방문자 150만명에 달하는
조세일보 메인화면 배너홍보

03 기능적 효과
실시간 뉴스·정보 제공 / 세무·회계 전문 솔루션 탑재
공지사항, 커뮤니티등 게시판 제공

가입문의 02-3146-8256

재무인의 가치를 높이는 변화

조세일보 정회원

온라인 재무인명부	수시 업데이트되는 국세청, 정·관계 인사의 프로필, 국세청, 지방국세청, 전국 세무서, 관세청, 공정위, 금감원 등 인력배치 현황
예규·판례	행정법원 판례를 포함한 20만 건 이상의 최신 예규, 판례 제공
구인정보	조세일보 일평균 10만 온라인 독자에게 구인 정보 제공
업무용 서식	세무·회계 및 업무용 필수서식 3,000여 개 제공
세무계산기	4대보험, 갑근세, 이용자 갑근세, 퇴직소득세, 취득/등록세 등 간편 세금계산까지!

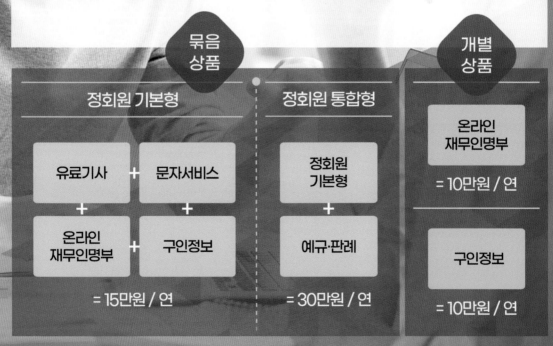

묶음 상품

정회원 기본형

유료기사 + 문자서비스
+
온라인 재무인명부 + 구인정보

= 15만원 / 연

정회원 통합형

정회원 기본형
+
예규·판례

= 30만원 / 연

개별 상품

온라인 재무인명부

= 10만원 / 연

구인정보

= 10만원 / 연

※ 자세한 조세일보 정회원 서비스 안내 http://www.joseilbo.com/members/info/

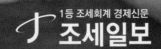

1등 조세회계 경제신문
조세일보

예규
판례
서비스

조세일보 정회원 통합형만이 누릴 수 있는

차별화된 조세 판례 서비스	매주 고등법원 및 행정법원 판례 30건 이상을 업데이트하고 있습니다. (1년 2천여 건 이상)
모바일 기기로 자유롭게 이용	PC환경과 동일하게 스마트폰, 태블릿 등 모바일기기에서도 검색하고 다운로드할 수 있습니다.
신규 업데이트 판례 문자 안내 서비스	매주 업데이트되는 최신 고등법원, 행정법원 등의 판례를 문자로 알림 서비스를 해드립니다.
판례 원문 PDF 파일 제공	판례를 원문 PDF로 제공해 다운로드하여 한 눈에 파악할 수 있습니다.

정회원 통합형 연간 30만원 (VAT 별도)

추가 이용서비스 : 온라인 재무인명부 + 프로필,
　　　　　　　　구인정보, 유료기사 등

회원가입　　　: www.joseilbo.com

1등 조세회계 경제신문
조세일보

회계가 바로 서야
경제가 바로 섭니다

투명 회계 선순환의 법칙을 아십니까?
기업의 회계가 투명해지면 기업가치가 높아지고,
국가의 회계가 투명해지면 경제성장률이 올라가 일자리가 많아지고,
생활 속 회계가 투명해지면 아파트 관리비가 절감되어
가계의 실질 소득이 늘어나고
회계가 투명해지면 어제보다 살기 좋은 대한민국이 만들어집니다.

투명한 회계로 바로 서는 한국 경제!
경제 전문가 공인회계사가 함께하겠습니다

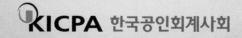

KICPA 한국공인회계사회

THE KOREAN INSTITUTE OF
CERTIFIED PUBLIC ACCOUNTANTS

세계 5위 회계법인 네트워크 BDO 인터내셔널의 회원사
「BDO 성현회계법인」

성현은 BDO 글로벌의 지원과 고객의 믿음을 바탕으로
전직원 300명, 매출액 457억원 규모의 지속적인 성장을
거듭하고 있습니다.

회계감사, 세무, 재무자문은 물론,
포렌식과 전산감사, 국제조세 전문가의 영입으로
고객에게 더 나은 서비스를 제공하겠습니다.

성현회계법인 주요 구성원

| 대표이사 | 윤길배 | 02-517-8333 | kilbae.yoon@bdo.kr |
| 품질관리실장 | 박재영 | 02-513-0288 | jaeyoung.park@bdo.kr |

서울본사 (02)517-8333

고승균	seungkyun.koh@bdo.kr	오송민	songmin.oh@bdo.kr
김도형	dohyung.kim@bdo.kr	오유진	yujin.oh@bdo.kr
김명희	myunghee.kim@bdo.kr	윤동춘	dongchun.yoon@bdo.kr
김세언	se-eon.kim@bdo.kr	이경철	kyungchul.lee@bdo.kr
김지현	jihyun.kim@bdo.kr	이근엽	geunyeop.yi@bdo.kr
김학연	harkyeon.kim@bdo.kr	이민재	minjae.lee@bdo.kr
노영우	youngwoo.noh@bdo.kr	이현승	hyunseung.lee@bdo.kr
박영아	youngah.park@bdo.kr	임영욱	youngug.im@bdo.kr
박일영	ilyoung.park@bdo.kr	전상원	sangwon.jeon@bdo.kr
박주훈	joohoon.park@bdo.kr	조인현	inhyun.cho@bdo.kr
박 철	chul.park@bdo.kr	조홍식	hongsik.cho@bdo.kr
백승교	seungkyo.baek@bdo.kr	최원경	wonkyung.choi@bdo.kr
서동건	dongkun.seo@bdo.kr	한용주	yongjoo.han@bdo.kr
송광혁	kwanghyuk.song@bdo.kr	홍득기	deukki.hong@bdo.kr
신재준	jaejun.shin@bdo.kr		

부 산 (051)463-7222

박근서	john.park@bdo.kr
예상우	sangwoo.ye@bdo.kr
유민수	minsoo.yoo@bdo.kr
이상린	sanglin.lee@bdo.kr
임철준	chuljun.lim@bdo.kr
전명환	myeonghwan.jeon@bdo.kr

창 원 (055)266-5511

| 송선영 | sunyoung.song@bdo.kr |
| 권순도 | soondo.kwon@bdo.kr |

대 구 (053)754-6100

| 이동운 | dongwoon.lee@bdo.kr |

성현회계법인 서울특별시 강남구 테헤란로 508 해성2빌딩 12층
T. 02-517-8333 F. 02-517-8399 E. info@bdo.kr

서울 | 부산 | 창원 | 대구

www.bdo.kr

EY 한영

Building a better
working world

세무본부장	고경태	kyung-tae.ko@kr.ey.com
기업세무	우승엽	seung-yeop.woo@kr.ey.com
	유정훈	jeong-hun.you@kr.ey.com
	신장규	jang-kyu.shin@kr.ey.com
	고연기	yeonki.ko@kr.ey.com
	김승모	seungmo.kim@kr.ey.com
	서석준	sukjoon.seo@kr.ey.com
	양기석	ki-seok.yang@kr.ey.com
	양지호	jiho.yang@kr.ey.com
	이정기	jungkee.lee@kr.ey.com
	임효선	hyosun.lim@kr.ey.com
	권성은	sung-eun.kwon@kr.ey.com
	박기형	ki-hyung.park@kr.ey.com
M&A자문 및 국제조세	이기수	ki-soo.lee@kr.ey.com
	장남운	nam-wun.jang@kr.ey.com
	염현경	hyun-kyung.yum@kr.ey.com
	정일영	ilyoung.chung@kr.ey.com
	김영훈	yung-hun.kim@kr.ey.com
	장소연	so-yeon.jang@kr.ey.com
이전가격 자문	정인식	in-sik.jeong@kr.ey.com
	남용훈	yong-hun.nam@kr.ey.com
	정훈석	hoonseok.chung@kr.ey.com
	하동훈	dong-hoon.ha@kr.ey.com
인적자원 관련 서비스	정지영	jee-young.chung@kr.ey.com
금융세무	이덕재	deok-jae.lee@kr.ey.com
	김동성	dong-sung.kim@kr.ey.com
	오은미	eun-mi.oh@kr.ey.com
	김스텔라	stella.kim@kr.ey.com
국제상속증여자문	이나래	na-rae.lee@kr.ey.com
관세	박동오	dongo.park@kr.ey.com

서울특별시 영등포구 여의공원로 111
02-3787-6600
www.ey.com/kr

 대현회계법인
Daehyun Accounting Corporation

세무업무와 회계감사를 함께 수행하는 최고의 전문가 !!!
대현회계법인

대표이사   송재현

공인회계사, 세무사, 세무전문가 Tel:010-6700-3636
안건회계법인 세무본부근무 7년
개인사무소 개업 12년
대현회계법인 설립, 대표이사 20년
한국공인회계사회 부회장, 국세연구위원장(전), 중소회계법인협의회장(전)

축산업, 사료업의 세무업무에 전문, 특화된 최고의 세무대리인 대현회계법인

세무사업본부 임직원

성명	전문분야	연락처	주요경력
신현중	세무업무	010-4827-6100	세무업무전담, 세무본부경력 18년
최은정	세무업무	010-4972-6100	세무업무전담, 세무본부경력 18년
채희태	세무업무	010-7139-6100	세무대학 1기, 국세청 근무, 세무조사대응
박창화	세무회계	010-4996-6100	세무회계업 전업경력 23년
이이건	세무회계	010-9186-6100	세무회계업 전업경력 18년

회계감사본부 임직원

성명	전문분야	연락처	주요경력
김재근	회계감사 및 컨설팅	010-2715-5634	상장회사 회계감사, 내부회계구축자문, 기업가치평가
이지형	회계감사 및 컨설팅	010-9076-6885	회계감사 및 세무자문업무, 세무회계업 전업경력 20년
김태욱	회계감사 및 가치평가	010-3529-8735	회계감사 및 원가시스템구축, 세무회계업 전업경력 18년
박성준	회계감사	010-5487-0819	회계감사 및 세무자문

파트너 구성원

성명	전문분야	연락처	주요경력
송재현	세무업무	010-6700-3636	세무업무, 절세전략, 세법개정지원, 세무전문가
김경태	회계감사,세무업무	010-2964-5315	비영리법인 회계감사 및 세무업무
이광준	감사세무 및 컨설팅	010-3257-2209	회계감사,세무대응,기업가치평가,기장대리
박재민	세무자문,회계감사	010-9066-5807	세무대응,기장대리,회계감사,원가자문
정화국	회계감사,화생컨설팅	010-2211-0443	상장회계감사 및 컨설팅,성원건설등 주요법인회생자문
신대용	민자사업	010-4722-1022	민자사업 전문
우필구	외국법인컨설팅	010-5268-7691	국제회계,외국법인자문,회계감사 및 세무업무
김영수	회계감사 및 컨설팅	010-8380-6889	상장,비상장 회계감사,M&A 경영컨설팅
강경보	회계감사 및 컨설팅	010-3785-0396	상장회사회계감사,내부회계구축및자문,기업가치평가
신한철	세무자문,회계감사	010-3306-9746	상장사 회계감사,세무업무
이태수	회계감사 및 컨설팅	010-9105-7096	상장,비상장 회계감사,기업가치평가,자산유동화

 서울특별시 광진구 능동로 7 한강파크빌딩 6층 (우) 05086
Tel : 02-552-6100 Fax : 02-552-0067

딜로이트 안진회계법인

서울시 영등포구 국제금융로 10 서울국제금융센터 One IFC 9층 (07326)　　　　Tel : 02-6676-1000

■ 세무자문본부 (리더 및 파트너 그룹)

본부장 : 권지원 02-6676-2416

전문분야	성명	전화번호	전문분야	성명	전화번호	전문분야	성명	전화번호
법인조세 / 국제조세	한홍석	02-6676-2585	법인조세 / 국제조세	임홍남	02-6676-2336	Tax Controversy	조규범	02-6676-2889
	김지현	02-6676-2434		조원영	02-6099-4445		강이	02-6676-2544
	이신호	02-6676-2375		최승웅	02-6676-2517		김점동	02-6676-2332
	Scott Oleson	02-6676-2012		하민용	02-6676-2404		김태경	02-6676-2873
	고대권	02-6676-2349	M&A 세무	Scott Oleson	02-6676-2012		이호석	02-6676-2527
	권기태	02-6676-2415		김영필	02-6676-2432		정환국	02-6099-4301
	김석진	02-6138-6248		우승수	02-6676-2452		정영석	02-6676-2438
	곽민환	02-6676-2488		유경선	02-6676-2345		최재석	02-6676-2509
	김선중	02-6676-2518		이석규	02-6676-2464		홍장희	02-6676-2832
	김원동	02-6676-1259	일본세무	김명규	02-6676-1331		현희성	02-6676-1434
	김중래	02-6676-2419		이성재	02-6676-1837	Business Process Solutions	박성한	02-6676-2521
	김한기	02-6138-6167	금융조세	신창환	02-6099-4583		이용현	02-6676-2355
	민윤기	02-6676-2504		이정연	02-6676-2166		정재필	02-6676-2593
	박종우	02-6676-2372		최국주	02-6676-2439	해외주재원 세무서비스	서민수	02-6676-2590
	박준용	02-6676-2363		이용찬	02-6676-2828		권혁기	02-6676-2840
	신기력	02-6676-2519	이전가격	류풍년	02-6676-2820	개인제세 / 재산제세	김중래	02-6676-2419
	신창환	02-6099-4583		송성권	02-6676-2507		신창환	02-6099-4583
	안병욱	02-6676-1164		이한나	02-6676-2421	관세	정인영	02-6676-2804
	오종화	02-6676-2598		인영수	02-6676-2448		유정곤	02-6676-2561
	윤선중	02-6676-2455		최은진	02-6676-2361		정재열	02-6676-2511
	이재우	02-6676-2536	부동산세제	장상록	02-6138-6904		정진곤	02-6676-2508
	이재훈	02-6676-1461		조원영	02-6099-4445	Tax R&D	김경조	02-6099-4279

17

		www.samdukcpa.co.kr	
삼덕회계법인	**본사**	서울시 종로구 우정국로 48 S&S빌딩 12층	
Tel : 02-397-6700	Fax : 02-730-9559	E-mail : samdukcpa@nexiasamduk.kr	

삼덕회계법인 주요구성원

법인본부	이름	전화번호	E-mail
대표이사	김명철	02-397-6705	kmc@nexiasamduk.kr
경영본부장	김현수	02-397-6852	hsk2849@nexiasamduk.kr
품질관리실장	손호근	02-397-6788	shonhk@nexiasamduk.kr
준법감시인	안종정	02-397-6743	cpahn1569@nexiasamduk.kr
감사	안영수	02-397-5107	ys@nexiasamduk.kr
감사	심형섭	02-397-6855	san6949@nexiasamduk.kr
국제부장	권영창	02-397-6654	youngchang.kwon@nexiasamduk.kr

감사본부		본부장	전화번호	E-mail
본사	감사1본부	김덕수	02-397-6724	kimdeogsu@nexiasamduk.kr
	감사2본부	임재현	02-397-6893	siwoo@nexiasamduk.kr
	감사3본부	신종철	02-2076-5527	jongcheol.shin@nexiasamduk.kr
	감사4본부	한일도	02-2076-5501	hanildocpa@nexiasamduk.kr
	감사5본부	이녹영	02-2076-5521	nylee@nexiasamduk.kr
	감사6본부	박규영	02-397-5105	pky@nexiasamduk.kr
	감사7본부	이병기	02-397-6856	bklee4285@nexiasamduk.kr
	감사8본부	권현수	02-397-6748	hskwon@nexiasamduk.kr
	감사9본부	김진수	02-2076-5468	kjssac@nexiasamduk.kr
	감사10본부	조석훈	02-397-6739	mirage@nexiasamduk.kr
	감사11본부	최봉관	02-397-6325	bk@nexiasamduk.kr
본사&분사무소	감사12본부	김도형	02-3412-6812	dhkim@nexiasamduk.kr

삼도회계법인
SAMDO ACCOUNTING FIRM

숙련된 전문가 집단

삼도회계법인은 숙련된 경험을 가진 10~15년차 회계사가 주축이 되어 효율적, 효과적으로
업무를 수행함으로써 서비스팀의 대부분이 1~2년차 시니어급으로 구성되는
타 회계법인과는 차별화된 고품격의 Service를 제공할 수 있습니다.

서비스 융합

Global Big4 회계법인의 Audit, TAX, FAS, Consulting 부서출신의
전문인력들이 같은 곳에서 서로 조화롭게 논의하고 함께 Co-work함으로써
고객에게 발생한 다양한 Issue들에 대하여 상호융합된 시각을 제공할 수 있습니다.

강한 내부 심리 절차

삼도회계법인은 감사 및 자문 용역 등 고객에게 제공하는 모든 업무에 있어
Quality 준수를 최고의 가치로 여기고 법인 내부 심리 인력 및 조직과 절차를 강화하였습니다.
이를 통해 고객에게 제공되는 모든 업무는 Internal Quality Review Process를 통해
그 정합성과 오류가능성을 항상 검증받고 있습니다.

경영위원회 ─── 사원총회 ─── 감사

대표이사
김동률 CPA

품질관리실 ─────────────── 경영지원실
이영인 CPA

1본부
방찬식 CPA

박광수, 황효동, 이의유, 박경원,
김원중, 김완수, 최수열 CPA

2본부
오준석 CPA

양명수, 김천수, 정희석, 김영도,
김주영, 김종현, 서재영 CPA

법인명 : 삼도회계법인
대표자 : 김동률
주　소 : 서울 서초구 사평대로 361, 청원빌딩 3층
연락처 : Tel) 02-511-2460 | Fax) 02-6918-0540
Email) info@samdoacc.com | Open hour 10:00~18:00

설립연도 : 2015년 3월
상장사 감사인 등록 : 2019년 12월
종업원수 : 294명(KICPA 143명), 2022년 3월 말 현재
사업분야 : 회계감사, 세무자문, 경영자문, 기타자문 등

| Tax Leader | | Partner 이중현 (709-0598) |

국내 및 국제 조세

Partner

오연관	(709-0342)	정선홍	(709-0937)	성창석	(3781-9011)
이영신	(709-4756)	정종만	(709-4767)	최유철	(3781-9202)
이상도	(709-0288)	류성무	(709-4761)	박기운	(3781-9187)
김성영	(709-4752)	조성욱	(709-8184)	서연정	(3781-9957)
정민수	(709-0638)	조창호	(3781-3264)	허윤제	(709-0686)
나승도	(709-4068)	장현준	(709-4004)	심수아	(3781-3113)
신현창	(709-7904)	차일규	(3781-3173)	브로웰로버트	(709-8896)
남형석	(709-0382)	조한철	(3781-2577)	이 용	(3781-9025)
노영석	(709-0877)	선병오	(3781-9002)	오혜정	(3781-9347)
정복석	(709-0914)	신윤섭	(709-0906)	홍창기	(3781-9489)
오남교	(709-4754)	김광수	(709-4055)	박종우	(3781-0181)
이동복	(709-4768)	김영옥	(709-7902)	이응전	(3781-2309)

이전가격 및 국제 통상 서비스

Partner 전원엽(3781-2599) | Henry An(3781-2594) | 조정환(709-8895) | 김영주 (709-4098) | 김찬규(709-6415) | 소주현(709-8248)

Global Tax Service

Partner 김주덕(709-0707) | 이동열(3781-9812) | 김홍현(709-3320)

금융산업

Partner 정훈(709-3383) | 박태진(709-8833) | 박수연(709-4088)

Private Equity / M&A 세무자문

Partner 탁정수(3781-1481) | 김경호(709-7975) | 이종형(709-8185)

글로벌 인맥관리 / 고액자산가 세무자문

Partner 박주희(3781-2387)

상속 증여 및 주식 변동

Partner 김운규(3781-9304) | 이현종(709-6459)

지방세

Partner 조영재(709-0932) | 양인병(3781-3265)

산업별 전문가

분류	이름	전화번호
소비재	정낙열	709-3349
헬스케어/제약	서용범	3781-9110
도소매/호텔/레저	오종진	709-0954
화학	이기복	3781-9103
에너지/유틸리티	선민규	709-3348
철강	김병묵	709-0330
운송/물류	백봉준	709-0657
자산운용	진휘철	709-0624
은행/저축은행/캐피탈	박정선	3781-9373
보험	이유진	709-7932
증권	유엽	709-8721
Private Equity	탁정수	3781-1481
핀테크	김경구	709-0326
자동차/부품	신승일/이기복	709-0648/3781-9103
건설/조선	이정훈	709-0644
방위산업	김태성	709-0221
엔터테인먼트/미디어	한종엽	3781-9598
게임/블록체인	이재혁	709-8882
전자/반도체/전자상거래	홍준기	709-3313
통신	한호성	709-8956
부동산/SoC	신승철	709-0265
공공기관/공기업	윤규섭	709-0313

리더	직위	성명	사내번호
CEO	회장	김교태	02-2112-0401
COO	부대표	이호준	02-2112-0098
감사부문	대표	한은섭	02-2112-0479
세무부문	대표	윤학섭	02-2112-0441
재무자문부문	대표	구승회	02-2112-0841
컨설팅부문	대표	정대길	02-2112-0881

세무부문(Tax)

부서명	직위	성명	사내번호
기업세무	부대표	한원식	02-2112-0931
	부대표	이관범	02-2112-0911
	부대표	이성태	02-2112-0921
	전무	박근우	02-2112-0960
	전무	김학주	02-2112-0908
	전무	이상길	02-2112-0931
	전무	나석환	02-2112-0931
	전무	류용현	02-2112-0908
	상무	유정호	02-2112-0960
	상무	장지훈	02-2112-0960
	상무	김병국	02-2112-0931
	상무	홍하진	02-2112-0960
	상무	이근우	02-2112-0911
	상무	조수진	02-2112-0908
	상무	최은영	02-2112-0911
	상무	홍승모	02-2112-0911
	상무	김형곤	02-2112-0908
	상무	김진현	02-2112-0921
	상무	이상무	02-2112-0269
	상무	김세환	02-2112-7455
	상무	홍태선	02-2112-6720
	상무	최세훈	02-2112-6728

상속·증여 및 경영권승계	부대표	한원식	02-2112-0931
	전무	이상길	02-2112-0931
	상무	김병국	02-2112-0931
국제조세	부대표	오상범	02-2112-0951
	전무	김동훈	02-2112-2882
	전무	이성욱	02-2112-2882
	상무	민우기	02-2112-2882
	상무	박상훈	02-2112-2882
	상무	조상현	02-2112-0951
	상무	서유진	02-2112-0951
	상무	이진욱	02-2112-3476
	상무	이창훈	02-2112-6815
국제조세(일본기업세무)	상무	김정은	02-2112-0269
	상무	이상무	02-2112-0269
M&A/PEF 세무	부대표	오상범	02-2112-0951
	전무	이성욱	02-2112-2882
	상무	서유진	02-2112-0951
	상무	민우기	02-2112-2882
	상무	조용균	02-2112-0269
	상무	이창훈	02-2112-6815
이전가격&관세	부대표	강길원	02-2112-7953
	전무	백승목	02-2112-6676
	전무	김상훈	02-2112-6676
	상무	윤용준	02-2112-7953
	상무	김태준	02-2112-6676
	상무	김태주	02-2112-0595
	상무	김현만	02-2112-0595

	전무	계봉성	02-2112-0921
	상무	김성현	02-2112-7401
금융조세	상무	박정민	02-2112-7401
	상무	유승희	02-2112-7401
	상무	최영우	02-2112-7401
	부대표	김경미	02-2112-0471
	상무	백승현	02-2112-7911
Accounting & Tax Outsourcing	상무	홍영준	02-2112-7911
	상무	홍민정	02-2112-0471
	상무	하성룡	02-2112-7914
Global Mobility Service (주재원, 해외파견 등)	상무	정소현	02-2112-7911
	상무	홍민정	02-2112-0471
지방세	부대표	이성태	02-2112-0921
	상무	홍승모	02-2112-0911

SHINSEUNG
Accounting Corporation

"신승회계법인은 기업의 성공을 돕고
납세자의 권리를 보호하는 세무 동반자인
세무전문 회계법인 입니다."
www.ssac.kr

■ 임원 소개

김충국 대표세무사

고려대학교 정책대학원 세정학과	국세청 심사2담당관
중앙대학교 경영학과	국세청 국제세원관리담당관
중부지방국세청 조사3국장	서울지방국세청 국제거래조사국 팀장
서울지방국세청 감사관	조세심판원 근무

신승회계법인은 회계사 60명, 세무사 10명 등 200여명의 전문인력이 상근하여
전문지식과 다양한 경험을 바탕으로 고객에 맞춤형 세무 서비스를 제공하는 조직입니다.

■ 주요업무소개

조세불복, 세무조사대응
과세전적부심사 / 불복업무 / 조세소송지원

상속 증여 컨설팅
상속 증여 신고 대행 / 절세방안 자문

병의원 세무
개원 행정절차 / 병과별 병의원 세무 / 교육

Outsourcing
기장대행 / 급여아웃소싱 / 경리아웃소싱

세무 신고 대행
소득세 / 부가세 / 법인세 등 신고서 작성 및 검토

기타 세무 서비스
비상장주식평가 / 기업승계 / 법인청산업무

SHINSEUNG
Accounting Corporation

서울특별시 강남구 삼성로85길 32
(대치동, 동보빌딩 5층)

T. 02-555-8402

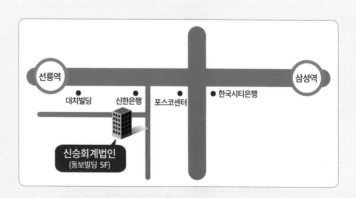

예일회계법인 주요구성원

구 분	성 명	직책	전문분야
서울 본사	윤 현 철	한국공인회계사	회장
	김 재 율	한국공인회계사	대표이사
	권 한 조	한국공인회계사	회계감사 / NPL
	김 현 수	한국공인회계사	회계감사 / 기업구조조정
	김 현 일	세무사	세무조사 / 조세심판
	박 진 수	한국공인회계사	M&A / 투자자문
	박 진 용	한국공인회계사	회계감사 / 인증서비스
	배 원 기	한국공인회계사	회계감사 / NPL
	송 윤 화	한국공인회계사	회계감사 / 기업구조조정
	윤 태 영	한국공인회계사	회계감사 / NPL
	이 수 현	한국공인회계사	회계감사 / 품질관리
	이 승 재	한국공인회계사	회계감사 / 기업구조조정
	이 재 민	미국공인회계사	M&A / 투자자문
	이 재 영	한국공인회계사	기업구조조정 / 기업회생 / 실사 및 평가
	이 태 경	한국공인회계사	국내외 인프라 부동산 투자자문 / 실사 및 평가
	주 상 철	한국공인회계사/한국변호사	정산감사 / 조세쟁송
	함 예 원	한국공인회계사	세무조정 / 세무자문 / 세무조사
부산 본부	강 대 영	한국공인회계사	회계감사 / 세무자문 / 컨설팅
	하 태 훈	한국공인회계사	회계감사 / 세무자문 / 컨설팅
Indonesia Desk	정 동 진	한국공인회계사	회계감사 / 세무자문
YEIL America LA	임 승 혁	한국공인회계사	회계감사 / 세무자문
YEIL America NY	최 호 성	한국공인회계사	회계감사 / 세무자문

예일회계법인

예일회계법인
우) 06737 서울시 서초구 효령로 해창빌딩 3~6층
T 02-2037-9290   **F** 02-2037-9280   **E** shyi@yeilac.co.kr   **H** www.yeilac.co.kr

bakertilly

우리회계법인

대표전화 : 02-565-1631   www.bakertilly-woori@co.kr
본사 : 서울 강남구 영동대로86길 17 (대치동,육인빌딩)
분사무소 : 서울 영등포구 양산로53 (월드메르디앙비즈센터)

우리회계법인은 220여명의 회계사를 포함한 380여명의 전문가가 고객이 필요로 하는 실무적이고 다양한 전문서비스를 제공하고 있습니다.

우리는 고객의 발전이
우리의 발전임을 명심한다.

Best Solution

우리는 기업 발전에
이바지한다는 사명감을
가지고 일한다.

Best Value

Best Practice

우리는 주어진 일을 할 때
항상 최선을 다하여
끊임없이 노력한다.

주요업무

Audit & Assurance
법정감사, 특수목적감사, 펀드감사, 기타
임의감사 및 검토 업무

Taxation Service
세무자문 관련 서비스, 국제조세 관련
서비스, 세무조정 및 신고 관련 서비스,
조세불복 및 세무조사 관련 서비스

Corporate Finance Service
M&A, Due Diligence, Financing(상장자문),
Valuation 업무

Public Sector Service
공공부문 회계제도 도입 및 회계감사,
공공기관 사업비 위탁정산 업무

IFRS Service
Accounting & Reporting, Business Advisory,
System & Process

Consulting Service
FTA 자문 서비스, SOC 민간투자사업 및
PF사업 자문 서비스, K-SOX 구축 및 고도화,
ESG(환경 사회 지배구조) 자문 업무

Business Recovery Service
회생(법정관리)기업에 대한 회생 Process지원,
법원 위촉에 따른 조사위원 업무, 구조조정 자문 업무

Outsourcing Service
세무 및 Payroll Outsourcing 서비스,
외국기업 및 외투기업 One-stop 서비스

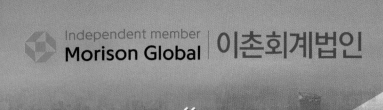

Independent member
Morison Global | 이촌회계법인

"이촌회계법인은 고객과 함께 성장하고,
고객의 가치증대를 최우선으로 합니다."

주요구성원 (Partner)

대표이사 **김명진**　　02-6671-7215

| 본점 | 서울시 영등포구 여의나루로 60, 17층 (여의도동) |

변성용	02-761-6958	**신해수**	02-761-6259	**이한선**	02-761-1056
노재현	02-6671-7221	**김칠규**	02-783-3404	**강동우**	02-761-6957
정석용	02-761-6426	**공익준**	02-6671-7213	**임현수**	070-8857-2102
최종혁	02-783-3697	**신동진**	02-3775-0066	**이용석**	02-780-0888

| 대전지점 | 대전광역시 서구 대덕대로176번길 51, 7층 (둔산동) |

정선호　　　042-472-2124

| 부산지점 | 부산광역시 해운대구 센텀중앙로 48, 10층 (우동) |

이재홍　　　051-715-0100

2023 개정판 출시기념 저자직강 강연회

최근 부동산 세제와 상속증여 절세전략

강 사	나철호 회계사 (재정회계법인 대표이사)
일 정	2022년 9월 3일 (토) 오전 9시 30분
장 소	그랜드 인터컨티넨탈 호텔 국화룸 (서울 강남구 테헤란로 521)
참 가 비	100,000원
신청방법	전화 (02-555-6426) 또는 구글 폼 신청 http://forms.gle/nwFYFHN9fUxm4ULt5

강의 핵심 내용

- 최근 부동산 세제(취득, 보유, 양도·상속·증여) 개정사항
- 상속 – 유산세 방식과 유산취득세 방식
- 증여 Point 3가지와 증여 시 유의점 4가지
- 상속이냐! 사전증여냐!
- 상속세와 유류분 차이
- 고가의 비주거용 부동산과 나대지, 감정가액 적용
- 특관자간 거래에 따른 증여의제 유형 4가지
- 상속증여 세무조사 주요 사항

Philosophy of Measure
재정회계법인
Jaejeong Accounting Corporation

서울 강남구 강남대로 320(역삼동, 황화빌딩 4층)
E-mail. jjcpaac@naver.com   **Tel.** 02-555-6426   **Fax.** 02-555-4681   www.jjcpa.co.kr

ⓘ 진일회계법인

진일회계법인

[본점]	서울 영등포구 은행로 11 (여의도동 15-15) 일신빌딩 7층
[제일지점]	서울 구로구 경인로 661 104-615 (신도림동, 푸르지오)
[서초지점]	서울 서초구 반포대로 96 석정빌딩 4층
[분당지점]	경기도 성남시 분당구 성남대로 925-16, 707호, 708호

T (02) 6095-2137   F (02) 6095-2138
T (02) 3439-7070   F (02) 3439-7060
T (02) 588-9501   F (02) 588-9504
T 1본부 (031) 781-9009, 2본부 (031) 742-9009
F 1본부 (031) 709-7957, 2본부 (031) 742-9007

진일회계법인은 眞과 一을 추구합니다

업무의 투명성

투명한 업무처리와 신속한 진행상황 전달은 물론 잘못된
정보 제공 및 업무의 지연 없이 고객의 요구를
해결해 드리겠습니다

정확한 정보

기업에게 경영환경의 정확한 분석과 합리적인 의사결정이 중요한
시점에서 신속정확한 정보를 제공하고 변화에 능동적으로
대응할 수 있도록 도와 드리겠습니다

적절한 서비스

다양한 경력을 통해 얻은 전문지식과 경험을 바탕으로
업종별 · 사업별 특성을 고려하여 알맞은 솔루션과
서비스를 제공하겠습니다

고객존중

항상 고객의 요구와 입장을 먼저 생각하고 성실한 자세로 임하며
최상의 서비스를 제공하여 만족시킬 수 있도록 하겠습니다

종합적인 서비스

회계감사, 세무컨설팅, 기업실무, 은행업무 등의 경력을 지닌
회계사들로 구성되어 있어 고객의 요구를 단편적으로 해결하지
않고 향후 발생할 수 있는 시나리오를 분석하여 종합적인 서비스를
제시하겠습니다.

2020년 2월 주권상장법인 감사인 등록(금융위원회)

세금신고 가이드

법 인 세
종합소득세
부가가치세
원 천 징 수

국 민 연 금
건강보험료
고용보험료
산재보험료

지 방 세
재 산 세
자동차세
세 무 일 지

연 말 정 산
양도소득세
상속증여세
증권거래세

1등 조세회계 경제신문
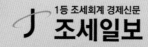
조세일보

국립 세무대학 출신 세무사 모두는
납세자의 권익보호를 위해
최선을 다하겠습니다.

제 10대 회장 황성훈
국립 세무대학 세무사 일동

BnH | **Beyond Expectation**
Highest Satisfaction

BnH | 세무 법인   **BnH** | 회계 법인

서울시 중구 을지로 5길 26, Mirae Asset Center 1 서관 10층

T : 02·6030·8520 | 02·6260·2860

www.bnhtax.com | www.bnhacs.com

세무법인 **T&P**
www.tnptax.com

세금과 사람들의
지혜로운 길잡이

세무조사
컨설팅

국제조세
컨설팅

불복청구
컨설팅

자산관리
컨설팅

세무법인 **T&P**
대표이사 **김영기**

세무법인 **T&P**

본　　점	서울시 서초구 법원로 10, 정곡빌딩남관 102호 (서초동)
	대표전화 : 02.3474.9925　**팩스번호 :** 02.3474.9926
강남지점	서울시 서초구 사임당로 21 기하빌딩 301호 (서초동)
	대표전화 : 02.6203.7400　**팩스번호 :** 02.6203.7401
강서지점	서울시 강서구 마곡서로 56, 6층 602호 (마곡동)
	대표전화 : 02.2661.0340　**팩스번호 :** 02.2661.0341

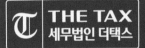

세무법인 삼룡

www.samryung.com

" 최고의 조세전문가 그룹「삼룡」은 프로정신으로 기업경영에 보다
창의적이고 효율적인 세무서비스를 제공하도록 최선을 다하겠습니다. "

☐ 주요업무

세무조사 대리 | 조세관련 불복대리 | 세무신고 대리 | 기업경영 컨설팅

☐ 구성원

서국환 회장/대표세무사
광주지방국세청장
서울청 조사2국장
서울청 조사4국 3과장
중부청 조사 1국 3과장
국세청 조사·심사·소득 과장
익산·안산세무서장 등 30년 경력

이정섭
본사·수원지사 대표세무사
중부청 조사 1국
목포·평택·수원세무서 등 16년 경력
전주대학교 관광경영학 박사

정인성
서초지사 대표세무사
서울청·용산·영등포세무서 등 23년 경력
세무사 실무 경력 20년

최상원
영통지사 대표세무사

중부지방국세청 법무과
중부지방국세청 특별조사국
영남대학교 졸업

김대진
서수원지사 대표세무사

세무사 48회
서울시립대학교 졸업

이정화
안양지사 대표세무사

세무사 44회
아주대학교 경영학 석사
(현)숭의여자대학교 세무회계과 겸임교수

국승훈 세무사

세무사 55회
명지대학교 경영학과 졸업

최재석 세무사

세무사 57회
한양대학교 경영학부 졸업
세무법인 삼룡 영통지사 근무

 **稅務法人 三隆**

본 사	서울시 강남구 강남대로84길 23, 1603호 (역삼동, 한라클래식)	Tel. 02-3453-7591	Fax. 02-3453-7594
수원지사	경기도 수원시 영통구 영통로 169, 3층 (망포동 297-8)	Tel. 031-273-2304	Fax. 031-206-7304
서초지사	서울시 서초구 사임당로 174, 603호 (서초동, 강남미래타워)	Tel. 02-567-6300	Fax. 02-569-9974
안양지사	경기도 안양시 동안구 시민대로 230, B동 6층 610, 611호 (관양동, 평촌아크로타워)	Tel. 031-423-2900	Fax. 031-423-2166
영통지사	경기도 수원시 영통구 영통동 998-6 아셈 프라자 401호 (동수원세무서 옆)	Tel. 031-273-7077	Fax. 031-273-7177
서수원지사	수원시 권선구 매송고색로 636-8, 302호 (고색동)	Tel. 031-292-6631	Fax. 031-292-6632

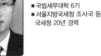

이안세무법인
IAN TAX FIRM

고객의 가치 창출을 위해
이안(耳眼) 세무법인은
귀 기울여 듣고, 더 크게 보겠습니다

장 호 강 고문

(전) 영등포세무서장
(전) 중부청 조사1국 조사1과장
(전) 포항세무서장
(전) 서울청 조사 1국·2국 서기관

윤 문 구 대표세무사

국립세무대학(2기) 졸
경영학박사 / 세무학박사
(현) 서울고검 국가송무상소심의위원
(현) 서울시 지방세 심사위원
(전) 국세청 국세심사위원
(전) 국세청 납세자보호위원
(전) 서울청 조세범칙심의위원

이 동 선 전무

(전) 서울청 조사1국·2국
(전) 강남·삼성·역삼·서초·
　　영등포세무서

이 경 근 상무

국립세무대학(13기)졸
(전) 서울청 조사1국
(전) 국세청 국세상담센터
　　상속세 및 증여세법 상담관

김 태 호 이사 (세무사)

경기대학교 경영학과,
경제학과 졸

최 은 경 이사 (세무사)

서울시립대학교
행정학과 졸

유 준 희 세무사

연세대학교 미래캠퍼스
경제학과 졸

지 상 현 세무사

웅지세무대학교
회계정보학과 졸

이안세무법인
IAN TAX FIRM

서울시 서초구 서초대로 40길 41 2층 (서초동, 대호IR빌딩)
TEL 02.2051.6800　FAX 02.2051.6006
www.iantax.co.kr

회장
박창언
02-547-8854

상근부회장
제영광
02-547-8854

상근이사
우현광
02-547-8854

부회장
채충모
02-540-2447

부회장
김성봉
051-988-2222

부회장
이흥열
031-657-8161

[감사]   [지회(부)장]

감사
이진용
051-464-6001

감사
김원식
032-744-0088

서울
윤철수
02-540-7867

구로
최성식
02-2672-7272

안양
유연혁
031-462-0303

대전충남
이종호
041-575-2171

충북
권용현
043-266-8311

인천공항
박중석
032-742-8443

부산
정영화
051-988-0011

경남
김성준
055-293-7604

창원
최성태
055-284-3457

인천
이염휘
032-888-0202

부평
박동기
070-4164-3783

수원
이범재
031-280-8210

안산
황주영
031-484-5272

대구
정영진
053-745-0144

구미
송재익
054-461-5800

울산
이재석
052-272-7543

광주
장희석
061-662-3955

전북
백창현
063-212-0020

평택
구섭본
031-658-1473

ℰ 한국관세사회
서울시 강남구 언주로 129길 20(논현동) (우) 06104

신한관세법인
수출입 통관과 글로벌 관세·무역 문제 컨설팅

■ 주요 구성원

장흥진
대표관세사 / 회장

연세대학교 법과대학전공
· 前 한국관세사회 사단법인관우회 부회장
· 前 한국관세사회 서울지부고문
· 前 사단법인 한국관세협회 상임이사
· 前 서울세관, 인천세관 근무

장승희
대표관세사 / 대표이사

서울대학교 경영전문대학원 석사
· 現 기획재정부 국세예규심사위원회 민간위원
· 現 관세청 보세판매장 특허심사위원회 위원
· 前 관세청 관세심사위원회 위원
· 前 관세청 관세품목분류위원회 위원

서영진
관세사 / 전무이사

· 現 컨설팅본부 본부장
· 現 관세평가분류원 관세평가협의회 위원
· 前 서울세관 심사관 기업심사, 종합심사 담당
· 前 관세청 심사정책과 관세평가

최대규
이사 / 코드시스템즈 대표

· 現 컨설팅본부 이사
· 現 코드시스템즈 대표
· 現 관세청 베트남 공익관세사
· 前 코트라 베트남(하노이) 전문위원

전무열
관세사/지사장
인천경기지사

손성곤
관세사/지사장
부산지사

오규태
관세사/지사장
인천공항지사

윤현상
관세사/지사장
청주지사

송성환
관세사/지사장
구미지사

신종호
관세사/법인장
신한베트남관세법인

■ 컨설팅본부

차미정 관세사/팀장   CI팀
박성현 관세사/팀장   무역컨설팅팀
김혜란 관세사/팀장   법률컨설팅팀

■ 식품 검사/검역

원창수 고문   인천경기지사
서정용 팀장   인천경기지사

■ 통관 전문가

강인성 관세사/본부장   부산지사
최병한 사무장/이사   서울본사
조호형 사무장/이사   인천공항지사
남효우 관세사   구미지사
박명규 사무장   청주지사

● 관계사

권민성 팀장   신한인비스타
서정용 팀장   SH FOOD Consulting
박금지 과장   KORD Partners
최대규 이사   KORD Systems

서울본사

컨설팅본부) 서울특별시 강남구 연주로 716 4층   TEL. 02-3448-1181   FAX. 02-3448-1184   E-MAIL. consulting@shcs.kr
통관본부) 서울특별시 강남구 연주로 716 3층   TEL. 02-542-1181   FAX. 02-544-9705~6   E-MAIL. customs@shcs.kr

SHINHAN
SHINHAN Customs Service Inc.
Established 1965

인천공항지사
TEL. 032-744-9961~2
FAX. 032-744-9960
E-MAIL. incheon-air@shcs.kr

인천경기지사(식품)
TEL. 032-772-1181
FAX. 032-773-1181
E-MAIL. incheon-air@shcs.kr

부산지사
TEL. 051-463-1181
FAX. 051-465-1181
E-MAIL. busan@shcs.kr

청주지사
TEL. 043-273-3160~1
FAX. 043-273-3162
E-MAIL. cheongju@shcs.kr

구미지사
TEL. 054-464-1133
FAX. 054-464-1131
E-MAIL. gumi@shcs.kr

신한베트남관세법인
TEL. 84-24-7300-8630
E-MAIL. scv@shcs.kr

신한인비스타(물류법인)
TEL. 02-2663-1181
FAX. 02-2665-9114
E-MAIL. invista@shcs.kr

SH FOOD Consulting
TEL. 070-4343-7787
FAX. 032-773-1181
E-MAIL. jyseo@shcs.kr

KORD SYSTEMS
TEL. 02-3448-1181
FAX. 02-3448-1184
E-MAIL. kord@kordsystems.com

KORD Partners
TEL. 070-4343-7791
FAX. 02-3448-1184
E-MAIL. karenp@kordpartners.com

KOREA'S PREMIER LAW FIRM
KIM & CHANG

TOP
—
"Band 1" rankings in 18 practice areas in Chambers Asia-Pacific 2022

ALL
—
"Tier 1" rankings in 15 practice areas in The Legal 500 Asia Pacific 2022

INNOVATIVE
—
Recognized as the "National Law Firm of the Year: South Korea" in IFLR Asia-Pacific Awards 2022

ONLY
—
The only Korean law firm in ALM Global 100

BEST
—
Recognized 72 times as "Korea Law Firm of the Year" over the past years

MOST
—
112 experts ranked by Chambers in 2021 – the largest among Korean law firms

www.kimchang.com

44

다양한 조세 전문가들의 시너지를 통한 최적 솔루션 제시

김·장 법률사무소 조세 그룹

조세 분야 Top Tier Rankings 선정

Chambers Asia-Pacific 2022
The Legal 500 Asia Pacific 2022
Asialaw Profiles 2022
World Tax 2022, World Transfer Pricing 2022
Benchmark Litigation Asia-Pacific 2022

조세 일반

한만수 변호사 02-3703-1806	백우현 공인회계사 02-3703-1047	이종국 호주공인회계사 02-3703-1016	조용호 공인회계사 02-3703-1116	최임정 공인회계사 02-3703-1143
권은민 변호사 02-3703-1252	이지수 변호사 02-3703-1123	양규원 공인회계사 02-3703-1298	김요대 공인회계사 02-3703-1436	최효성 공인회계사 02-3703-1281
임송대 공인회계사 02-3703-1088	정광진 변호사 02-3703-4898	심윤상 미국변호사 02-3703-1221	Sean Kahng 미국변호사 02-3703-1694	곽장운 미국변호사 02-3703-1708
서봉규 공인회계사 02-3703-1015	류재영 공인회계사 02-3703-1529	임양록 공인회계사 02-3703-4543	황찬연 공인회계사 02-3703-1807	전한준 호주공인회계사 02-3703-1770
김해마중 변호사 02-3703-1612	민경서 변호사 02-3703-1277	이종명 변호사 02-3703-1915	이재홍 변호사 02-3703-1917	유경란 변호사 02-3703-4583
김용희 공인회계사 02-3703-1544				

이전가격

여동준 공인회계사 02-3703-1061	남태연 공인회계사 02-3703-1028	한상익 공인회계사 02-3703-1127	이제연 공인회계사 02-3703-1079	이규호 공인회계사 02-3703-1169
Michael Quigley 미국변호사 02-3703-1042	Christopher Sung 미국변호사 02-3703-1115	이상묵 공인회계사 02-3703-1278	박재석 공인회계사 02-3703-1160	최동진 공인회계사 02-3703-1319
김학주 공인회계사 02-3703-1299				

금융조세

김동소 공인회계사 02-3703-1013	임용택 공인회계사 02-3703-1089	박정일 공인회계사 02-3703-1040	백원기 공인회계사 02-3703-1659	이평재 공인회계사 02-3703-1156
권영신 공인회계사 02-3703-5782	이성창 조세전문위원 02-3703-1780	임동구 공인회계사 02-3703-1646	박종현 공인회계사 02-3703-1817	박지영 공인회계사 02-3703-4953
송형우 공인회계사 02-3703-1851				

세무조사 및 조세쟁송

정병문 변호사 02-3703-1576	김의환 변호사 02-3703-4601	조성권 변호사 02-3703-1968	하상혁 변호사 02-3703-4893	하태흥 변호사 02-3703-4979
김희철 변호사 02-3703-5863	이상우 변호사 02-3703-1571	양승종 변호사 02-3703-1416	박필종 변호사 02-3703-4976	박재찬 변호사 02-3703-1808
이종광 공인회계사 02-3703-1056	진승환 공인회계사 02-3703-1267	박재홍 공인회계사 02-3703-1440	기상도 공인회계사 02-3703-1330	서재훈 공인회계사 02-3703-1845
서창우 공인회계사 02-3703-1846	안재혁 변호사 02-3703-1953	이은총 변호사 02-3703-4588	설인수 공인회계사 02-3703-1593	

정도(正道)를 지키며 신뢰받는 로펌,
법무법인(유) 광장(LEE & KO)입니다.

Lee & KO 법무법인(유) 광장

· 주요 구성원

조세쟁송 및 자문

이상기 변호사
기획재정부 고문변호사
한국조세협회 부이사장
Tel: 02-2191-3005

이인형 변호사
서울행정법원 부장판사
수원지방법원 평택지원장
Tel: 02-772-5990

손병준 변호사
대법원 조세전담 재판연구관
대전지방법원 부장판사
Tel: 02-772-4420

마옥현 변호사
대법원 조세전담 재판연구관
광주지방법원 부장판사
Tel: 02-6386-6280

김성환 변호사
대법원 조세전담 재판연구관(총괄)
춘천지방법원 부장판사
Tel: 02-6386-7900

김경태 변호사
대전지방법원 판사
한국세무학회 부학회장
Tel: 02-772-4414

임수혁 변호사
중부세무서 납세자보호위원
미국 UC Berkeley School of Law 법학석사(LLM)
Tel: 02-772-4973

이건훈 변호사
서울대학교 법과대학 석사과정(조세법 전공)
미국 UCLA School of Law 법학석사(LLM)
Tel: 02-6386-6211

박영욱 변호사
국세청 과세품질혁신위원회 위원
변호사시험(조세법) 출제위원
Tel: 02-772-4422

김상훈 변호사
한국지방세연구원 지방세구제업무 자문위원
중부세무서 국세심사위원회 위원
Tel: 02-772-4425

유정호 변호사
국세청 정기연수과정 강사 (금융조세)
Allianz Global Investors 펀드매니저
Tel: 02-2191-3208

장연호 회계사
국세청 금융업 실무과정 강사
삼일회계법인 금융/보험조세팀 근무
(한국·미국 등록 회계사)
Tel: 02-772-5942

이인수 회계사
김 · 장 법률사무소
삼일회계법인
Tel: 02-6386-7905

정재훈 회계사
신한금융지주
삼일회계법인
Tel: 02-772-5931

오진훈 회계사
삼일회계법인
미국 Michigan State University Finance 석사과정
Tel: 02-6386-6262

김한준 회계사
삼일회계법인 국제조세본부
삼일회계법인 감사본부
Tel: 02-6386-6687

조세예규 및 행정심판

강지현 변호사
국무총리 소속 조세심판원 사무관
기획재정부 세제실 사무관(조세특례제도과)
Tel: 02-772-4975

김병준 세무사
조세심판원 조정팀장
국세청 심사과
Tel: 02-6386-6376

이전가격

박성한 미국회계사
EY한영회계법인
삼일회계법인
Tel: 02-6386-7952

김민후 미국변호사
Deloitte Anjin LLC
Ernst & Young Korea
Tel: 02-6386-6271

고문

윤영선 고문
제24대 관세청장
기획재정부 세제실장
Tel: 02-6386-6640

원정희 고문
부산지방국세청장
국세청 조사국장
Tel: 02-6386-6229

김재웅 고문
서울지방국세청장
중부지방국세청장
Tel: 02-6386-7890

"각 분야 최고의 전문가들이 한자리에 모였습니다"

조세소송 및 불복, Tax Planning and Consulting, 세무조사, 국제조세, 이전가격 등
한 분의 고객을 위해 변호사, 회계사, 세무사, 고문, 전문위원 등
조세 각 분야 최고 전문가들이 힘을 합치는 로펌, 그곳은 광장(Lee & Ko)입니다.

"조세분야 최고 등급(Top Tier)의 로펌입니다"

국제적으로 유명한 평가기관인 Legal 500, Tax Directors Handbook 등에서
최고 등급 평가를 받아온 로펌, 그곳은 광장(Lee & Ko)입니다.

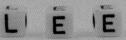

"존경받는 로펌, 신뢰받는 로펌이 되겠습니다"

고객이 신뢰하고 고객에게 존경받는 로펌, 가장 기분좋은 수식어 입니다.
대외적으로 인정받고 신뢰받는 로펌, 그곳은 광장(Lee & Ko)입니다.

초심을 잃지 않고 자만하지 않으며 먼 미래를 내다보며 준비하겠습니다.
항상 고민하고 새로운 도약을 준비하는 로펌,

'법무법인(유) 광장(Lee & Ko)' 입니다.

국제조세

심재진 미국변호사
AmCham Tax Committee Co-Chiar
PwC Moscow and Price Waterhouse, New York
Tel: 02-2191-3235

이환구 변호사
중부세무서 납세자보호위원
UCLA Law School LLM(Tax track)
Tel: 02-772-4307

권오혁 미국변호사
Deloitte Anjin LLC
Deloitte Tax LLP
Tel: 02-6386-6627

오혁 미국변호사
미국 RSM International Inc., International Tax
미국 Deloitte Tax LLP, Washington National Tax
Tel: 02-772-4349

김정홍 미국변호사
기획재정부 국제조세제도과장
대법원 재판연구관(조세조)
Tel: 02-6386-0773

인병춘 회계사
KPMG 국제조세본부장
KPMG Tax Partner
Tel: 02-6386-7844

류성현 변호사
대한변호사협회 세제위원회 위원
서울지방국세청 사무관
Tel: 02-2191-3251

김태경 회계사
한국국제조세협회 이사
한국조세연구포럼 이사
Tel: 02-2191-3246

관세

박영기 변호사
관세청 통관지원국 사무관
서울본부세관 고문변호사
Tel: 02-2191-3052

태정욱 변호사
관세청 관세평가자문위원
서울본부세관 관세심사위원
Tel: 02-6386-6373

조재웅 변호사
관세청 법률고문
관세평가분류원 관세평가협의회 위원
Tel: 02-6386-6617

김창희 전문위원
제29회 관세사
품목분류, 통관, 요건, FTA 전문
Tel: 02-6386-6645

세무조사 지원

조태복 세무사
성동, 중부산 세무서장
국세청 법인세과, 법령해석과
Tel: 02-6386-6572

이호태 세무사
중부지방국세청
국세청
Tel: 02-6386-6602

장순남 세무사
서울지방국세청 조사4국 서기관
국세청 조사국 사무관
Tel: 02-772-5928

배인수 세무사
서울지방국세청 조사4국
서울지방국세청 조사1국
Tel: 02-772-5986

최진구 세무사
중부지방국세청 운영지원과장
서울지방국세청 조사국 조사팀장
Tel: 02-772-4256

이병하 세무사
서울지방국세청 국제거래조사국
국세청 국제조사과
Tel: 02-772-5987

권영대 세무사
서울지방국세청 국제거래조사국 조사팀장
국세청 조사국 국제조사과
Tel: 02-6386-6585

권태영 세무사
국세청 자산과세국
서울지방국세청 조사4국
Tel: 02-6386-6583

지방세

김해철 전문위원
행정안전부 지방세특례제도과
한국지방세연구원 지방세 전문상담위원
Tel: 02-772-4354

형사

장영섭 변호사
서울중앙지방검찰청 금융조세조사1부장검사
법무부 법무과장
Tel: 02-772-4845

감사원

이세열 고문
감사원 심사담당과장
감사원 조세담당국 인사운영팀장
Tel: 02-6386-7840

법무법인(유) 지평
조세팀

지평은 조세자문, 행정심판, 행정소송, 위헌소송 등
조세 관련 분야에 탁월한 전문성을 가진 로펌입니다.

지평 조세팀은 법인 내 유관 전문서비스팀과
유기적인 결합으로 원스톱 고객서비스를 제공하고 있습니다.

조세쟁송	세무 진단 및 세무조사 대응
조세자문	회계규제
조세형사	관세 및 국제통상

법무법인(유) 지평 조세팀 **주요 구성원**

최현민 고문
부산지방국세청장

조세자문 일반
02-6200-1953

엄상섭 변호사·공인회계사
대법원 재판연구관(조세조)

조세소송
02-6200-1667

박영주 변호사
관세청 고문변호사

조세소송
02-6200-1728

강원일 변호사
상속세 및 증여세, 부동산 세법
성년후견업무(자산관리)

조세소송
02-6200-1951

김강산 변호사
광주지방법원 부장판사
서울행정법원 조세 전담부

조세형사
02-6200-1903

박성철 변호사
서울시
행정심판위원회 위원

조세위헌소송
02-6200-1777

김태형 변호사
관세청 정기 자문업무 수행

조세소송
02-6200-1767

김형우 변호사·공인회계사
삼일회계법인
금융자문본부

금융조세
02-6200-1839

고세훈 변호사
Texas Instruments
제조사업부(원가담당)

조세자문/해외투자
02-6200-1849

김선국 변호사
서울고등법원 재판연구원

조세형사
02-6200-1780

구상수 공인회계사
법학박사(조세)

조세자문 일반
02-6200-1738

지명수 세무사
국세청 조사국

조세자문 일반
02-6200-1623

JIPYONG 법무법인[유] 지평

서울 본사 서울 중구 세종대로 14 그랜드센트럴 A동 26층 (우)04527   TEL. 02-6200-1600   Email. master@jipyong.com

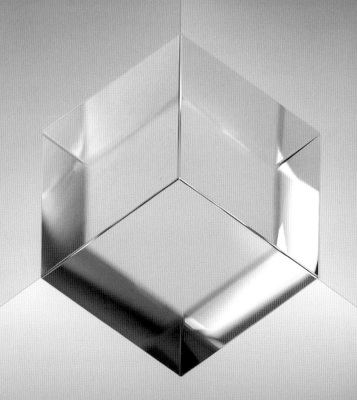

조세일보 정회원 통합형만이 누릴 수 있는

예규·판례 서비스

차별화된 조세 판례 서비스

매주 고등법원 및 행정법원 판례 30건 이상을 업데이트하고 있습니다. (1년 2천여 건 이상)

모바일 기기로 자유롭게 이용

PC환경과 동일하게 스마트폰, 태블릿 등 모바일기기에서도 검색하고 다운로드할 수 있습니다.

신규 업데이트 판례 문자 안내 서비스

매주 업데이트되는 최신 고등법원, 행정법원 등의 판례를 문자로 알림 서비스를 해드립니다.

판례 원문 PDF 파일 제공

판례를 원문 PDF로 제공해 다운로드하여 한 눈에 파악할 수 있습니다.

정회원 통합형 연간 30만원 (VAT 별도)

추가 이용서비스 : 온라인 재무인명부 + 프로필, 구인정보 유료기사 등

회원가입 : www.joseilbo.com

1등 조세회계 경제신문
 조세일보

세무의 명부

세무법인 | 회계법인 | 관세법인 | 로펌

감사원 | 기획재정부 | 금융위 | 금감원 | 상공회의소
중소기업중앙회 | 국세청 | 지방재정세제실 | 조세심판원 | 한국조세재정연구원

2022.7.14.현재

(윤석열 정부의 국세청 명단 포함)

1등 조세회계 경제신문
조세일보

기관

감 사 원

주소	서울특별시 종로구 북촌로 112 (삼청동 25-23) (우) 03050
대표전화	02-2011-2114
사이트	www.bai.go.kr

원장　　　　　　최재해

(D) 02-2011-2000 (FAX) 02-2011-2009

비서실장　　　　김영관

감사위원실
유희상 감사위원
임찬우 감사위원
조은석 감사위원
김인회 감사위원
이미현 감사위원
이남구 감사위원

사무총장	유병호	
제1사무차장		
제2사무차장		
공직감찰본부장	정상우	02-2011-2300
기획조정실장	김경호	02-2011-2171
감사교육원장	이준재	031-940-8802
감사연구원장		

감사원

대표전화 : 02-2011-2114 / DID : 02-2011-0000

원장: **최 재 해**
DID: 02-2011-2000

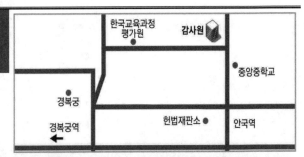

주소	서울특별시 종로구 북촌로 112 (삼청동 25-23) (우) 03050
홈페이지	www.bai.go.kr

실	비서실	원	감사교육원			감사연구원					
실장	김영관	원장	이준재 031-940-8802								
과		부장	이영직 031-940-8902			조종래 3050					
과장		과	교육지원	교육운영1	교육운영2	연구지원	연구1	연구2	연구3	인사혁신	운영지원
		과장	권진웅 8810	윤희연 8830	정진수 8821	김대현 3040	김찬수 3010	오윤섭 3020	신상훈 3030	최재혁 2582	최익성 2576

국	감찰관	대변인	재정경제감사국				산업금융감사국			
국장	김현철 2676	최정운 2491	이상욱 2111				조성은 2211			
과	감찰담당	홍보담당	1	2	3	4	1	2	3	4
과장	박상순 2676	안광용 2491	임동혁 2111	박성만 2121	남수환 2131	강승원 2141	권오복 2211	박기우 2221	김탁현 2231	위응복 2241

국	국토해양감사국				공공기관감사국				전략감사단		
국장	유병호 2311				김순식 2351				이수연 3060		
과	1	2	3	4	1	2	3	4	1	2	3
과장	장주흠 2311	노희관 2321	전형철 2331	김병수 2341	김만석 2351	임승주 2361	박용준 2371	김재신 2381	남가영 3060	유동욱 3070	이지웅 3080

국	시설안전감사단		사회복지감사국					행정안전감사국				
국장	이윤재 2601		현완교 2411					김영신 2511				
과	1	2	1	2	3	4	5	1	2	3	4	5
과장	조석훈 2601	신영일 2602	박경수 2411	배준환 2421	최현준 2431	김건유 2441	신현승 2451	정의종 2511	이진열 2521	김원형 2531	우동호 2541	김태석 2551

1등 조세회계 경제신문 조세일보

국	지방행정감사1국				지방행정감사2국			
국장	박완기 2611				장난주 042-481-6731			
과	1	2	3	4	대전 042-481	부산 051-718	대구 053-260	광주 062-717
과장	최인수 2611	이동규 2621	구경렬 2631	배재일 2641	김태성 6731	임봉근 2320	전우승 4300	안광승 5900

국	국방감사단		특별조사국					감사청구조사국				
국장	김상문 2501		최달영 2701					이영웅 2751				
과	1	2	1	2	3	4	5	1	2	3	4	5
과장	임상혁 2501	안광훈 2502	김원철 2701	김영규 2711	권기대 2721	안병준 2731	박성대 2741	권태경 2751	이상혁 2752	이지연 2753	임보영 2754	최일동 2755

국	공공감사운영단		민원조사단		심사관리관		기획조정실		
국장	황규상 2101		김영석 2191		정영채 2291		김경호 2171		
과	감사정책	감사운영심사	중앙	수원 031-259	1	2	기획	결산	혁신전략
과장	양병구 2101	박병호 2201	이관수 2191	이삼만 6580	김진경 2291	최창덕 2296	김태우 2171	남우점 2156	김민정 2420

국	기획조정실		심의실			정보관리단		적극행정지원단	
국장	김경호 2171		백맹기 2281			김성진 2401		박재용 2736	
과	국제협력	국제업무조사	법무	심의지원	감사품질지원	정보분석관리	시스템운영	적극행정지원	재심의
과장	조윤정 2186	유영 2646	김영호 2281	김규용 2285	정연상, 박정철, 손동신 2261	김태익 2401	여태승 2403	조성익 2736	박득서 2746

기획재정부

기 획 재 정 부

주소	세종특별자치시 갈매로 477 정부세종청사 기획재정부 (우) 30109
대표전화	**044-215-2114**
팩스	**044-215-8033**
계좌번호	**011769**
e-mail	**forumnet@mosf.go.kr**

부총리 　　　　추경호

(D) 044-215-2114

비서실장	신중범	(D) 044-215-2114
비서관	정여진	(D) 044-215-2114
사무관	박승환	(D) 044-215-2114
사무관	김형욱	(D) 044-215-2114
주무관	안희준	(D) 044-215-2114
사무원	윤남숙	(D) 044-215-2114

차관	전화
방기선 제1차관	044-215-2001
최상대 제2차관	044-215-2002

부총리 겸 장관: **추 경 호**
DID: 044-215-2114

주소	세종특별자치시 갈매로 477 정부세종청사 기획재정부 (어진동16-1) (우) 30109
홈페이지	www.mosf.go.kr

실	대변인				제1차관	
실장	조용범 2400				방기선 2001	
관	홍보담당관	장관정책보좌관	감사관	감사담당관	차관보	국제경제관리관
관장	범진완 8590	김진명 2090		고정삼 7170	이형일 2700	박일영 2004
과						
과장						
팀장	김정훈 2560 하광식 2430 박은미 2760			박찬호 2211		
서기관						
사무관	이석한 2411 박영식 2569 허영락 2418 박성현 2412 전광철 2419 박준영 2413 김태윤 2417 강병구 2431 주서의 2562 심우진 2433 석란 02-731-1531			김성욱 2213 이경숙 2212 박종석 2216 임주현 2217 박윤우 2218 최현규 2215 황명희 2219		
주무관	박순용 2561 김미라 2416 박진영 2415 박현우 2564 박재영 2435			남순옥 2208	심미경 2003	이영숙 2004 박준호 2376
직원	황은주 2437 전성민 2439 이훈용 김수민 2432 김준범 2420 유리나 2421 권기태 2568 김정숙 2763 최은영 7982 신동균 이성희 7981 02-731-1533 정윤정 2422 박서연 2761	박예나 2041		유다영 2207		
FAX	044-215-8033					

실	제1차관		제2차관	세제실			
실장	방기선 2001		최상대 2002	고광효 2006			
관			재정관리관	조세총괄정책관			
관장			김윤상 2005	정정훈 4200			
과	인사과	운영지원과		조세정책과	조세특례제도과	조세분석과	조세법령운용과
과장	박문규 2230	허진 2310		배정훈 4110	윤정인 4130	김문건 4120	
팀장	서진호 2250 황석채 2290	마용재 2330 진강렬 2350		최지훈 4190 김대연 4440			최우석 4160
서기관	손선영 2250			백경원 4111			
사무관	김승연 2270 정재현 2251 강준이 2293 송성일 2292	박종훈 2370 김우태 2351		전동표 4112 이현태 4113 한민희 4114 박지영 4441 유은빈 4442	김준하 4131 김명환 4132 오다은 4133 이도회 4142 박지혜 4136	고대현 4121 이수지 4122 박병선 4123	김경철 4161 현원석 4151 남원우 4152
주무관	이예솔 2252 정휘영 2253 전수정 2254 윤진 2255 추여미 2257 이승연 2259 심유정 2271 정성원 2258 이종성 2296 이희경 2294 오미영 2297 장윤정 2299	배경은 2371 박익성 8910 임유순 2335 김영대 8911 권미라 2374 이광훈 8909 이소영 2375 김종승 8905 윤애진 2372 신현구 8905 신용순 2334 김순현 2022 유미경 2369 김양언 8906 윤숙희 2354 박민희 2356 차연호 2355 김혜빈 2352 유석찬 2353	이종호 8900	이주윤 4116 최경남 4117 이은영 4118		남한샘 4126	남지형 4154
직원	유지혜 2239 천지연 2295	서석제 2333 김태완 김종욱 2373 유종휘 8915 이혜정 2357 박동우 2346 김상태 8908	김주연 2005	조재일 김서란 서윤정 4448 박춘목 4447		전지영 4125	박종현 4162
FAX	044-215-8033						

DID : 044-215-OOOO

실	세제실							
실장	고광효 2006							
관	소득법인세정책관					재산소비세정책관		
관장	이용주 4310					조만희 4130		
과	소득세제과	법인세제과	금융세제과	국제조세제도과	신국제조세규범과	재산세제과	부가가치세제과	환경에너지세제과
과장	박상영 4210	박지훈 4220	이영주 4230	염경윤 4240	김태정 4250	이재면 4310	한재용 4320	조용래 4330
팀장								
서기관		오미영 4221						
사무관	김현수 4211 김지민 4212 강재원 4213 박승효 4215	강효석 4223 김민중 4222	정지운 4231 김종완 4233	서은혜 4241 박현애 4243	구교은 8752 이재원 4253 심수현 4252	권영민 4311 정호진 4314 김경수 4312 김정 4313	배현중 4321 김종석 4322 서주원 4323	김만기 4331 장준영 4333
주무관	김철현 4216 임동호 4217 노예순 4218	신진욱 4224 양서영 4226	공동준 4236	전해일 4246	김지원 4254 민다연 4256	황혜정 4316 이희범 4318 김순옥 4317	정하석 4326	이건위 4336
직원				최연선 4245	오지연 4255			
FAX	044-215-8033							

실	세제실				기획조정실	
실장	고광효 2006				홍두선 2009	
관	관세정책관				정책기획관	
관장	김재신 4400				강기룡 2391	
과	관세제도과	산업관세과	관세협력과	자유무역협정 관세이행과	기획재정 담당관	혁신정책 담당관
과장	최영전 4120	김영민 4430	이종수 4450	권기중 4470	김이한 5130	이민호 2530
팀장			김정주 4460			박은영 2550 김만수 2990 이나원 02-215-0000 정규삼 4711
서기관					태원창 2511 김준호 2653	
사무관	권순배 4411 이영주 4412 손민호 4413 안준석 4417	이금석 4431 손아름 4432 김성채 4433 우지완 4453	이옥주 4451 박초롱 4452 황태훈 4454 박인원 4461 임도성 4462	김정진 4471 박재석 4472 강석훈 4473 이광태 4474	정윤홍 2513 구본균 2515 이성원 2512 강중호 2522 황신현 02-785-5989 김태경 2529 남수경 2516 김형준 2524	김연태 2551 김진성 2552 이운호 2533 유경숙 2544 김영욱 2541 전효선 2534 박칠군 2991 임상현 2994
주무관	황영길 4416 김세은 4418	김난숙 4438 김세리 4434	박정은 4456	이유림 4476	오한영 2524 김윤경 2521 노성수 2514 구본옥 2517 양고운 2520 배희정 2518	권민정 2553 조자현 2554 장재용 2532 권혁찬 2992 정재성 2993
직원			정유원 4467 이진선 4457	김원경 4478	김대원 2523	김선정 2542
FAX	044-215-8033					

DID : 044-215-OOOO

실	기획조정실			예산실				
실장	홍두선 2009			김완섭 2007				
관	정책기획관		비상안전 기획관	예산총괄심의관				
관장	강기룡 2391		성인용 2670	임기근 7100				
과	규제개혁 법무담당관	정보화 담당관	비상안전 기획팀	예산총괄과	예산정책과	예산기준과	기금운용 계획과	예산관리과
과장	윤정주 2570	이용안 2610		김태곤 7110	장윤정 7130	강경표 7150	김준철 5450	윤수현 7190
팀장	임진상 02-215-2650		이명진 2680					이재우 7494
서기관		하현기 2611		최상구 7111				
사무관	이미자 2571 김영옥 2572 손우성 2573 박태원 2574 김충현 7183 김진홍 2655	권성철 2615 허정태 2612 방춘식 2613	안창모 2681 강현정 2685	김지수 7114 원봉희 7117 조기문 7115 황현 7116	류재현 7131 정민철 7132 이상후 7133 이한결 7134 이동휘 7135	김병철 7151 안광선 7158 정주현 7152 이성민 7154	이승도 7171 이상헌 7172 송준식 7174 신지호 7177	박성준 7191 남기인 7199 최동호 7492
주무관	공숙영 2579 안윤정 2576 강성준 2577 이우철 2656 노은실 2654	장해영 2619 전준고 2633 정명수 2631 엄승욱 2614	한인상 2684	김재영 7112 문근기 7113 연영민 7118 이정연 7123 이영미 7122 천혜린 7120 장일영 7119	곽정환 7137 조상우 7136 이영임 7139	임상균 7155 강혜숙 7156	윤동형 7175 박수현 7176 이진승 7178	정사랑 7192
직원	윤소영 2578 서영수 2658	김희중 2618	김성학 (경력관) 2682 최희주 2689	주혜진 7121			박한힘(파견) 7182 박영민(파견) 7173	이기영(파견) 남지원 7196
FAX	044-215-8033							

64

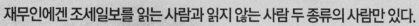
실	예산실									
실장	김완섭 2007									
관	사회예산심의관					경제예산심의관				
관장	한경호 7200					김동일 7300				
과	고용예산과	교육예산과	문화예산과	기후환경예산과	총사업비관리과	산업중소벤처예산과	국토교통예산과	농림해양예산과	연구개발예산과	정보통신예산과
과장	김경국 7230	이지원 7250	김완수 7270	정희철 7260	김장훈 7210	이성원 7310	남동오 7330	김정애 7350	강병중 7370	오현경 7390
팀장										
서기관					김남희 7211 홍현문 7213					
사무관	신경아 7231 최창선 7232 구본녕 7233 서혜경 7235	윤지원 7251 윤홍기 7252 이세환 7255 홍광표 7253	이은숙 7271 신동호 7272 최대선 7273 조승호 7274	하치승 7266 옥지연 7262 안준영 7261	박용택 7212	구정대 7311 권혁순 7312 전유석 7316 김정수 7313	성기웅 7331 이재철 7332 장준희 7342 곽인수 7336	성인영 7351 정효상 7353 이미숙 7354 최지애 7363 김진수 7352	김형은 7371 박혜강 7373 박주선 7374 강민기 7372	유동훈 7391 문성호 7397 이숙경 7393
주무관	한연지 7234 김명옥 7239	오상식 7254 김상우 7256	최나은 7275 김혜진 7276	오미화 7267	홍주연 7216	이정학 7315 남기범 7314 배미현 7318	최항 7338 문강기 7337	허장범 7356 전광호 7355	진선홍 7375 홍현아 7376	정민기 7398
직원			고지연 7277	임정숙 7269			강은영 7341	이은화 7357		
FAX	044-215-8033									

DID : 044-215-OOOO

실	예산실							
실장	김완섭 2007							
관	복지안전예산심의관				행정국방예산심의관			
관장	황순관 2200				박금철 7400			
과	복지예산과	연금보건 예산과	지역예산과	안전예산과	법사예산과	행정예산과	국방예산과	방위사업 예산과
과장	박재형 7510	강준모 7530	이혜림 7550	이미혜 7430	황경임 7470	박정민 7410	하승완 7450	강우진 2515
팀장						하태원 0000		
서기관								
사무관	원선재 7511 김이현 7513 안재영 7512 김진수 7514	이국희 7531 주병욱 7532 이상협 7534 김정아 7533	노영래 7551 송기선 7552 김경난 7554	안영훈 7431 오성태 7434 유이슬 7432	김민석 7471 이동석 7472 고상덕 7476	이만구 7411 박근형 7412 김정도 7413 강민서 7416 최현희 7495	조병규 7451 김기동 7455 박용환 7457	강보형 7461 서지연 7465 조강훈 7463
주무관	김민주 7516 윤성경 7515 황운정 7517	조성현 7536 최진경 7538 강윤정 7537	유승우 7557	김광일 7433 권동한 7436	송유민 7475 주상희 7477	김동훈 7415 이용호 7418	김희태 7459	박선영 7462
직원					이영광 7473	오도영 7417	김현순 7454	
FAX	044-215-8033							

국	경제정책국						정책조정국	
국장	윤인대 2700						우해영 4500	
관	민생경제정책관						정책조정기획관	
관장	이지호 2701						김재환 4501	
과	종합정책과	경제분석과	자금시장과	물가정책과	정책기획과	거시정책과	정책조정총괄과	산업경제과
과장	김영훈 2710	이승한 2730	김귀범 2830	김희재 2770	김승태 2810	조성중 2830	나상곤 4510	박재진 4530
팀장	이장로 2940	김경록 2850						
서기관	김태연 2711						성진규 4511	
사무관	신동현 2713 윤현곤 2714 김태순 2712 김금비 2715 박진훈 2717 류성열 2718	김태웅 2731 이종민 2732 유근정 2734 김준성 2733 이재헌 2735 성민혁 2851 심승미 2852 김선익 2853	손정혁 2751 신태섭 2752 김애리 2753 하다애 2755 최윤희 2754	최문성 2771 정동현 2772 이종희 2775 박진숙 2774 박영우 2777 신기태 2775	이상홍 2811 김태경 2812 송지현 2813	조찬우 2831 김영진 2832 김경래 2836 이유진 2833	서지현 4512 배준혜 4513 양현정 4515 전홍규 2013 박가영 4514	박정주 4531 김상엽 4532 황철환 4533 황인환 4534 심정민 4535
주무관	김송희 02-6050 -2521 정의론 2722 유선희 2719	김동환 2737 장영 2739	강재은 2756	박은심 2789 김동혁 2781	정유정 2815 서신자 2816	최다영 2835	이진경 4529 최재영 4528	이지은 4536 유소영 4539
직원	최민교 2724	석지원 2854	용혜인 2759			정지영 2839		
FAX	044-215-8033							

DID : 044-215-OOOO

국	정책조정국				경제구조개혁국					
국장	우해영 4500				이대희 8500					
관	정책조정기획관									
관장	김재환 4501									
과	신성장정책과	서비스경제과	지역경제정책과	기업환경과	경제구조개혁총괄과	일자리경제정책과	일자리경제지원과	인구경제과	복지경제과	청년정책과
과장	박성궐 4550	문경호 4610	정원 4570	구자영 4630	장보영 8510	황인웅 8530	조현진 8550	김동곤	유창연 8590	최진규 8580
팀장							이용주 8520			
서기관				김종현 4640	최성영 8511					
사무관	김한필 4551 류정금 4553 이명선 4555 이주영 4559 주해인 4552	전성준 4611 박여경 4612 권은영 4613 심민준 4615	최연 4571 김문수 4572 정민종 4573	류한솔 4632 장훈 4634	김미진 8512 유다빈 8513 주윤호 8514	이지은 8531 고광민 8532 김범석 8533	김요균 8551 김윤 8552 송재열 8554 임영상 8521	김형구 8571 변재만 8572 김주민 8573	김희준 8591 안건희 8592 이보영 8593 김상규 8595	류소윤 8581 원종혁 8582 권영현 8583
주무관	문명선 4554	강희진 4619	이해인 4576	양혜선 4639	변유호 8516 임동옥 8517	강인 8535 한선화 8537	이나연 8557	김지희 8576	박승연 8596	장혜선 8584
직원		서혜영 4617								
FAX	044-215-8033									

68

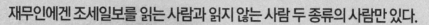

국	장기전략국				국제금융국		
국장	성창훈 4900				김성욱 4700		
관					국제금융심의관		
관장					정병식 4701		
과	미래전략과	사회적경제과	협동조합과	기후대응전략과	국제금융과	외화자금과	외환제도과
과장	김명선 4910	이종훈 5910	김홍섭 5930	나윤정 4940	오재우 4710	심규진 4730	심현우 4750
팀장	허수진 4970	이우형 4960					
서기관	김영현 4911					최은경 4731	
사무관	김민진 4920 김도경 4912 박성훈 4914 김유경 4913 어지환 4972 김가람 4972 우동연 4974	김성희 5911 이상윤 5913 권근아 5914 황지현 4961 이광수 4963	심지애 5931 이우석 황지은 5935 이창형 5934	강유신 4941 고현태 4944 손동석 4943 안영신 4942	고상현 4711 이용준 4712 박창규 4714 권용준 4716 서민아 4713	한정연 4734 박기학 4733 이은우 4736	박수민 4751 유경화 4752 장시열 4754 김용준 4753
주무관	김지영 4916 박소현 4917 김새날 4973	정은주 5916	임은란 5937	이연선 4945	김태호 4717 김재집 4718 이수택 4715 김경애 4719	민주영 4737 이경화 4739	이기민 4756 이승준 4758
직원	김규수(파견) 4975	최준호(파견) 5915	강민지(파견) 5936	유혜정 4909	박선경 4728		박하나 4759
FAX	044-215-8033						

DID : 044-215-OOOO

국	국제금융국	대외경제국						
국장	김성욱 4700							
관	국제금융심의관							
관장	정병식 4701							
과	금융협력과	다자금융과	대외경제총괄과	국제경제과	통상정책과	통상조정과	경제협력기획과	남북경제과
과장	김영현 4830	장의순 4810	이보인 6160	이준범 7630	김봉준 8740	이재완 7650	최지영 7740	이재용 7750
팀장		박민주 4840		배성현 7710				이준성 7730
서기관			변성만 7671 염철민 7611					
사무관	김민주 4831 이태윤 4833 이상민 4834 박재은 4832	진승우 4811 홍승균 4813 홍석찬 4812 김선아 4814 신정원 4818 이동훈 4841	이지우 7613 전형용 7612 정찬구 7622	박상현 7631 유경원 7635 정완준 7632 박정환 7636 김정환 7712	박재홍 7671 박재현 7672 정희진 7673 홍가람 7674	이현준 7651 김교중 7652 신승헌 7654	김상형 7741 김태중 7742 신형진 7743 김나운 7744 김기홍 7745	이현지 7731 김동욱 7751 김양희 7752
주무관	김은채 4836 신명숙 4839	이성국 4815 김옥동 4817	선우다스림 7623 김현후 7621 안주환 7629	이재현 7633 심경자 7634 김철홍 7716	조선희 7675 안소현 7676	임지흠 7657 신윤정 7656	권미경 7748 김도훈 7746	김유정 7756
직원	곽지혜 4838	지윤서 4843 이정환(파견) 4842 임민지 4816	신혜철(파견) 7625	김화윤 7637		이태경 7658 문희원 7659	김민지 7748 김인영 7747	
FAX	044-215-8033							

1등 조세회계 경제신문 조세일보

국	개발금융국					국고국		
국장	김경희 8700					유형철 5100		
관						국유재산심의관		
관장						이승원 5101		
과	개발금융총괄과	국제기구과	개발전략과	개발사업과	녹색기후기획과	국고과	국유재산정책과	계약정책과
과장	신준호 8710	이상규 8720	정광조 8770	박정현 8740	곽소희 8750	강대현 5110	노중현 5150	조규산 5210
팀장		박은정 8730						
서기관	임진홍 2394					박찬효 5111 최시훈 5111		
사무관	이샘나 8711 이명진 8712 김재원 8714 이홍석 8713	최봉석 8722 유연정 8724 김요한 8723 이우리 8727 이수호 4584	정다운 8771 김영수 8772 김지영 8774 박준석 8778	윤영준 8742 안근옥 8741 허성용 8743 장효은 8744	전종현 8751 김다현 8753 박준수 8754 이현지 8759 강정훈 8752	박정상 5112 최지원 5113 박진영 5123 오승상 5116	안영환 5152 송재경 5162 손주연 5153 이원재 5165 유양희 5154	김종성 5211 이윤태 5212 김연수 5213 김용대 5214
주무관	봉진숙 8716 김예슬 8717	김경연 8725 지영미 8726	정성구 8775 권문연 8777	강진명 8748	이세미 8756	박지현 5121 엄지원 5114 김도희 5124 박새롬 5117 류은선 5129	홍단기 5161 박수영 5166	조태희 5218 김유림 5217 채수정 5219
직원	홍에스더 8719 정진욱(파견) 8718	장준혁 8728 김윤경(파견) 8734 김융희(파견) 8736 송아란 8729	조창인 8776		김예은 8757 김효정 8758		서정곤(파견) 5157 최성백(파견) 5164	오영훈(파견) 5216
FAX	044-215-8033							

DID : 044-215-OOOO

국	국고국				재정혁신국			
국장	유형철 5100				나주범 5700			
관	국유재산심의관				재정기획심의관			
관장	이승원 5101				김현곤 5703			
과	국채과	국유재산조정과	출자관리과	혁신조달기획과	재정전략과	지출혁신과	재정제도과	재정건전성과
과장	장보현 5130	류중재 5250	장승대 5170		김위정 5720	임헌정 7900	정남희 5490	윤범식 5740
팀장				임병국 5640	신대원 5760			
서기관			홍연희 5178					
사무관	이상아 5131 안경우 5132 서병관 5134 조선형 5133	석상훈 5251 김지수 5252 이재우 5253 전찬익 5254	김형훈 5172 이민정 5171 박종운 5175 윤정민 5181	김동석 5643 김진수 5642 조중연 5231 양성철 5232 김성훈 5233	김영웅 5721 정병완 5727 김기문 5722 신채용 5725 권유림 5723 이대권 5726 이종혁 5761	장현중 7901 문성희 7902 박수진 7903	김소연 5495 김태진 5494 김선영 5492 권준수 5493	김민형 5741 문혁완 5744 강도영 5743 김민호 5742
주무관	지혜조 5135 박선영 5139	박양규 5255 한연옥 5259	연혜정 5177 정혜진 5173 유진목 5176	최성민 5235 조효숙 5234	유은경 5730 김보현 5728 신기환 5762	최나영 7905	김서현 5496	하은선 5749 정은주 5745
직원	최재국(파견) 5136 이혜정 5137	김주일(파견) 5261 문상은(파견) 5258	양지윤(파견) 5179			김종임 7906		
FAX	044-215-8033							

국	재정혁신국		재정관리국				
국장	나주범 5700		강완구 5300				
관	재정기획심의관		재정성과심의관				
관장	김현곤 5703		배지철 5301				
과	재정정보과 02-6908 -OOOO	참여예산과	재정관리 총괄과	재정성과 평가과	타당성심사과	민간투자 정책과	회계결산과
과장	정동영 8720	조영욱 5480	오기남 5310	김선길 5370	유형선 5410	권재관 5450	박성주 5430
팀장			한주희 8781 이제봉 5470				김완수 5360
서기관						서동진 5451	
사무관	이주호 8726 유동석 8722	윤석규 5481 염승화 5489 최덕희 5483	유예림 5311 이성택 5354 강성빈 5355 김성용 5317 정길채 5318 박철희 5352 박수진 5312 조현두 8782 신재원 8784 안형자 5471 신수용 5472	이성한 5374 이현주 5373 정철교 5376	이창희 5412 이재학 5417 장유석 5416 권순영 5414 이동수 5415	송현정 5452 한재수 5455 유정아 5454 이승민 5457 강인주 5453	이해인 5431 김연대 5433 박미경 5432 이동훈 5361
주무관	이경희 8729 김지영 8724	강원식 5486	이우태 5316 고광남 5322 심경희 5473 최인선 5474	송현전 5377 이영숙 5378	김지수 5413 황성희 5419	임영주 5459 정명지 5458	최규철 5434 김도연 5438
직원	이영선 8728 김크리스틴 8730	최영락 5484 이혜인 5487	이지은 5315				문영희 5437
FAX	044-215-8033						

DID : 044-215-OOOO

국	공공정책국							
국장	김언성 5500							
관	공공혁신심의관							
관장								
과	공공정책 총괄과	공공제도 기획과	재무경영과	평가분석과	인재경영과	윤리경영과	공공혁신과	경영관리과
과장	고재신 5510	정유리 5530	육현수 5630	김유정 5550	이복원 5570	김수영 5620	오정윤 5610	김의영 5650
팀장					윤영수 5580			김택수 5670
서기관			권오영 5631					
사무관	송윤주 5512 가순봉 5514 고영록 5513 신명록 5515 염보규 5517	안기용 5531 김재현 5532 김숙 5534 박주현 5536	이수현 5632 최재원 5633 이형경 5634	이희한 5551 전성헌 5552 김윤희 5553 이남희 5558	이승민 5581 박지혜 5576 이지혜 5573	이재석 5622 이채영 5623 이하준 5624	박준하 5611 박중민 5612 임강빈 5613	김정수 5651 류남욱 5652 손현석 5654 김동욱 5671
주무관	장효순 5529 김민지 5518	어우주 5533 김윤수 5549	김선주 5635	김태이 5569	이현주 5574 유정미 5575	구동원 5625 변은진 5626	김항년 5615 김정란 5617	이경아 5656 임선희 5655
직원		홍성식(파견) 5535	김대석(파견) 5649		안재완(파견) 5578			
FAX	044-215-8033							

1등 조세회계 경제신문 조세일보

관	재정집행특별 점검단	복권위원회사무처			국고보조금통합관리시스템관리단 02-6312-OOOO	
관장	강완구 5300	김서중 7800			송복철 8300	
과	집행전략과	복권총괄과	발행관리과	기금사업과	기획정보팀	시스템관리팀
과장	문상호 5330	고정민 7810	강준희 7830	이철규 7850		
팀장					나상률 8310	공영국 8313
서기관		김원대 7814				오상우 044-330-1513
사무관	김선애 5331 소병화 5338 전준영 5334 정효경 5336 전예지 5332 민혜수 5333	오두현 7851 김지은 7812 이원재 7816	김지선 7832 백윤정 7831 조용감 7839 안수민 7835 최성진 7833 하승원 7837	이범한 7853 박철호 7858 이지혜 7854 김미선 7855	최남오 8327	박미경 8344
주무관	박형민 5339	김주원 7819 이혜인 7818	김유경 7838	강현순 7857 장수은 7856 김유빈 7852		
직원	김진아 5335 김미진 5337	권영진 7813			이상민(파견)	
FAX	044-215-8033					

관	혁신성장추진기획단 02-6050-OOOO				차세대예산회계시스템구축추진단 044-330-OOOO		
관장	김범석				윤정식 1501		
과	혁신성장기획팀	혁신투자팀	서비스산업혁신팀	혁신카라반팀	총괄기획과	시스템구축과	재정정보공개과
과장					강희민 1520	김진홍 1520	
팀장							강영석 1540
서기관						김성진 1521	오정림 1541
사무관					김영민 1521 박세웅 1525 박현석 1524 이용호 1523 임정연 1526 신인식 1513 권민상 1511 김창기 1516 오형석 1512	지다슬 1525 정채환 1523 장경승 1526	권상욱 1533 문만수 1536 박종수 1532 김성식 1542 송민익 1545 정소영 1544
주무관					정보근 1532 윤현미 1527 김혜린 1514		
직원					김민진 1515	윤태호(파견) 1524	
FAX	044-215-8033						

국	조세및고용보험소득정보연계구축추진단			한국판뉴딜실무지원단 044-960-OOOO			
국장							
과	제도총괄팀	소득파악팀	소득정보인프라팀	기획총괄팀	디지털뉴딜팀	그린뉴딜팀	휴먼뉴딜팀
과장							
팀장	양순필 4360	정혜경 4370	최성영 4380	정한 6160	김우철 6170	안지애 6180	손재형 6190
서기관	김종락 4361 조경선 4362		정하용 4381	이철우 6197 서명선 6164			
사무관		김성웅 4373 김성우 4371		강창기 6161 오성진 6163	김남석 6172 박상우 6171 임고은 6175 허지수 6174	양승진 6185 한혜림 6182 정동현 6184 한상윤 6181	김봉중 6191 이보배 6192
주무관				정해주 6165			
직원			박종우(파견) 4382	이세풍(파견) 6166			양태영(파견) 6195
FAX	044-215-8033						

금융위원회

주소	서울특별시 종로구 세종대로 209 금융위원회 (우) 03171
대표전화	02-2100-2500
사이트	www.fsc.go.kr

위원장　　김주현

(D) 02-2100-2700 FAX : 02-2100-2715

부위원장	김소영	02-2100-2800
상임위원(금융위)	김용재	02-2100-2702
상임위원(금융위)	박정훈	02-2100-2701
비상임위원(금융위)	김용진	
상임위원(증선위)	이명순	02-2100-2703
비상임위원(증선위)	이준서	02-2100-2704
비상임위원(증선위)	송창영	
비상임위원(증선위)	박종성	
사무처장	이세훈	02-2100-2900

금융위원회

대표전화: 02-2100-2500/ DID: 02-2100-OOOO

위원장: **김 주 현**

DID: 02-2100-2700

주소	서울특별시 종로구 세종대로 209 정부서울청사 (우) 03171
홈페이지	www.fsc.go.kr

국실	대변인					
국장	서정아 2550					
과		금융공공데이터 담당관	행정인사과	자본시장조사단	금융그룹감독 혁신단	금융안정지원단
과장		전희규 2674, 2675	선욱 2756, 2765, 2767	손영채 2542, 2543	권주성 2823, 2596	김홍식 1665~7
FAX						

국실	금융정보분석원						
	김정각 1701						
국장	제도운영기획관	심사분석심의회	기획행정실		심사분석실		
	전요섭 1801	김정각 1701	김동환 1733		임승철 1810		
과			제도운영과	가상자산 검사과	심사분석1과	심사분석2과	심사분석3과
과장			전은주 02-736-1755	이동욱 02-736-1740	김선주 1859	박진희 1881	조미연 1894
FAX			02-736 -1756	02-736 -1756	1863	1882	1898

국실	기획조정관			금융소비자국			
국장	유재훈 2770			박광 2980			
과	혁신기획재정 담당관	규제개혁법무 담당관	감사담당관	금융소비자 정책과	서민금융과	가계금융과	청년정책과
과장	진선영 2788, 2789, 2772	오화세 2818, 2808	강석민 2794	권유이 2633, 2635	정선인 2617	조문희 2512, 2527	최치연 1688
FAX	2778	2777	2799	2999	2629	2639	

국실	금융정책국				
국장	권대영 2820, 2822				
과	금융정책과	금융시장분석과	산업금융과	글로벌금융과	지속가능금융과
과장	변제호 2825, 2874, 2839	고상범 2856, 2857	이석란 2873, 2867, 2868	김수호 2885, 2888, 2895	전수한 1690
FAX	2849	2829	2879	2939	

국실	금융산업국			자본시장정책관		
국장	이형주 2940, 2941			이윤수 2640, 2641		
관	은행과	보험과	중소금융과	자본시장과	자산운용과	공정시장과
관장	김연준 2955, 2956, 2957	이동엽 2965, 2966, 2968	이진수 2995, 2998, 2627	이수영 2656, 2657, 2658	고영호 2665, 2666	김광일 2685, 2686
FAX	2948	2947	2933	2648	2679	2678

국실	구조개선정책관		금융혁신기획단		
국장	신진창 2901, 2902		박민우 2580, 2581		
과	구조개선정책과	기업구조개선과	금융혁신과	전자금융과	금융데이터정책과
과장	손성은 2915, 2916, 2918	김성진 2924, 2926	박주영 2538, 2758	김종훈 2976, 2978	신장수 2624, 2621
FAX	2919	2929	2548	2946	2745

금융감독원

주소	서울특별시 영등포구 여의대로 38 (우) 07321
대표전화	**02-3145-5114**
사이트	**www.fss.or.kr**

원장　　　이복현

(D) 02-3145-5001, 5002 (FAX) 785-3475

비　　서	유환숙	(D) 02-3145-5315
비　　서	양윤경	(D) 02-3145-5316

감사	감사	김기영	02-3145-6001
기획·보험	수석부원장	이찬우	02-3145-5003
은행·중소서민금융	부원장	김종민	02-3145-5005
자본시장·회계	부원장	김동회	02-3145-5007
금융소비자보호처	처장(부원장)	김은경	02-3145-5009
기획·경영	부원장보	김미영	02-3145-5029
전략감독	부원장보	이진석	02-3145-5027
보험	부원장보	조영익	02-3145-5031
은행	부원장보	이준수	02-3145-5021
중소서민금융	부원장보	이희준	02-3145-5037
금융투자	부원장보	이경식	02-3145-5035
공시조사	부원장보	함용일	02-3145-5033
회계	전문심의위원	장석일	02-3145-5039
소비자피해예방	부원장보	박상욱	02-3145-5023
소비자권익보호	부원장보	김영주	02-3145-5025
금융자문관		송민규	02-3145-5056
법률자문관		최종혁	02-3145-5095

금융감독원

대표전화: 02-3145-5114/ DID: 02-3145-OOOO

원장: **이 복 현**

DID : 02-3145-5311

주소	서울특별시 영등포구 여의대로 38 금융감독원 (여의도동 27) (우) 07321
홈페이지	http://www.fss.or.kr

본부	기획·보험									
부원장	이찬우 5003, 5004									

본부		기획·경영								
부원장		김미영 5029, 5030								

국실	준법지원실		기획조정국				총무국			
국장	이승우 5500, 5501		김정태 5900, 5901				김범수 5250, 5251			
팀	준법기획	준법지원	전략기획	조직예산	조직문화혁신	대외협력	급여복지	재무회계	재산관리	업무지원
팀장	최상두 5502	최강석 7005	박상규 5940	이재석 5898	김민수 5890	박용운 5930	이창규 5300	이승민 5270	윤진호 5280	이방우 5290

국실	공보실			인적자원개발실				글로벌시장국(금융중심지지원센터)			
국장	이현석 5780, 5781			차수환 5470, 5471				박지선 7890, 7891			
팀	공보기획	공보운영	홍보	인사기획	인사운영	연수기획	연수운영	금융시장분석	금융중심지지원	국제협력	국제기구	국제업무지원
팀장	오충건 5784	도영석 5785	박은혜 5803	김성욱 5472	변재은 5480	이지원 6360	김보성 6380	서영일 7892	양지영 7901	김혜선 7915	임재동 7170	7177

국실	정보화전략국						법무실				비서실	안전관리실
국장	류명하 5370, 5371						서재완 5910, 5911				박상원 5090	백승필 5350
팀	정보화기획	정보화운영	감독정보시스템1	감독정보시스템2	경영정보시스템	정보보안	은행	금융투자	보험	중소서민	비서	
팀장	류길상 5460	김송범 5380	이정훈 5410	최동현 5430	박근태 5420	이우람 5431	정은정 5912	최동우 5920	나세준 5915	남영민 5918	5310	

1등 조세회계 경제신문 조세일보

본부	전략·감독									
부원장	이진석 5027, 5028									
국실	감독총괄국						감독조정국			
국장	김병칠 8300, 8301						이창운 8170, 8171			
팀	감독총괄	검사총괄	금융상황관리	검사지원	검사분석	지속가능금융	감독조정	거시감독	시스템리스크분석	금융연구
팀장	곽범준 8001	조치형 8010	임잔디 8310	8640	유명신 8290	김성주 8303	이정두 8180	이민규 8172	심재호 8190	문양수 8185

국실	제재심의국						디지털금융혁신국			
국장	최인호 7800, 7801						김용태 7120, 7121			
팀	제제심의총괄	은행	중소서민금융	보험	금융투자	조사감리	디지털금융총괄	전자금융	핀테크혁신지원	디지털자산연구	핀테크현장자문
팀장	이명규 7821	서창대 7802	심은섭 7804	조문수 7811	진세동 7810	김환주 7820	김택주 7125	이수인 7135	서명수 7140	안병남 7130	7355

국실	금융데이터실						IT검사국			
국장	정우현 7160, 7161						장성옥 7420, 7421			
팀	빅데이터총괄	마이데이터	신용정보감독	금융데이터검사	검사기획	전자금융검사	은행검사	중소서민검사	보험검사	금융투자검사
팀장	김정훈 7162	이영기 7180	유상범 7155	김태근 7185	위충기 7415	안태승 7416	이성욱 7330	김세모 7340	홍성하 7350	강석원 7430

국실	자금세탁방지실				금융그룹감독실		
국장	이훈 7500, 7501				김재호 8200, 8201		
팀	자금세탁방지기획	자금세탁방지검사1	자금세탁방지검사2	자금세탁방지운영	지주금융그룹감독	금융복합그룹감독	금융복합그룹검사
팀장	전홍균 7502	김지웅 7490	윤인자 7495	김도희 7540	김우현 8210	최정환 8204	석재승 8219

DID : 02-3145-OOOO

본부	보험				
부원장	조영익 5031, 5032				
국실	보험감독국				
국장	양해환 7460, 7461				
팀	보험총괄	건전경영	보험제도	특수보험1	특수보험2
팀장	홍영호 7450	이권홍 7455	김태훈 7474	최진영 7471	이승원 7466

국실	생명보험검사국						손해보험검사국					
국장	김범준 7790, 7791						서정보 7680, 7681					
팀	검사기획	상시감시	검사1	검사2	검사3	검사4	검사기획	상시감시	검사1	검사2	검사3	검사4
팀장	조한선 7770	윤세영 7780	신창현 7795	권순표 7785	최은실 7950	김동하 7955	박종훈 7510	김경수 7660	정영락 7671	이동훈 7527	김준욱 7689	김동훈 7675

국실	보험영업검사실			보험리스크제도실		
국장	김금태 7270, 7271			이상아 7240, 7241		
팀	검사기획	검사1	검사2	보험리스크총괄	보험계리	보험리스크업무
팀장	최환 7260	최영덕 7265	최은희 7275	이태기 7242	송상욱 7245	곽정민 7244

본부	은행·중소서민금융											
부원장	김종민 5005, 5006											
본부	은행											
부원장	이준수 5021, 5022											
국실	은행감독국				일반은행검사국								
국장	강선남 8020, 8021				양진호 7050, 7051								
팀	은행총괄	건전경영	은행제도	가계신용분석	검사기획	상시감시	검사1	검사2	검사3	검사4	검사5	검사6	인터넷전문은행검사
팀장	김형원 8022	황준하 8050	이종진 8030	양유형 8040	김정렬 7060	문선기 7065	김국년 7070	송영두 7075	김남태 7080	김석훈 7085	이정만 7090	김상현 7095	윤동진 7100

국실	특수은행검사국						외환감독국				
국장	김학문 7200, 7201						엄일용 7920, 7921				
팀	검사기획	상시감시	검사1	검사2	검사3	검사4	외환총괄	외환업무	외환분석	외환검사1	외환검사2
팀장	김대진 7205	한구 7210	박진호 7215	김치우 7225	이철진 7191	김태욱 7220	홍석린 7922	곽원섭 7928	이진아 7933	송경용 7938	박운규 7945

국실	신용감독국				은행리스크업무실		
국장	박충현 8370, 8371				임종건 8350, 8351		
팀	신용감독총괄	신용감독1	신용감독2	신용감독3	은행리스크총괄	은행리스크검사	은행리스크분석
팀장	이종오 8380	김재갑 8390	임연하 8382	조수경 8372	황태식 8360	김범준 8345	박병일 8356

DID : 02-3145-OOOO

본부	중소서민금융						
부원장	이희준 5037, 5038						
국실	저축은행감독국				여신금융감독국		
국장	정용걸 6770, 6771				김준환 7550, 7551		
팀	저축은행총괄	건전경영	저축은행 영업감독	P2P감독	여신금융총괄	건전경영	여신금융 영업감독
팀장	박현섭 6772	문재희 6773	오우철 6775	홍진섭 6774	김충진 7447	이성희 7552	김시형 7440

국실	상호금융국							저축은행검사국		
국장	권화종 8070, 8071							이길성 7410, 7411		
팀	상호금융 총괄	건전영업 감독	검사기획	상시감시	검사1	검사2	검사3	검사기획	상시감시	검사1
팀장	김도희 8072	이건필 8083	정미선 8078	박상만 8760	김성수 8767	이동원 8774	최종천 8781	이진 7370	김은순 7380	백성구 7385

국실	저축은행검사국			여신금융검사국								
국장	이길성 7410, 7411			최길성 8810, 8811								
팀	검사2	검사3	P2P검사	검사기획	상시감시	여전업 검사1	여전업 검사2	여전업 검사3	대부업 총괄	대부업 검사1	대부업 검사2
팀장	이민호 7392	이장희 7400	황정훈 7405	박상현 8805	조영범 8800	최관식 8816	오관수 8830	이희성 8822	신동호 8260	문병모 8267	김수진 8272

본부	자본시장·회계								
부원장	김동회 5007, 5008								
본부	금융투자								
부원장	이경식 5035, 5036								
국실	자본시장특별 사법경찰	자본시장감독국							
국장	김충우 5600, 5601	이주현 7580, 7581							
팀	수사1	수사2	자본시장 총괄	건전경영	증권시장	자본시장 제도	파생상품 시장	금융거래 지표감독	시장인프라 감독
팀장	허승환 5602	강성곤 5605	박상준 7570	유석호 7595	이장훈 7611	이동규 7587	장재훈 7600	7612	조영석 7590

국실	자산운용감독국						금융투자검사국		
국장	박재흥 6700, 6701						조철 7010, 7011		
팀	자산운용 총괄	자산운용 인허가	자산운용 제도	펀드심사1	펀드심사2	자문·신탁 감독	검사기획	상시감시	검사1
팀장	문상석 6702	이은영 6710	임권순 6720	서현재 6725	이원흠 6730	김준호 6755	윤정숙 7012	이현덕 7020	김재형 7025

국실	금융투자검사국				자산운용검사국					
국장	조철 7010, 7011				김명철 7690, 7691					
팀	검사2	검사3	검사4	검사5	검사기획	상시감시	검사1	검사2	검사3	검사4
팀장	손기숙 7030	이상민 7035	이성진 7040	이진태 7110	황승기 7620	송현철 7645	이태호 7631	임형조 7641	박재영 7621	이행정 7651

DID : 02-3145-OOOO

본부	공시·조사					
부원장	함용일 5033, 5034					
국실	기업공시국					
국장	박종길 8100, 8101					
팀	기업공시총괄	증권발행제도	전자공시	지분공시1	지분공시2	구조화증권
팀장	김형순 8475	장영심 8482	유희준 8610	박상준 8486	박성훈 8479	명기영 8090

국실	공시심사실						조사기획국				
국장	황선오 8420, 8421						김봉한 5550, 5551				
팀	공시심사기획	특별심사	공시심사1	공시심사2	공시심사3	공시조사	조사총괄	조사제도	시장정보분석	기획조사	시장정보조사
팀장	장창호 8422	이주영 8431	정용석 8450	김성년 8456	안종호 8463	지행호 8470	권영발 5582	이장준 5540	박형근 5560	김형욱 5563	조성우 5565

국실	자본시장조사국					특별조사국			
국장	안승근 5650, 5651					고영집 5100, 5101			
팀	조사기획	조사1	조사2	파생상품조사	공매도조사전담	조사기획	테마조사	복합조사	국제조사
팀장	이상헌 5663	김양기 5635	이동영 5637	김희영 5636	5662	권태경 5102	형남대 5105	장정훈 5106	이진우 5107

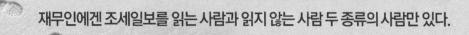

재무인과 함께 걸어가겠습니다 '조세일보'

재무인에겐 조세일보를 읽는 사람과 읽지 않는 사람 두 종류의 사람만 있다.

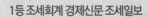

본부	회계											
위원장	장석일 5039, 5040											
국실	회계심사국						회계조사국					
국장	박형준 7700, 7701						최광식 7290, 7291					
팀	회계심사총괄	테마심사	회계심사1	회계심사2	회계심사3	회계심사4	회계조사총괄	기획감리	회계조사1	회계조사2	회계조사3	회계조사4
팀장	권영민 7702	김대범 7725	임인수 7720	이석 7730	유형주 7710	양두호 7731	이형석 7292	문정호 7313	신규종 7320	최창중 7308	이윤길 7304	정현호 7301

국실	회계관리국				감사인감리실			
국장	김철호 7750, 7751				황인협 7860, 7861			
팀	회계관리총괄	금융회계	국제회계기준	공인회계사시험관리	감사인감리총괄	감사인감리1	감사인감리2	감사인감리3
팀장	김효희 7752	이재훈 7970	김경률 7980	윤지혜 7753	이동춘 7862	류태열 7863	오세천 7864	정주은 7878

본부	금융자문관	법률자문관	감사		
위원장	송민규 5056, 5057	최종혁 5095, 5096	김기영 6001, 6002		
국실			감사실		
국장			김성우 6060, 6061		
팀			감사1	감사2	감사3
팀장			오정근 6070	장경필 6062	박항신 6063

DID : 02-3145-OOOO

본부	금융소비자보호처									
부원장	김은경 5009, 5010									
본부	소비자피해예방									
부원장	박상욱 5023, 5024									
국실	금융소비자보호총괄국					금융상품판매분석국				
국장	조성민 5700, 5701					이영로 8320, 8321				
팀	소비자보호총괄	소비자보호제도	금융상품판매감독1	금융상품판매감독2	금융현장소통	판매분석총괄	예금·대출상품분석	투자상품분석	보장상품분석	소비자보호점검
팀장	백규정 5680	정재승 5697	최성호 5687	최판균 5692	8850	최용욱 8314	장항필 8319	윤형준 8323	권영수 8331	박철웅 8322

국실	금융상품심사분석국				연금감독실	
국장	윤영준 8220, 8221				박종각 5180, 5181	
팀	심사분석총괄	예금·대출상품심사	투자상품심사	보장상품심사	연금감독	연금검사
팀장	정관성 8230	김용민 8225	오동균 8236	주요한 8240	손인수 5190	이상진 5199

국실	금융교육국				포용금융실	
국장	구본경 5970, 5971				김시일 8410, 8411	
팀	금융교육기획	일반금융교육	학교금융교육	금융교육지원단	서민·고령자포용	중소기업·자영업자포용
팀장	강형구 5972	하도훈 5956	배중기 5964	8566	이석주 8412	이승훈 8409

본부	소비자권익보호							
부원장	김영주 5025, 5026							
국실	금융민원총괄국			분쟁조정1국			분쟁조정2국		
국장	박종수 5530, 5531			유창민 5210, 5211			이무열 5750, 5751		
팀	금융민원총괄	원스톱서비스	민원조사	분쟁조정기획	생명보험	손해보험	분쟁조정기획	제3보험1	제3보험2
팀장	이준교 5510	조남경 8520	손희원 5532	정제용 5212	김종호 5200	서창영 5221	이선진 5239	김철영 5240	손인호 5745

국실	분쟁조정3국					신속민원처리센터			
국장	윤덕진 5720, 5721					홍장희 5760, 5761			
팀	분쟁조정기획	은행	중소서민금융	금융투자	사모펀드	은행·금투민원	중소서민민원	생명보험민원	손해보험민원
팀장	성용준 5712	김경환 5722	박정은 5736	송병욱 5741	박관우 5729	권재순 5762	김찬훈 5768	김우택 5772	우정민 5775

국실	불법금융대응단			보험사기대응단		
국장	박중수 8150, 8151			박동원 8730, 8731		
팀	불법금융대응총괄	불법사금융대응	금융사기대응	조사기획	보험조사	특별조사
팀장	민재기 8130	김재흥 8129	고병완 8521	권성훈 8726	김정운 8888	황기현 8880

지원	부산울산지원			대구경북지원			광주전남지원			대전충남지원			인천지원	
지원장	박봉호 051-606-1710			박광우 053-760-4001			김태성 062-606-1610			김재경 042-479-5101			구원호 032-715-4801	
주소	부산광역시 연제구 중앙대로 1000 국민연금부산회관 12층			대구광역시 수성구 달구벌대로 2424 삼성증권빌딩 7F, 8F			광주광역시 동구 제봉로 225 (광주은행 본점 10층)			대전광역시 서구 한밭대로 797 (캐피탈타워 15층)			인천광역시 남동구 인주대로 585 한국씨티은행빌딩 19층	
전화 FAX	TEL :(051)606-1700~1 FAX :(051)606-1755			TEL :(053)760-4000 FAX :(053)764-8367			TEL :(062)606-1600 FAX :(062)606-1630, 1632			TEL :(042)479-5151~4 FAX :(042)479-5130-1			TEL :(032)715-4890 FAX :(032)715-4810	
팀	기획	검사	소비자보호	기획	검사	소비자보호	기획	검사	소비자보호	기획	검사	소비자보호	기획	소비자보호
팀장	강진순 1720	김미선 1730	김종환 1740	김규진 4030	박종훈 4003	김은성 4004	양현국 1613	박상현 1611	강대민 1612	봉진영 5103	임성빈 5104	선영일 5105	안영백 4802	이환권 4805

지원	경남지원	제주지원	전북지원	강원지원	충북지원	강릉지원
지원장	민동휘 055-716-2324	박진해 064-746-4205	조정석 063-250-5001	김태호 033-250-2801	장동민 043-857-9101	김경영 033-642-1901
주소	경상남도 창원시 성산구 중앙대로 110 케이비증권빌딩 4층	제주특별자치도 제주시 은남길 8 (삼성화재빌딩 10층)	전라북도 전주시 완산구 서원로 77 (전북지방중소벤처 기업청 4층)	강원도 춘천시 금강로 81 (신한은행 강원본부 5층)	충청북도 충주시 번영대로 242, 충북원예농협 경제사업장 2층	강원도 강릉시 율곡로 2806 한화생명 5층
전화 FAX	TEL :(055)716-2330 FAX :(055)287-2340	TEL :(064)746-4200 FAX :(064)749-4700	TEL :(063)250-5000 FAX :(063)250-5050	TEL :(033)250-2800 FAX: (033)257-7722	TEL :(043)857-9104 FAX :(043)857-9177	TEL :(033)642-1902 FAX :(033)642-1332
팀	소비자보호	소비자보호	소비자보호	소비자보호	소비자보호	소비자보호
팀장	이성호 2325	김시원 4204	최대현 5003	김세동 2805	이종기 9102	이인규 1902

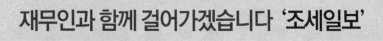

재무인과 함께 걸어가겠습니다 '조세일보'

재무인에겐 조세일보를 읽는 사람과 읽지 않는 사람 두 종류의 사람만 있다.

1등 조세회계 경제신문 조세일보

해외사무소	
뉴욕	Address : 780 Third Avenue(14th floor) NewYork, N. Y. 10017 U.S.A. Tel : 1-212-350-9388 Fax : 1-212-350-9392
런던	Address : 4th Floor, Aldermary House, 10-15 Queen Street, London EC4N 1TX, U.K. Tel : 44-20-7397-3990~3 Fax : 44-20-7248-0880
프랑크푸르트	Address : Feuerbachstr.31,60325 Frankfurt am Main, Germany Tel : 49-69-2724-5893/5898 Fax : 49-69-7953-9920
동경	Address : Yurakucho Denki Bldg. South Kan 1051,7-1, Yurakucho 1- Chome, Chiyoda-Ku, Tokyo, Japan Tel : 81-3-5224-3737 Fax : 81-3-5224-3739
하노이	Address : #13B04. 13th Floor Lotte Business Center. 54 Lieu Giai Street. Ba Dinh District, Hanoi, Vietnam Tel : 84-24-3244-4494 Fax : 84-24-3771-4751
북경	Address : Rm. C700D, Office Bidg, Kempinski Hotel Beijing Lufthansa Center, No.50, Liangmaqiao Rd, Chaoyang District, Beijing, 100125 P.R.China Tel : 86-10-6465-4524 Fax : 86-10-6465-4504

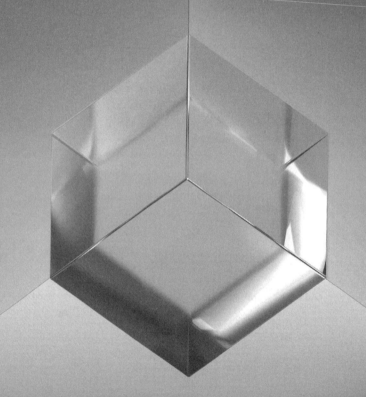

상공회의소

대표전화: 02-6050-3114/ DID: 02-6050-OOOO

회장: **최 태 원**

DID: 02-6050-3520

주소	서울특별시 중구 세종대로 39 상공회의소 회관 (우) 04513
홈페이지	www.korcham.net

상근부회장	감사실	본부	SGI		
우태희	임철 3107	원장	임진 3135		
		부	커뮤니케이션실		
		실장	이종명 3601		
		팀	홍보	뉴미디어	대외협력
		팀장	이종명 3601	황미정 3701	김기수 3101

본부	기획조정본부					
본부장	박동민 3420					
부			경영지원실			
실장			김의구 3402			
팀	기획	플랫폼운영	인사	총무	회계	IT지원
팀장	박찬욱 3102	이상준 3841	김의구 3402	최은락 3201	박병일 3411	김호석 3641

본부	회원본부				조사본부		
본부장	박재근 3401				강석구 3441		
팀	회원CEO	회원협력	회원서비스	원산지 증명센터	경제정책(경제/ 기업조세)	산업정책(산업/ 고용노동)	규제샌드박스 (규제/관리)
팀장	이강민 3421	진경천 3871	정범식 3961	정일 3333	김현수 3442	전인식 3381	이상헌 3720

1등 조세회계 경제신문 조세일보

본부	국제통상본부				공공사업본부			
본부장	이성우 3540				강명수 3740			
팀	아주통상(아주/글로벌)	구미통상(미주/구주)	북경사무소	베트남사무소	스마트제조혁신	사업재편지원TF	지역인적자원개발	산업인적자원개발
팀장	박준 3558	추정화 3541	진덕용 86-10-8453-9756	84-24-3771-3681	정영석 3850	김진곡 3161	박영도 3153	박영도 3738

본부	지속가능경영원			유통물류진흥원		
원장	조영준 3480			서덕호 1414		
부		ESG경영				
실장		윤철민 3471				
팀	국가발전	사업화	탄소중립센터	유통물류정책	표준협력	데이터정보
팀장	강민재 3981	박주영 3491	김녹영 3804	이은철 1510	이헌배 1500	김성열 1480

본부	인력개발사업단									상공회운영사업단
단장	김왕 3505									박재근 3401
팀	기획혁신	운영관리	디지털아카데미TF	교육훈련총괄	훈련취업지원	인재교육지원	글로벌훈련지원	신사업개발TF	디지털플랫폼TF	상공회운영총괄
팀장	권혁대 3573	서철홍 3575	이상신 3576	조명희 3590	조준원 3916	하인수 3580	이창형 3586	이규성 3570	최민아 3920	권오윤 3465

본부	중소기업복지센터	자격평가사업단		부산세계박람회유치지원민간위원회사무국			신기업가전신협의회사무국	
단장	진경천 3871	강명수 3740		박동민 3420			박재근 3401	
팀		자격평가기획	자격평가운영	기획총괄	유치지원	글로벌협력지원	ERT사업	ERT지원
팀장		김승철 3735	김종태 3770	임충현 3451	박채웅 3861	이성우 3540	송승혁 3631	정범식 3961

중소기업중앙회

대표전화: 02-2124-3114 / DID: 02-2124-OOOO

회장: **김 기 문**

DID: 02-2124-3001

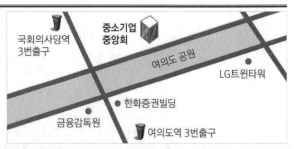

주소	서울특별시 영등포구 은행로 30 (여의도동) 중소기업중앙회 (우) 07242
홈페이지	www.kbiz.or.kr

상근 부회장	비서실	감사실	홍보실	편집국	KBIZ중소기업 연구소	본부	경영기획본부(전무이사)				
						단장	이재원 3011				
정윤모 3006	김재진 3003	이상배 3370	성기동 3060	김희중 3190	윤위상 4060	부	기획 조정	인사	총무 회계	정보 시스템	사회 공헌
						부장	안준연 3030	서재윤 3040	신상홍 3050	김준영 3070	조준호 3090

본부	협동조합본부				경제정책본부				
본부장	조진형 3012				추문갑 3013				
부	조합정책	조합지원	판로정책	공공구매 지원	정책총괄	소상공인 정책	국제통상	무역촉진	조사통계
부장	임춘호 3210	조동석 3180	유진호 3240		임영주 3110	고종섭 3170	임경민 3163	전혜숙 3290	성기창 3150

본부	혁신성장본부				스마트일자리본부				
본부장	양찬회 3014				이태희 3015				
부	제조혁신	스마트 산업	상생협력	기업성장	단체표준	인력정책	청년희망 일자리	외국인력 지원	교육지원
부장	강형덕 3120	김영길 4310	정은희 3230	박화선 3145	박영훈 3260	양옥석 3270	정경은 4010	손성원 3280	정인과 3300

본부	공제사업본부					자산운용본부			
본부장	박용만 3016					이도윤 3017			
부	리스크 준법	공제기획	공제운영	공제 마케팅	공제 서비스	PL손해 공제	투자전략	금융투자	실물투자	기업투자
부장	이종명 3100	황재목 4320	이기중 3350	김병수 4080	문철홍 3310	이창희 4350	심상욱 3340	이응석 3320	김태완 3322	김동근 4041

국세청
소속기관

국세청

주소	세종특별자치시 국세청로 8-14 국세청 (정부세종2청사 국세청동) (우) 30128
대표전화	**044-204-2200**
팩스	**02-732-0908, 732-6864**
계좌번호	**011769**
e-mail	**service@nts.go.kr**

청장　　김창기

(직) 720-2811 (D) 044-204-2201 (행) 222-0730

정책보좌관　민회준　(D) 044-204-2202
국세조사관　김선아　(D) 044-204-4616

차장　　김태호

(직) 720-2813 (D) 044-204-2211 (행) 222-0731

국세조사관　임수정　(D) 044-204-2213

국세조사관　최일암　(D) 044-204-2212

국세청

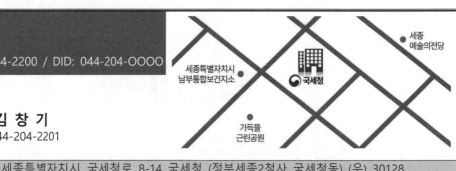

대표전화: 044-204-2200 / DID: 044-204-OOOO

청장: **김 창 기**
DID: 044-204-2201

주소	세종특별자치시 국세청로 8-14 국세청 (정부세종2청사 국세청동) (우) 30128				
코드번호	100	**계좌번호**	011769	**이메일**	service@nts.go.kr

과	대변인			운영지원과				
과장	이광섭 2221			박정열 2240				
계	공보1	공보2	공보3	인사1	인사2	행정	복지운영	청사관리	노무안전TF팀
계장	2222	전종희 2232	김현경 2237	송진호 2242	이동현 2252	이화명 2262	김주식 2272	황하늘 2282	민훈기 4972
국세조사관	윤상섭 정이준 차수빈 김태운	김용진 안민지	김종윤 이은실	최영호 김판준 손재락 김동빈 이혜은 이준영 강민아 김수진	홍정연 임정근 이준석 고은별 성현주 서동민 오화섭 홍혜인 김정환	윤은지 오재경 김정민 한초롱 배석 김승태 김용남 정진혁 기영서 박현승 김성기 김정원 이찬석 권민경 유만수 정연호 최성일 김은진 하성균 이승은	성유진 김정호 김은아 배명우 유명훈 이아름	김병홍 조성훈 김영한 최성호 이지희 김정학 이충구 이정주	성주호 정기태
FAX									

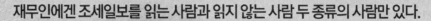

재무인과 함께 걸어가겠습니다 '조세일보'

재무인에겐 조세일보를 읽는 사람과 읽지 않는 사람 두 종류의 사람만 있다.

국	기획조정관							
국장	송바우 2300							
과	혁신정책담당관					기획재정담당관		
과장	김대일 2301					김정주 2331		
계	총괄	혁신	조직	평가	소통	기획1	기획2	예산1	예산2
계장	연제민 2302	김현승 2307	김광대 2312	2317	하종면 2322	박찬주 2332	송찬규 2337	최재명 2342	박찬웅 2347
국세 조사관	김성영 류정모 박상기	김혜정 하현균 이기돈	심준보 백은혜 최진영	김남훈 김슬기	도우형 서정규 남혜윤	신창훈 박진혁 손기만 문혜림	이태훈 이형배	강원경 김성한	김동훈 김성민
FAX								

DID : 044-204-0000

국	기획조정관						정보화관리관			
국장	송바우 2300						신희철 2400			
과	국세데이터담당관					비상 안전 담당관	정보화기획담당관			
과장	김용재 2361					박향기 2391	오상휴 2401			
계	국세 데이터1	국세 데이터2	국세 데이터3	통계센터1	통계센터2	비상	기획	지원	표준	행정
계장	임상헌 2362	이병주 2367	이준학 2372	유혜경 2377	김기태 2382	노동렬 2392	우연희 2402	김장년 2412	김경선 2422	이정화 2432
국세 조사관	김경민 안태명	권오평 조진용 박선영	유은주 남봉근	김경록 이진희	강정화 임희주	김철웅 심주영	지승환 정지양 이성욱 권진혁 송성호 이지선 정선균 김경해 김정희	정기환 조대연 이현도 성주경 김정선	권용훈 김경아 임화춘 김계희 최근호 전일권 정용국	이현진 김희정 조광진 최수영 김경만
FAX										

10년간 쌓아온 재무인의 역사를 돌려드립니다 '온라인 재무인명부'

수시 업데이트 되는 국세청, 정·관계 인사의 프로필과 국세청, 지방청, 전국세무서, 관세청,
유관기관 등의 인력배치 현황을 볼 수 있는 온라인 재무인명부

1등 조세회계 경제신문 조세일보

국	정보화관리관												
국장	신희철 2400												
과	빅데이터센터								정보화운영담당관				
과장	남우창 4501								최영호 2451				
계	빅데이터총괄	개인분석	법인분석	자산분석	공통세정분석	심층분석	기술지원	조사국조분석	엔티스관리	엔티스포털	엔티스개발	징세정보화1	징세정보화2
계장	김선수 4502	이기각 4512	오흥수 4522	임지아 4532	양다희 4552	김재석 4562	김효진 4572	주재현	윤소영 2452	정현철 2462	김희재 2472	장원식 2482	김용철 2492
국세조사관	이영미 전상규 정병호 전소연 윤민지 김정남	박미숙 하세일 박종현 박주환 이영신 유수정	김현하 정은정 안수림 오청은 오문탁 김태훈	손석임 박진우 공주희 김동직 김건우 김태원	정의진 염주선 조미옥 김인천 이현호 조한솔	김영주 임상민 김경민 박미진 김푸른솔 윤태현	김태형 안래본 장경호 이현준		김선희 송윤호 김요한 장광석 남상현 정태영	최오미 김주영 이시화 라원선 김태완 임여경 고대훈	강봉선 김은기 주현아 유예림 임국훈 이승환	김진영 최윤호 장이삭 박정남 곽민혜 홍지연 박용병	최은숙 송유진 전유림 임수현 최상만 성화진 임종호 정지영 박성은
FAX													

DID : 044-204-0000

국	정보화관리관												
국장	신희철 2400												
과	홈택스1담당관						홈택스2담당관					정보보호팀	
과장	윤현구 2501						고영일 2551					김태수 4921	
계	홈택스운영	부가정보화	전자세원정보화	재산정보화1	재산정보화2	재산정보화3	소득정보화	법인정보화1	법인정보화2	원천정보화	소득지원정보화	정책	운영
계장	박현주 2502	양동훈 2512	장창렬 2522	박재근 2532	정기숙 2542	김미경 4956	전영호 2552	성승용 2562	김광래 2572	정학식 2582	임기향 2592	김범철 4922	임동욱 4932
국세조사관	배인순 박현주 강태욱 김은진 윤지형 황치운 최영우 윤성민	이상수 라유성 박성은 최진용 서미연 이해진 강보미	김은진 이한임 박성미 안승우 김재욱 이원일 이현우 우지혜	정명숙 조지영 이강현 김용극 조은지 장은석 박민해	임채준 김남용 이무훈 안상원 이정묵 이소원 김혜진	임미정 문숙자 안도형 조성욱	장석오 서지영 최학규 김민경 송향희 김유나 윤창인 김육곤 박우정	한미영 나승운 이수연 전동길 김윤정 손효현	임근재 최은성 박숙정 박미경 박신영 이창욱 이성호	김세라 신효경 이수미 박문영 이세나 이창인 강소연 서성현 구세윤	이홍조 김병식 안혜은 윤기찬 이원준 김민영 김시백 이지헌 안일근	염준호 정주희 전원석 한세영	이서구 강대식 하창경 최진숙 송원호 김도훈
FAX													

국	감사관									납세자보호관			
국장	박진원 2600									변혜정 2700			
과	감사담당관				감찰담당관					납세자보호담당관			
과장	지성 2601				이태훈 2651					한경선 2701			
계	1	2	3	4	1	2	3	4	윤리	1	2	3	민원
계장	육규한 2602	김시형 051-750 -7581	2622	이동일 2632	조상훈 2652	이정민 2662	최승일 2672	장성우 2682	최병구 2692	김종수 2702	조병주 2712	홍성훈 2717	이재성 2722
국세 조사관	서민성 이지상 조성수 유진호	이풍훈 김종일 김봉조 김재현 김임년	고윤하 박창열 한준영 이연호 김수열	김민웅 이기주 김신우 김동수	조상현 이준현 강유나 김진열 남창환	김종학 권대영 이형원 김진홍 김대현	김광용 유성문 신지영 이태욱	이용광 김수현 안지영 김민정	정훈 이영정 정재훈 박소영	채상철 박태훈 홍소영	이종영 송옥연 김민지 김봉재 정효숙	최봉수 나명균 조혜진 송영진	구문주 이상준 김창권
FAX													

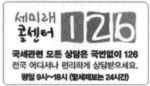

DID : 044-204-0000

국	납세자보호관									
국장	변혜정 2700									
과	심사1담당관							심사2담당관		
과장	류충선 2741							김학선 2771		
계	1	2	3	4	5	6	7	1	2	3
계장	박광룡 2742	변영희 2762	임식용 2752	김제석 2763	조미희 2765	이강욱 2764	김영종 2766	전강식 2772	허준영 2782	박준배 2783
국세 조사관	권혁성 김종만 한규진	정영순						전태훈 임선영 김숙기		
FAX										

1등 조세회계 경제신문 조세일보

국	납세자보호관				국제조세관리관					
국장	변혜정 2700				최재봉 2800					
과	심사2담당관				국제조세담당관					
과장	김학선 2771				반재훈 2861					
계	4	5	6	7	1	2	3	4	5	디지털세 대응TF
계장	이관노 2784	장성기 2785	손창호 2786	김명도 2787	2802	김민 2812	류승중 2817	고인영 2822	심은진 2827	조명완 2832
국세 조사관					송태준 최영진 고예지	신종훈 문지혜 윤동규	신중현 고선하	이정민 류명지 고태혁	김상엽 김지윤	백연하 엄정임
FAX										

DID : 044-204-OOOO

국	국제조세관리관										
국장	최재봉 2800										
과	역외정 보담당 관	국제협력담당관					상호합의담당관				
과장		이성글 2861					장우정 2961				
계		1	2	3	4	5	1	2	3	4	5	6
계장		구자은 2862	이지민 2812 최정현 2872	조민경 2877	2882	도예린 2887	성혜진 2962	최수빈 2972 이재은 2972	강민성 2977	박상기 2982	김성민 2977	박진우 2992 김지우 2992
국세 조사관		박용진 안수연 장원일	서미네 한상원	이재범 김진석	박시후	김범전	김민주 박승혜 진평일 장서라	장성하 안상진	박철수 신미라	성아영 김상훈	김민영 윤지영	전수진
FAX											

국	징세법무국									
국장	김동일 3000									
과	징세과					법무과				
과장	이은규 3001					한지웅 3071				
계	1	2	3	4	5	1	2	3	4	5
계장	윤상봉 3002	조창우 3012	장은수 3017	박일병 3027	오규철 3037	김도균 3072	안혜정 3077	주원숙 3082	김균열 3087	권오현 3092
국세 조사관	김유학 이승훈 석진영	송지원 김영환	최용세 황대림 박대경 신민채 한아름	우제선 황병광 이승윤 문소웅	정년숙 안태훈 박보경	신정훈 최선미 손한준 최진남	편무창 강수민	김성준 김민수	김영빈 조병민	정수경
FAX										

국세관련 모든 상담은 국번없이 126
전국 어디서나 편리하게 상담받으세요.
평일 9시~18시 (홈세제보는 24시간)

DID : 044-204-0000

국	징세법무국									
국장	김동일 3000									
과	법규과							세정홍보과		
과장	김용완 3101							오규용 3161		
계	총괄조정	국조기본	부가	소득	법인	재산1	재산2	홍보기획	박물관운영	디지털소통
계장	최은경 3102	방선아 3112	전준희 3117	이광의 3122	강삼원 3127	최영훈 3137	문병갑 3142	안병진 3162	조치상 3172	함태진 3172
국세조사관	조창현 정진학 이동욱	김현석	배영섭 최태훈	박선희 고성희	권재효 김경희 김성호	한정수 김남구 박재호 이채린	이호필 정영선 남궁민	최현선 구영진 한승범	박진수 김성진 윤혜민	김태훈 김제민 장준미 황두돈 현상필
FAX										

110

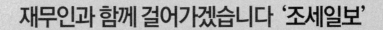
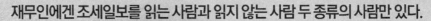

국	개인납세국										
국장	장일현 3200										
과	부가가치세과				소득세과				전자세원과		
과장	강상식 3201				윤성호 3241				최원봉 3271		
계	1	2	3	4	1	2	3	4	1	2	3
계장	강신웅 3202	박형민 3212	김성민 3217	박현수 3222	박옥임 3242	안경민 3252	차지훈 3257	조민성 3262	문영한 3272	이해인 3282	안주훈 3287
국세 조사관	이지영 유주연 김미영	변유솔 박범진 홍성민	김종의 주미영	오재현 이정아	이상수 김창희 조윤아	임민철 이옥녕 류승우 서명자 서원주	김명제 김영란 신동연	양미선 홍준영 최수민	홍소영 동소연	최근수 김수한	정승오 윤정호 정현주 노재희
FAX											

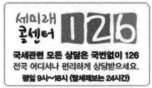

DID : 044-204-OOOO

국	법인납세국											
국장	정재수 3300											
과	법인세과				공인중소법인지원팀				원천세과			
과장	고근수 3301				박인호 3901				전지현 3341			
계	1	2	3	4	1	2	3	4	1	2	3	4
계장	정승태 3302	임경수 3312	유민희 3317	김영주 3322	김지연 3902	박운영 3912	문한별 3917	이희범 3922	김재산 3342	표삼미 3347	전정영 3352	김동근 3357
국세 조사관	최용철 김도원 강수원	김영건 김지연 박금세	김상배 도영수 박양규	정지선 이만호 남유진	성이택 정진원 정동혁	김성진 이경숙	류진 백원철 김유정	박병진 강관호 이진숙 우종훈 남민기 박경록 전현혜 박장미 김재천 이경환 강경화	전익선 김보혜	이정아 이지연	오현정 심정규	문선우
FAX												

1등 조세회계 경제신문 조세일보

국	법인납세국			자산과세국								
국장	정재수 3300			박재형 3400								
과	소비세과			부동산납세과					상속증여세과			
과장	김범구 3371			강동훈 3401					임상진 3441			
계	소비세팀	주세1	주세2	1	2	3	4	5	1	2	3	4
계장	이정훈 3392	3372	김우성 3382	위찬필 3402	박재신 3412	박현수 3417	김준호 3422	정준기 3427	조윤석 3442	손미숙 3452	이정순 3457	정지인 3462
국세조사관	이은규 정진희 권혜정	이문원 김수지 정우도	김기열 김태형	김상동 박종인 김동희	이영휘 이은주 김지민	홍문선 심윤성 이수민	조성래 조요한	최우성 곽지은 이창훈 손성탁 신현중	김창희 강호현 김다은	김선하 임길묵 장수환 곽주권	김한석 나동일 심재훈 김민수	김은정 박종찬
FAX												

DID : 044-204-OOOO

세무법인 T&P

대표세무사 : 김영기

서울시 서초구 법원로 10, 정곡빌딩남관 102호(서초동)

전화 : 02-3474-9925   팩스 : 02-3474-9926

국	자산과세국				조사국				
국장	박재형 3400				오호선 3500				
과	자본거래관리과				조사기획과				
과장	이상걸 3471				박근재 3501				
계	1	2	3	4	1	2	3	4	5
계장	정지석 3472	김희대 3477	김내리 3487	이원주 3492	이태연 3502	임병훈 3512	손종욱 3517	정민기 3522	문성호 3527
국세 조사관	김민제 이두원 고유경	윤영우 오승철 이정아 정주연 양광식	서유빈 박승재	윤동수 현정아 고호석	김종각 장준재 윤현식 박대은 강민종 김봉재 이지은	김현두 이치원 강성화	문형진 강경영	전충선 정유성	조민영 윤승미
FAX									

국	조사국											
국장	오호선 3500											
과	조사1과				조사2과				국제조사과			
과장	김승민 3551				강영진 3601				전애진 3651			
계	1	2	3	4	1	2	3	4	1	2	3	4
계장	김대중 3552	서원식 3562	양영진 3572	황민호 3582	정해동 3602	안수아 3612	안형민 3617	노태순 3622	전일수 3652	이규진 3662	김일도 3672	이예진 3682
국세 조사관	양용환 전동근 장창하 이다영 김희겸	남무정 문지만 문석준 정규식	박상민 서영준 이기덕	안진수 박준선 김진희	박수영 이수미 김영호	김대옥 유상호 최슬기	차광섭 차상훈	엄기황 서보림	김말숙 주민석 허인범 최강현 고은비	하창수 임옥규 진종호 정다겸 문병국	김치호 남상균 박정미 임명규 김극돈	지상준 강보경 김동욱 천근영
FAX												

DID : 044-204-OOOO

국	조사국								소득지원국			
국장	오호선 3500								양동훈 3800			
과	세원정보과					조사분석과			장려세제운영과			
과장	장권철 3701					김준우 3751			이준희 3801			
계	1	2	3	4	5	1	2	3	1	2	3	4
계장	김병철 3702	하신행 3712	정동재 372	서철호 3727	박용관 3737	김성범 3752	조현선 3762	최지안 3767	천주석 3802	고병재 3812	노원철 3817	박영건 3822
국세조사관	조성우 홍영숙 정진걸 정재훈 김현웅 구승민	류영상 이규환 문태정 정상미	송지원	김석훈 이상재 유경근 김태성	이상민 우창완 윤주호 이명건	문관덕 하태규 이미숙	엄태선 윤용훈	박성우 강성헌	김환규 엄상혁 김현지	정은주 정미란	정종철 김지은	오영석
FAX												

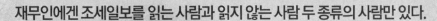

재무인과 함께 걸어가겠습니다 '조세일보'

재무인에겐 조세일보를 읽는 사람과 읽지 않는 사람 두 종류의 사람만 있다.

국	소득지원국												
국장	양동훈 3800												
과	장려세제신청과			학자금상환과		소득자료관리단							
과장	오원균 3841			이봉근 3871		김기영 4031							
계	1	2	3	1	2	기획1	기획3	기획4	신고1	신고2	분석1	분석2	정보화
계장	윤지환 3842	이승철 3852	최현민 3857	진우형 3872	강석구 3882	최행용 4002	고명수 4017	최명일 4022	허남승 4032	4032	김상인 4062	4042	최윤미 4047
국세조사관	채양숙 손준혁	강지성 박용	구순옥 전다영	김향일 박병주	최기영 이보라	이주연 서기원 윤미경	임정미 권기주 김연화	김홍용	백지훈 최정헌 최보령	김도현	김연수 홍세민 고영철		권현옥 김미연 김성일 정기원 강명수 정정민 김영호 서준석
FAX													

국세청주류면허지원센터

대표전화: 064-7306-200 / DID: 064-7306-OOO

센터장: **박 상 배**
DID: 064-7397-601, 064-7306-201

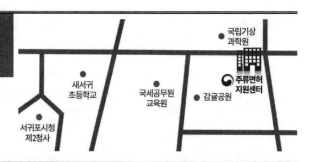

주소	제주특별자치도 서귀포시 서호북로 36 (서호동 1514) (우) 63568				
팩스	064-730-6211				
과	분석감정과 (739-7602)		기술지원과 (739-7603)		세원관리지원과 (739-7604)
과장	조호철 240		김용준 260		정병록 280
계	업무지원	분석감정	기술지원1	기술지원2	세원관리1	세원관리2
계장	김종호 241	장영진 251	김시곤 261	이충일 271	설관수 281	진수영 291
국세 조사관	채수필 이호승 서연진 홍순준 최태규	김나현 강경하 문준웅 강길란	박찬순	박장기	오수연	박길우
FAX	730-6212	730-6213	730-6214		730-6215	

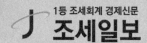

국세상담센터

대표전화: 064-780-6000 / DID: 064-7806-OOO

센터장: **신 경 수**
DID: 064-7306-001

주소	제주특별자치도 서귀포시 서호북로 36 (서호동 1514번지) (우) 63568
이메일	callcenter@nts.go.kr

팀	업무지원	전화상담1		전화상담2		전화상담3	
팀장	홍기석 002	현상권 020		김석찬 060		김수용 080	
구분	지원/혁신	종합	원천	부가	기타	양도	상증
국세 조사관	이효철 김종일 우남구 이현정 윤만성 유인숙 이도헌 권석진 신은우 유재웅 변경옥 김은경 이상진	강도현 정승복 박양희 강진성 정종욱 강기덕 유종현 노기숙 심란주 김태호 김주현 양동희 김유리 이소진	강화동 하진호 현미정 이영옥 허혜정 김선인 김유선 마준호 최수미 유호영 서돈영 이동규 경진	강상길 서계영 정덕주 김현희 전후영 이승주 최윤선 심은정 정해연 최은미 정동환 조윤미 박정란 전세정 노은지 이은수	장광웅 박경태 안현준	박성희 김은영 이정미 한창림 김정실 심혜경 김혜정 황혜윤 고근희 강복희 김세일 김선정 지장근 김민정 이오형 장영태 이선주 김정엽 이지수	천명일 서민철 임정훈 황재원 문주경 이선미 강진아 박상용
FAX							

팀	전화상담4		인터넷방문상담1		인터넷방문상담2	인터넷방문상담3
팀장	윤석태 110		김정남 140		노정민 160	김용재 180
구분	법인	국조	종소/원천	국조/기타	부가/법인	양도/종부/상증
국세 조사관	함상봉 이명례 한민수 최영준 최태현 이형구 차나리	이래하 천진해 김남준 김건중	천세훈 조병철 양용석 박희선 송대근 차호현 박혜선 김성민 오수진 손효정	옥석봉 우정희	양희재 권창호 채은정 김선정 이철용 김보균 김수호 유동완 김지언	오승연 박정인 황성원 채경수 김연실 정재임 한성민 박원준 이원경 오경훈 오주영 나용선 김지호 최정은 송준오
FAX						

국세공무원교육원

대표전화: 064-7313-200 / DID: 064-7313-OOO

원장: **양 동 구**
DID: 064-7313-201

주소	제주교육장: 제주특별자치도 서귀포시 서호중로 19 (서호동 1513) (우) 63568				
	수원교육장: 경기도 수원시 장안구 경수대로 1110-17 (파장동 216-1) (우) 16206				
이메일	taxstudy@nts.go.kr				
과	교육지원과		교육기획과		
과장	이인우 210		우창용 240		
계	1	2	신규자교육	재직자교육	온라인교육
계장	손상현 211	홍정은 331	고동환	추순호	박숙희
국세 조사관	이상무 김세민 박준서 이효정 박연주 신현국 송권호 김정훈 박홍립 김반석 한은표	김호근 최인영 정영운 김영주	변관우 탁서연 정인태 김선면 양진혁 김은자 박준범	이권호 이규수 서정희 권민철 우나경 박중근 김희선 조재완 손윤섭	전기희 염시웅 장원창 고양숙 오유석
FAX	731-3311		731-3314		

과	교수과					
과장	최병익 270					
계	총괄	부가	소득	법인	양도	상증
계장	양영경 271	임형걸 281	공원택 285	손병양 291	이종준 298	강정호 295
국세 조사관	이정자 김동호 박수경 최영현 최유원	김성근 이두원 박정우	이윤희 송호근 박민규	김효경 김나연 정홍도 정성훈	임재주 백규현	윤윤식 임석현
FAX	731-3316					

서울지방국세청
관할세무서

서울지방국세청

주소	서울특별시 종로구 종로5길 86 (수송동) (우) 03151
대표전화	02-2114-2200
팩스	02-722-0528
계좌번호	011895
e-mail	seoulrto@nts.go.kr

청장   강민수

(직) 720-2200 (D) 02-2114-2201 (행) 222-0780

국세조사관   한정희 (D) 02-2114-2202, 2203

송무국장	안덕수	(D) 02-2114-3100, 3200
성실납세지원국장	박종희	(D) 02-2114-2800, 3000
조사1국장	민주원	(D) 02-2114-3300, 3400
조사2국장	김지훈	(D) 02-2114-3600, 3700
조사3국장	김진호	(D) 02-2114-4000, 4200
조사4국장	이동운	(D) 02-2114-4500, 4700
국제거래조사국장	김국현	(D) 02-2114-5000, 5100

서울지방국세청

대표전화: 02-2114-2200 / DID: 02-2114-○○○○

 광화문
 안국역

 서울지방국세청
종로구청
서울종로
경찰서

청장: **강 민 수**
DID: 02-2114-2201

주소	서울특별시 종로구 종로5길 86 서울지방국세청 (수송동) (우) 03151									
코드번호	100		계좌번호	011895		이메일		seoulrto@nts.go.kr		

과	감사관				징세관						
과장	박광종 2400, 2401				윤종건 2500						
계	감사1	감사2	감찰1	감찰2	징세	체납관리	체납추적 관리	체납추적 1	체납추적 2	체납추적 3	체납추적 4
계장	김동근 2402	윤명덕 2422	김덕은 2442	전왕기 2462	김현호 2502	김명규 2512	최오동 2522	이철 2542	박종무 2562	서영미 2572	허천회 2582
국세 조사관	이준호 문지혁 김란 황호현 홍지성 김지영 김인겸 김재욱	이지영 이애란 심재도 임정근 오지철 김형정 심재희	김병성 박동찬 오태진 임종수 오대성 장재림 송기화 임재현 이영주 김영빈 명거동 배종섭	이일생 유한진 김병옥 곽동대 문성진 송광선 신은경 최윤호	이정현 차미선 이은경 임기양 나진희 박광덕	이재근 염성희 이정숙 도창현 진병훈 이승준 김지혜 윤민아	조동혁 백은경 김희중 황찬근 송인춘 정동환 김은숙 박희달 강지은 안성호 이수민 이류기	이세풍 임창섭 김현선 한세희 김화숙 김동훈 송지미 구현지 김청일 심지섭 최선균	엄일선 이일성 조정화 김원형 이효진 송종호 홍성준 김제성 남현승 한유경 박신해 조주경	권기현 장미숙 김은주 김영기 강성환 강미나 진수환 황순하 조윤정	유준영 김소영 최선희 장수안 한수현 권경해 김양근 박민서 한충열 최진미
FAX	736-5945				736-5946, 2285-2910						

126

1등 조세회계 경제신문 조세일보

과	납세자보호담당관				첨단탈세방지담당관					
과장	유병철 2600				정용대 2700, 2701					
계	납세자보호1	납세자보호2	심사1	심사2	1	2	3	4	5	6
계장	2602	장미선 2612	2622	오은경 2632	고주석 2702	2712	김태형 2722	김명원 3052	조환준 2752	홍덕표 2782
국세조사관	임진옥 이윤희 이지형 오배석 이진영 김재호	정영희 유진희 양선욱 윤현숙 임거성 박서연	김영민 김정숙 문병남 권혁순 조혜연 최성일 송다은 박철민	전동호 민현순 목완수 이민경 이현 유종일 이상호 오선지	박상돈 박세일 이숙영 황재연 진희성 이동한 안유현 정미경 오연호 정창우 천해인 서빛나	김광영 백경미 최윤영 이강일 유연진 김수지 김문기	신영웅 김광수 임창규 정보경 도미영 오다혜 박정건 김난미 김성필 김수용 손민정 공덕환 장희원 조미진 조용석 송인용 박정호 김진식 박대영 김구름 이희령 이주현	최남철 최익성 박은희 김상일 정현숙 원병덕 배미경 김현숙 김세훈 김상연 윤상욱 판현미 박원준 박지현 정민화 서은철 전인경 김주헌 정태경 정연웅 안소진 임호진 윤소월 안태일	권영희 박안제라 이상묵 이세민 박정권 안진영 오형진 임다혜 황아름	윤현숙 문승진 엄정상 김지연 김종석 김시태
FAX	720-2202		761-1742		549-3413					

국세관련 모든 상담은 국번없이 126
전국 어디서나 편리하게 상담받으세요.
평일 9시~18시 (탈세제보는 24시간)

DID : 02-2114-OOOO

국실	성실납세지원국									
국장	박종희 2800									
과	부가가치세과				소득재산세과					
과장	권석현 2801				박달영 2861					
계	1	2	3	소비세	금융투자 소득TF	소득1	소득2	소득자료 관리TF	소득 지원	재산
계장	노충환 2802	김태석 2812	류오진 2832	채종일 2842		김진범 2862	윤경희 2872	정성영 3072	황영남 2892	김재균 2882
국세 조사관	한성호 추세웅 정중호 이지선 서지영 장혜영 정준호	정인선 주세정 최현정 임지형 김은미 안진아 장윤희	김인수 변성욱 박종태 전주현 김지민 윤슬기	김보경 김종현 양태식 오도열 임영신 문형민 박아연 이근우 김정우 허준원	이진영	오윤화 백순복 진한일 김은정 이인자 신성근	이동백 곽미나 차순조 오재헌 김규완	정성훈 최미리	허비은 조은희 정희라 정진영 남영철	나민수 최미리 정성민 최성호 김도현 손정욱 이우진 김은진
FAX	736-1503				736-1501					

국실	성실납세지원국									
국장	박종희 2800									
과	법인세과					전산관리				
과장	이상원 2901					이승신 2971				
계	국제조세	법인1	법인2	법인3	법인4	전산관리1	전산관리2	정보화센터1	정보화센터2	정보화센터3
계장	곽종욱 2952	김항로 2902	김경필 2922	김서영 2942	김인아 3032	전태영 2972	김형태 3002	강옥희 5302	황윤자 5352 윤영순 5352	김영수 5392
국세조사관	홍미라 임미라 송종범 이정연 이정은 권민수 조유흠 박현경 송인형 이지민	권혁란 강정모 부명현 박영래 김세환 강은실 신봉식 정준호 황보주경 윤준식	김혜경 박선아 장창환 최상연 이남경 이은상 김영화 민상원 김서은 홍성혜	윤기철 위주안 최성균 정진환 김지현 장지혜 최서나 조영탁 조민성	우지수 이강연 구옥선 최준 안혜영 문숙현 강문현 김순영	박찬경 김수진 최연하 권혜연 정진영 김문성 김민숙 민정대 주정희 권정순	윤영순 박현숙 임영신 정혜영 이경희 김보운 김수영 임정호	김정숙 황보현 유상윤 안유희 천금미 조일숙 이현순 김옥분 이미경 김영미 박애슬 김미영 이복자 노정애 이복자 주성옥 여경숙 박재희 유병임 김경덕	배성연 이경분 박애경 김기숙 서승숙 엄영옥 한나영 이연미 김지연 김연숙 이선정 이은영 이은주 성혜정 배문경 김명환 강형미	박미정 이윤희 김윤경 정현주 김현정 장인숙 육영란 엄명주 주명화 권묘향 정선재 최종미 지점숙 황미경 구자율 김영숙 이순화 홍성한
FAX	736-1502									

국세관련 모든 상담은 국번없이 126
전국 어디서나 편리하게 상담받으세요.
평일 9시~18시 (탈세제보는 24시간)

DID : 02-2114-OOOO

국실	송무국												
국장	안덕수 3100, 3200												
과	송무1과									송무2과			
과장	권순재 3101									김진우 3151			
계	총괄	심판1	심판2	법인1	법인2	법인3	개인	상증1	상증2	법인1	법인2	법인3	개인1
계장	박성기 3102	홍영국 3111	3116	임일훈 3120	황하나 3124	3127	김근화 3130	정학순 3133	전영의 3136	이권형 3152	박진석 3156	서형렬 3159	이호길 3165
국세 조사관	최필웅 손옥주 김현주 윤범일 박주현 황선화 백승혜 서익준	이영주 이재욱 이우석	김영종 홍성훈	홍정의 김성희	유은주 박요나	남지연 정진범	한주성 배순출	박희정 이수형	최은하 황인아	구순옥 김인숙 권현서	강상우 우덕규	심정은 이인숙	전민정 윤자영
FAX	780-1589									780-4165			

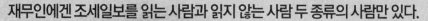

재무인과 함께 걸어가겠습니다 '조세일보'

재무인에겐 조세일보를 읽는 사람과 읽지 않는 사람 두 종류의 사람만 있다.

1등 조세회계 경제신문 조세일보

국실	송무국												
국장	안덕수 3100, 3200												
과	송무2과						송무3과						
과장	김진우 3151						한제희 3201						
계	개인2	개인3	상증1	상증2	상증3	민사	개인1	개인2	개인3	민사	법인1	법인2	법인3
계장	김은경 3168	김보윤 3162	3171	윤소희 3174	김영재 3177	박준성 3181	강연성 3212	문경호 3215	권혁준 3218	송지연 3232	3202	서영일 3206	김주강 3209
국세 조사관	계준범 이연지	추성영 김민주	정의재 이선의	공진배 김현지	이미경 정민수	김성래 이은 전현우 장병국	이지영 김정한	박현영 박영식	정주영 한아름	이대건 임효선 이해인	차진선 유정미	김동엽 김은아	곽정은 정보근
FAX	780-4165						780-4162						

세미래 콜센터 126

국세관련 모든 상담은 국번없이 126
전국 어디서나 편리하게 상담받으세요.
평일 9시~18시 (탈세제보는 24시간)

DID : 02-2114-0000

가현택스

대표세무사 : 임채수 (前잠실세무서장/경영학박사)
서울시 송파구 신천동 11-9 한신코아오피스텔 1016호
전화: 02-3431-1900   팩스: 02-3431-5900
핸드폰: 010-2242-8341   이메일: lcsms57@hanmail.net

국실	송무국			조사1국									
국장	안덕수 3100, 3200			민주원 3300, 3400									
과	송무3과			조사1과									
과장	한제희 3201			이법진 3301									
계	상증1	상증2	상증3	1	2	3	4	5	6	7	8	9	10
계장	한청용 3221	홍명자 3224	정봉균 3227	김주연 3302	최진혁 3322	김정수 3332	구성진 3342	현창훈 3352	배일규 3362	이배인 3372	유지민 3382	김성기 3392	오명준 3402
국세 조사관	박동수 윤석	양아열 이유진	김호영 최길숙	강세희 강희경 김민주 최가람 손정아 서지원 양미덕 이권승 김희애	최보문 강민주 백종섭 나진순 김대우 신동규 이재호 원대로 최인규	김정륜 윤형석 손경진 이성준 오유빈 유경원	정광륜 이충오 송환용 김은정 전병진 박민지	임인정 심재광 임지영 최민경 곽지은	정진욱 김민정 최해원 최재규 정용수 민경희	오세정 정수진 서민수 백유영 김규희	박경인 이혜영 황재민 양송이 박순애 박광춘	박준홍 김재욱 김주원 김푸름 김재성 황창연	김영환 이찬 김유혜 최재덕 김해인
FAX	780-4162			736-1505									

국실	조사1국									
국장	민주원 3300, 3400									
과	조사2과									
과장	최지은 3421									
계	1	2	3	4	5	6	7	8	9	10
계장	3422	심정식 3432	김성한 3442	이병주 3452	유창성 3462	노정택 3472	윤광현 3482	이슬 3492	김진희 3502	김석우 3512
국세 조사관	유상욱 김치헌 박상현 신상은 최은숙 박준용 양기현	유형대 박병영 이광연 김지영 홍선아	김택범 홍영민 홍민기 김정희 박서연	민병웅 변영시 심정보 고영상 이민지 김민우	박금옥 김영규 최상 이유진 조성용 이향주	김갑수 이현주 강성은 황성연 송현호 김복희	강동진 최솔 육동선 박성희 염보희	강준원 이혜진 홍승범 남승규 박규미	강창호 김현재 이수연 임창범 전아라	박정순 강석관 김혜리 박찬욱 조민석
FAX	736-1504									

DID : 02-2114-OOOO

국실	조사1국								
국장	민주원 3300, 3400								
과	조사3과								
과장	김동욱 3521								
계	1	2	3	4	5	6	7	8	9
계장	이범석 3522	홍성미 3532	서범석 3542	홍용석 3552	양석재 3562	정성한 3572	정헌미 3582	김재백 3592	최승민 3082
국세 조사관	원종일 이기주 심민경 안중호 김대우 나경아 백경훈 조성익	이동출 한명민 김성대 김재하 장한별	정진혁 김정화 정미영 박서정 송승철	이지현 강재형 이현정 김한결 김명열 신근모	안형진 김철민 노지형 김동욱 변지현	임종진 박상봉 구선영 김진호 곽혜원	이승훈 윤동석 이은혜 배주환 강혜지	김두연 김형진 여인훈 이재성 임영운	김미정 안주영 조혜원 김광현 노영배
FAX	720-1292								

⑤ 삼도 세무회계

대표세무사 : 황도곤(前삼성세무서장)

서울시 강남구 강남대로 84길 23, 한라클래식 718호

전화 : 02-730-8001　　팩스 : 02-730-6923
핸드폰 : 010-6757-4625　　이메일 : hdgbang@naver.com

국실	조사2국									
국장	김지훈 3600, 3700									
과	조사관리과									
과장	김정윤 3601									
계	1	2	3	4	5	6	7	8	9	10
계장	신현석 3602	박현주 3622	강은호 3632	이인선 3642	이주석 3652	임종수 3662	신용범 3672	남궁서정 3682	신세용 3692	이성필 3702
국세조사관	류현수 이찬희 조재범 고경미 박우현 한진혁 이미라 윤미자 서문지영 차동희	윤경희 류연호 이정미 신지우	이영석 남기훈 주범준 정도희 조남건 이은선 김소연	박가을 김성문 김은희 이상훈 고혁준	하태상 강종식 김순옥 박지영 장지은 이현우	김묘성 이선하 이경아 엄준희 김난희	권정희 조은덕 송화영 김기천 장현진	유재연 최인영 이성민 안영채	하태희 신연주 고석춘 배은아 김현진 김정윤 정하늘 조현진	최현진 이윤주 권경범 제갈희진 여정주 이지헌
FAX	737-8138									

135

DID : 02-2114-OOOO

국실	조사2국								
국장	김지훈 3600, 3700								
과	조사1과								
과장	박진하 3721								
계	1	2	3	4	5	6	7	8	9
계장	3722	고광덕 3732	김은숙 3742	이양우 3752	이석봉 3762	김수섭 3772	박승규 3782	김태욱 3792	최영호 3802
국세 조사관	장희철 정주영 노수정 백승학 양미선 이솔 박범석	박윤주 강승구 유인혜 전기승 김수현 정민국	김기완 이경선 채규홍 이호연 정진주 한광희	이순엽 문바롬 오정민 이인권 홍민기	이권식 김대중 임신희 허남규 김진주	김선일 강은영 유영욱 홍진국 왕윤미	김근수 이진수 정미란 안은정 안병현	류옥희 빈수진 박진영 장주현 임경준	김재진 김문경 민근혜 김영석 김진영
FAX	720-9031								

1등 조세회계 경제신문 조세일보

국실	조사2국								
국장	김지훈 3600, 3700								
과	조사2과								
과장	박성학 3811								
계	1	2	3	4	5	6	7	8	9
계장	박순주 3812	임형태 3822	소섭 3832	명승철 3842	문정오 3852	박재성 3862	김종주 3872	안병태 3882	정흥식 3892
국세 조사관	김상욱 김상곤 이윤주 추현종 김별진 이명희 김수형	이국근 이성환 김유미 김주홍 권재선 조경민	박주열 서명진 박향미 최홍서 이호은 이슬린	고덕환 강석종 황지혜 전용수 이재영	윤영길 이동희 오창기 이유경 박민원	윤태준 임근재 정예린 조인정 신영준	유지은 박두순 류진규 정아람 김윤	유희준 문승민 이주한 구태경 강지선	김진미 안미영 구명옥 김민석 김재현
FAX	3674-7823								

DID : 02-2114-OOOO

국실	조사3국					
국장	김진호 4000, 4200					
과	조사관리과					
과장	이요원 4001					
계	1	2	3	4	5	6
계장	김해영 4002	박재영 4022	안병일 4032	임경미 4052	김대철 4072	최미숙 4092
국세 조사관	김성진 박대현 박용진 박윤정 서정우 최인옥 송영태 이윤재 노경수	양현숙 서민자 정찬진 강정구	양인영 이지호 박희자 최운환 이미영 소연 박서현 한선배	박균득 이성재 최영봉 박정례 장수현 김다민 김성욱 최선학 명현욱 박소영	임혜령 김인석 진수미 전지민 김선주 김영찬 이세진 임현석 이승하 김민아	이병현 구민성 김종협 김인중
FAX	738-3666					

국실	조사3국					
국장	김진호 4000, 4200					
과	조사1과					
과장	김종복 4121					
계	1	2	3	4	5	6
계장	박대중 4122	염귀남 4132	안동숙 4142	조대현 4152	이웅진 4162	박철완 4172
국세 조사관	김용선 박미연 고대홍 여호철 조승호 전선화 홍정희 박정화	박종렬 이난희 김혜리 이승호 임정석 박정임	최선우 강상현 이상덕 김세희 이은미 이계호	김인수 이태경 권현희 권유미 변혜정	윤솔 이봉열 박보경 김기홍 시종원	김상이 이현숙 한은주 장동환 원지혜
FAX	733-2504					

세미래 콜센터 126

국세관련 모든 상담은 국번없이 126
전국 어디서나 편리하게 상담받으세요.
평일 9시~18시 (탈세제보는 24시간)

DID : 02-2114-OOOO

국실	조사3국					
국장	김진호 4000, 4200					
과	조사2과					
과장	황정길 4211					
계	1	2	3	4	5	6
계장	이성일 4212	신혜숙 4222	김정태 4232	심재걸 4242	원윤아 4252	이상언 4262
국세 조사관	서문교 권경란 진혜정 김재완 김우정 김예슬 김희경	전현정 이창준 최정열 임진호 박윤수 허재연	김보연 황창훈 정상민 정순임 정용승 권혁	서원식 김형석 안신영 김은영 이지영	김기덕 정유미 하신호 전승현 이훈	최병석 최영학 김성향 고성헌 이정윤
FAX	929-2180					

국실	조사3국					
국장	김진호 4000, 4200					
과	조사3과					
과장	신상모 4291					
계	1	2	3	4	5	6
계장	박재원 4292	남호성 4302	이주원 4312	이신영 4322	가완순 4332	김하중 4342
국세 조사관	안정민 조주희 민혜아 이범준 이진호 공선영 김경식	이창석 송지은 윤종현 박수지 나명호 이원영	김태언 옥정훈 류지혜 최도석 김준우 장형구	구본기 이래경 신정숙 홍성천 김미례	강인태 김혜미 김미애 정대혁 김병현	김종곤 이승일 김대준 이보라 정보령
FAX	922-5205					

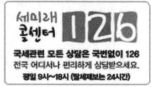

DID : 02-2114-OOOO

국실	조사4국									
국장	이동운 4500, 4700									
과	조사관리과									
과장	윤순상 4501									
계	1	2	3	4	5	6	7	8	9	10
계장	신민섭 4502	옥창의 4512	박영준 4522	이용문 4532	장재수 4542	조주환 4552	이건도 4562	임정일 4582	박찬만 4602	박주담 4612
국세 조사관	민희망 오현정 이응석 박경희 이현수 유희정 정건제 황정미	서유미 황보영미 김은선 조희성 장소영 문종빈	유영희 정수인 석지영 김병휘 강민수 성경진 정석훈	이영옥 조재영 장해성 공현주 김윤정 조용석 이지수	권순찬 김현정 정윤미 정애진 이영우 송창녕 박정언 문지영	임태일 김윤선 이동희 정혜진 이숙 박서빈	강양구 조위영 황영규 노계연 차혜진 안승화 김도은 김주혜	이수정 윤선영 유정희 서은원 문교현 신복희 손승진 김용현 이정일 고정진 장아름미 김성호 김가이 채민화	이근웅 김화준 조인혁 김형욱	염세환 김봉찬 김대호 김민기
FAX	722-7119									

142

국실	조사4국				
국장	이동운 4500, 4700				
과	조사1과				
과장	장태복 4621				
계	1	2	3	4	5
계장	김유신 4622	고승욱 4632	윤성중 4642	오창주 4652	4672
국세조사관	손진욱 박경근 박준용 김충만 김정근 이지혜 송청자 라지영 위민국 최호윤	박진원 이우석 최동혁 송준승 최희정 이상헌 김평섭 정수진	문상철 신철원 유기선 김대영 김태인 이유리	심수한 이전봉 고현호 봉준혁 이지숙 최지현	안수민 김선미 홍성일 최승영 남윤수 김기진
FAX	765-1370				

국세관련 모든 상담은 국번없이 126
전국 어디서나 편리하게 상담받으세요.
평일 9시~18시 (팝세제보는 24시간)

DID : 02-2114-OOOO

ⓢ 삼도 세무회계

대표세무사 : 황도곤(前삼성세무서장)
서울시 강남구 강남대로 84길 23, 한라클래식 718호

전화 : 02-730-8001   팩스 : 02-730-6923
핸드폰 : 010-6757-4625   이메일 : hdgbang@naver.com

국실	조사4국							
국장	이동운 4500, 4700							
과	조사2과				조사3과			
과장	이인섭 4721				김상구 4791			
계	1	2	3	4	1	2	3	4
계장	이방원 4722	김봉규 4732	송평근 4742	고만수 4752	이상길 4792	김주석 4802	이철재 4812	김은진 4822
국세 조사관	김대현 이영진 최성일 이선진 장원식 최미선 강민호 황현서	강우진 이정은 진수정 김동환 김현우 정유리 김희준	박상훈 최민희 이재복 양동규 박초아 여효정 박준영	배경직 황윤섭 김형수 김재현 이인하 안성희	홍순영 임영아 임샘터 여태환 민우빈 조희원 임수연 이지민 노종영	이옥선 강성모 이대식 김희진 박미선 박혜진	강대선 강인혜 한승만 안지혜 오상훈 하남우 김세하	백영일 최동혁 허진 윤여진 김명진 정장군
FAX	762-6751				763-7857			

대원 세무법인

대표세무사: 강영중

서울시 강남구 논현2동 209-9 한국관세사회관 2층
전화:02-3016-3810   팩스:02-552-4301
핸드폰:010-5493-4211   이메일:yjkang@taxdaewon.co.kr

국실	국제거래조사국							
국장	김국현 5000, 5100							
과	국제조사관리과							
과장	신재봉 5001							
계	1	2	3	4	5	6	7	8
계장	김정미 5002	송은주 5012	김종두 5022	정규명 5032	정승환 5042	정영혜 5052	김윤정 5062	장기웅 5072
국세 조사관	오희준 이재연 박진습 조희진 차선영 김신애 명인범	정진영 최숙현 심창현 최수빈 송은별	설미현 황은미 이수연 김기현 이수정	이윤정 임강욱 양연화 김경미 정주희	주현아 지성수 문홍규 오세찬 석혜조	조용수 김병기 모두열 이혜린 전혜영 오세혁	이세연 김호준 송진미 홍지흔 김형섭 하은혜	권범준 이임순 김명희 조진숙 현재민 황희상
FAX	739-9832							

145

DID : 02-2114-OOOO

국실	국제거래조사국						
국장	김국현 5000, 5100						
과	국제조사1과						
과장	남아주 5101						
계	1	2	3	4	5	6	7
계장	문형민 5102	계구봉 5112	김형태 5122	류호균 5132	박애자 5142	유하수 5152	이재영 5162
국세 조사관	김수원 이한상 도상옥 김준기 홍수현 박은선 김리영 김성실	강새롬 권혁준 금현정 이창준 최명준 김소희	이종우 송주현 서승원 이명희 장건수	이안나 이미애 신희웅 한수현 장혜미 이기숙	권영승 장인영 윤명준 황희진 안진환 허문정	김진규 송은정 김영환 곽영경 차유라	박찬웅 이재성 박신애 김하림 박성애
FAX	3674-5520						

국실	국제거래조사국									
국장	김국현 5000, 5100									
과	국제조사2과						운영지원과			
과장	장병채 5201						황동수 2240, 2241			
계	1	2	3	4	5	6	경리	인사	행정	현장소통
계장	진선조 5202	오성철 5212	손혜림 5222	김종국 5232	송지현 5242	최영환 5252	정소영 2262	박권조 2242	박재성 2222	임행완 2282
국세 조사관	조홍기 김국진 최미란 이이네 박진희 신향식 박지숙 이영선	형성우 이덕화 한정희 위경환 이현아 여진임	권진록 남동훈 정치중 송진희 심상미 이은비	이도경 최종태 손영란 송병호 홍진표 김소나	백송희 전선영 이혜인 유용근	윤설진 최은혜 기재희 박형배 양국현	노현정 주선영 황주연 임유정 임보라 서예림 정세윤 유민정 정영달	정영식 이섭 유성엽 강호종 김윤 김현철 이준배 류지현 이혜연 황유성 정해진 강이은	정희섭 정준모 김하늘 최성규 이동진 정형준 조미영 박현선 유동균 임수빈 정용오 김준영 김정훈 김도연 오은주 배수일 유태준 박지훈 김정호 박종서 박만길 정찬상 김경두 김유식 박상인 유한웅 김춘수 여민호 마성민 이희범 김규완 박천우	장대완 정종국 황규형 정철우 박진솔 신동호 이은정 고아영
FAX	3674-7932						722-0528			

강남세무서

대표전화: 02-5194-200 / DID: 02-5194-OOO

서장: **최 인 순**
DID: 02-5194-201~2

주소	서울특별시 강남구 학동로 425(청담동 45번지) (우) 06068				
코드번호	211	계좌번호	180616	사업자번호	120-83-00025
관할구역	서울특별시 강남구 중 신사동, 논현동, 압구정동, 청담동			이메일	gangnam@nts.go.kr

과	체납징세과				부가가치세과		소득세과		재산세1과	
과장	이우재 240				백승원 280		전경원 360		어기선 480	
계	운영지원	징세	체납추적1	체납추적2	부가1	부가2	소득1	소득2	재산1	재산2
계장	오주영 241	유은숙 261	윤미성 601	이지연 621	김문환 281	이동남 301	양동원 361	김도경 381	공효정 481	염지훈 501
국세조사관	이지현 김차남 전형민 은하얀 홍은기 이선영 이정화 송은우	황은옥 양순영 이서영	박성근 신승애 정정희 김유진 권예원 홍경원 이강산 김주예 성수연 이병주	정상덕 전지연 김제은 정도영 박현정 김대관 황서하 전수연 윤소윤	김지혜 김영주 박준호 신지혜 장선희 김소영 노미선 최병석 최정희 조한경 김혜빈 조성규	정승갑 이은영 강택훈 표선임 나한결 구영민 김형우 김지혜 김수현	박승문 심지은 정서영 이예진 정혜정 도정미	김선율 서영순 김은영 신구호 배지윤 신윤경	노명희 윤지영 김해림 윤기덕 안미라 강수정 금승훈 권명자	신이길 양철원 이창호 백정훈 김지수 한혜성
FAX	512-3917				546-0501		546-3175		546-3178	

대원 세무법인

대표세무사: 강영중

서울시 강남구 논현2동 209-9 한국관세사회관 2층
전화:02-3016-3810　　　팩스:02-552-4301
핸드폰:010-5493-4211　　이메일:yjkang@taxdaewon.co.kr

과	재산세2과		법인세1과		법인세2과		조사과			납세자보호담당관	
과장	김정흠 540		민경하 400		김봉범 440		장찬용 640			윤만식 210	
계	재산1	재산2	법인1	법인2	법인1	법인2	세원정보	조사	조사관리	납세자보호실	민원봉사실
계장	황찬욱 541	561	401	박시용 421	정재일 441	461	박정미 691	이준혁	최창수 641	지혜수 211	211
국세조사관	김한성 김현 오현주 윤선화 최명현 송지예	최원모 표지선 송영석 오현석 한장미 박소정	육혜연 김보미 박정민 최정윤 김종수 서혜란 유호경 박건웅 이예지	김윤정 백두열 오잔디 유신혜 김성미 차원영 김현주 임수민 김영일	박민재 변상미 홍성민 박규빈 박진현 진선호 김광환 최인혜 강덕우	최정원 정화선 이해운 서민우 김보연 김서안 이지우 박철우 모희산	김태준 김대원 한주연	<1팀> 정주영 정지예 <2팀> 권종욱 배진근 선지혜 <3팀> 전태병 이재성 박소미 <4팀> 홍지연 황아름 최웅 <5팀> 김소연 최강인 지서연 <6팀> 진민정 정은선 이호경 류현준 <7팀> 김성욱 안소라 정재영	김난형 윤소영 이준표	김희숙 이진아 임옥경 정소영 손재하 방현정	최선이 최현 정세영 차지인 강다영 박경란 이은지 이태현 길혜선
FAX	546-3179		546-0505		546-0506		546-0507			546-3181	

149

강동세무서

대표전화: 02-22240-200 / DID: 02-22240-OOO

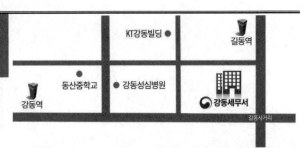

서장: **유 진 재**
DID: 02-22240-201, 202

주소	서울특별시 강동구 천호대로 1139(길동, 강동그린타워) (우) 05355						
코드번호	212		계좌번호	180629		사업자번호	212-83-01681
관할구역	서울특별시 강동구					이메일	gangdong@nts.go.kr

과	체납징세과			부가가치세과		소득세과		법인세과	
과장	선봉관 240			신성철 280		김형준 360		정광준 400	
계	운영지원팀	징세팀	체납추적팀	부가1	부가2	소득1	소득2	법인1	법인2
계장	강하규 241	고영수 261	김영면 601	김혜랑 281	이영미 301	이석재 362	이종순 621	이봉희 401	김춘례 421
국세 조사관	조범래 인정덕 이진 박재영 허윤재 강지수 황웅재	김선경 이윤미 고은지	최서윤 송찬미 이희라 이홍욱 정순삼 이서현 원정윤 양현우 최현지 박세인 박효신	박규송 문미라 홍주현 이은경 박숙희 최원영 하주원 남장우 정은선 이예지 김애라	김연자 장혜경 이은희 진정호 조주희 문호승 최초로 이태원	이상숙 문정희 신준철 이경수 남수진 나은경 이슬기 김서현 박재형 김주현 이경서 이희숙 맹기성	이소민 최근창 민샘 김현진 한지혜 김영천 박지연 강민주 이상훈 유근조	류동균 이보배 양은영 김진희 김형주 노정환	손민선 박종화 박정희 김영균 이희환
FAX	2224-0267			489-3253		489-3255~56		489-4129	

1등 조세회계 경제신문 조세일보

과	재산세과			조사과			납세자보호담당관	
과장	조성준 480			조성호 640			심우돈 210	
계	재산1	재산2	재산3	세원정보	조사	조사관리	납세자보호실	민원봉사실
계장	이철수 481	김호복 501	강미순 521	장서영 691	노성모 651	641	김소희 211	최창주 221
국세조사관	장진희 장희숙 정종현 조홍준 이호준 신동희 김미정 조영순	김인홍 오동문 백승범 김혜원 이여진 박안나	조성주 정명훈 이은희 배미일 김지윤 정교민	박소현 전병준	\<1팀\> 박명희 정수미 \<2팀\> 이지숙 김덕영 김동현 \<3팀\> 최현옥 오현식 이찬 \<4팀\> 강현연 김민선 전샛별 \<5팀\> 박준식 윤지혜 염예나	변행열 김지혜 임여울	위종 오정환 윤미	안정섭 김나나 이상현 이성옥 강현주 김희정 류순영 박정은
FAX	489-4166			489-4167			489-4463	470-9577

강서세무서

대표전화: 02-26304-200 / DID: 02-26304-OOO

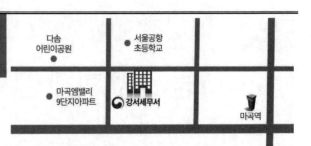

서장: **이 정 희**
DID: 02-26304-201

주소	서울특별시 강서구 마곡서1로 60(마곡동 745-1) (우) 07799				
코드번호	109	계좌번호	012027	사업자번호	109-83-02536
관할구역	서울특별시 강서구			이메일	gangseo@nts.go.kr

과	체납징세과				부가가치세과		소득세과	
과장	권오현 240				김남균 280		양경영 360	
계	운영지원	징세	체납추적1	체납추적2	부가1	부가2	소득1	소득2
계장	이종현 241	이주한 261	김형준 601 전성수 601	정운형 401	이승준 281	김승일 301	남기형 361	차순백 381
국세 조사관	정소영 권정운 박명훈 정주영 신동호 이선아 김태식 남전우 이형권 김규성	김윤영 오혜실 최효진	김경호 허세욱 천명선 강미진 주성재 김유진 정경숙 이혜민 권순호	박희정 최우일 조원준 전민재 이익훈 최은영 김지혜 이선아 김명선	이성경 유향란 윤진희 박원영 윤난영 윤성준 윤정미 안정훈 조우숙 안지혜 문용원 유학승 조인영 변병돈 박수연 김진솔 유동준 우정현	백원일 박상희 김영일 정경진 박소연 편상원 박종일 이유빈 김지현 최보영 최문경 김다영 이솔아 김미림	황병권 이수련 최해철 이영호 이진주 김수현 박유미 양창혁 표정범 최혜련 김아리수 조경태 강한나 이승현	안성진 안연찬 김원규 임효정 송예체 이현욱 김건호 임진주 박소미 문아연 최민정 한정식
FAX	2679-8777				2671-5162	2068-0448	2679-9655	2068-0447

과	법인세과		재산세과			조사과			납세자보호담당관	
과장	신래철 400		윤동환 480			모상용 640			최병태 210	
계	법인1	법인2	재산1	재산2	재산3	세원정보	조사	조사관리	납세자 보호실	민원 봉사실
계장	김한태 401	김혜영 421	박평식 481	조헌일 501	이재상 521	권혁노 691	이명욱	김영수 641	조성리 211	유순복 221
국세 조사관	박소연 김기남 이주연 박근식 박성준 박지혜 조성광 이정림 박남규 여주연	김용배 이상헌 김정미 김재현 남윤정 조미성 조재범 유예림	송병섭 유소정 김예린 박미주 임승명 나환웅 김수진 김은령	서미영 김우수 이유정 김형석 김은영 문성윤 원유미	최형석 김정민 유강훈 김나연 이지혜 박아름 최미숙	최용우	<1팀> 이선민 이슬기 <2팀> 박광용 김민경 박지희 <3팀> 김경환 임수진 방원석 <4팀> 김형일 조현철 손경선 <5팀> 박지혜 허송이 백현기 <6팀> 박치원 류신우 이윤주	박승규 김정은 서승혜	김병만 이승훈 김경진 김병진	윤미경 허태욱 김경희 최기환 김혜정 최윤미 강정규 박경화 김용정 차유미
FAX	2678-3818		2634- 0757	2634- 0758	2634- 0757	2678-6965			2678- 4163	2635- 0795

관악세무서

대표전화: 02-21734-200 / DID: 02-21734-OOO

서장: **배 상 록**
DID: 02-21734-201, 202

주소	서울특별시 관악구 문성로 187(신림1동 438-2) (우) 08773					
코드번호	145		**계좌번호**	024675	**사업자번호**	114-83-01179
관할구역	서울특별시 관악구				**이메일**	

과	체납징세과			부가가치세과		소득세과	
과장	손상영 240			김동우 270		김기석 340	
계	운영지원	징세	체납추적	부가1	부가2	소득1	소득2
계장	곽세운 241	이희경 261	이세주 601	김현태 271	이금란 291	권보성 341	김상길 361
국세 조사관	문용식 박순희 최인석 홍다임 최상혁 김진구	손민자 오선희	배현우 김보경 김미연 강정수 조숙연 문미경 김소영 이윤선 권태준 정혜림 한지윤 조민경 김민혜	안성진 김정란 김경숙 김명주 이영희 이연호 박지환 강민수 정민석 김한오 나성빈 조슬기	구영대 김영미 허진화 주경섭 송호필 이화영 김세빈 김혁희 김규리 서예진 박성한 김동현	이춘근 김선아 노연섭 노지현 이희영 오덕희 김소영 오철민 정미경 박윤환 장이지 도수정 박지화	함석광 김익환 손현숙 권민지 정민주 박민주 박종필 김영재 박한승 정동욱 김현선 최지우
FAX	2173-4269			2173-4339		2173-4409	

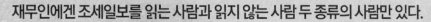

재무인과 함께 걸어가겠습니다 '조세일보'

재무인에겐 조세일보를 읽는 사람과 읽지 않는 사람 두 종류의 사람만 있다.

1등 조세회계 경제신문 조세일보

과	재산법인세과			조사과			납세자보호담당관	
과장	양동석 460			박노헌 640			박성민 210	
계	법인	재산1	재산2	세원정보	조사팀	조사관리	납세자보호실	민원봉사실
계장	신만호 531	강체윤 461	문금식 481	유환문 681	박정민 651	최미경 641	정미원 211	임정숙 221
국세조사관	윤명희 김형진 김병윤 현우정 박지환 송해영	김미숙 이유진 양미선 유은주 이규혁 임진화 김주엽 조아라 배석준	이광재 양종선 강선영 서경희 박신영 안주영	신동혁 공기영	<1팀> 김상선 조영혁 <2팀> 이미라 이지현 양윤모 <3팀> 노재호 한승수 김희지 장덕윤	강금여 이경민 최고은	전은상 전태원 유소진 장혜미	김임경 박선규 류기수 김새미 이민영 권혜지
FAX	2173-4550			2173-4690			2173-4220	2173-4239

구로세무서

대표전화: 02-26307-200 / DID: 02-26307-OOO

서장: **문 준 검**
DID: 02-26307-201

문래자이아파트
문래동우체국
문래지구대
타임스퀘어
문래동사거리
구로세무서
영등포역
서울영등포
초등학교

주소	서울특별시 영등포구 경인로 778(문래동 1가) (우) 07363				
코드번호	113	계좌번호	011756	사업자번호	113-83-00013
관할구역	서울특별시 구로구			이메일	guro@nts.go.kr

과	체납징세과				부가가치세과			소득세과	
과장	조구영 240				정관성 280			이원우 360	
계	운영지원	징세	체납추적1	체납추적2	부가1	부가2	부가3	소득1	소득2
계장	최연희 241	이병두 261	김현정 601	안상욱 621	문극필 281	조민숙 301	이영진 321	박정임 361	김유미 381
국세조사관	이서현 김민우 이지웅 이다훈 신동진 심희열 도기원 고병찬	김기은 임정희 오수연	심선미 김환석 윤주영 조미진 정난영 김동하 박소은 박정민	홍세진 정혜영 김정미 김도영 정형진 유진아	김보미 홍종복 정희원 정교필 이연실 한장희 고현일 전지원 박정순	최인귀 한예숙 이유진 조영미 우미라 이혜수 신지연 고현주 김수연	배진희 장은정 김광현 정회훈 최정영 김별나 김제성 이슬비 연성준 강인혜	정근우 배수진 노하진 홍현승 박현혜 임희정 유선애 서효정 권덕환	장재원 김영옥 박선민 구선영 이주희 이병만 이원익 윤서울 정호영 김유주 최정아
FAX	2631-8958				2637-7639	2636-4913		2634-1874	2636-4912

과	법인세과		재산세과		조사과			납세자보호담당관	
과장	김재철 400		황연실 480		오시원 640			박만욱 210	
계	법인1	법인2	재산1	재산2	세원정보	조사	조사관리	납세자 보호실	민원 봉사실
계장	장영환 401	신옥미 421	장동은 481	김희락 501	성시우 691	주경탁 651	안상현 641	조원형 211	정영진 221
국세 조사관	이기현 이경숙 홍여주 권태인 최순희 정유진 감동윤 김보경 박지은 장원주	김수영 조소연 이은정 송혜원 윤혜숙 최영아 강민규 박인규 여경규	이영호 심수민 국승원 김현정 한민지 이지수 이재연 위다현 이기영	박성민 이수정 전우찬 최재영 최하나 서정은	최병우 장은영 윤현주	<1팀> 김효정 송창식 <2팀> 한경화 박문수 김지영 <3팀> 김지범 최은경 장서현 <4팀> 강동휘 박미연 김은호 김주연 <5팀> 장현성 안인엽 이승현	임소영 이선주 윤현경	김동현 고영숙 김경태 권현신	김은숙 정은아 김경희 민지혜 김양수 강유미 이명희 편혜란 김보영 박혜진 강방숙 윤총명 조태준
FAX	2676- 7455	2679- 6394	2636-7158		2632-1498			2632 -7219	2631 -8957

금천세무서

대표전화: 02-8504-200 / DID: 02-8504-OOO

서장: **주 효 종**
DID: 02-8504-201

주소	서울특별시 금천구 시흥대로152길 11-21(독산동) (우) 08536 조사과 : 서울특별시 관악구 남부순환로 1369 (신림동) 관악농협 하나로마트 5층 (우) 08537				
코드번호	119	계좌번호	014371	사업자번호	119-83-00011
관할구역	서울특별시 금천구 전체			이메일	geumcheon@nts.go.kr

과	체납징세과			부가가치세과		소득세과	
과장	이병만 240			박재광 280		노병현 320	
계	운영지원	징세	체납추적	부가1	부가2	소득1	소득2
계장	이병준 241	김철 261	황용섭 601	김미원 281	이수락 301	양재영 321	김규인 341
국세 조사관	김병준 전훈희 김주현 이재훈 임규성 김은석 박경렬 변유경	한혜영 윤현미 김은혜	배옥현 김정숙 홍지혜 이완배 배재홍 손준성 임태윤 고민지 이윤정 정방현 한지원 김명희 조영성 박승원	김영웅 김미경 황상인 장재호 장철성 박혜미 여호종 이명수 이솔아 김민주	조준 손수정 김성표 강은실 박유리 최나연 성경옥 김준 김단아 오영주 이아름	김원호 김영숙 정우선 김윤미 이주선 이경희	이수정 유명옥 최하연 이창민 차지해 조서현
FAX	861-1475			865-5504		850-4359	

158

세림세무법인

대표세무사 : 김창진

서울시 금천구 시흥대로 488, 701호(독산동, 혜전빌딩)

1본부(701호) T. 02)854-2100 F. 02)854-2120
2본부(601호) T. 02)501-2155 F. 02)854-2516
홈페이지: www.taxoffice.co.kr 이메일: taxmgt@taxemail.co.kr

과	재산법인세과			조사과			납세자보호담당관	
과장	김재형 400			김병로 640			박문수 210	
계	법인1	법인2	재산	세원정보	조사	조사관리	납세자보호실	민원봉사실
계장	전용찬 401	김강훈 421	이우성 481	김미순 691	이진우 651	변동석 641	곽윤희 211	김선도 221
국세조사관	이태순 박용우 박주철 김용수 박영숙 최은지 이윤경 지원민 장일영 박혜인 심윤미 김세린 송경아	주기환 김미경 권정기 심진용 김효정 이수원 민정은 조영진 권채윤 김보영 김민형 유다정	변성미 이강윤 박형우 유형래 유혜란 문예슬 박동규	이연우	<1팀> 윤정화 강정목 <2팀> 이남형 정은하 고우성 <3팀> 정진성 이충섭 <4팀> 곽동윤 김은정 <5팀> 이성수 홍정표	김수진 이윤주 김은희	이수란 조한영 김연주	배주현 김태연 임의순 장서윤 전영운 조경진 윤지원
FAX	865-5565			855-4671			865-5532	865-5537

남대문세무서

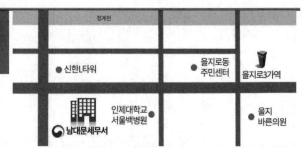

대표전화: 02-22600-200 / DID: 02-22600-OOO

서장: **김 수 현**
DID: 02-22600-201

주소	서울특별시 중구 삼일대로 340(저동1가) 나라키움저동빌딩 (우)04551				
코드번호	104	계좌번호	011785	사업자번호	104-83-00455
관할구역	서울특별시 중구 중 남대문로 1·3·4·5가, 을지로 1·2·3·4·5가, 주교동, 삼각동, 수하동, 장교동, 수표동, 저동 1·2가, 입정동, 산림동, 무교동, 다동, 북창동, 남창동, 봉래동 1·2가, 회현동 1·2·3가, 소공동, 태평로 1·2가, 서소문동, 정동, 순화동, 의주로 1·2가, 중림동, 만리동 1·2가, 충정로 1가			이메일	namdaemun@nts.go.kr

과	체납징세과			부가소득세과			재산 법인세과
과장	김성일 240			김미정 280			김태섭 400
계	운영지원	체납추적	징세	부가1	부가2	소득	재산
계장	윤희관 241	나찬영 601	배철숙 261	김선항 281	이선재 301	양미영 321	김민주 481
국세 조사관	문여리 황순이 이광순 한소라 조길현 한정덕 양현아	허정윤 권대식 김미옥 정소연 한덕윤 심현정 김준형 어수임	임미영 서수현	송정현 한장우 김고은 최명식 홍혜진 김지윤 윤단비	지상수 김현아 김은영 김효정 김효진 김현정	박소희 김현우 김소라 진성민 윤단비	이경표 김충상 구자연 장영진 이민정
FAX	755-7114	755-0132	755-7132	755-7145			755-7730

과	재산법인세과			조사과			납세자보호담당관	
과장	김태섭 400			임석규 640			하정권 210	
계	법인1	법인2	법인3	세원정보	조사	조사관리	납세자보호실	민원봉사실
계장	엄형태 401	심희선 421	이규석 441	이창현 691	김영기 651	641	원한규 211	송정희 221
국세조사관	유동원 신미선 한윤숙 이성진 주희정 차중협 조정훈 곽민정 이정은 강나루	류선주 노일호 박마래 유지영 최서진 봉수현 박주연 김경복 이선우	박복영 최진 박금숙 류대훈 김화도 이은준 김유권 임진영	이지선 홍승희	<1팀> 김미진 한종환 <2팀> 김진석 백승희 윤혁 <3팀> 김순중 김푸름 정지원 <4팀> 김명희 박세희 <5팀> 정은수 정유정 강정희 박성현	두준철 김경숙 심지숙	김신우 임상진 김창미	김은영 정민순 주아람 김슬기 김은정
FAX	755-7714			755-7922			755-7903	755-7944

노원세무서

대표전화: 02-34990-200 / DID: 02-34990-OOO

서장: **이 주 연**
DID: 02-34990-201

창동역 · 삼성디지털 프라자 · 하나로마트
· 노원세무서 · 서울도봉경찰서
● 동아아파트 ● 창4동주민센터

주소	서울특별시 도봉구 노해로69길 14(창4동 15) (우)01415					
코드번호	217		계좌번호	001562	사업자번호	217-83-00014
관할구역	서울특별시 노원구 전지역, 도봉구 중 창동				이메일	nowon@nts.go.kr

과	체납징세과				부가가치세과		소득세과	
과장	김시영 240				김윤석 280		박희도 360	
계	운영지원	징세	체납추적1	체납추적2	부가1	부가2	소득1	소득2
계장	장민우 241	이미녀 261	성기동 601	조남욱 621	임병일 281	황태건 301	이승철 361	정상술 381
국세 조사관	심현희 박세진 채문석 김정현 원상호 조예린 유승종 노재윤	김영옥 유지영 류기현	권교범 이수인 유환성 오홍희 박하니 권예지 한승완	조명기 박선희 최은애 김나은 편나래 이승민 김태호 김혜진	이길채 한진옥 이지현 배현정 박은정 김민수 제갈융 전성훈 이애신 문정혁 박슬기 강다애 박진희	박송복 김은화 함연의 심주호 강석순 김민지 강미수 변금수 박주희 이정웅 정해원 김소연 박애란 동남일	최영인 이미영 이현순 정경택 김미영 전은지 장서영 백설희 이창흠 박노준 박세환 백만리 김종연 이동훈 이윤정 권해영	박현숙 김현숙 차은정 김선미 이영민 김지미 배민정 이승주 조은기 배동혁 윤성민 정희재 지소정 엄기관
FAX	992-1485				992-0112		992-0574	

과	재산법인세과				조사과			납세자보호담당실	
과장	김권 400				권오준 640			이서행 210	
계	법인	재산1	재산2	재산3	세원정보	조사	조사관리	납세자 보호실	민원봉사실
계장	한정식 401	최동수 481	신경식 501	강민완 521	홍상기 691	황병규 651	641	전진수 211	이성희 221
국세 조사관	김영숙 송지선 오현준 강지현 윤수빈 안해송 김기쁨	고성순 맹지윤 박은미 이범규 오영은 양미숙 이동규 정의범	조규창 신영진 김만숙 이윤경 김형래 양웅 강현주 김은경	전정훈 임채두 민정기 양신 박현수 강송현	윤은숙 김준연	<1팀> 왕지은 이동건 <2팀> 김성열 허은석 류희정 <3팀> 김흥곤 정현진 김미경 <4팀> 전종상 정원영 최인아	박옥진 오동석 남용희 서주아	홍지화 박성찬 안모세	박은화 김지윤 정지혜 박영란 조아라 김안나 육송희 최선희 정지문 유정현 강민균 임희건
FAX	992-0188		992-2693		992-2747			900-2911	992-6753 (공릉동) 900-2911

163

도봉세무서

대표전화: 02-9440-200 / DID: 02-9440-OOO

서장: **최 종 열**
DID: 02-9440-201

주소	서울특별시 강북구 도봉로 117 (미아동 327-5) (우) 01177					
코드번호	210	계좌번호	011811	사업자번호	210-83-00013
관할구역	서울특별시 강북구, 도봉구 (창동 제외)			이메일	dobong@nts.go.kr

과	체납징세과			부가가치세과		소득세과	
과장	이승현 240			이원만 280		김소연 360	
계	운영지원	징세	체납추적	부가1	부가2	소득1	소득2
계장	최환규 241	김병래 261	박준서 601	이상조 281	최경희 301	이봉숙 361	권나현 381
국세 조사관	정주현 조현은 전상현 장진영 임은주 황계숙 권용상 안성빈	김영신 김보라 최원희	박문철 안병옥 신정환 송설희 복은주 홍원필 김은화 유극종 박준우 이장훈 홍문기 김진주 박지혜	서윤주 김경선 정경순 김의중 유현아 김대길 허정희 이금미 송형승 서명진 김은주	김미애 박성일 이계승 유아람 정하영 박은정 정의주 김효상 유은미 한상민 최운식	정한진 김영남 윤영숙 김성진 강현정 홍지석 최효선 이정하 우현구 김보송 최민규 박진미 신수빈	주동철 채민호 정흥자 문석빈 김슬기 김민정 이재영 주성희 양인환 엄하은 김현주
FAX	944-0247	944-0249		945-8312		987-7915	

164

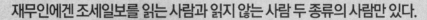

과	재산법인세과			조사과			납세자보호담당관	
과장	윤영호 400			권영진 640			박양운 210	
계	법인	재산1	재산2	세원정보	조사	조사관리	납세자 보호실	민원봉사실
계장	박정곤 401	고정수 481	노기항 501	이창건 691	서경철 651	641	조승모 211	민진기 221
국세 조사관	임경섭 김수현 서인숙 김미연 한창우	강명준 김은정 박준명 이보배 이성혜 진경화 황정미 김수민 유주하	김용민 권우택 양희승 이미소 함영은 김규리	이수연 이존열	<1팀> 최수연 심경연 조동진 <2팀> 박원균 정석규 최효진 김민영 <3팀> 남기훈 이장영 김수연	김우정 유수경	이재원 홍강훈 오대철	이채아 이성애 박소연 배민우 정현숙 황지영 이윤행
FAX	945-8313			984-8057			984-6097	945-6942

동대문세무서

대표전화: 02-9580-200 / DID: 02-9580-OOO

서장: **권 태 윤**
DID: 02-9580-201

주소	서울특별시 동대문구 약령시로 159 (청량리동 235-5) (우)02489				
코드번호	204	계좌번호	011824	사업자번호	209-83-00819
관할구역	서울특별시 동대문구			이메일	dongdaemun@nts.go.kr

과	체납징세과			부가가치세과		소득세과	
과장	신우교 240			김정동 280		임용걸 360	
계	운영지원	징세	체납추적	부가1	부가2	소득1	소득2
계장	정현철 241		김용철 601	윤선기 281	송희성 301	이문수 361	조동표 381
국세조사관	이종경 박연선 안혜정 오지은 임지민 최창순 강장욱 이경애 김성진	신주현 한금순 송수현	구자옥 백승현 정화영 조은정 김정미 김현정 김미진 이원희 이원나 이지연 박준희 육근영	이여울 황미영 최문석 박근애 이정은 송보화 임석민 한재영 이현아 이상미 한승아 김영지 김재희 홍차령	조한용 윤순녀 홍정민 신주령 강다희 박성수 조민수 최현준 홍차령 고현웅	송윤식 김희정 권오석 권영주 노수연 권혁찬 임수진 이희영 김선영 김일하	김혜숙 김정미 최은미 박진희 김은설 남정태 박철한
FAX	958-0159	927-9461		927-9462		927-9464	

과	재산세과		법인세과		조사과			납세자보호담당관	
과장	한관수 480		이용만 400		장성우 640			이춘식 210	
계	재산1	재산2	법인1	법인2	세원정보	조사	조사관리	납세자 보호실	민원 봉사실
계장	장은정 481	전용원 521	손광섭 401	문철주 421 정승렬 421	장인수 691	예정욱 651	이희열 641	박찬정 211	박선영 221
국세 조사관	전혜정 박은혜 최수진 이소현 박찬규 곽수연 이융건 정석훈 박미숙	심연택 김승욱 최현영	정민호 홍미숙 곽진후 강현주 김기선	신현철 임경남 김선미 이진우 문영은	장혜경 차지현	<1팀> 한지숙 김민성 <2팀> 장진범 조연상 김민경 <3팀> 조은희 김은실 박용석 <4팀> 고영훈 이중승 <5팀> 김태영 서경진 최범식	임미영 이소정	진성욱 박혜옥 김찬웅	이세정 김계영 송재영 이은상 정현진 백지혜 김선진
FAX	927-9466		927-9465		927-4200			927- 9463	927- 9469

동작세무서

대표전화: 02-8409-200 / DID: 02-8409-OOO

서장: **표 진 숙**
DID: 02-8409-201~2

강남중학교
메트하임 아파트
보라매역
서울공업 고등학교
세마을금고
동작세무서
보라매 요양병원

주소	서울특별시 영등포구 대방천로 259 (영등포구 신길동 476) (우) 07432				
코드번호	108	계좌번호	000181	사업자번호	108-83-00025
관할구역	서울특별시 동작구, 영등포구 중 신길동, 대림동, 도림동			이메일	dongjak@nts.go.kr

과	체납징세과				부가가치세과			소득세과		
과장	김효상 240				조남철 280			김평호 360		
계	운영지원	징세	체납추적 1	체납추적 2	부가1	부가2	부가3	소득1	소득2	소득3
계장	권지은 241	김미연 261	김성도 601	조병성 621	박재숙 281	김성두 301	정한신 321	류인철 341	최미순 361	최남원 381
국세 조사관	노아영 이부창 임태호 홍건택 황미숙 전보현 윤영규 정혜지 임선희	권민선 민경은 김미숙	이정로 나영주 류수현 이성혜 한성일 김솔 임지혜 신상민	이상민 유근만 김지선 박범규 신아영 송현수 장수현	이민정 심민정 최유건 서보미 유미선 최효영 김영석 한정현 민지현 김선화 포옥연 서광옥	조선희 정기선 김영하 이송향 황정숙 김민지 김도형	최영호 변지야 김다원 방선우 김수정 탁성찬 김다연	양옥서 권오광 황윤숙 이정훈 박예림 이미현 안미진 신은수 김병선 김남희	이지은 유성희 김선임 나종현 김수현 조서연 김채현 박효준 윤선용	김수진 신동배 신수민 장희정 오도훈 김시아 박미정 이윤노 오은희
FAX	831 -4137	831-4136			833-8775			833-8774		

1등 조세회계 경제신문 조세일보

과	재산세과			법인세과		조사과			납세자보호담당관	
과장	유용환 480			김형기 400		김성용 640			이선미 210	
계	재산1	재산2	재산3	법인1	법인2	세원정보	조사	조사관리	납세자보호실	민원봉사실
계장	조인옥 481	고돈흠 501	황상욱 521	김영민 401	김병석 421	김주현 691	<1팀> 고형관 손가희 조대훈 김민수	지연우	서남이 211	이미경 221
국세조사관	노경민 박찬호 백자영 박지성 김은지 신용석 김병우 박혜진	최효임 김예린 김수경 안미진 이은제 최호림 권은호 장지영 이상문	최재현 이재하 강규철 정애정 여은수 강남영 이영우 신지연 정다영	연덕현 박현정 김도연 최세희 김정민	김명신 김기선 신원섭 강미현 강지인	강화수 박승희	<2팀> 박정한 최민석 윤지수 <3팀> 이경미 이현성 김미소 <4팀> 임병수 이선아 이규태 <5팀> 김한규 김진환 김효진	이홍숙 금진희 장희정 이수지	한윤숙 현지희 이선영 이상훈 강형석	오경애 안종호 김선주 박수연 김유미 김예지 김용 두채린
FAX	836-1445			836-1658		825-4398			836-1643	836-1626

마포세무서

대표전화: 02-7057-200 / DID: 02-7057-OOO

서장: **최 경 묵**
DID: 02-7057-201

주소	서울특별시 마포구 독막로 234 (신수동 43) (우) 04090				
코드번호	105	계좌번호	011840	사업자번호	105-83-00012
관할구역	서울특별시 마포구			이메일	mapo@nts.go.kr

과	체납징세과				부가가치세과			소득세과	
과장	황장순 240				한명숙 280			임형수 360	
계	운영지원	징세	체납추적1	체납추적2	부가1	부가2	부가3	소득1	소득2
계장	김진수 241	박옥주 261	신명숙 601	김명자 621	나정주 281	한석진 301	심현 321	김성덕 361	정정자 381
국세 조사관	이윤하 조민지 배을주 이규형 양지상 정민우 정준호	박영임 이미정 신채영	백동욱 임은화 이원도 김지연 김영운 박재춘 윤태훈 김준철 서한슬	이정화 이경옥 지현배 김호서 김지은 공윤선 심연수 조성현 우가람	이수화 황진하 윤정선 홍근화 윤장원 유미성 박상원 오서영 김민정 김남주 유정은	박민정 황태연 이봉남 김유나 김신자 진혜경 박은희 황정선 이다예 김동현 김성진	박민정 김혜정 박유미 주혜영 반승희 김태민 김수진 김완범 신영순	오해정 이규철 홍수옥 홍윤석 이지영 송의미 박선영 한가희 장서희 정제준	김종진 임미선 정미화 윤용 최미경 이혜린 박지원 임찬혁 김지혜 문상혁 이형섭
FAX	717-7255	702-2100			718-0656			718-0897	

과	법인세과			재산세과			조사과			납세자보호 담당관	
과장	오성현 400			이성규 480			유원재 640			권석주 210	
계	법인1	법인2	법인3	재산1	재산2	재산3	세원 정보	조사	조사 관리	납세자 보호실	민원 봉사실
계장	강경수 401	위승희 421		전학심 481	이재원 501	노충모 521	김종국	조성용 651	최병국 641	신경수 211	홍창호 221
국세 조사관	한재희 김대훈 김성미 김창근 임보람 고병석 채민정 장원미 전유나 김건식 박소민	이경헌 이유영 백유림 홍광식 황선진 전지원 이선영 김은혜 김나현	손세희 서기열 유승규 고상현 최슬기 유정화 김경록 최준기 남명균 박정은 김은경	송민수 김민경 김찬옥 도혜순 이언종 최성미	정원영 이은영 손승모 안승현 김지완 박지양 조세진	강흥수 손성국 김경미 최선규 김경모 조성문 오은지	김혜영 함두화 강민정	<1팀> 박미정 성기영 김혜정 <2팀> 김주생 권우건 배형은 한미현 <3팀> 권영칠 강다영 김동진 이채연 <4팀> 김광연 남송이 구동욱 김선영 <5팀> 곽영미 김범준 김지혜 <6팀> 전윤석 김정선 차수빈	배지영 황혜란 임수연	김은아 황혜정 유주민 양은정	홍태영 박옥희 신미덕 조현아 최근영 이금옥 이재석 송필섭
FAX	3272-1824			718-0264			705 -7544	718-0856		718- 0126	701- 5791

반포세무서

대표전화: 02-5904-200 / DID: 02-5904-OOO

서장: **강 승 윤**
DID: 02-5904-201~2

주소		서울특별시 서초구 방배로163 (방배동 874-4) (우) 06573				
코드번호	114	**계좌번호**	180645	**사업자번호**	114-83-00428	
관할구역	서울특별시 서초구 중 잠원동, 반포동, 방배동			**이메일**	banpo@nts.go.kr	

과	체납징세과				부가가치세과		소득세과		법인세과	
과장	이호열 240				황효숙 280		박성수 360		박일규 400	
계	운영지원	징세	체납추적1	체납추적2	부가1	부가2	소득1	소득2	법인1	법인2
계장	강민석 241	김영남 261	장민 601	이은미 621	이찬주 281	김태연 301	안동섭 361	621	정중원 401	421
국세조사관	김현정 정인선 정지열 구재효 임담윤 김나은 김현근	권은숙 이현지 김하연	길익찬 김정숙 권혜미 서진호 이수철 백보민	유은희 정기선 이영빈 박창현 안희석 박정연 정해천	조소희 방혜경 정봉훈 박연주 유태우 이경수 나인애 곽정은	민경훈 강미성 권미경 홍승표 김예진 최형윤 장혜지 김주원	이미선 한승욱 신숙희 채수향 김용관 유경은 이근아 김미정 심효진 김소리	정은이 최승택 김경향 김경업 김미림 박진성 최길섭 양상민 김수진	이수진 송주민 김윤정 이세인 김희정 주윤정 조하나 이영주	김은정 이자연 변선정 유준호 민호정 신유경 임종훈 김선정 김유림
FAX	536-4083				590-4517		590-4518		590-4426	

과	재산세1과		재산세2과		조사과			납세자보호담당관	
과장	김태윤 480		배세영 540		김홍렬 640			이명기 210	
계	재산1	재산2	재산1	재산2	세원정보	조사	조사관리	납세자보호실	민원봉사실
계장	주현식 481	501	김종헌 541	오창열 561	정창근 691	전영균 651	양희국 641	211	주윤숙 221
국세조사관	김종문 김대진 김진희 주아름 곽지훈 김효성 최혜진 노종옥 남호진 노혜련 황민정 박계희	이상하 이경 조현준 김세빈 오혜성 이보라	남승호 유지선 류광현 탁기욱 권오남 이지혜 이대근 공자빈 이진하 최재득 서지은	김미주 온상준 이재혁 고완구 이정표 김상은 유은지	최일 손원우	<1팀> 김현정 권순엽 <2팀> 박웅 임혜진 이명원 <3팀> 손영대 김은주 심수빈 <4팀> 박선주 정호철 김민지 <5팀> 김명진 정보람 박현주	김수진 한미경 김선주 정금미	박정민 김미나 안중훈 이선미 박혜진	권윤희 이현주 임정희 이병수 박종호 박현정 황순호 김희경
FAX	591-2662		590-4513		523-4339			590-4220	590-4685

삼성세무서

대표전화: 02-30117-200 / DID: 02-30117-OOO

서장: **최 회 선**
DID: 02-30117-201

주소	서울특별시 강남구 테헤란로 114 (역삼1동) 1,5,6,9,10층 (우) 06233				
코드번호	120	계좌번호	181149	사업자번호	120-83-00011
관할구역	서울특별시 강남구(신사동, 논현동, 압구정동, 청담동, 역삼동, 도곡동 제외)			이메일	samseong@nts.go.kr

과	체납징세과				부가가치세과		소득세과		법인세1과	
과장	장민근 240				장영란 280		김성주 360		오승준 400	
계	운영지원	징세	체납추적1	체납추적2	부가1	부가2	소득1	소득2	법인1	법인2
계장	서광원 241	안연숙 261	권오성 601	박범진 621	281	장영림 301	김현숙 361	노석봉 381	채혜정 401	김종삼 421
국세 조사관	김주영 윤홍분 최영현 변혜림 송대섭 박래인 최치권 이재경	한현숙 이금조 염상미 박선영	안순호 손혜정 양순희 최인섭 홍성희 최정민 김시훈 김은정 이은선	이탁수 김미숙 백현자 강아름 김준하 조수정 유승희 정다혜 김동현 윤미희	서정석 한혜린 서승현 안진성 나예영 김재성 김문경 김수헌 박희경 이경자	김경국 안혜숙 한누리 최우신 김동욱 김현경 황선화 최예은 박혜성 김유림	김준 이정은 박유정 김승환 이영수 안소연 이호성 이현주 김미경 박정안	김지연 김은선 황선우 윤진우 김문길 전미례 성진수 전민지 김민아	유수권 류호민 김주옥 유재석 이수연 이정희 박호일 임지현 신명관 김다영 김미정	김지운 이재향 구인선 양영희 한지예 이현미 이석준 황인화 이예지 김인빈
FAX	564 -1129	501-5464			552-5130		552-4095		552-4148	

과	법인세2과		재산세1과		재산세2과		조사과			납세자보호담당관	
과장	이종록 440		이용범 480		고완병 540		정정제 640			민철기 210	
계	법인1	법인2	재산1	재산2	재산1	재산2	세원정보	조사	조사관리	납세자보호실	민원봉사실
계장	장연근 441	이춘하 461	안복수 481	하행수 501	박구영 541	501	유한순 691	이해석	김상철 641	김태현 211	이승훈 221
국세조사관	전제간 정원호 신미경 강현우 소민 송명림 최재형 문민희 구현정	정현숙 박용태 정상화 강동석 김희연 정효주 이세미 임광훈 송정환 이미숙	강승현 유수정 박연주 원대연 최지원 한상훈 이한배울 곽경미 박새미 안수정	최태진 박은희 당만기 이초록 유현식 한재일	김경훈 이지은 이준규 박지현 김성덕 최은영 원현수 문다영 김나영 김찬희 조수현	이정민 이광수 오강재 윤영훈 한은정 이민옥	전유리 주용호	<1팀> 고아라 최송아 <2팀> 박경오 안대엽 박혜민 <3팀> 이재철 김성율 이묘진 <4팀> 최정규 한주진 권정훈 <5팀> 이명재 유미나 <6팀> 이희태 류한상 임성영 <7팀> 이창오 박정섭 고경미 <8팀> 이승호 손성임 이민희	이광성 이애경 박은정 김진희	유정림 한경석 김태훈 방형석 류현상 노미현	김순정 박정아 최혜옥 조정원 최은정 정혜원 김영숙 강희윤 이지은
FAX	564-0588		552-6880	552-4277	564-1127		552-4093	564-4876		569-0287	

서대문세무서

대표전화: 02-22874-200 / DID: 02-22874-OOO

서장: **나 교 석**
DID: 02-22874-201~2

주소	서울특별시 서대문구 세무서길 11 (홍제동 251) (우)03629					
코드번호	110	**계좌번호**	011879	**사업자번호**	110-83-00256	
관할구역	서울특별시 서대문구			**이메일**	seodaemun@nts.go.kr	

과	체납징세과			부가가치세과		소득세과	
과장	백성기 240			이은용 280		허선 360	
계	운영지원	징세	체납추적	부가1	부가2	소득1	소득2
계장	241	박정우 261	박혜정 601	양정화 281	윤용구 301	이병곤 361	정희숙 381
국세 조사관	강인소 진미선 어정아 박종현 권진혁 손은태 정인아	박은영 박정현	정민철 김민영 김윤호 한수현 손종희 김승희 정희연 김지현 박현철 이혜리 김형태	김미성 조영주 백은경 안성은 박세현 김경아 류선아	이정숙 박세하 김보연 도영림 김미란 안정수 장규복 구본하	윤상건 김현아 성우진 김인호 김지연 김상걸 전다솜	황주현 이응찬 박지숙 이상욱 정인아
FAX	379-0552	395-0543		395-0544		395-0546	

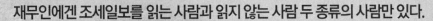

과	재산법인세과			조사과			납세자보호담당관	
과장	김연재 400			이상필 640				
계	법인	재산1	재산2	세원정보	조사	조사관리	납세자 보호실	민원봉사실
계장	황준성 482	윤미영 481	김성진 501	김태훈 691	윤선희	고미숙	김일동 211	이창한 221
국세 조사관	나경영 이현영 장경주 채수민 최은유 이현석 정현철 최보현	김미경 여주희 이신혜 김미경 박슬기 박소희 최민정 권나예	심준 오임순 백가연 김선아 김유리 이대근 김은해	정보기 강미영	<1팀> 김오중 양심영 <2팀> 박재홍 고승모 강미경 <3팀> 구우형 송정화	배이화 정혜윤	김영선 황한수 김희진	이상열 문승현 차연주 방유미 김혜영 김서영 손기봉
FAX	379-5507			391-3582			395-0541	395-0542

서초세무서

대표전화: 02-30116-200 / DID: 02-30116-OOO

서장: **이 은 장**
DID: 02-3011-6201

주소	서울특별시 강남구 테헤란로 114 역삼빌딩 3~4층, 9층 조사과, 10층 납세자보호담당관 (우) 06233				
코드번호	214	계좌번호	180658	사업자번호	214-83-00015
관할구역	서울특별시 서초구(방배동, 반포동, 잠원동 제외)			이메일	seocho@nts.go.kr

과	체납징세과				부가가치세과		소득세과		법인세1과	
과장	김지태 240				김헌국 280		박성신 360		시현기 400	
계	운영지원	징세	체납추적1	체납추적2	부가1	부가2	소득1	소득2	법인1	법인2
계장	김승룡 241	권은영 261	이진균 601	오남임 621	최영은 281	조한식 301	이순영 361	황호민 381	401	김용원 421
국세 조사관	손영이 김수진 이상진 윤우찬 주재관 추교석 강현성	강혜은 박주영 채용문 김남희	최은정 염미정 김영준 이정학 정유진 주용태 김민래 한혜빈 김소라 곽현승	이미정 박지희 김보성 탁정미 이진구 박서희 김수빈 박지원	이순영 임형철 박재현 김화은 어장규 김나리 김영 황경주 이용훈 신나현 박영	송도관 신종웅 이명선 손봉현 정명교 김희선 장동인 김소연 이지율 서미선	정승호 이민순 정연경 김태영 박용업 황소은	동철호 박민정 정거성 임승하 장성우 천혜빈 정보경 류정란	정태환 김동훈 김은호 박현준 박수현 강은경 조아라 김태훈 이환희 박수지 유희민	이강구 최금해 김주수 채정환 김윤정 김소담 이건일 이예지 이제안
FAX	563 -8030	561 -2365	561-2271		561 -2610	561 -2682	561 -3202	561 -2948	561 -3230	561 -1647

예일세무법인

대표세무사 : 류득현 (前서초세무서장)

서울특별시 강남구 테헤란로 313 3층 (역삼동, 성지하이츠1차)

전화 : 02-2188-8100　　　팩스 : 02-568-0030
이메일 : r7294dh@naver.com

과	법인세2과		재산세1과		재산세2과		조사과			납세자보호담당관	
과장	김동윤 440		김민광 480		박종형 540		박기환 640			김을령 210	
계	법인1	법인2	재산1	재산2	재산1	재산2	세원정보	조사	조사관리	납세자 보호실	민원 봉사실
계장	441	황규홍 461	황대근 481	강희웅 501	양나연 541	이용희 561	안동섭 691	한순규 651	황기오 641	권성대 211	김봉조 221
국세 조사관	김준용 이인숙 전광준 최상채 이주경 김유진 강수빈 황신원 석승운 이종보	정철 전인향 이종성 정혜윤 김은희 이주선 권오현 김미선 김현곤 이미진	변성구 정재희 진승은 정미래 김종만 이인아 김옥재 이고훈	이영주 김현옥 이창남 이은희 노지혜 송지훈	김경희 임홍철 김남교 김성현 정형범 마민화 박금지 정혜정	윤민오 임성찬 정의철 박상현 박세인 이륜경	박상준 이주현	<1팀> 박상언 이가연 <2팀> 김동원 황은영 윤지현 오서주 <3팀> 조문현 권민정 윤은지 <4팀> 홍인표 신홍영 이선아 <5팀> 도경민 임지영 김득중 <6팀> 최규식 현소정 최선호 <7팀> 김철민 권민수 김은경 <8팀> 이석규 하경아 권은지 <9팀> 김태현 문미진 임종헌	박상준 임현진 송민영 최은주 유지숙	권주희 김지만 정주영 황혜조 김덕진 장정은	박상미 윤선익 박태구 황연희 최하나 설정란 이현영 한영수 최용민 조가을 이소영 황혜주
FAX	561 -3291	561 -1683	561-3378		561-3750		02-561-3801			561 -4521	3011 -6600

성동세무서

대표전화: 02-4604-200 / DID: 02-4604-OOO

서장: **한 창 목**
DID: 02-4604-201~2

주소	서울특별시 성동구 광나루로 297 (송정동 67-6) (우) 04802				
코드번호	206	계좌번호	011905	사업자번호	206-83-00561
관할구역	서울특별시 성동구, 광진구			이메일	seongdong@nts.go.kr

과	체납징세과				부가가치세1과		부가가치세2과		소득세과		
과장	양기정 240				김상원 280		이종민 320		남칠현 360		
계	운영 지원	징세	체납 추적1	체납 추적2	부가1	부가2	부가1	부가2	소득1	소득2	소득3
계장	예찬순 241	김종만 261	전경호 601	김진호 621	양동준 281	임문숙 301	서정연 321	김은중 341	361	황병석 374	박영애 387
국세 조사관	김윤정 안태수 김오미 박정화 전연주 백남훈 윤차용 최세미 송병희	백은경 송도영 이화진 송지윤	최차영 김재규 정미영 임현정 남수주 이진동 이찬무 손선미 김소연 최경철 안희성 최지민 정준영 정희연	박승호 강현철 유미경 임홍숙 박찬희 고보해 백혜진 박미진 최여은 김민정 정태상 김용재	김숙자 박태호 김진희 송경원 신예민 김광호 김가희 정준채 엄상우 황순희	조재평 이대정 한수은 송고운 박명진 유소열 채희주 김상천 우현승 김현정	서미 황현주 이용진 차현근 최원화 김지은 김민주 옥영주 김은정	이수진 김미정 박재현 성연일 송지아 김용호 문예서 최정임	홍규선 이승학 천영환 최형화 선희 복권일 조한송이 이지원 김용철 이혜선 손아현 이연경 김은하 손정희	박미영 김경자 서봉우 김지영 전화영 인윤희 김유리 김경현 김지은 정희선	정명주 최서우 정월옥 이경민 이성현 이규은 임지남 박은지 유동석 정다영 정현호
FAX	468- 0016	468-8455			497-6719		466-2100		498-2437		

과	재산세1과		재산세2과		법인세과		조사과			납세자보호담당관	
과장	남근 480		위용 540		이병길 400		김기선 640			전순호 210	
계	재산1	재산2	재산1	재산2	법인1	법인2	세원정보	조사	조사관리	납세자보호실	민원봉사실
계장	문권주 481	강탁수 501	김율희 541	임희운 561	경기영 401	구현철 421	강소라 691	이진경 651	이정옥 641	김경원 211	박종주 221
국세조사관	유탁 김호 김혜정 유현정 윤지혜 김한근 김태은 이용권 김재관 서현지	박정기 박종민 이윤희 김경아 유은진 김상혁	전종근 차양호 박명열 김혜성 김낙용 정현정 정진택 최지영 주성용 함다정 김아현	왕훈희 송선태 김기중 조원영 김효섭 박소연	김강현 임세창 오광선 류관선 김명희 김경옥 김경하 최소라 김지연 우정화 권혁진 박하송 박혜진 이미경	이상기 황은주 김성선 박미영 오승연 양아라 양혜선 김훈구 이소정 우성광 최은희 조경아	김래하 최미영 김수연 정자단	<1팀> 황태문 안승진 <2팀> 김태우 박민우 이한송 <3팀> 오민숙 김성욱 임혜연 <4팀> 손해원 정지은 박지훈 <5팀> 정민호 강복길 백수경 <6팀> 김요수 서재운 김혜영 <7팀> 김성은 김우주 신승연 <8팀> 최태주 이진실 <9팀> 이동수 강민정	조운학 유정훈 손기혜 김소희	박미정 이주영 김지영 김현민 이경호 백유진	한수연 홍욱기 김현수 이규형 엄영진 박초롱 안가혜 김우호 김혜현 이준희 김형묵 전진아 김하은
FAX	468-1663		499-7102		468-3768		469-2120			2205-0919	2205-0911

181

성북세무서

대표전화: 02-7608-200 / DID: 02-7608-OOO

서장: **최 기 영**
DID: 02-7608-201

한성대입구역
서울동소문동 우체국
하나은행
가톨릭대학교 성신교정
성북세무서
삼성SK뷰 아파트
서울성북 경찰서

주소	서울특별시 성북구 삼선교로 16길 13(삼선동 3가 3-2) (우) 02863				
코드번호	209	계좌번호	011918	사업자번호	209-83-00046
관할구역	서울특별시 성북구			이메일	seongbuk@nts.go.kr

과	체납징세과			부가가치세과		소득세과	
과장	양희상 240			김보석 280		전우식 360	
계	운영지원	징세	체납추적	부가1	부가2	소득1	소득2
계장	박한상 241	정성현 261	최진식 601	채종철 281	김주애 301	김수영 361	문민숙 381 이인하 381
국세 조사관	유선화 윤점희 채연기 김영주 김영환 박시춘	정연선 조정미 신지숙	이승필 김동범 박혜경 구진영 오우진 김영민 고유영 이현정 정현진 용승환 조재훈 손유진 인순영	최기웅 서정이 김행복 윤지미 서혁진 이용우 허지연 조성찬 황지현 남혜진	이수안 임경태 임경미 박은정 이연정 권혜량 김용준 김민경	이원정 김주희 최진원 김혜영 염진옥 이현지 정인희 정재호 박동수 이재진 이현우 김향숙	홍미영 엄세진 최준웅 김성수 박수현 김혜영 최원희 최영보 금잔디
FAX	744-6160	760-8269	744-6160	760-8672	760-8677	760-8673	760-8678

10년간 쌓아온 재무인의 역사를 돌려드립니다 '온라인 재무인명부'

수시 업데이트 되는 국세청, 정·관계 인사의 프로필과 국세청, 지방청, 전국세무서, 관세청,
유관기관 등의 인력배치 현황을 볼 수 있는 온라인 재무인명부

1등 조세회계 경제신문 조세일보

과	재산법인세과			조사과			납세자보호담당관	
과장	박준석 400			강현주 640			최학묵 210	
계	법인	재산1	재산2	세원정보	조사	조사관리	납세자 보호실	민원봉사실
계장	윤영식 401	한상민 481	지은섭 501	이필 691	김진성 651 이정민	금봉호 641		송주영 221
국세 조사관	정혜원 김미정 이세진 김미덕 이효정 김영호 방문용	임지숙 홍광원 김찬일 이태경 조예림 김희선 김유정 안경화 박지영 김해운 김재연 윤미숙	이재숙 백영선 김두성 이건호 권용익 이주희 윤서영 주현경 김수빈 안재현	최향성 김연신 윤수향	<1팀> 황혜정 이현지 <2팀> 이승호 임원주 양원석 <3팀> 이민욱 박인규 박민우	신명도 김문숙 주재임	김성덕 성혜전 김윤정	정운숙 김선화 최정림 김태은 조혜리 윤동현
FAX	760-8419	760-8675	760-8679	760-8671, 8674			760-8676	742-8112

송파세무서

대표전화: 02-22249-200 / DID: 02-22249-OOO

서장: **최 진 복**
DID: 02-22249-201~2

주소	서울특별시 송파구 강동대로 62 (풍납동 388-6) (우) 05506				
코드번호	215	계좌번호	180661	사업자번호	215-83-00018
관할구역	서울특별시 송파구 중 송파동, 장지동, 거여동, 마천동, 가락동, 문정동, 석촌동			이메일	songpa@nts.go.kr

과	체납징세과				부가가치세과		소득세과	
과장	풍관섭 240				배인수 280		이귀병 360	
계	운영지원	징세	체납추적1	체납추적2	부가1	부가2	소득1	소득2
계장	정완수 241	성준희 261	조광래 601	최태규 621	윤은미 281	윤희정 301	김상희 361	이우철 381
국세조사관	김창명 조아름 이은정 송승준 윤정현 송진호 유장혁 고순임 장건식	김명숙 김난경 박선은 이은실	박유광 이솔 김현경 이서희 이신화 유로아 조선진	김현희 성혜경 정시온 양동혁 경지은 박미희 최윤희 박보화 채지유	곽주희 박자음 홍정민 최상임 윤선민 정혜미 정부교 조영현 박상길 김춘경	강하영 양명숙 이은희 박효숙 서동우 정지훈 김소희 이성민 윤지원 박홍균 전유라	김창범 안재희 오아름 박준원 김도영 김찬주 권민지 박푸른 민성림	신현영 김도윤 최민정 김은진 배현주 조성원 최정우 이서영 김선화
FAX	409-8329	483-1925			477-0135		483-1927	

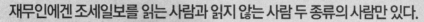

재무인과 함께 걸어가겠습니다 '조세일보'

재무인에겐 조세일보를 읽는 사람과 읽지 않는 사람 두 종류의 사람만 있다.

1등 조세회계 경제신문 조세일보

과	재산세과			법인세과		조사과			납세자보호담당관	
과장	이응기 540			한예환 400		고임형 640			김영근 210	
계	재산1	재산2	재산3	법인1	법인2	세원정보	조사	조사관리	납세자 보호실	민원봉사 실
계장	곽봉섭 541	김영수 561	신갑수 581	김승석 401	권부환 421 김옥환 421	박은주 691	임성애 651	안규상 641	최미옥 211	오주원 230
국세 조사관	김양수 윤영순 민기원 김연희 김혜빈 이지영 이난영	박명하 정성은 하상철 이슬기 신동훈 이고운 김태랑	송승미 신상욱 전종선 류승남 천문희 김지연 안진모 주영석	김혜정 김갑심 홍영선 범정원 김가연 백승호 임영수 이나래 이후림 최기웅 한지운	김희윤 이종권 문정민 여종엽 석지윤 하윤경 남은영 신유진 허지현	이성욱	<1팀> 김성주 이충원 <2팀> 이동주 박성혜 양일환 <3팀> 조성오 손선화 김호진 <4팀> 김선한 변수민 이지호 <5팀> 이병철 김성향 장지우	김성호 박형선 이진화 이미영	이강경 정미경 유정화	김정연 황서진 이평호 이해미 김도화 손지선 전진효
FAX	472-3742			482-5495		482-5494			487- 3842	409- 6939

양천세무서

대표전화: 02-26509-200 / DID: 02-26509-OOO

서장: **권 승 욱**
DID: 02-26509-201

주소	서울특별시 양천구 목동동로 165 (우) 08013 별관(조사과) : 서울특별시 양천구 신목로2길 66(목동 404-16) 씨티프라자 3층 301호 (우)08007		
코드번호	117	계좌번호	012878	사업자번호	117-83-00505
관할구역	서울특별시 양천구			이메일	yangcheon@nts.go.kr

과	체납징세과				부가가치세과			소득세과		
과장	박문규 240				양해준 280			맹충호 360		
계	운영지원	징세	체납추척1	체납추척2	부가1	부가2	부가3	소득1	소득2	소득3
계장	이용식 241	김인숙 261	김종식 601	설미숙 621	조형석 281	김헌규 301	전경란 321	현근수 361	최영환 381	박기범 461
국세 조사관	김미진 이현아 손주희 전현우 김덕기 오세종	노미란 김유진 정효준	김은실 김재현 정대영 백수희 조영호 김미란 김연규	문성원 김효진 이병도 박수진 오푸른 이유경 고현숙	박윤진 정인월 김민영 오현섭 정현우 김해진 이서형 임은형 채종희	김동원 천경필 윤수열 박민희 임수진 이해성	김보연 이경주 구미선 김재한 서운용 김혜진 안영준	김재련 송성철 김정희 권오정 서미리 류승현 강윤영 김은혜 김순근	배성호 박은주 백연주 홍국희 최은영 이지영 김광석	송선용 변애정 오경자 주현경 유소현 장연주 최가은 박정연 조현수
FAX	2652-0058				2654-2291	2654-2292		2654-2294		

1등 조세회계 경제신문 조세일보

과	재산세과			법인세과		조사과			납세자보호담당관	
과장	이석동 480			최치환 400		최순용 640			이호용 210	
계	재산1	재산2	재산3	법인1	법인2	세원정보	조사	조사관리	납세자 보호실	민원 봉사실
계장	정순욱 481	김용삼 501	최영실 521	최용규 401	유성영 421	임희원 691	이평년	심종숙 641		한숙향 221
국세 조사관	김창수 김동은 김희연 강지훈 서여진 정문희 남정화	윤경옥 강지현 김자현 이묘환 김선아 정지영 김지현	신성봉 박희상 김일두 강현웅 남성윤 김영주 김수현 김지은	이진아 황진아 이선유 임수기 빈효준	오민석 지성은 김서이 김도균	마정윤 이선	<1팀> 황경희 김성희 <2팀> 김재곤 김경호 이다영 <3팀> 조병만 안성민 정수연 <4팀> 부혜숙 송종훈 이재열	강선희 김민희 주희진 이재욱 김윤영	조현승 김진옥 박혜숙	김태윤 박상훈 박선례 고은주 이창남 남경자 양승혜
FAX	2654-2295			2654-2296		2650-9601			2654- 2297	2649- 9415

역삼세무서

대표전화: 02-30118-200 / DID: 02-30118-OOO

서장: **김 정 수**
DID: 02-30118-201

주소	서울특별시 강남구 테헤란로 114(역삼동 824) 역삼빌딩 7, 8층 및 9층 일부 (우) 06233				
코드번호	220	계좌번호	181822	사업자번호	220-83-00010
관할구역	서울특별시 강남구 역삼동, 도곡동			이메일	yeoksam@nts.go.kr

과	체납징세과				부가가치세과		소득세과		법인세1과	
과장	서재기 240				류장곤 280		권오봉 360		정재영 400	
계	운영지원	징세	체납추적1	체납추적2	부가1	부가2	소득1	소득2	법인1	법인2
계장	김태균 241	임정미 261	이은정 601	이승구 621	천영현 281	김지영 301	이규원 361	김현보 371	이용진 401	박성국 421
국세 조사관	윤서진 성지연 이성준 박정현 조예훈 이창훈 정인수 이석영	유기무 김서연 이건구	이동현 부윤신 설종훈 김미희 강민형 한수정 백태훈 이윤진 조예훈 차승기	이성진 김정담 이정현 양현준 이혜민 윤희원 박혜정 강준구	김상목 최유진 이지윤 우신애 김민진 조민재 김온유 최준영 박배근	최민수 김성환 박숙영 홍성옥 정재희 박승호 조은지 이석봉 김효정	김윤희 박준규 고재민 제은아 곽종훈 유혜지	유선종 김지선 유영준 백지원 신지연	문주란 음홍식 김혜수 제현종 안준수 심윤정 정소윤 이수현 박은영 김태경 강민주 이범연	이명희 이지현 은진용 김동욱 곽민정 홍유종 황민철 이주형 김미란 김현선
FAX	561-6684				501-6741		564-0311	565-0314	552-0759	

과	법인세2과		재산세과			조사과			납세자보호담당관	
과장	조중현 440		김정섭 480			정의극 640			김동욱 210	
계	법인1	법인2	재산1	재산2	재산3	세원정보	조사	조사관리	납세자보호실	민원봉사실
계장	백상엽 441	박찬욱 461	김지성 481			이창우 691	김진아 651		홍효숙 211	전준일 221
국세조사관	정수인 박지영 김재형 정민섭 윤보영 김재관 박승현 최광신 박선영 김태희	임종민 김선덕 김진곤 이은지 문은진 김서연 윤기숙 박진영	염훈선 도유정 박희근 박성준 강범준 주윤아 황명희	김지영 이지연 주영상 고윤정 김용우 기정림	황성훈 정주인 이경현 윤상용 이경은	김혜미 양상원 박성하	\<1팀\> 이태환 이혜진 \<2팀\> 장창복 윤성열 진윤지 \<3팀\> 정호형 배영진 홍나경 \<4팀\> 권오상 이송화 손상익 \<5팀\> 조은희 이해섭 김상원 \<6팀\> 박귀화 강동효 김수연 \<7팀\> 심아미 최아현 박민수	변정 김혜인 권종기 이상미	이승연 박성탄 류훈민 김광미	최미자 강혜경 조수현 이승민 김화숙 김윤성 황찬연
FAX	561- 0371		539-0852	561-4464	3011-8535	501- 6743			552-2100	3011-6600

영등포세무서

대표전화: 02-26309-200 / DID: 02-26309-OOO

서장: **김 휘 영**
DID: 02-26309-201, 202

주소	서울특별시 영등포구 선유동1로 38(당산동3가 552-1) (우)07261				
코드번호	107	계좌번호	011934	사업자번호	107-83-00599
관할구역	서울특별시 영등포구 (신길동, 도림동, 대림동 제외)			이메일	yeongdeungpo@nts.go.kr

과	체납징세과				부가가치세1과		부가가치세2과		소득세과	
과장	김태선 240				안영선 280		김동영 320		김오곤 360	
계	운영지원	징세	체납추적1	체납추적2	부가1	부가2	부가1	부가2	소득1	소득2
계장	양미경 241	최영현 261	이해장 601 김혜란 602	김유군 621	양찬영 281	김규성 301	홍창호 321	강정화 341	임한균 361	조명상 381
국세 조사관	신영심 이옥희 김동완 김유미 정화승 김대권 윤정은 윤수훈	김우진 이현희 이희진 이현지	소영석 임은미 류지은 남기연 이경하 김석규 이주희 김충현 문혜원	연지연 김지연 이정민 김상호 박범우 강재신 이영욱 김서윤	박현자 박현아 이선영 이나영 구훈모 강수지 성가현	정상원 강문자 기은진 권순미 이채원 김동완 김한슬	김민주 임효선 고유나 심윤보 김성희 김은진 이진순	이순희 이지훈 권범진 박샛별 박지연 송혜인 신유동	장명숙 박정순 이윤희 김소연 이동열 박지수	용수화 송유정 임길수 김지현 차정미 이민정
FAX	2678-4909				2679-4971		2679-4977		2679-2627	

10년간 쌓아온 재무인의 역사를 돌려드립니다 '온라인 재무인명부'

수시 업데이트 되는 국세청, 정·관계 인사의 프로필과 국세청, 지방청, 전국세무서, 관세청, 유관기관 등의 인력배치 현황을 볼 수 있는 온라인 재무인명부

1등 조세회계 경제신문 조세일보

과	재산세과		법인세1과		법인세2과		조사과			납세자보호담당관	
과장	김영동 480		송종철 400		이남기 440		한만준 640			노동승 210	
계	재산1	재산2	법인1	법인2	법인1	법인2	조사관리	조사	세원정보	납세자보호실	민원봉사실
계장	신영섭 481	박봉기 501	고태일 401	현혜은 421	권오승 441	안상순 461	이명문 641	<1팀> 권성훈 김소연 김보미	한승훈 691	211	이수경 221
국세조사관	황정화 남호철 김소연 이인재 이시은 박형호 이다경 서미래 고현주 이하나 한정희	문소진 채현석 이채곤 사혜원 임동영 김지영 최수인	오대창 권혜정 여정재 장지윤 김유나 박지희 이정은 정영화 강동우 신민지 김라영	박영애 이혜전 박성찬 박소영 김경혜 박진우 최설향 이승훈 정영호 박영주	조성목 김경희 강남진 허미영 주나라 안진경 박나리 이미임	이영수 김영신 서용준 정안석 박주영 손태욱 김혁 장수원 권윤회 권정우 김태석	안미선 이지은 박희진	<2팀> 장동훈 김현준 이혜승 <3팀> 이진주 송노용 조소현 <4팀> 이오나 우형래 임유진 <5팀> 이지원 함광주 유두현 <6팀> 이용수 현승철 정승희 <7팀> 정선영 박다슬 어재경	박찬민 한윤정 엄영희	김수정 김창호 서재필 유병창 김보연 정영균	박우성 손미량 이미선 정미희 김예주 형유경 임종희 장준원 김치우 전주희 이정기
FAX	2679-4361		2633-9220		2679-0732		2679-0953, 0185			2631-9220	2637-9295

191

용산세무서

대표전화: 02-7488-200 / DID: 02-7488-OOO

서장: **정 부 용**
DID: 02-7488-201~2

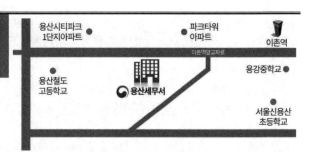

주소	서울특별시 용산구 서빙고로24길 15 (한강로3가) (우)04388				
코드번호	106	계좌번호	011947	사업자번호	106-83-02667
관할구역	서울특별시 용산구			이메일	youngsan@nts.go.kr

과	체납징세과				부가가치세과		소득세과		재산세과		
과장	정지용 240				이철 280		구정서 360		강효숙 480		
계	운영지원	징세	체납추적1	체납추적2	부가1	부가2	소득1	소득2	재산1	재산2	재산3
계장	241	김민선 261	이정노 601	김동찬 621	전승훈 281	서윤식 301	손병석 361	정승태 381	서승원 481	501	진정록 521
국세조사관	이금숙 전호영 최현석 한지민 배상철 최원길 김동민 조창규	노인선 박경애 윤정민	이주영 이혜인 송미나 황하늬 표규열 김태훈 박혜근	김용만 홍경옥 박희진 조영주 박선영 조성진 곽용은	조상현 진현서 임석봉 배진호 최세라 이미진 송현화 유세종 나희영 이지은	정미선 이진재 노승옥 김준우 이예지 이수진 노혜리 홍단비 송인범	박란수 송진영 주수미 김수연 강영묵 이지희 김서은 노지은 노정연 김수현	송현주 문광섭 이경애 김도희 구세진 이윤선	박정민 전대웅 김기미 유지희 이은정 최지수 한도현	정건 이진 이언양 김상희 이광은 김기철 최세진	김영준 류병호 천영수 김승구 유주희 백은실 유휘곤 구진아
FAX	748-8269	792-2619			748-8296		748-8160	748-8169	748-8512	748-8515	

1등 조세회계 경제신문 조세일보

과	법인세과		조사과			납세자보호 담당관	
과장	배정현 400		이명진 640			윤일호 210 선석현 2055-9240	
계	법인1	법인2	세원정보	조사	조사관리	납세자보호실	민원봉사실
계장	정대수 401	최창경 421	최선호 691	범수만 651	이현화 641	노아영 211 김남균 211	강상모 221
국세 조사관	임봉숙 유병수 신동주 서은파 심지은 이지영 김혜민 김주만	이성구 이다혜 김성숙 윤소윤 이주협 김유진 박대광 이서연 김민경	윤청연 유민희	<1팀> 김지현 김수일 심정연 <2팀> 이영훈 박자영 김나연 <3팀> 문태흥 김종성 유인성 <4팀> 문근나 이성애 이성규 <5팀> 김태오 차유해 허지희 <6팀> 안효진 김원종 조선희	이지원 강병순 오혜선	김재우 천새봄 방예진	박세희 임지현 김세령 김한일 김민석
FAX	748-8190		748-8605	748-8696		748-8217	796-0187

은평세무서

대표전화: 02-21329-200 / DID: 02-21329-OOO

서장: **신 석 균**
DID: 02-21329-201~2

주소	서울특별시 은평구 서오릉로7 (응암동 84-5) (우)03460				
코드번호	147	**계좌번호**	026165	**사업자번호**	268-83-00026
관할구역	서울특별시 은평구		**이메일**		

과	체납징세과			부가가치세과		소득세과	
과장	이승훈 240			전병두 280		홍혁기 360	
계	운영지원	징세	체납추적	부가1	부가2	소득1	소득2
계장	강장환 241	황윤숙 261 오혜란 261	문재창 601	사명환 281	김웅 301	김성묵 361	옥혁규 381
국세 조사관	최웅 윤순옥 윤혜수 강성률 김원화 김진몽 최종인	양준권 안소영 김미소	김지연 전철 장재훈 임금자 유진옥 정민기 정미영 이화선 정주희 심수연 이민경 한소백	남미라 이계승 김현우 윤주영 나영미 방솔비 윤국한 박원희	양영동 오현주 노현숙 최익영 강한덕 조현희 최명훈 이세진 양명지	김병찬 권기홍 서용현 박정민 강성훈 성민규 김민상 하민영 이나경 권관수 이윤정	손길진 이용호 이재일 정경란 윤지윤 정세나 심경섭 김예리 이효진 김은령 김현희
FAX	2132-9571	2132-9505		2132-9572		2132-9573	

과	재산법인세과			조사과			납세자보호담당관	
과장	김장근 400			권기창 640			이동원 210	
계	재산1	재산2	법인	세원정보	조사	조사관리	납세자 보호실	민원봉사실
계장	김지원 481	김령도 501	김삼중 401	김동현	이문환 651	손명수 641	김필종 211	심영일 221
국세 조사관	이동일 김광미 최영숙 진형석 김여진 남화영 이정주 문선영 김하연 심정석	김영미 이건술 차무중 김대용 맹선애	배장완 성대경 김철현 이지원 조은희 김혜연	전화 고기훈	<1팀> 서은주 이명구 <2팀> 신영희 양홍석 김형후 <3팀> 김동환 박치현 박희수	한지원 윤민정 이정순	문재희 김선희 배지민	박으뜸 강명은 차용희 이제일 김동욱 양옥진 도나리
FAX	2132-9574			2132-9505			2132 -9576	

잠실세무서

대표전화: 02-20559-200 / DID: 02-20559-OOO

서장: **우 원 훈**
DID: 02-20559-201

주소	서울특별시 송파구 강동대로 62 (풍납2동 388-6) (우)05506				
코드번호	230	계좌번호	019868	사업자번호	230-83-00017
관할구역	송파구 중 잠실동, 신천동, 삼전동, 방이동, 오금동, 풍납동		이메일		

과	체납징세과			부가가치세과		소득세과		법인세과	
과장	양한철 240			금승수 280		한재영 360		최용근 400	
계	운영지원	징세	체납추적	부가1	부가2	소득1	소득2	법인1	법인2
계장	어명진 241	김세종 261	안정미 601	이용제 281	이유상 301	정미경 361	민승기 381	정승식 401	김영미 421
국세 조사관	허장 박수연 민혜선 김준상 김미영 손현시 이재혁 류경탁	이효주 강귀희 이지은	이지선 윤철민 마선희 김진동 김민진 하정민 박재성 이지윤 오하경 김진달래 박찬송 윤기섭 추다솔	손선아 유미라 이선영 반미경 이중재 김경민 김행순 남만우 이윤미	김희정 은지현 이미숙 이경임 김홍래 노혜선 이난영	강용석 윤정재 최은정 최종수 김안나 고민석 임예지 송채원 박상기 이도경 김명순	양소영 김정배 정석훈 함지영 강정미 이주영 이승연	최소영 홍경헌 노강원 이진규 한영규 이현주 이민철 임하경	배주섭 최윤서 최성화 천일 윤현미 정효영 유이슬
FAX	475-0881	476-4757		483-1926		475-7511		486-2494	

과	재산세과			조사과			납세자보호담당관	
과장	이상익 480			김형래 640			서영상 210	
계	재산1	재산2	재산3	세원정보	조사	조사관리	납세자보호실	민원봉사실
계장	신지성 481	류명옥 501	이선민 521	신남숙 691	신진균	이승희 641	이수인 211	김명호 221
국세조사관	김동진 안수정 윤지현 김인화 한광일 윤정민 박해원 류지호 김정희 김옥단	이상목 신현삼 마경진 조정진 이지은 윤신애 정경옥	정한욱 안성준 곽승현 최창호 변우환 양근성 김민주 이은아 윤동희 백진주	송수희 전한식	<1팀> 우주원 민경상 <2팀> 백성태 정혜영 이원기 <3팀> 윤재헌 김선호 김고은 <4팀> 최경호 홍범식 심예진 <5팀> 윤재길 이혜선 황현섭	김희정 오수진 정수지	박경수 전희경 김민정 안창남	박정숙 김지현 김주영 송지선 김현진 이미령 구용모 김성진 양희정
FAX	476-4587			475-6933			485-3703	470-0241

종로세무서

대표전화: 02-7609-200 / DID: 02-7609-OOO

서장: **공 병 규**
DID: 02-7609-201

주소	서울특별시 종로구 삼일대로 30길 22 (우)03133				
코드번호	101	**계좌번호**	011976	**사업자번호**	101-83-00193
관할구역	서울특별시 종로구			**이메일**	jongno@nts.go.kr

과	체납징세과				부가가치세과			소득세과	
과장	신미순 240(4층), 250(3층)				권충구 280			이명섭 360	
계	운영지원	체납추적1	체납추적2	징세	부가1	부가2	부가3	소득1	소득2
계장	남궁재옥 241	채용찬 601	이은길 621	김은숙 261	김시욱 281	이귀영 301	김은자 282	심규연 361	신현근 381
국세 조사관	황다검 유순희 엄익춘 이은정 김지원 조천령 박배열 이휘현	유후양 최용진 김봉희 김선량 조다현 장철현 김유진 이가원	이기헌 김혜원 송은지 윤세진 임인재 김진수 이동경	권미영 임영선 조수빈	변현영 최진영 고경진 김지현 김현우 신현경 김정범 강은숙	오은경 윤공자 한혜은 김철권 김혜빈 최지현 유혜미	강주은 이은정 이창민 김민지 박소연 김수진 손홍필 김현준	정수영 남경일 임소연 김민주 이다경 이상화	문형빈 천승범 안다경 김예지 방은정
FAX	744-4939			760-9601	760-9600			747-4253	

1등 조세회계 경제신문 조세일보

과	재산세과		법인세과			조사과			납세자보호담당관	
과장	정일선 480		김미경 400			윤종상 640			김춘경 210	
계	재산1	재산2	법인1	법인2	법인3	세원정보	조사	조사관리	납세자보호실	민원봉사실
계장	김고환 481	최성순 501	김기만 401	박인홍 421	김준연 441	김성우 691	최재철 651	이승호 641	유진 211	조판규 221
국세조사관	도형우 유재원 한장혁 지신영 고아라 김효림 노은호 황선익	최원석 이영석 정은정 홍은결 이미정 한아름 고현준 신다해	공태운 윤민수 박가은 김주찬 고희선 전유민 김규리 박도은 김초아	정은하 이효정 류치선 박근영 윤창용 이선주 정현수	강경미 유경숙 이성복 김승혜 김동환 고민지 박한빛 배혜원	이동우 권은경 박효진	<1팀> 김윤미 노승환 <2팀> 허진 김지선 조한아 <3팀> 김기환 박선영 오지훈 <4팀> 김민지 윤미나 김영무 <5팀> 한이수 박은지 강가윤 <6팀> 최영진 황태연 정연주	이영채 김기연 강보아 문창환 김보라	강승희 최연정 박세민 백수진	이기순 이정희 도명준 김상현 장희정 정지현 강민영 김성은
FAX	747-9154		760-9454			747-9156			747-9157	

중랑세무서

대표전화: 02-21700-200 / DID: 02-21700-OOO

서장: **오 주 희**
DID: 02-21700-200

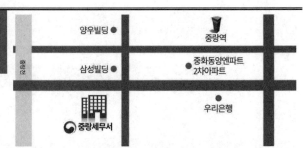

주소	서울특별시 중랑구 망우로 176 (상봉동 137-1) (우) 02118				
코드번호	146	계좌번호	025454	사업자번호	454-83-00025
관할구역	서울특별시 중랑구			이메일	jungnang@nts.go.kr

과	체납징세과			부가가치세과		소득세과	
과장	박종석 240			김문훈 270		류동현 340	
계	운영지원	징세	체납추적	부가1	부가2	소득1	소득2
계장	배은주 241	이은배 261	윤진고 601	정오현 271	유경민 291	진홍탁 341	박기정 361
국세 조사관	김윤이 정강미 임윤택 최주연 김학영 유동철	서금석 김정인	김준수 김영선 김민섭 곽용석 오경민 이지희 정일영 조민현 허수진 장두영 문윤정	류기수 이상민 박정희 윤영민 김채윤 안정은 문정식 최시온 황숙현 임현경	강대규 신정현 이후건 홍영실 정상열 주진영 윤성훈 김다현 진덕화	유성두 원정일 신선 양영철 박성훈 강건희 박소현 장민경 김수경	김노섭 신명수 송연주 이성근 제우성 유선영 김희선 양민정 김나연
FAX	493-7315			493-7313		493-7312	

과	재산법인세과			조사과			납세자보호담당관	
과장	윤기성 460			이병주 640			김미나 210	
계	재산1	재산2	법인	조사관리	조사	세원정보	납세자 보호실	민원봉사실
계장	서인기 461	김영석 481	김영필 531	김재훈 641	서민정 651	김건웅 691	박성호 211	김동만 221
국세 조사관	김광록 한영섭 최미경 이미화 황성필 이진문 신보미 이정희	임현영 강주영 홍기선 김지현	이동곤 나정학 김지현 최윤진 윤영랑 장조희	손승희 최승혁 조일수	<1팀> 이찬형 우승철 <2팀> 양재중 이은영 고종우 <3팀> 김원필 조해영 김채원	박인환 신민경	임아름 이서원 안소영	김소연 강지은 지상근 이유진 박인희
FAX	493-7316			493-7317			493-7311	493-7310

중부세무서

대표전화: 02-22609-200 / DID: 02-22609-OOO

서장: **박 민 후**
DID: 02-22609-201~2

주소	서울특별시 중구 퇴계로 170 (남학동 12-3) (우) 04627				
코드번호	201	계좌번호	011989	사업자번호	202-83-30044
관할구역	중구 중 광희동 1,2가, 남대문로 2가, 남산동 1,2,3가, 남학동, 명동 1,2가, 무학동, 묵정동, 방산동, 신당동, 쌍림동, 예관동, 예장동, 오장동, 을지로 6,7가, 인현동 1,2가, 장충동 1,2가, 주자동, 초동, 충무로 1,2,3,4,5가, 필동 1,2,3가, 황학동, 흥인동			이메일	jungbu@nts.go.kr

과	체납징세과			부가가치세과		소득세과	
과장	백승한 240			최선숙 280		조성식 360	
계	운영지원	체납추적	징세	부가1	부가2	소득1	소득2
계장	최현석 241	류중성 601	이유선 261	진인수 281	이일영 301	나우영 361	김상근 381
국세조사관	김문영 김정미 정희진 김보라 이주경 하륜광 김동철	박애자 엄태자 김경익 김혜경 이한나 이유정 최선주 유성안 권용학 장재영 곽인혜 김미란 김경아	김선순 윤희영	김소정 임보현 손병수 조은비 신미영 배은호 허진수 서혁준 이제헌 진예슬 채연주 정혜원	김현지 이상직 이진호 정세연 서경원 이소진 박현진 원시열 이찬 송지혜 김가림 최지은	고상석 박하란 강민주 노경아 이주영	이은영 김교선 김은이 정직한
FAX	2268-0582	2260-9583		2260-9582		2260-9583	

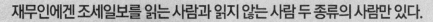

재무인과 함께 걸어가겠습니다 '조세일보'

재무인에겐 조세일보를 읽는 사람과 읽지 않는 사람 두 종류의 사람만 있다.

1등 조세회계 경제신문 조세일보

과	재산법인세과			조사과			납세자보호담당관	
과장	임숙자 400			이선구 640			임준빈 210	
계	재산	법인1	법인2	세원정보	조사	조사관리	납세자 보호실	민원봉사실
계장	하기성 481	권기수 401	김재현 421	한상범 691	이민규 693	이희현 641		서명남 221
국세 조사관	소종태 이성은 김숙영 정현지 진관수 김지혜 진재경	민경화 이성훈 정여원 김인경 조광호 조은희 김미연 김지은	고정란 차유경 유원형 김우성 김효진 김가연 김세현	이영진 이종룡	<1팀> 강문석 이희창 이상미 <2팀> 백기량 윤혜미 <3팀> 전광현 이유정 박민중 <4팀> 강혜림 박종익 배은경 <5팀> 김두환 허소미 김현민	최은영 황순영	황성룡 이수정 송진수	송주영 주혜령 정유진 조지영 김영성 양종열 김미경
FAX	2260-9584			2260-9586			2260- 9581	2260- 9585

중부지방국세청 관할세무서

중부지방국세청

주소	경기도 수원시 장안구 경수대로 1110-17 (파장동 216-1) (우) 16206
대표전화 & 팩스	031-888-4200 / 031-888-7612
코드번호	200
계좌번호	000165
사업자등록번호	124-83-04120
e-mail	jungburto@nts.go.kr

청장　　　　김진현

(D) 031-888-4201

성실납세지원국장	김오영	(D) 031-888-4420
징세송무국장	김대원	(D) 031-888-4340
조사1국장	심욱기	(D) 031-888-4660
조사2국장	백승훈	(D) 031-888-4480
조사3국장		(D) 031-888-4080

중부지방국세청

대표전화: 031-888-4200 / DID: 031-888-OOOO

청장: **김 진 현**
DID: 031-888-4201

주소	경기도 수원시 장안구 경수대로 1110-17 (파장동 216-1) (우) 16206				
코드번호	200	계좌번호	000165	사업자번호	124-83-04120
관할구역	경기도 일부, 강원도(철원군 제외) [중부지방국세청 관내 22개 세무서 : 안양, 동안양, 안산, 수원, 동수원, 화성, 평택, 성남, 분당, 이천, 남양주, 구리, 시흥, 용인, 춘천, 홍천, 원주, 영월, 삼척(태백지서), 강릉, 속초, 경기광주(하남지서), 기흥]			이메일	jungburto@nts.go.kr

과	감사관				납세자보호담당관		
과장	김길용 4300				박수복 4600		
계	감사1	감사2	감찰1	감찰2	납세자보호1	납세자보호2	심사
계장	성병모 4302	천병선 4312	이연선 4322	김용환 4290	장승희 4601	윤광섭 4621	정성우 4631
국세조사관	이남진 노광수 손세종 이정민 이철민 정재상 유미영 임원아	이현무 천만진 이영호 박영웅 박진규 양성봉	김완종 공석환 김혜원 양종렬 장경일 윤동호 김여경 김수현 진수민 김수상	이준성 김종훈 길요한 김태용 김다운	황인하 김향미 최연주 장석만	김성호 박현우 김난영 조영준	강지윤 김진덕 박종화 임희경 김태훈 이헌석 조희정
FAX	888-7616, 18				888-7619		

1등 조세회계 경제신문 조세일보

국	성실납세지원국									
국장	김오영 4420									
과	부가가치세과			소득재산세과					법인세과	
과장	김상범 4451			이세협 4381					정희진 4831	
계	부가1	부가2	소비	소득	재산	소득지원	소득자료 TF	금융투자 소득TF	국제조세	법인1
계장	김성미 4422	박선열 4452	허상엽 4872	함명자 4430	주재현 4460 고재국 4460	유제연 4382	송찬주 4884	이승미 4472	박주원	이수형 4832
국세 조사관	황상진 김태우 김수현 최상재 김순영 김여진	장석준 이준용 박주리 김선영 석장수 한승일 이하나	황신영 고은선 최진규 이연석 신요한 김재민 노정윤	박성배 방미숙 전은영 이기혁 남명기 박현정 김다영 이상국	이영주 곽혜정 한종훈 유정희 문세련 라영채 윤경현	이재혁 곽병철 한윤희 김햇님 주에나	한주희 윤준호	송우람	임승섭 최미정 최영주 손지아 양이지	조규상 이인숙 김지현 김수진 김주란 김훈기
FAX	888-7633			888-7631					888-7635	

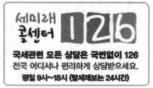

DID : 031-888-OOOO

국실	성실납세지원국								징세송무국	
국장	김오영 4420								김대원 4340	
과	법인세과			전산관리팀					징세과	
과장	정희진 4831			임상훈 4401					최영철 4341	
계	법인2	법인3	법인4	전산관리1	전산관리2	정보화센터1	정보화센터2	정보화센터3	징세	체납관리
계장	조일훈 4840	안미경 4851	이태균 4962	이창수 4402	송영춘 4412 이홍구 4412	이문원 290-3002	이은정 290-3052	오진숙 290-3102	이승규 4342	김근수 4352
국세조사관	정선현 김성길 장수정 이경열 이효경 김남영 오유나	박형주 김진우 박종호 김학송 김다이	이민수 이주연 김희화 임승수 유홍재 박은아 민천일	최인범 박은숙 박병훈 박성준 이철원	권오진 박만기 정윤희 최재성 조수연 안순주 이민선 유주희	이해진 박세라 이용재 최하나 김선화 김홍남 고은희 장용자 서미숙 김숙영 윤석숙 이윤정 정희정 김현주	고현주 김새봄 최홍열 맹송섭 김유경 박회숙 최미경 노은복 정복순 정미진 장문경 이성훈 강미애 이경수 신수령	정지나 이복희 이현이 김옥연 박주현 추정현 고희경 윤인경 조정희	신효경 오수연 황인범 김은진 최연희 정현준	표석진 나송현 윤혜진 이상민 문혜경 설수미 서형민 정현수
FAX	888–7635			888–7627					888–7621	

국실	징세송무국								
국장	김대원 4340								
과	송무과							체납추적과	
과장								김승현 7901	
계	총괄	심판	법인	국제거래	개인1	개인2	상증	체납추적관리	추적1	추적2
계장	김주원 4012	홍필성 4016	허영섭 4022	김은수 4032	윤진일 4042	박요철 4052	용환희 4062	전정호 7902	강성필 7922	김분희 7932
국세 조사관	박효서 김미나 문지선	박현수 김운중	윤경림 황보영미 오상욱 하유정 임민경	최진석 배정원 윤대호 김소정	이하나 김민식 이정은 정영욱 선민준	이경숙 김희선 남기현 조창국	고병덕 김성훈 류수연 김진우	강인욱 김명숙 박미숙 김중삼 박희경 박승욱 황정태 김정림 김예솔	윤호연 김주란 한효숙 진재화 권기정 장익성 박미경 조은빈 임혜영 김선근	이응찬 최옥구 김민선 박영실 손희정 김광준 김광혜 박희영 유창인 홍근배
FAX	888–7624							888–7622	

DID : 031-888-OOOO

국실	조사1국										
국장	심욱기 4660										
과	조사1과						조사2과				
과장	오미순 4661						채중석 4741				
계	1	2	3	4	5	6	1	2	3	4	5
계장	이용안 4662	김동조 4672	전봉준 4682	우병철 4692	김민석 4702	심희준 4712	유상화 4742	허양원 4752	장태성 4762	엄인찬 4772	한광인 4782
국세 조사관	이현규 신정훈 박건우 박다빈 임향자 김지민 현은영	강주연 박진성 채혜인 박미현	최찬규 최돈희 최동기 김강주 신민아	김정관 백수빈 심민정 마정훈 정지환	박선영 이혜림 조해일 이준무 구자호	김현호 오기일 송인우 엄지희 오아람	유재복 김성문 유경훈 이예림 장재영 김준영	조원희 임철우 염정식 김인겸 나희선	구홍림 이윤주 김태진 국경호 전소희	김현미 한순근 남상준 송홍철 류재희	김지현 박용훈 김국성 안현자 천혜미
FAX	888–7636						888-7640				

국실	조사1국					조사2국				
국장	심욱기 4660					백승훈 4480				
과	국제거래조사과					조사관리과				
과장	박성무 4801					류지용 4481				
계	1	2	3	4	5	1	2	3	4	5
계장	최태형 4802	남용우 4812	박광석 4822	임수현 1812	조성인 1822	김진숙 4482	한보미 4492	장석진 4502	박지원 4512	최준성 4522
국세 조사관	양금영 송영석 김효일 이성재 박하늬	정윤석 이범주 강성구 김은주 김수아	임승빈 허정무 백일홍 김병주 강성우	김주연 장민재 김나영 정희경 김도연	이연화 김경일 김영석 이현택 김재욱 김동준	김기은 김동현 양종훈 이은주 전범철 이유리 양성욱	정애라 김호정 이순복 김송이	하광열 강수미 서현준 김지혜 박보영	최선미 윤재연 이정윤 장성환 조영래	이창열 임현주 이은정 유형진
FAX	888-7643					888-7654				

국세관련 모든 상담은 국번없이 126
전국 어디서나 편리하게 상담받으세요.
평일 9시~18시 (팔세제보는 24시간)

DID : 031-888-OOOO (조사2국 조사1과 1~3팀),
031-8012-OOOO (조사2국 조사1과 4~5팀, 조사2국 조사2과)

국실	조사2국							
국장	백승훈 4480							
과	조사관리과			조사1과				
과장	류지용 4481			김민기 4571				
계	6	7	8	1	2	3	4	5
계장	최찬민 4532	김종민 4542	오승찬 4552	왕춘근 4572	문도형 4582	김승욱 4592	정준 1842	박순준 1852
국세 조사관	정경화 최명진 김승미 정재윤 최혜진 윤장원 강미정 안대엽	김신덕 서경원 문승덕 오수경 최인영 김다희 박형기	이민희 신현일 김별아	이선옥 김교성 김미라 박건준 정혜영 정대환	인찬웅 김혜령 임정은 임우현 김현주 전하돈 이호수	곽재승 박희경 오민선 이동훈 정성호 최재진	엄선호 이수연 박현준 이은형 장재민 이예지	전기석 최락진 이현주
FAX	888–7654			888-7644				

국실	조사2국				조사3국				
국장	백승훈 4480								
과	조사2과				조사관리과				
과장	정순범 1861				강백근 4081				
계	1	2	3	4	1	2	3	4	5
계장	양구철 1862	맹환준 1872	박병남 1882	정윤길 1892	김영기 4082	이수빈 4092	김영진 4102	김성근 4112	이민철 4122
국세 조사관	양용선 임희정 한유정 조명신 남유승 황용택	이주희 정현덕 임혜란 박경수 김민정 강진영	김재형 박재홍 이학승 윤영광 김한선 한진아	강영구 강지원 최성도 정종원 윤종율 박미선	이소영 편대수 이상영 박기우 정은솔 임장섭 최기영	장해순 김은혜 박주효 박찬승	지선영 윤영상 박제효 이준 신유미 신미리 이슬비 안지훈	이순철 박세민 박제웅 정윤선 송은호 최우석 유현정 김대원 최지은 박은비 정상오	고은미 강여정 이남곤 황순진 팽동준 이유라 구아현 임애리
FAX	888-7644				888-7673				

DID : 031-250-OOOO (조사3국 조사2과)

국실	조사3국									
국장										
과	조사1과					조사2과				
과장	정경철 4151					김상철 5601				
계	1	2	3	4	5	1	2	3	4	5
계장	김정현 4152	유병선 4162	장현주 4172	정국교 4182	이재현 4192	장영일 5602	정태경 5612	노중권 5622	김송주 5632	장인섭 5642
국세 조사관	임재승 최청림 도주희 임재미 이경심 최진화	조숙연 양시범 김경랑 이원구 차선주	김은숙 홍지우 정웅교 김명호 현병연	김용민 윤용호 조선미 고재윤	채칠용 조용진 김민호 이주미 권소현	원진희 이영태 최성희 이충환 여진혁	함은정 김경진 이동호 강경식 송민숙	강문자 고영욱 김서정 유승천 김민표	박선범 이시연 정휘섭 이연지	유승현 정치권 우해나 김경훈
FAX	888–7678					888-7683				

과	운영지원과			
과장	박광식 4240			
계	인사	행정	경리	현장소통
계장	이봉숙 4242	권순락 4252	김희숙 4262	황지원 4272
국세 조사관	김도영 정진원 김원경 김홍균 김지원 최현정 김은호 유승우 김유경 오광현 김가인	전동철 민현석 하재봉 배원준 최상운 김기식 한혜선 윤도란 이은실 정형원 박종일 장연택 최삼영 강복남 김지암 정현 신정무 김용선 황영훈	한미자 김혜령 박준영 오은경 박정민 장연숙 김영훈 최연욱	전진우 고영필 이유진 이승수 김다람 안지은
FAX	888-7612~5			

구리세무서

대표전화: 031-3267-200/DID: 031-3267-OOO

서장: **김 태 성**
DID: 031-3267-201

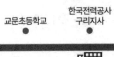

주소	경기도 구리시 안골로 36 (교문동736-2) (우) 11934				
코드번호	149	계좌번호	027290	사업자번호	149-83-00050
관할구역	구리시, 남양주시(별내, 퇴계원, 일패, 이패, 삼패, 다산, 수석, 지금, 도농, 와부, 조안)			이메일	

과	체납징세과				부가가치세과		재산법인세과		
과장	박인국 240				배병석 280		이윤석 480		
계	운영지원	체납추적1	체납추적2	징세	부가1	부가2	재산1	재산2	법인
계장	진영한 241	최연구 441	김효상 461	최미옥 261	이관열 281	차윤중 301	김경훈 481	김석모 491	이용배 401
국세조사관	김민철 오은희 김동현 신승현 김차돌 이정훈	유진희 임훈 홍세미 차정은 이승범 나환영 김수영	정희정 김민성 신지연 장민철 김호영 서승경	김미선 전다인 조현주	강계현 김동희 김하니 이우현 김재윤 김지수 김선웅 송지은 윤경효 박찬익	문전안 김봉수 최동휘 신주현 임지혜 김두수 강소영 정필윤 최인규	김영석 이진규 장정수 이우정 정연주 서정우 최수인 서래훈	김구호 김인숙 이미림 조지현 최혜림 정영미	태종배 임부선 정다은 강순택 황윤정 황지영
FAX	326-7249			326-7269	326-7359		326-7439		

과	소득세과		조사과			납세자보호담당관	
과장	김진삼 360		양동구 640			김은정 210	
계	소득1	소득2	세원정보	조사	조사관리	납세자보호실	민원봉사실
계장	서동옥 361	김수진 381	허승 691		황민 641	211	최상림 221
국세 조사관	홍선영 김태우 김지혜 정호식 진소현 남예진 유경진	박양숙 이기섭 조재훈 김도형 이주연 박경민 심지현	정예원	<1팀> 이은수(팀장) 박정현 박미리 <2팀> 김민태(팀장) 주미진 유윤희 <3팀> 류호정(팀장) 표다은 <4팀> 권순일(팀장) 안현수	윤혜정 전윤아	이지연 조영미 석호정	장혜진 강선희 안광인 김나영 김혜영 방선미 조효신 이승혜
FAX	326-7399		326-7699			326-7219	326-7239

기흥세무서

대표전화: 031-80071-200/DID: 031-80071-OOO

서장: **전 병 오**
DID: 031-80071-201

광교레이크
스위첸아파트

홍덕파출소

호반써밋레이크
파크아파트

기흥세무서

영덕1동
주민자치센터

주소	경기도 용인시 기흥구 흥덕2로117번길 15(영덕동974-3) (우) 16953				
코드번호	236	계좌번호	026178	사업자번호	
관할구역	경기도 용인시 기흥구			이메일	giheung@nts.go.kr

과	체납징세과			부가소득세과		재산법인세과		
과장	양종명 240			주성태 280		김현철 400		
계	운영지원	징세	체납추적	부가	소득	재산1	재산2	법인
계장	김영환 241	장소영 261	문영건 441	이성진 281	송현종 301	김강훈 481	남선애 501	손민석 401
국세 조사관	김혜경 김태영 이수빈 유진선 이도현 김유리	곽은선 김송이	이지원 최재광 권선화 최은수 한민수 신유미 송휘종 김성훈 우지수 이다은 채성희	김경숙 박상주 김국현 김영지 김준희 심완수 이지우 윤나래 조혜정 홍문희 이나래 김용선 박선영	전병천 황보람 유정선 김현일 양승민 김가혜 이성민 윤주희 이원자 김수진 이현준 김수정	정현준 이강석 김대훈 황세웅 김민정 이해나 박지혜 김수인 박진희 김환희	정지홍 반흥찬 오진선 윤주영	김윤정 채상조 이정언 김정규 이준영 김소은 원희정 고도경 김진영 최영진 조해정 김미나
FAX	895-4902	895-4902	895-4903	895-4904		895-4905		

과	조사과					납세자보호담당관	
과장	박진영 640					이강석 210	
계	세원정보	조사1	조사2	조사3	조사관리	납세자보호실	민원봉사실
계장	오항우 691	이승호	구응서	이호창	박정용 641	정하덕 211	김동수 221
국세 조사관	홍주희	유훈희 김보미	노현주	고빛나	이하나 황유진	조은용 김봄 김윤희 남현정	이교환 이경이 류예림 구명희 박수옥
FAX	895-4907					895-4907	8007-4909

남양주세무서

대표전화: 031-5503-200 / DID: 031-5503-OOO

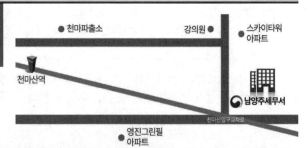

서장: **박 강 수**
DID: 031-5503-201

주소	경기도 남양주시 화도읍 경춘로 1807(묵현리) 쉼터빌딩 (우) 12167 가평출장소: 경기도 가평군 청평면 은고개로 19 (청평리) 금곡 민원실: 경기도 남양주시 금곡로 1037(금곡동) 남양주시 제1청사 세무민원실내				
코드번호	132	계좌번호	012302	사업자번호	132-83-00014
관할구역	경기도 남양주시(별내면, 별내동, 퇴계원읍, 다산1,2동, 양정동, 와부읍, 조안면 제외), 가평군			이메일	namyangju@nts.go.kr

과	체납징세과				부가가치세과		소득세과	
과장	이호 240				성기원 280		황용연 360	
계	운영지원	징세	체납추적1	체납추적2	부가1	부가2	소득1	소득2
계장	이복식 241	김은영 261	박상선 441	윤희만 461	281	김영호 301	최세영 361	박윤석 381
국세 조사관	서지민 이재준 강혜수 박종현 심재호	김주형 이은진 손원영	임병석 조형구 이대웅 주태웅 김민희 우지영 이진희 서지연	조건희 김호국 박수춘 이동현 조연우 이세란	김진희 임현구 김동근 양진석 한봉수 배정현 장정윤 박선영 임소연	엄주원 박준범 신준규 김연정 민백기 김태진 심단비 심재현 장선미 유지원 박경아	김은순 박민규 이혜영 엄영석 채정석 진주원 이정임 최윤미 권현회	조성문 서효영 심별 강정민 김지현 이상진
FAX	550-3249	550-3268			550-3329		550-3399	

과	재산법인세과			조사과					납세자보호담당관	
과장	유상화 480			이정원 640					홍창규 210	
계	재산1	재산2	법인	세원정보	조사1	조사2	조사3	조사관리	납세자 보호실	민원 봉사실
계장	이환운 481	박진흥 501	김한수 401	이승현 391	김재광	김상우	황지환	신영철 641	임시형 211	박병연 221
국세 조사 관	백두산 이상민 강선미 안정호 방민식 조나래 최지원 김주애 송정은	이동구 김영식 양영진 황한나	오현수 임광열 배수지 이정형 조영수 강선이	김성우	김건우 이유민	김한상 박혜인	주향미 박보경	김규호 장수진	권은정 박지현 김경민	안용수 이우경 이승환 황시윤 안지영 박성원 김은희 정주희
FAX	550-3519			550-3669					550- 3219	550- 3229

동수원세무서

대표전화: 031-6954-200 / DID: 031-6954-OOO

서장: **유 영**
DID: 031-6954-201

주소	경기도 수원시 영통구 청명남로 13(영통동) (우) 16704 오산민원실: 오산시 성호대로 141 오산시청 1층 민원실 내				
코드번호	135	계좌번호	131157	사업자번호	
관할구역	경기도 수원시 영통구, 권선동, 곡반정동		이메일	dongsuwon@nts.go.kr	

과	체납징세과			부가소득세과			재산법인세과		
과장	이주일 240			이호관 360			김천수 400		
계	운영지원	징세	체납추적	부가1	부가2	소득	재산1	재산2	법인
계장	이종남 241	성수미 261		강문성 281	신동익 301	이양래 361	오경택 481	김훈 501	최윤회 401
국세 조사관	이영은 윤정희 박현명 최준환 김병조	김순아 김태은	황진숙 김남중 김병환 권영빈 양미란 이요셉 신수경	이영태 조희숙 허진이 송지우 한종문 임성연 박소연 김태형	변성용 서미경 이미현 신지연 강민재 오재열	윤장현 정혜정 이고운 김상옥 박은미 이수지 이도헌 김세기 김보나 이한설 윤미영 김영미	김정희 권익성 박유정 정윤기 이은정 조행순 조덕상	전경선 권택경 김민경 박태윤	백민웅 정기호 정동기 조혜원 박소현 민재영 김소연 남미정
FAX	273-2416	273-2370	273-2437	273-2427		273-2388	273-2412		204- 9842

1등 조세회계 경제신문 조세일보

과	조사과					납세자보호담당관	
과장	문창전 640					정명순 210	
계	세원정보	조사1	조사2	조사3	조사관리	납세자보호실	민원봉사실
계장	김정건	김광수	엄태영	윤석배	이정걸 641	김영곤 211	김대성 221
국세 조사관	김종만	신유라 오지현	김수종	정희	주자연 김효진	박수현 정신영 문가은	김은숙 김유미 인애선 박선영 안의진 장유정
FAX	273-2454					273-2461	273-2470

동안양세무서

대표전화: 031-3898-200 / DID: 031-3898-OOO

서장: **송 윤 정**
DID: 031-3898-201

주소	경기도 안양시 동안구 관평로 202번길 27 (관양동) (우) 14054					
코드번호	138	계좌번호	001591	사업자번호	138-83-02489	
관할구역	경기도 안양시 동안구, 과천시, 의왕시			이메일	donganyang@nts.go.kr	

과	체납징세과				부가가치세과		소득세과		재산세과		
과장	조용진 240				황선택 280		박옥련 360		조일성 480		
계	운영지원	징세	체납추적1	체납추적2	부가1	부가2	소득1	소득2	재산1	재산2	재산3
계장	최승복 241	정을영 261	강성현 551	이봉림 571	김대혁 281	윤영택 301	김남호 361	김현민 381	한민규 481	송지은 501	문창수 521
국세조사관	정진형 이나훔 권민경 유승연 양재흥 이남길	정순남 김용숙 정수현 박혜경	김덕진 김범재 배진 구성민 한혜경 안소현 강현 유현경 오정현	서윤희 김현정 곽성준 박지은 박유린 윤지영 홍서연	김경태 정진희 박재훈 황수빈 강기수 이영은 김진슬 김예원 김다영 임지은 김찬미	김수정 인경훈 김지현 이미진 최지우 도주현 이주연 은성도 장명훈 신민규 도주현	이상훈 나동욱 김효영 김상록 김미정 박지애 정은지 김현진 최경진 김주미	김수정 권영호 하한울 김세식 이지현 윤준희 임온순 권영호	전강희 이주영 지민규 김정호 백은혜 최명화	조아라 이주영 이혜규 이창수 강수빈	윤종근 임종순 황주성 강상준 박소연 백하나 채상윤 이수영
FAX	476-9787				476-9784	383-0428	383-0429	383-048	383-0435	383-0436	383-0437

과	법인세과		조사과							납세자보호담당관	
과장	전용훈 400		이삼기 640							주은화 210	
계	법인1	법인2	세원정보	조사1	조사2	조사3	조사4	조사5	조사관리	납세자보호실	민원봉사실
계장	박동현 401	김창오 421	이상욱 691	박기택	문은하	이병희	박홍자	이정수	최현주 641	최인환 211	박중기 221
국세조사관	김환 박병선 정가희 김해서 송민철 박은희 한지희 소재준	이삼섭 강민주 원호선 한수철 이미연 최두이 권구성 강혜진 정현주	강태경	채호정 신무성	박은정 하승민	손영대 김선화	김보성 김희은	김나영 이관희	송창훈 권예솔 김인혜	나덕희 하민지 장인영	임미송 양소영 최영 조가연 이영순 유신아 오슬기 김성범
FAX	476-9785		383-1795	476-9786						476-9782	389-8629

분당세무서

대표전화: 031-2199-200 DID: 031-2199-OOO

서장 : **김 용 진**
DID : 031-2199-201

주소	경기도 성남시 분당구 분당로 23 (서현동 277) (우) 13590				
코드번호	144	계좌번호	018364	사업자번호	
관할구역	경기도 성남시 분당구			이메일	bundang@nts.go.kr

과	체납징세과				부가가치세과		소득세과		재산세과		
과장	정병진 240				김상문 280		안장열 360		강찬종 480		
계	운영지원	징세	체납추적1	체납추적2	부가1	부가2	소득1	소득2	재산1	재산2	재산3
계장	전채환 241	김성은 261	최은창 441	한종우 461	김훈태 281	노태천 301		강덕수 381	김종호 481	정창근 501	강병구 521
국세 조사관	이진영 이다솜 김금자 임정경 김다미 박병철 서원준	조은수 장지은 조아라	김승국 이환수 이희정 신수정 김주희 김예연 강수림 류민하	김미옥 박영종 남태숙 박병헌 이빛나 최영환 윤준웅	김수희 이향은 김수정 정태식 최진규 박성은 황혜진	이은교 황혜선 강한수 주성진 강여울 원계연 함다운 황지영	오주해 어윤제 박동일 박민선 김선균 장보수 홍새로미 권민선 조윤영	강희주 오연우 박상우 강동인 박유진 강진선 조서영	박기봉 조희정 강용수 송민섭 이재원 강서윤 전세영 박성순 김도희 박혜진	정직한 조민희 오현숙 김병섭 이은진 윤효준 이미정	김애숙 이정균 김창우 박재윤 두영균 이영석 이창민 신혜민 정현빈 김현지 손은하 이주현
FAX	219-9580	718-6852			718-8961		718-8962		718-6849		

과	법인세과		조사과			납세자보호담당관	
과장	정영훈 400		허곤 640			신진규 210	
계	법인1	법인2	세원정보	조사	조사관리	납세자보호실	민원봉사실
계장		선형렬 421	조종하 691	<1팀> 이성호(팀장) 한승철 강화리	경재찬 641	황범석 211	조일제 221
국세 조사관	김재중 유소정 이현준 이조은 이현진 이혜민 진향미 송오은 이창진	노원준 이건석 권규종 최혜정 윤태경 현진희 김현서 송채원 김정은	허성훈	<1팀> 이성호(팀장) 한승철 강화리 <2팀> 유철(팀장) 백인희 조성수 <3팀> 정종원(팀장) 이우현 박은비 <4팀> 김해옥(팀장) 이경식 정슬아 <5팀> 강신국(팀장) 이동은 유선아	정은아 우근영 윤보람	심선화 전영준 박용현 강유미	최보영 정택주 최소영 전화영 최주현 박상희 최수정 신수진 이정표 송유란 김초롱
FAX	718-4721		718-4722			718-4723	718-4724

성남세무서

대표전화: 031-7306-200 / DID: 031-7306-OOO

서장: **조 성 철**
DID: 031-7306-201

주소	경기도 성남시 수정구 희망로 480 (단대동) (우) 13148				
코드번호	129	계좌번호	130349	사업자번호	129-83-00018
관할구역	경기도 성남시 수정구, 중원구			이메일	seongnam@nts.go.kr

과	체납징세과			부가가치세과		소득세과	
과장	이정윤 240			유인선 280		정용수 360	
계	운영지원	징세	체납추적	부가1	부가2	소득1	소득2
계장	천선경 241	강정일 261	양동규 441	이재식 281	양동길 301	권흥일 361	류두형 381
국세 조사관	이경란 박영은 이정구 허영렬 임지광	허인순 김단비	김수정 이석화 김명선 김경린 박금찬 김효미 양수미 김진환 조윤희 문시현	김정범 강근영 심새별 유어진 이수빈 강슬기 박보경 김숙영	최윤기 윤연주 최민애 강승호 김순옥 황효경 하정민 윤병현 박정민 김경희 방경섭	김동진 김아영 남다미 유지환 강다현 박소현 윤민경 이지수	김수민 이준우 박현정 유재상 이명욱 염가연 노승미
FAX	736-1904			734-4365		743-8718	

과	재산법인세과			조사과					납세자보호담당관	
과장	김민양 400			장혁배 640					양덕열 210	
계	재산1	재산2	법인	세원정보	조사1	조사2	조사3	조사관리	납세자보호실	민원봉사실
계장	노수진 481	501	401	이헌식 691	유병욱	박은정	박진수	정홍석 641	211	권승민 221
국세 조사관	김병일 박성은 강윤지 배상원 주소연 이수진	배정숙 강태길 이소연 양지현 윤희경	염선경 전운 김준호 김현철 한수현 공선미 김은성 이지수 신소희	선기영 안문철	김중현 이승희	최영조 명경자	조아라 정현위	이현주 윤미정	이승훈 최효진 홍순호	서은애 정예지 송보섭 장인영 강미선 박소영
FAX	8023-5836		8023-5834	721-8611	736-1905				745-9472	732-8424

수원세무서

대표전화: 031-2504-200 / DID: 031-2504-OOO

서장: **홍 철 수**
DID: 031-2504-201

주소	경기도 수원시 팔달구 매산로61(매산로3가 28) (우) 16456				
코드번호	124	계좌번호	130352	사업자번호	124-83-00124
관할구역	경기도 수원시 장안구, 팔달구, 권선구(권선동, 곡반정동 제외)			이메일	suwon@nts.go.kr

과	체납징세과				부가가치세과			소득세과	
과장	김국현 240				김무수 280			박정민 360	
계	운영지원	징세	체납추적1	체납추적2	부가1	부가2	부가3	소득1	소득2
계장	정봉석 241	이숙정 261	최종호 441	김진수 461	이경한 281	정규남 301	김영철 321	진수진 361	김석제 381
국세조사관	서영춘 김미애 김고희 조현민 이상규 박득란 백진원	최근영 양월숙 이현지	김영환 천혜진 김현진 이수민 신보경 유소연 황동형 신유희 김경모	남기선 김영애 김지윤 홍세정 박지혜 노현서 임한섭 강장원 박은주	김한진 박지윤 권현정 소미현 윤아름 김민균 김가민 고경아 이주미 김찬기 장혜주 김주연	김미향 정유진 이미나 황성희 안지영 이대훈 박원경 김민경 김상혁 송현정	박현종 한동훈 안지현 이혜민 김성현 허지은 조하나 이솔지 최용호 김재희	이은창 김대환 김수연 박경민 박주미 임양미 신나영 홍장원 김연희 이유림	최경초 홍윤선 김성미 한범희 함태희 김소영 노태경 박서연 이경민 김재인
FAX	258-9411	258-0454			258-9413			258-9415	

230

과	재산법인세과			조사과			납세자보호담당관	
과장	장대식 400			박경옥 640			연규천 210	
계	재산1	재산2	법인	세원정보	조사	조사관리	납세자보호실	민원봉사실
계장	김영민 481	김상민 501	이창수 401	이재준 691	<1팀>유성주(팀장)하경종민덕기한소연	변인영 641	신연준 211	김영세 221
국세조사관	김신애주재명박영진이나연정현주김보미한상범홍다원김소영백해정전지선	이철환정맹헌홍현기오동석문희원박성용문희원	오선경김혜진김규혁유시은윤한미신영호이명하임석준이은수이은경	김동민	<1팀>유성주(팀장)하경종민덕기한소연 <2팀>이원섭이용문정하나 <3팀>최기춘(팀장)박영환송미연 <4팀>이재관(팀장)장순임오진욱 <5팀>김지은(팀장)오상택오현주	정은미성지은진솔	박근용김태연김정은정인경	소수정허석룡함용식손해리홍진기박수진최우현박은정정영희권나경
FAX	258-9475			258-0453~4			248-1596	258-1011

시흥세무서

대표전화: 031-3107-200 / DID: 031-3107-OOO

서장: **장 철 호**
DID: 031-3107-201

주소	경기도 시흥시 마유로 368 (정왕동) (우) 15055 대야동 민원실: 시흥시 비둘기공원7길 51(대야동,대명프라자) 대명프라자 3층 (우) 14912			
코드번호	140	계좌번호	001588	사업자번호	140-83-00015
관할구역	경기도 시흥시			이메일	siheung@nts.go.kr

과	체납징세과			부가가치세과			소득세과	
과장	이주형 240			윤영순 280			이규완 360	
계	운영지원	징세	체납추적1	체납추적2	부가1	부가2	부가3	소득1	소득2
계장	신영수 241	진승호 261	이현혜 441	권중훈 461	하용홍 281	김유미 301 서원상 301	이영환 321	하광무 361	권옥기 381
국세 조사관	조병섭 김은경 김선희 유명한 윤창식 홍성훈 박유신	남경희 이은경 김춘화	박명수 정민재 박미라 장명섭 박정혜 신미식 소규철 이민희 김선종	서정훈 한상범 정병창 김수지 유혜영 최세은 김상아 윤영운	전원실 임신욱 김주옥 황현희 신영화 박기현 채민재 김종호 이수연 신승훈	석용훈 김선중 한진선 이현정 박수진 박승철 민정은 이한희 이지현 정지수 박선희	강근효 김효숙 채거환 이재남 강유진 이주현 김소현 김영중 신여경	박송이 최용준 서태웅 이윤선 박광태 김지원	임주현 서동경 배정민 서두환 박형규 신지혜 곽수정
FAX	310-7551	310-7551			314-2174	313-6900		314-3979	

1등 조세회계 경제신문 조세일보

과	재산법인세과				조사과			납세자보호담당관	
과장	박영인 400				유재원 640			김형준 210	
계	재산1	재산2	법인1	법인2	세원정보	조사	조사관리	납세자보호실	민원봉사실
계장	엄남식 481	김성호 501	송승한 401	박수홍 421	성창화 691		김란주 641	김현경 211	류천호 221
국세조사관	박경휘 김철호 최완규 송재봉 권영인 이초롱 김유현	권창위 길미정 장슬기	강민구 최승훈 이윤경 김미희 박지혜	공정민 이미선 이령조 서기영 정유진 한민우	최병국 표성진	\<1팀\> 박종석(팀장) 김서은 김진옥 \<2팀\> 김승훈(팀장) 정윤정 \<3팀\> 고경진(팀장) 이민규 \<4팀\> 우희정(팀장) 양시준	김아람 김준태	신정환 안중현 최다예	신은정 한세훈 김재곤 윤소현 정강영 이푸르미 이세연 유진아
FAX	314-2178		314-3975		314-3977			314-3972	314-3971

경기광주세무서

대표전화: 031-8809-200 / DID: 031-8809-OOO

서장: **권 영 명**
DID: 031-8809-201

주소	경기도 광주시 문화로 127 (경안동) (우) 12752 하남지서: 경기도 하남시 하남대로 776번길 91 (경기도 하남시 신장동 521-4) (우) 12947				
코드번호	233	계좌번호	023744	사업자번호	
관할구역	경기도 광주시, 하남시 (하남시는 경기광주세무서 하남지서 관할)			이메일	singwangju@nts.go.kr

과	체납징세과				부가소득세과		재산법인세과	
과장	최종호 240				강표 280		이순주 480	
계	운영지원	징세	체납추적1	체납추적2	부가	소득	재산	법인
계장	박길대 241	이현준 261	이승재 441	이봉형 461	유영근 281	김만식 361	이오혁	최민석 401
국세 조사관	김도훈 이현주 이재룡 김상덕 박완식 김승철	이진명 이현정 양주희	윤영진 손정희 김혜진 최안나 정은재 이상윤 김진주 강보라	이명수 나영수 김지윤 박상훈 정현정 황지연 남지윤	정선이 이훈기 이유진 김진아 홍우환 이창희 박은지 김양희 송민석 강미영 노주호 이상영 김예지	이영미 한승기 최혜승 김현석 안재현 김윤희 최충의 박다인 김정섭 김인애	이창한 강주현 박주열 이대훈 구본균 안지은 이민우 이은미 양승우 고민경 허진주 권진솔 정윤희	한창훈 이미희 강은영 권미애 이평재 김창윤 하윤희 반승민 주소희
FAX	769-0417				769-0746		769-0773	

과	조사과			납세자 보호담당관		하남지서 (031-790-3○○○)					
과장	윤종현 640			김시정 210		이상용 400					
계	세원 정보	조사	조사 관리	납세자 보호실	민원 봉사실	체납추적	납세자 보호실	부가	소득	법인	재산
계장	오경선 691		정태윤	박종환 211	고현숙 221	이종하 461	이준표 410	이상희 421	최용 431	하희완 451	김규한 441
국세 조사관	김강	<1팀> 노신남(팀장) 임치성 김미정 <2팀> 박동균(팀장) 최새록 박정준 <3팀> 황현철(팀장) 유희태 박진호 <4팀> 김경열(팀장) 김재일 원효정 <5팀> 이원주(팀장) 김중근 유혜정	곽은희 손영미 최한솔	장우인 강석원 송현철	정영석 장금희 양다희 이강희 이가원	강승조 이기현 주진선 유소희 임재혁 이지윤	우정은 강기훈 김신애 심선희 이길호 전가람 김용준	권경훈 김윤희 장민기 이향섭 육현수 이현진 최효임 오윤경 최정인 윤미경 이인심 노현아 성유빈 김혜정 서윤석	남궁준 김형규 박지영 최우영 정영현 김장섭 박소윤 오동현 조현하	윤정환 김종우 주은미 박지예	이용욱 김헌우 인한용 이재만 권정석 윤혜원 오병걸 유태호
FAX	769- 0450	769-0685		769- 0842	769- 0768	790- 2097	793- 2098	795-8112		795-5193	

안산세무서

대표전화: 031-4123-200 / DID: 031-4123-OOO

서장: **이 길 용**
DID: 031-4123-201

주소	경기도 안산시 단원구 화랑로 350(고잔동 517) (우) 15354						
코드번호	134	**계좌번호**	131076		**사업자번호**	134-83-00010	
관할구역	경기도 안산시 단원구				**이메일**	ansan@nts.go.kr	

과	체납징세과				부가가치세과		소득세과	
과장	장현기 240				백정훈 280		윤기철 360	
계	운영지원	징세	체납추적1	체납추적2	부가1	부가2	소득1	소득2
계장	주경관 241	이길녀 261	김성열 441	김종태 461	주진아 281	전익표 301	하영태 361	박훈수 381
국세조사관	윤윤숙 김진호 전상훈 최광석 이경환	박훈미 박조은	백승화 서유식 문현경 이노을 조정환 정지헌 오승연 송창용	서경자 김정태 강아람 김수현 김지연 박선양 현덕진	나형욱 김하강 류미순 김용연 이순아 고윤석 김상훈 김은서 황석현 김지연	박준희 천미진 송우락 이범주 곽준옥 이현주 이다운 박수지 송상민 이승아	신영림 현미선 박선화 송재은 이계숙 김종훈	조창일 이미연 조호준 유제언
FAX	412-3268				412-3531		412-3550, 3380	

과	재산세과		법인납세과		조사과			납세자보호담당관	
과장	박수용 480		송경덕 400		최욱진 640			박금철 210	
계	재산1	재산2	법인1	법인2	세원정보	조사팀	조사관리	납세자 보호실	민원 봉사실
계장	권미희 481		김영선 401	최명상 421	안성호 691	<1팀> 이낙영(팀장) 채성호 이한솔	김예숙 641		나유빈 221
국세 조사관	윤지은 김현준 이재욱 장소연 이수빈	김기배 박관준 황종옥 김진아	한상수 박재우 차연수 최현영 김성수 김수진 김현지	변광호 신철주 김기환 나혜영 홍지민 이소연	김세훈 전진무 윤준호	<2팀> 윤성식(팀장) 전은정 김은혜 <3팀> 김준호(팀장) 이아름 고은혜 <4팀> 장희진(팀장) 최명호 <5팀> 한경태(팀장) 차은영 한아름 <6팀> 이은주(팀장) 김송이 어영준 <7팀> 김정훈(팀장) 서연지	이종복 김나현 고다혜 이동수 최명 곽미송	강경근 김반디 손택영 김유진	송준호 조소현 한다은 박대순 백유진 성은정
FAX	412-3495		412-3350		412- 3540	412-3580		412- 3340	487- 1127

동안산세무서

대표전화: 031-9373-200 / DID: 031-9373-OOO

서장: **김 민 제**
DID: 031-9373-201

주소	경기도 안산시 상록구 상록수로 20 (본오동 877-6) (우) 15532				
코드번호	153	**계좌번호**	027707	**사업자번호**	
관할구역	경기도 안산시 상록구 전체			**이메일**	

과	체납징세과			부가가치세과		소득세과	
과장	최정희 240			권오직 280			
계	운영지원	체납추적	징세	부가1	부가2	소득1	소득2
계장	전상훈 241	최성례 441	금도미 261	인길식 281	오영철 301	홍성권 361	김용덕 381
국세 조사관	김학진 윤송희 예성민	차유나 황다영 여진동 조혜민 이두호 곽길영 강지혜	구혜란 우보람	이소영 최미영 임유진 박미성 김충모 주하나	양준석 이재영 최은선 김윤혁 고호경	정경인 손태영 김민성 정지수 박수진 김태현	이상범 최지현 김지언 김경아 지유미
FAX							

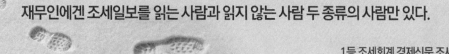

과	재산법인세과			납세자보호담당관	
과장	박상일 400			이필규 210	
계	재산1	재산2	법인	납세자보호실	민원봉사실
계장	신종무 481	김수진 501	박민규 421	최고은 211	문태범 221
국세 조사관	양서용 김정준 이정환 한수현 박현옥	송주희 김주영	김재일 김정은 이희석 박해란 하나임 송상우	이여성 김진형	최준완 노주아 신유하 최유영 조승철
FAX					

안양세무서

대표전화: 031-4671-200 / DID: 031-4671-OOO

서장: **김 문 희**
DID: 031-4671-201

● 안양대학교
　안양캠퍼스
● 새마을금고
● 안양119
　안전센터

안양세무서

주소	경기도 안양시 만안구 냉천로 83 (안양동) (우) 14090				
코드번호	123	계좌번호	130365	사업자번호	123-83-00010
관할구역	경기도 안양시 만안구, 군포시			이메일	anyang@nts.go.kr

과	체납징세과				부가가치세과		소득세과	
과장	박충열 240				오성택 280		배향순 360	
계	운영지원	징세	체납추적1	체납추적2	부가1	부가2	소득1	소득2
계장	양정주 241	지정인 261	조성훈 441	461	신지훈 281	김남주 301	전국휘 361	유은주 381
국세 조사관	김현정 박종호 김서경 김용국 소유섭 정지용	이영아 손선영	박인철 김강미 이현진 김은주 박원규 박상우	최윤정 장현준 한만훈 김성식 조소윤 정현민	최미란 김민 양승규 장경애 김지혜 김민정 김지영 박순웅 이지연 봉희진 진영상	홍경일 박수열 김아영 안영순 이은종 우동희 배윤진 김찬수 김태남	최성민 김경란 이재혁 류승윤 복경아 김동윤 한미영 홍경희	유정은 이병옥 정은순 이재상 김묘정 윤샛별 김형선
FAX	467-1600	467-1300			467-1350		467-1340	

과	재산법인세과			조사과					납세자보호담당관	
과장	신범하 400			이성호 640					조영수 210	
계	재산1	재산2	법인	세원정보	조사1	조사2	조사3	조사관리	납세자보호실	민원봉사실
계장	김성길 481	정은숙 501	위현후 401	강선희 691	김옥진	이오섭	방치권	이준영 641	211	허필주 221
국세조사관	조윤호 양주원 송은희 나경태 권설진 채희원 박찬민 이서하	남숙경 서승화 안성선 정유진 노시인	서용훈 김문환 한희윤 김문희 유성은 나윤수 연송이 김은진		류문환 임우영	이희정 정다솔	배수영 김용희	홍솔아 최설희 오수영	강미애 신영두 문혜미	김지영 변철용 송정아 박현수 이상은 이지수
FAX	467-1419		467-1510	467-1696	469-9831				469-4155	467-1229

용인세무서

대표전화: 031-329-2200 / DID: 031-329-2〇〇〇

서장: **오 대 규**
DID: 031-329-2201

용인 교육지원청	용인세무서
용인시청	용인우체국
처인구 보건소	용인동부 경찰서

주소	경기도 용인시 처인구 중부대로 1161번길 71 (삼가동) (우) 17019 수지민원실 : 용인 수지구 문인로54번길2 수지하우비상가 214호 (동천동 887)						
코드번호	142	**계좌번호**	002846		**사업자번호**	142-83-00011	
관할구역	경기도 용인시 처인구, 수지구				**이메일**	yongin@nts.go.kr	

과	체납징세과				부가가치세과		소득세과	
과장	박정훈 240				정석현 280		진상철 360	
계	운영지원	징세	체납추적1	체납추적2	부가1	부가2	소득1	소득2
계장	최종훈 241	심용훈 261	정진방 441	권대명461	정지영 281	김석원 301	박준현 361	임세실 381
국세 조사관	안정민 김환진 김정화 권영진 신현일 이택민	황연주 김경민 차순화	이기언 이진희 이문희 정현정 이보라 서진 김석주 서지민	김유진 성은경 정지현 홍지은 전신희 최은희 조성원 강주영	박진영 안유진 김연아 이은애 나선 이재민 조혜진 김도현 선우영진 안태준	조미영 한수현 박동민 이해남 서덕성 김현정 송성희 박상흠 이은범 민규원 이현진	양서진 김진환 송승재 선수아 정연득 정상아 김수진 김봄 김채아 이진희	이동관 한대희 최숙희 박선영 강병극 강준 여원선 김지영
FAX	321-1625						321-1628	

1등 조세회계 경제신문 조세일보

과	재산법인세과				조사과			납세자보호담당관	
과장	조환연 400				마동운 640			서동선 210	
계	재산1	재산2	재산3	법인	세원정보	조사	조사관리	납세자보호실	민원봉사실
계장	허두영 481	조흥기 501	석영일 521		이점수 691			김성호 211	황용연 221
국세조사관	차성수 곽정수 유혜리 이장환 전재형 남유현	김선아 정수일 민경석 공영은 박미선 정해란	송원기 박준규 차송근 최유연 임정혁 조민영	이병진 원은미 지용권 신정아 김승범 이현정 이문희 한수정 김나래 오지현 전혜영 김수진 윤지예	이상현 조희진	<1팀> 한은우(팀장) 강정선 김도연 <2팀> 구한석(팀장) 김진광 전영지 <3팀> 이신화(팀장) 하종수 허미림	최동주 이지연 박지혜	김은주 김선이 백경모	박민정 이대희 이다운 양예람 임아사 남도영 김해경 문하나 이혜리
FAX	321-1641	321-1642	321-1626		321-1643			321-1645	336-2390

이천세무서

대표전화: 031-6440-200 / DID: 031-6440-OOO

서장: **윤 재 갑**
DID: 031-6440-201

주소	경기도 이천시 부악로 47 이천세무서 (중리동) (우) 17380 여주민원실: 경기도 여주시 세종로10 여주시청 별관5층 (우) 12619 양평민원실: 경기도 양평군 양평읍 군청앞길2(양평군청1층) (우) 12554		
코드번호	126	계좌번호 130378	사업자번호
관할구역	경기도 이천시, 여주시, 양평군	이메일	icheon@nts.go.kr

과	체납징세과				부가가치세과		소득세과	
과장	박금배 240				김재호 280		김봉기 520	
계	운영지원	징세	체납추적1	체납추적2	부가1	부가2	소득1	소득2
계장	이광희 241	권희숙 261	이성훈 441	박일환 461		백문순 301	김현승 521	
국세 조사관	윤희상 김은경 이철원 박준원 김기덕 김영삼	김안순 고현재	이현균 노수창 서수아 김태범 김형준 유더미	박상민 오정환 김윤한 김두리 김지영 허민주 이형진	변한준 김아름 이우성 선승민 류대현 전인지 강윤형 손지원 이상덕	이중한 연근영 김기홍 조은상 조상희 방민주 문현경 남훈현 송혜연	이현주 문민호 조경화 박희창 장혜지 강민정	박수태 최혁진 남현두 성재경 남효정 박지우
FAX	634-2103				637-3920, 638-0148		637-4037	

과	재산법인세과				조사과			납세자보호담당관	
과장	원정재 400				이금동 640			박철규 210	
계	재산1	재산2	법인1	법인2	세원정보	조사1	조사 관리	납세자 보호실	민원 봉사실
계장	남윤현 481	윤명로 501	심미현 401	이수은 421	조영규		김경숙 641	김지윤 211	김준오 221
국세 조사관	유인식 김용철 조광제 김태효 김유창 최경락 이송이 김충배 정주리 장미진	정회창 김민규 조희정 오소라	배인희 손석호 황계순 고운지 이준서	김정희 이상윤 최영임 최강원 김누리	박원규	<1팀> 신호균(팀장) 신영민 유가현 <2팀> 최재천(팀장) 권오교 정은해 <3팀> 김경현(팀장) 손선수 윤정임	서홍석	강다은 김민정 지창익	이은경 김경란 심우택 박연숙 김용일 이석임 전수연 김재홍 임경수 채연식
FAX	638-8801	634-7377, 2115			637-4594			632- 8343	638- 3878 633- 2100

평택세무서

대표전화: 031-6500-200 / DID: 031-6500-OOO

서장: **윤 영 일**
DID: 031-6500-201

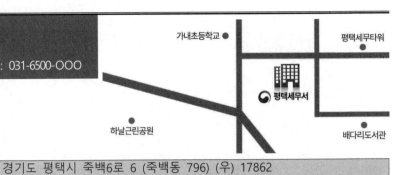

주소	경기도 평택시 죽백6로 6 (죽백동 796) (우) 17862 안성민원실: 안성시 보개원삼로1(봉산동) (우) 17586				
코드번호	125	계좌번호	130381	사업자번호	125-83-00016
관할구역	경기도 평택시, 안성시			이메일	pyeongtaek@nts.go.kr

과	체납징세과				부가가치세과			재산세과		
과장	김수현 240				임재규 280 이재성 280			이원남 500		
계	운영지원	징세	체납추적1	체납추적2	부가1	부가2	부가3	재산1	재산2	재산3
계장	정효중 241	박래용 261	최송엽 441	한상윤 461	윤희경 281	황규석 301	구규완 321	김진오 481	유달근 501	임병일 521
국세 조사관	최용화 박혜영 여지수 김주환 정승기 남덕희	이경희 우세진 김소리	박은정 고진숙 정지숙 장지환 유홍근 임유리 이규선 신동주 진나현 박찬호 김문형	홍경 김수미 정용선 김명대 김동구 이정은 김현경 한상화 박경일 이진서 이지혜	신지선 최근형 정경화 김승원 강상희 서혜수 정훈 김경연 배은지 김정하 허준	윤찬균 유홍선 강희호 한경란 김초희 서준 배지원 김지연 손혜은 김태은	이충인 이유미 김석준 김근한 우원준 손혜진 김준범 장혜림	황지유 박종성 최복기 김기영 조용재 정준영 김은정 신혜정 송지인 유다연	이호광 유환동 강이슬 이재영 임승용 손형미	이우섭 변종희 김선애 정세미 정승용 전형정
FAX	658- 1116	650- 0271	658-1107		652-8226			655-4786, 7103		

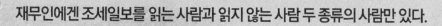

재무인과 함께 걸어가겠습니다 '조세일보'

재무인에겐 조세일보를 읽는 사람과 읽지 않는 사람 두 종류의 사람만 있다.

1등 조세회계 경제신문 조세일보

과	소득세과		법인세과		조사과			납세자보호담당관	
과장	홍강표 360		최교학 400		남영우 640			이상우 210	
계	소득1	소득2	법인1	법인2	세원정보	조사	조사관리	납세자보호실	민원봉사실
계장	임승원 361	381	민성원 401	김병기 421	노명환 691		류종수 641	211	221
국세조사관	정택준 백남현 김동욱 김연광 오병관 권미경 김태은 전혜영 김혜경 강혜영	연명희 김경민 김하림 박병주 정예은 최민서 안수민 손경미 최상미	송기원 송주한 김정우 조희근 강병수 진동욱 김단비 김민경 고윤형	김민정 황우오 김보영 위장훈 위성호 엄인영 문창환 강수지 이슬이	도종호 오경미	\<1팀\> 정인교 김지현 \<2팀\> 이종철(팀장) 김숙희 박관중 \<3팀\> 조병옥(팀장) 정효민 조강우 \<4팀\> 기노선(팀장) 김선장 고진효 \<5팀\> 박병관(팀장) 김주원 정다은 \<6팀\> 허병덕(팀장) 박영규 양현모	김광현 최현정 성유미	김영욱 이지원 우한솔 최소영	김수진 윤창 고지현 안병용 한근자 박유천 김소연 조학준 유미선 박혜경
FAX	618-6234		656-7113		655-7112			655-0196	656-7111

동화성세무서

대표전화: 031-9346-200 DID: 031-9346-OOO

서장 : **김 진 갑**
DID: 031-9346-201

주소	경기도 화성시 동탄오산로 86-3(MK 타워 3,4,9,10,11층) (우) 18478 오산 지역민원실: 경기도 오산시 성호대로 141 (031-374-4231)				
코드번호	151	계좌번호	027684	사업자번호	
관할구역	경기도 오산시, 화성시 중 정남면·진안동·능동·기산동·반정동·병점동·반월동·배양동·기안동·황계 동·송산동·안녕동·반송동·석우동·청계동·영천동·중동·오산동·방교동· 금곡동·송동·산척동·목동·신동·장지동			이메일	

과	체납징세과				부가소득세과		소득세과	
과장	박춘성 240				최은주 280		서인창 360	
계	운영지원	징세	체납추적1	체납추적2	부가1	부가2	소득1	소득2
계장	권익근 241	강윤숙 261	고은정 441	이만식 461	김동열 281	연제열 301	박창용 361	안창희 381
국세 조사관	한은정 장경희 천진호 권지용 곽세욱 노성태	오현정 김소영	김진희 김상용 김나경 김해진 이도영 윤현경 편수진 곽한울	조주현 이지현 김미란 천소현	이정미 나기석 하효연 최현숙 최정연 최윤성 이란희 김예슬 이현익 이재빈 김규원 백정화 신미애	박제상 김광식 서현영 김도경 한경화 이소원 송기순 박수용 한희수 장은심 안수현 박정욱 조혜숙 김린	박하홍 추경호 차영석 박홍규 민애희 지민경 이수연 김다솔	송은영 이해자 박혜진 원종민 원설희 박영훈 노수지
FAX	934-6249	934-6269			934-6299		934-6379	

10년간 쌓아온 재무인의 역사를 돌려드립니다 '온라인 재무인명부'

수시 업데이트 되는 국세청, 정·관계 인사의 프로필과 국세청, 지방청, 전국세무서, 관세청,
유관기관 등의 인력배치 현황을 볼 수 있는 온라인 재무인명부

1등 조세회계 경제신문 조세일보

과	재산법인세과			조사과			납세자보호담당관	
과장	권춘식 400			최동락 640			이강무 210	
계	재산1	재산2	법인	세원정보	조사	조사 관리	납세자 보호실	민원봉사실
계장	윤희철 481	소기형 491	조영빈 401	정호성 691		김동원 641	이용희 211	홍준만 221
국세 조사관	주기영 김미영 심수경 이재곤 신문정 정두레 김수지 김윤희 김대연 이철우 김의동	김기훈 정성은 김유정 임인혁	임교진 최민혜 우성식 김정기 곽진희 김수연 김준이 김보경 이현정 송혜인 신아름 송상율	이범수	\<1팀\> 이재철(팀장) 이치웅 김지혜 \<2팀\> 김수현(팀장) 임수정 최영준 \<3팀\> 조창권(팀장) 허용 오나현 \<4팀\> 유기성(팀장) 구태환	남경희 김인숙	이종우 정미애 이동엽	고경아 박연미 김선 강지은 송현정 이미지 박원경 윤은미 박일주 이승배 장호욱 백소희
FAX	934-6479	934-6419	934-6699	934-6649			934-6219	934-6239

화성세무서

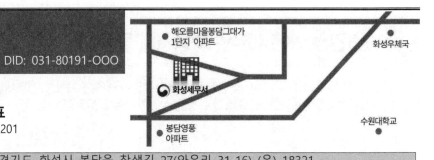

대표전화: 031-80191-200 DID: 031-80191-OOO

서장 : **홍 성 표**
DID: 031-80191-201

주소	경기도 화성시 봉담읍 참샘길 27(와우리 31-16) (우) 18321 남양민원실(031-369-6527) 화성시 남양읍 시청로 159 (화성시청 1층 세정과 내)			
코드번호	143	계좌번호	018351	사업자번호
관할구역	경기도 화성시 4개 읍, 8개 면과 새솔동 * 제외지역 : 정남면, 진안동, 능동, 기산동, 반정동, 병점1,2동, 반월동, 배양동, 기안동, 황계동, 송산동, 안녕동, 동탄1,2,3,4,5,6,7,8동(반송동, 석우동, 능동, 청계동, 영천동, 중동, 오산동, 방교동, 금곡동, 송동, 산척동, 목동, 신동, 장지동)	이메일	hwaseong@nts.go.kr	

과	체납징세과				부가소득세과			재산세과	
과장	황영희 240				최혜진 280			김정래 480	
계	운영지원	징세	체납추적1	체납추적2	부가1	부가2	소득	재산1	재산2
계장	김근민 241	박순철 261	김영민 441	김강산 461	주충용 281	이수용 291	장현수 301	서성철 481	임영교 501
국세 조사관	김은령 민옥정 문희제 황정미 김은애 정광현 안정원	윤기순 조한정 이재희 안민영	김원택 송우경 임대근 최정심 문혁 공신혜 박지선 김준호 소연경 임혜연 소연경	박남숙 이재인 홍보희 한영임 이재훈 심규민 이혜인 김형민 윤주휘 최인경 한선희	문선희 최우성 김근경 박수범 이남경 민경진 한비룡 김보연 조은비 김건호	김찬 장종현 한성미 전선희 문지은 김다은 이상일 하상돈 정성곤 최석종	김지향 김소영 좌현미 이은정 김보미 한용석 정혜정 김선영 조한우 이정은 박미혜	김영근 이원락 윤일주 정한나 이종영 주평하 강유나 박세진	이재현 김현미 안유미
FAX	8019-8211				8019-8257		8019- 8202	8019-8229	

과	법인세과		조사과						납세자보호담당관	
과장	김종운 400		남수진 640						이지숙 210	
계	법인1	법인2	세원정보	조사1	조사2	조사3	조사4	조사관리	납세자보호실	민원봉사실
계장	권영진 401	김광복 421	윤환 681	정현표	박진혁	백승우	이창훈	김강록 641	조금식 211	한기석 221
국세조사관	이광철 최영윤 김인철 김상현 김보미 성광민 김정혜 김옥경 염관진 박정현	우주연 김성진 박창선 유지호 정경민 김우경 김태현 박경진 진용미 최지은	박성현 정재훈	김상민 정다운	윤영우 김수지	김수연 고운이	지영환 노현민	조현성 김주옥 한그루	선화영 유현상 윤상목	박윤배 임건아 방은미 오혜미 오인택 강휘 김연호
FAX	8019-8227	8019-8270	8019-8251						8019-8231	

강릉세무서

대표전화: 033-6109-200 / DID: 033-6109-OOO

  동부지방 산림청 · 강릉세무서 · 강릉 올림픽파크

 서장: **고 성 호**
DID: 033-6109-201

강릉종합 운동장

주소	강원도 강릉시 수리골길 65 (교동) (우) 25473				
코드번호	226	계좌번호	150154	사업자번호	
관할구역	강원도 강릉시, 평창군 중 대관령면, 진부면, 용평면, 정선군 중 임계면			이메일	gangneung@nts.go.kr

과	체납징세과		부가소득세과		
과장	배종복 240		손병중 280		
계	운영지원	체납추적	부가1	부가2	소득
계장	안상영 241	김억주 441	홍학봉 281	김진희 301	안용 361
국세 조사관	조윤방 김혜인 최정원 홍영준 강태규 홍요섭	서의성 서지상 김연지 안승현 신원식 박원준 김옥선 정나영	박상태 박상언 김현정 권오광 김우주 강하라 김진화	함영록 최승철 김시윤 정하나 양가은 류승화	탄정기 양태용 박혜진 서동원 조현희 안윤혜
FAX	641-4186	646-8915	646-8914		

1등 조세회계 경제신문 조세일보

과	재산법인세과		조사과				납세자보호담당관	
과장	신민호 400		권혁용 650					
계	재산	법인	세원정보	조사1	조사2	조사3	납세자 보호실	민원봉사실
계장	강병성 481	최덕선 401			김광식		박을기 211	정창수 221
국세 조사관	홍승영 김형수 신진섭 이신정 김희재 이정식	정홍선 이현숙 유미선 최슬기	조영경 정봉수	지영환 김원명 윤민경	유가량 한성호	함인한 김혜진	박용범	김효정 박승훈 이현선 이유진
FAX	648-2181	641-4185	646-8915				641-2100	648-2080

삼척세무서

대표전화: 033-5700-200 / DID: 033-5700-OOO

서장: **한 상 현**
DID: 033-5700-201

주소	강원도 삼척시 교동로 148 (우) 25924				
	태백지서: 태백시 황지로 64 (우) 26021				
	동해민원봉사실: 강원 동해시 천곡로 100-1 (천곡동) (우) 25769				
코드번호	222	계좌번호	150167	사업자번호	142-83-00011
관할구역	강원도 삼척시, 동해시, 태백시			이메일	samcheok@nts.go.kr

과	체납징세과			세원관리과		
과장	이성종 240			신규승 280		
계	운영지원	체납추적	조사	부가	소득	재산법인
계장	우창수 241	김용철 441	홍석의 651	조해원 281	양준모 361	신영승 401
국세 조사관	전대진 임진묵 신예슬 전수만 안태길	김도헌 조상미 김민선 차지훈 이성희 우수희	김정희 김광식 김연화 박남규 최우석 백진현	정경진 박미정 노용승 이남호 최성현 이예지	신명진 조현숙 장호윤 김소윤 남연경	윤하정 이덕종 김범채 김영숙 김현성 류재성
FAX	574-5788	570-0668	570-0640	570-0630		570-0408

과	납세자보호담당관		태백지서 033-5505-200		
과장	황보영곤 210		안응석 550-5201		
계	납세자보호실	민원봉사실	납세자보호	부가소득	재산법인
계장		정성주 221	김태경 633		임무일
국세 조사관	육강일	김산 금동화 오규원 이지은 염수진	김범수 김유영 이지영	유봉석 김동석 최정인 김승주	형비오 최훈 안해준
FAX	574-6583		3112-6982		

속초세무서

대표전화: 033-6399-200 / DID: 033-6399-OOO

서장: **구 본 수**
DID: 033-6399-201

주소	강원도 속초시 수복로 28 (교동) (우) 24855				
코드번호	227	계좌번호	150170	사업자번호	
관할구역	강원도 속초시, 고성군, 양양군			이메일	sokcho@nts.go.kr

과	체납징세과		
과장	신승수 240		
계	운영지원	체납추적	조사
계장	최돈섭 241		김재형 651
국세 조사관	김한기 김민정 이소라 김성수 신종수	최현 김경록 이현승 고대연 김태연	오원정 박원기 조은희 진영석
FAX	633-9510		631-7920

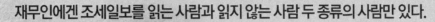

재무인과 함께 걸어가겠습니다 '조세일보'

재무인에겐 조세일보를 읽는 사람과 읽지 않는 사람 두 종류의 사람만 있다.

1등 조세회계 경제신문 조세일보

과	세원관리과			납세자보호담당관	
과장	황태훈 280			장경화 210	
계	부가	소득	재산법인	납세자보호실	민원봉사실
계장	조해윤 281	박래용 361	김진관 401		
국세조사관	박동균 허덕재 박동완 김훈민 장세원 김주찬 한수현 정문승	정의성 이금연 박일찬 김소연 김예린	함귀옥 박정수 이경현 김성경 김동윤 권택만 김성민	김진만	황재만 임미숙 조민경 박찬웅
FAX	632-9523		631-9243	632-9519	

영월세무서

대표전화: 033-3700-200 / DID: 033-3700-OOO

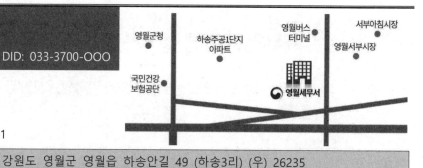

서장: **유 진 우**
DID: 033-3700-201

주소	강원도 영월군 영월읍 하송안길 49 (하송3리) (우) 26235			
코드번호	225	계좌번호	150183	사업자번호
관할구역	강원도 영월군, 정선군(임계면 제외), 평창군(대관령면,진부면,봉평면, 대화면, 방림면 및 용평면제외)		이메일	yeongwol@nts.go.kr

과	체납징세과		
과장	윤경 240		
계	운영지원	체납추적	조사
계장	김해년 241	김재영 441	
국세 조사관	이종훈 엄은주 지경덕 정의남 이자영	심수현 김두영 남기홍 이순정	박태진 박혜정 이예지 신승훈
FAX	373-1315		374-4943

과	세원관리과		납세자보호담당관	
과장	신상희 280		강기영 210	
계	부가소득	재산법인	납세자보호실	민원봉사실
계장	김정식 281	김무영 401		
국세 조사관	장광식 김재용 김종필 서은영 김호찬 박나혜 이은지	엄봉준 조인태 우진원 이민주 태석충 최규선 김예은	박애리	김화완 박순천 이영미 강유정
FAX	373-1316	373-1316(재산), 373-2100(법인)	374-2100	373-3105

원주세무서

대표전화: 033-7409-200 / DID: 033-7409-OOO

서장: **이 세 환**
DID: 033-7409-201

북원여자고등학교
치악중학교
원주세무서
학성근린공원
단계동 행정복지센터

주소	강원도 원주시 북원로 (단계동) 2325 (우) 26411				
코드번호	224	계좌번호	100269	사업자번호	
관할구역	강원도 원주시, 횡성군, 평창군 중 봉평면, 대화면, 방림면			이메일	wonju@nts.go.kr

과	체납징세과			부가소득세과		
과장	유승환 240			김선재 280		
계	운영지원	징세	체납추적	부가1	부가2	소득
계장	이경자 241	전소현 443	문병대 441	임성혁 281	한종훈 361	
국세 조사관	윤상락 박현주 추근우 김병구 김세호 홍성대	백애숙 이연주	권혁찬 심우홍 정의숙 최호영 손재원 이걸 백승훈 배지연 이은경	서효우 백윤용 이건일 천승현 기은지 김유현 서예원 김준혁	최중진 최정미 김성훈 진보람 신우용 조정연 허정미 김햇살 공채원 안광혁	박춘석 임창현 안진경 이원희 어이슬 이현문 김형준 강민지 정회정 백미연 이수빈
FAX	746-4791	746-4791	740-9605	745-8336		

과	재산법인세과		조사과		납세자보호담당관	
과장	김재준 480		서용석 640		최경화 210	
계	재산	법인	세원정보	조사	납세자보호실	민원봉사실
계장	이택호 481	이정범 401	김경돈 691			주태영 221
국세 조사관	김석일 조준기 원진희 이지혜 최혁 장유진 정상헌 장재희 인소영 정윤주	노경민 곽호현 이형근 이진영 최연우 장해성 우문연 조채연	백상규	<1팀> 김태범(팀장) 최진경 <2팀> 홍기남(팀장) 임채문 박인희 <3팀> 민규홍(팀장) 최자연 신원정 <4팀> 주승철(팀장) 안인기 김소현	김경숙 송희정 조현우	황보승 김은희 한혜영 김정민 백준호 이정희 박미옥 정재근 김민주 박진숙
FAX	740-9420	740-9204	743-2630		740-9659	740-9425

춘천세무서

대표전화: 033-2500-200 / DID: 033-2500-OOO

서장: **백 승 권**
DID: 033-2500-201

미래산부인과 / 중앙시니어통합 복지센터 / 춘천중학교 / 춘천 보건소 / 춘천세무서 / 춘천교육 문화관

주소	강원도 춘천시 중앙로 115 (중앙로3가) (우)24358 화천민원실: 강원도 화천군 화천읍 중앙로 5길 5 (우) 24124 양구민원실: 강원도 양구군 양구읍 관공서로 14 (우) 24523				
코드번호	221	계좌번호	100272	사업자번호	142-83-00011
관할구역	강원도 춘천시, 화천군, 양구군			이메일	chuncheon@nts.go.kr

과	체납징세과			부가소득세과		
과장	박종경 240			이춘호 280		
계	운영지원	징세	체납추적	부가1	부가2	소득
계장	유광선 241	유호정 261	심영창 441	홍후진 281	안종은 301	박승주 361
국세 조사관	강영화 김미경 민영규 강정민 권재서 정병호	이송희 임빛나	이영 조성구 정석환 김신희 이문형 이성수 곽보경 이진주	남정임 남호규 노정민 전영훈 정슬기 부나리 윤선수 권창현	강동훈 김두수 이창호 박경미 권영은 조계호 김하은	김진수 강양우 홍기범 유현정 이형석 임정환 이후돈 정수길 이현정 양기태
FAX	252-3589	250-0299		257-4886		

과	재산법인세과		조사과					납세자보호담당관	
과장	엄종덕 400		이철형 640					이상현 210	
계	재산	법인	세원정보	조사1	조사2	조사3	조사4	납세자보호실	민원봉사실
계장	신재화 481	정영훈 401 박형철 401	유동열 691	김형욱	최형지	방용익	진종범	지성근 211	이순옥 221
국세조사관	김진영 박기태 장현진 이종민 배설희 조소영 김주상	변대원 최완규 곽락원 임청하 송현주 박재현 김민비	이은규	신정미	박제린	최수현	이찬송	김달님 윤한철	정호근 박형주 박찬영 이병규 정선애 김보람 최영우
FAX	244-7947		254-2487					252-3793	252-2103

홍천세무서

대표전화: 033-4301-200 / DID: 033-4301-OOO

서장: **이 상 훈**
DID: 033-4301-201

주소	강원도 홍천군 홍천읍 생명과학관길 50 (연봉리) (우) 25142 인제민원실: 강원도 인제군 인제읍 비봉로 43 (인제종합터미널 내) (우) 24635				
코드번호	223	계좌번호	100285	사업자번호	
관할구역	강원도 홍천군, 인제군			이메일	hongcheon@nts.go.kr

과	체납징세과		
과장	이승종 240		
계	운영지원	체납추적	조사
계장	유인호 241	황일섭 441	김진성 651
국세 조사관	홍재옥 강수현 임재영 이종호	이종석 김경식 유원숙	강명호 남경민
FAX	433-1889		

과	세원관리과		납세자보호담당관	
과장	윤동규 280		류재경 210	
계	부가소득	재산법인	납세자보호실	민원봉사실
계장	김남주 281	심종기 401	이종완 211	
국세 조사관	이성삼 이유안 정재윤 김태경 김성현 장민수 정재용 한재민	이하나 김수환 정재영 이우영 최원익 이예연		박은희 최병용 노강래 안양순
FAX	434-7622		435-0223	

인천지방국세청
관할세무서

인천지방국세청

주소	인천광역시 남동구 남동대로 763 (구월동) (우) 21556
대표전화 & 팩스	032-718-6200 / 032-718-6021
코드번호	800
계좌번호	027054
사업자등록번호	1318305001
e-mail	incheonrto@nts.go.kr

청장　　　　　**이현규**

(D) 032-718-6201

성실납세지원국장	유재준	(D) 032-718-6400
징세송무국장	박국진	(D) 032-718-6500
조사1국장	박광수	(D) 032-718-6600
조사2국장	정연주	(D) 032-718-6800

인천지방국세청

대표전화: 032-7186-200 / DID: 032-7186-OOO

청장: **이 현 규**
DID: 032-7186-201

주소	인천광역시 남동구 남동대로 763 (구월동) (우) 21556				
코드번호	800	계좌번호	027054	사업자번호	1318305001
관할구역	인천권(인천, 김포, 부천, 광명), 경기 북부권(의정부, 양주, 포천, 동두천, 연천, 철원, 고양, 파주)(관내 세무서 : 인천,북인천,서인천,남인천,연수,김포,부천,남부천,의정부,포천,고양,동고양,파주,광명)			이메일	incheonrto@nts.go.kr

국						성실납세지원국		
국장						유재준 400		
과	감사관		납세자보호담당관			부가가치세과		
과장	윤재원 310		이율배 350			서기열 401		
계	감사	감찰	납세자 보호	심사	인천공항 납세지원	부가1	부가2	소비세
계장	박인수 312	322	고선혜 352	최미영 362		유경원 402	김화정 412	김은정 422
국세 조사관	조성덕 김민수 최병재 임태호 오경택 박진아 이영선	문삼식 김한진 이수진 강신준 남기인 나혁균 심주용 배효정 정선영 박성태	이진아 이상수 이연수 서창덕 전예은	임재석 고배영 윤애림 최미희 이영숙 송재성	정선재 강소라	강소라 이영옥 박예람 정지훈	선봉래 백찬주 박지선 이규종 김성재	나찬주 조준영 한상재 강혜진
FAX	718-6025	718-6026	718-6027	718-6028	740-6043	718-6029		

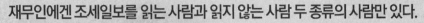

재무인과 함께 걸어가겠습니다 '조세일보'

재무인에겐 조세일보를 읽는 사람과 읽지 않는 사람 두 종류의 사람만 있다.

국	성실납세지원국							
국장	유재준 400							
과	소득재산세과				법인세과			
과장	김월웅 431				이규열 471			
계	소득자료 관리TF	소득지원	소득	재산	1	2	3	4
계장	양숙진 392	안성경 462	송인규 432	임덕수 452	김영노 472	이기병 482	문현 488	김영수 493
국세 조사관	김희진 이주은	조진동 이현준 남은영	김종훈 정성은 변성경 배경은 배윤정	오수미 주승윤 조지현 이현민	김정이 전유영 홍준경 강지수 장수영 이다영	이은섭 송동규 김혜윤 현민웅	류수현 한지연 박준식	박지암 남도경 송보라 백장미
FAX	718-6030				718-6031			

세미래 콜센터 126

국세관련 모든 상담은 국번없이 126
전국 어디서나 편리하게 상담받으세요.
평일 9시~18시 (탈세제보는 24시간)

DID : 032-7186-OOO

국	성실납세지원국				징세송무국						
국장	유재준 400				박국진 500						
과	전산관리팀				징세과		송무과				
과장	정숙희 101				이호 501		주승연 541				
계	전산관리1	전산관리2	정보화센터1	정보화센터2	징세	체납관리	개인1	개인2	법인	상증	총괄
계장	안형수 102	김용우 112 박용태 112			이기련 502	김관홍 512	성종만 550	정선아 555	공희현 546	이기수 560	
국세조사관	김경민 조은정 신채영	최광민 이택수	김은주 서지희 김관우 전혜정 김은향 채재덕 송해숙 이미경 정미경 한연주 김복임 김진희 이지숙	김선영 김지수 김은영 이송이 안민희 조정자 최명순 김정희 권정숙 정미영	방윤희 김혜은 김향주 김동우	유현수 현보람 김복래 김영진 하태완	이정희 박영진 양홍철 박태완	고재민 박상우 황진영 김재윤	이창현 최요환 김동열	한송희 홍성걸	이주영 김명준 김인희
FAX	718-6032				718-6033		718-6034				

270

1등 조세회계 경제신문 조세일보

국실	징세송무국		조사1국								
국장	박국진 500		박광수 600								
과	체납추적과		조사관리과					조사1과			
과장	박임선 571		전주석 601					이현범 651			
계	체납추적관리	체납추적	1	2	3	4	5	1	2	3	4
계장	조현관 572	김광천 582	강세정 602	김하성 612	박병곤 622	조민영 632	김정대 642	이용재 652	배성수 662	이지선 672	이영진 682 유대현
국세조사관	이병노 허재영 박창환 김순석 김현경 노세영 정민혜	이아미 하두영 고명훈 채미옥 이상민 가성원 양현식 노상우 이혜선	배동희 조영진 박좌준 박정은 박미소	김진우 신기주 천재도 양지윤	서현희 박종석 김민희 김혜연 송신애 이창학	임준일 김수정 이승찬 이슬비 손종대 노아령 이진우	황창혁 김병규 정홍주 이광환 정구휘	박범수 고정주 이미진 김건영 강현주	박진석 이경석 김명경 이윤애	김대범 고영주 우은혜 장정엽 홍세희	박지원 전준호 주선정
FAX	718-6035		718-6036					718-6037			

271

DID : 032-7186-OOO

국실	조사1국						조사2국			
국장	박광수 600						정연주 800			
과	조사2과			조사3과			조사관리과			
과장	우철윤 701			조민호 741			민종인 801			
계	1	2	3	1	2	3	1	2	3	4
계장	강석윤 702	서명국 712	류송 722	정현대 742	김생분 752	김재호 762	양성철 802	박형민 812	배인수 822	공용성 832
국세 조사관	전미애 임세혁 김승희 김가람 정기선	오명진 민종권 조원석 조윤주 김유경	이은송 김치호 김보나 구표수	신기룡 노남규 김봉완 배성혜 김유진	김인숙 김재석 이태한 윤다영 김근우	조윤경 이규의 임은식 정승기	박근엽 김경진 최파란 여현정 진혜진	김태원 유성훈 박일수 김민경 박상아	김재철 권기완 남일현 조재희	김경숙 박인제 장선정 강성민 노일도 김효정 김이섭
FAX	718-6038			718-6039			718-6040			

국실	조사2국													
국장	정연주 800													
과	조사1과					조사2과					운영지원과			
과장	김민 851					윤성태 901					양순석 240			
계	1	2	3	4	5	조사1	조사2	조사3	조사4	조사5	인사	행정	경리	현장소통
계장	윤경주 852	김민완 862	허준용 872	정해인 882	김상윤 892	박정준 902	설환우 912	정은정 922	이윤우 932	최영일 942	최진선 242	박성호 252	배성심 262	이승환 272
국세조사관	이진선 이재우 김제헌 이다혜	정동욱 하현정 제병민	곽재형 김우리 이신숙	박상영 전세림 안은정	성재영 엄일해 박영호	장원석 김재중 박지현 홍영호	백선애 김상진 이은진	권성미 전영출 한완상	이미영 이선행 최민경	김영미 신창영 김다은	이동훈 황규봉 김기훈 최수지 이승우 김혜진 이근호 천현창	공원재 김선화 김미선 한재영 조혜민 진승철 최윤주 홍성준 구대현 이창희 양승훈 이영도 강태헌	신희명 조혜진 이준형 임욱 이미애 김지엽	방성자 임석호 김민상 성상현 차지연
FAX	718-6041					718-6042					718-6022	718-6021	718-6023	718-6024

남동세무서

대표전화: 032-4605-200 / DID: 032-4605-OOO

서장: **정 상 진**
DID: 032-4605-201

주소	인천광역시 남동구 인하로 548(구월동 1447-1) (우) 21582				
코드번호	131	계좌번호	110424	사업자번호	131-83-00011
관할구역	인천시 남동구			이메일	namincheon@nts.go.kr

과	체납징세과				부가가치세과		소득세과	
과장	윤재웅 240				최일환 280		이철우 360	
계	운영지원	징세	체납추적1	체납추적2	부가1	부가2	소득1	소득2
계장	임용주 241	한원찬 261	양재우 441	김창호 461	강정원 281	송충호 301	고민수 361	김백규 381
국세 조사관	박광욱 홍예령 이현선 이준호 김준수 김하늘	김효진 이지연 강예은	정다은 장예원 엄연희 김기송 김혜성 이은정 서석현	서유진 신유나 유선영 신현진 조윤경 김소연 심홍채	이준희 최은영 이온유 황정하 김봉호 고설민 김다형 정도연 전예진 남예원 손현지	임해숙 조인호 남관덕 안슬비 박서우 정보길 조현종 김태희 안수민 전지현 김지현 김혜영	이영권 최윤정 박효은 조경화 권효정 선유정 강현창 박모우 신연주	김정동 서주현 김주아 최윤석 이연서 김건형 양송이
FAX	463-5778				461-0658		461-0657 461-3743	461-3291 461-3267

10년간 쌓아온 재무인의 역사를 돌려드립니다 '온라인 재무인명부'

수시 업데이트 되는 국세청, 정·관계 인사의 프로필과 국세청, 지방청, 전국세무서, 관세청,
유관기관 등의 인력배치 현황을 볼 수 있는 온라인 재무인명부

1등 조세회계 경제신문 조세일보

과	재산법인세과				조사과			납세자 보호담당관	
과장	강기석 480				임석원 640			이미진 210	
계	재산1	재산2	법인1	법인2	세원정보	조사	조사 관리	납세자 보호실	민원 봉사실
계장	최성용 481	501	정종천 401	노영훈 411	조경호 691		염유섭 641	예상국 211	구본섭 221
국세 조사관	엄청분 김동현 노재훈 진영근 안태균 이민정 김보라	조용식 도영만 남윤현 박혜선	김윤주 기두현 박채원 김보람 방미경 이동석 김혜린	김동호 박우영 권은경 고유경 김태용 김민정 이소정	배재호	<1팀> 이지훈(팀장) 이동락 조은빛 <2팀> 반정원(팀장) 전승현 <3팀> 최창현(팀장) 이주환 김인정 <4팀> 김대영(팀장) 박민희	이아연 주소미	김광태 조종수 김혜빈	김윤희 이승호 조세원 이지안 김주희 이현애 황선화 황경서 김원욱
FAX	464-3944 461-6877		463-7159 471-2100		462-4232	462-4232 471-2101	471-2101	464-6183	463-7177 461-2613

서인천세무서

대표전화: 032-5605-200 / DID: 032-5605-OOO

서장: **양 경 렬**
DID: 032-5605-201

주소	인천광역시 서구 서곶로 369번길 17 (연희동) (우) 22721				
코드번호	137	**계좌번호**	111025	**사업자번호**	137-83-00019
관할구역	인천광역시 서구			**이메일**	seoincheon@nts.go.kr

과	체납징세과				부가가치세과			소득세과	
과장	오태진 240				박봉철 280			장필효 620	
계	운영지원	징세	체납추적1	체납추적2	부가1	부가2	부가3	소득1	소득2
계장	김창호 241	조미현 261	이순모 441	박용호 461	김혜령 281	장기승 301	채송화 321	심형섭 361	전우식 621
국세 조사관	김민형 신연희 최은경 정종우 양정인 김영재 이성엽 홍성훈	최은옥 김효은	이현희 조아라 황지환 박지혜 박다영 김민주 김세은 권도현 김세은	이수덕 이혜영 송주형 김상철 정은아 유화정 전소윤 박명아	한인정 유남렬 정은아 박호빈 임종우 현유진 정지윤 정현규 신승우 이정훈	윤미경 조초희 김도협 윤지현 황종하 손석호 강희천 배지은	서원식 권현택 조다인 권서영 한연근 유현희 박준영 김하나 권태민	박종주 김대일 임인혜 유동재 윤미라 이하림 차나리 유희붕 신은주 정수진	김호 김수민 권혜화 김시온 정수진 조중훈
FAX	561-5995				561-4144			562-8213, 562-8210	

과	재산법인세과				조사과						납세자 보호담당관	
과장	박경은 5400				구정환 640						양희석 210	
계	재산1	재산2	법인1	법인2	세원 정보	조사1	조사2	조사3	조사4	조사 관리	납세자 보호실	민원 봉사실
계장	유의상 441	이종기 501	김기식 401	김준호 421	691	김동진	최준재	고덕상	이준년	정연섭	김육노 211	강혜진 221
국세 조사관	이승환 전현민 추은정 이창우 문찬웅 정기주 서은지 안혜진	용진숙 범지호 박준영 김지혜	박두원 성현진 김지혜 김보경 곽동훈 박진실	신경아 김진영 봉현준 조정은 박현우 김웅	강선영 김지영	서경석 김미영 최규한	조현지 김지동	이종현 김소윤	윤재현 이연경	이선아 김선아 송채영	장선영 전유광 오인화	이영란 김미연 유순희 이영재 김보미 김형식 김지현
FAX	562-5533 561-4423		561-3395		562-5673						561- 0666	561- 5777

인천세무서

대표전화: 032-7700-200 / DID: 032-7700-○○○

서장: **홍 순 택**
DID: 032-7700-201

주소	인천광역시 동구 우각로 75 (창영동) (우) 22564 별관 : 인천 미추홀구 인중로 22, 2층 조사과(숭의동, 용운빌딩) (우) 22171 영종도민원실 : 인천시 중구 신도시남로 142번길 17, 301호 (운서동) (우) 22371					
코드번호	121	**계좌번호**		110259	**사업자번호**	121-83-00014
관할구역	인천광역시 중구, 동구, 미추홀구, 옹진군				**이메일**	incheon@nts.go.kr

과	체납징세과				부가가치세과			소득세과	
과장	박미란 240				복용근 280			김은오 340	
계	운영지원	징세	체납추적1	체납추적2	부가1	부가2	부가3	소득1	소득2
계장	황경숙 241	한덕우 221	권영균 441	이민철 461	박기룡 281	안형선 301	이영숙 321	홍성기 341	김상만 361
국세 조사관	임경순 한지원 이휘승 가준섭 김자림 이일환 김휘태	박신우 박지민 오수진	배은상 이선아 김상경 박형준 김송정 박종성 조윤영 서민지 이혁재 이윤경	김인성 유정아 임선옥 권병묵 엄장원 현종원 이관재 김미미 유희근	이재우 김수원 박정윤 차일현 김아름 최영환 조유영 김득화 최진욱 최은진 최상연 이상희	이영숙 김지은 윤지희 김태훈 정근욱 한혜진 서문영 김선우 김영규 이주환	이하경 김희창 김지은 임자혁 정소연 이종훈 홍유민 민예지 조중현 이종욱 서문경 김미옥	김창현 황태영 남현철 강경호 이진영 유승현 소서희 노종대 임광빈 장슬빈	양정미 박일호 박소희 차연아 박영수 김민애 최창열 김가영 박미래 박미선
FAX	763-9007	765-1603			765-1604			777-8105	

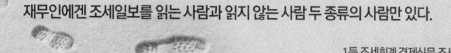

재무인과 함께 걸어가겠습니다 '조세일보'

재무인에겐 조세일보를 읽는 사람과 읽지 않는 사람 두 종류의 사람만 있다.

1등 조세회계 경제신문 조세일보

과	재산세과		법인세과		조사과			납세자 보호담당관	
과장	정철 480		이찬희 400		김기석 640			정용석 210	
계	재산1	재산3	법인1	법인2	세원정보	조사	조사관리	납세자 보호실	민원 봉사실
계장	최미숙 481	김광표 521	이영민 401	김은기 421	원범석	<1팀> 김종율(팀장) 이충원 이우남	염철웅 641		임권택 221
국세 조사관	김효진 최용선 조성연 김현진 박현정 원가영 정호영 이채현 최보미 임은영	임진혁 국봉균 박혜인	전창선 차세원 오미정 이명훈 박수미 김민주	박장수 김재선 전지연 구아림 김민정 윤정욱	김수연 천수진	<1팀> 김종율(팀장) 이충원 이우남 <2팀> 김상천(팀장) 민소윤 김태희 <3팀> 황태영(팀장) 손현진 이경혜 <4팀> 최명석 남기은 기영준 <5팀> 전현정(팀장) 장은용 변효정	오유미 오경선 이예슬	이아영 한인표 고명현 윤주영	김성연 강소여 박미영 유금숙 김정기 이경록 김한범 채진병 서지형 윤혜미 김민중
FAX	721-8407	777-8109	777-8108	777-8109	885-8334			765-6044	765-6042

계양세무서

대표전화: 032-4598-200 / DID: 032-4598-OOO

정복기
내과의원

미도아파트

계양세무서

인천성지
초등학교

계양청소년
경찰학교

서장: **김 재 휘**
DID: 032-4598-201

주소	인천광역시 계양구 효서로 244 (우) 21120						
코드번호	154		계좌번호	027708		사업자번호	
관할구역	인천광역시 계양구					이메일	

과	체납징세과			부가가치세과		소득세과	
과장	조대규 240			이석원 280		전태규 360	
계	운영지원	징세	체납추적	부가1	부가2	소득1	소득2
계장	박성구 241	261	이용희 441	유재식 281	강옥향 301	탁경석 341	박대협 361
국세조사관	오은희 안지선 허광규 정기열 유민설 유은	최형준 권혜련	이미경 박소혜 이상곤 김태웅	김재준 김진아 김영은 박지해 이유경 조혜정	김정한 연정현 최지웅 신예원 김대욱	임유화 한승구 황민희 최이진	박상선 남은빈 김민정 고민경
FAX							

1등 조세회계 경제신문 조세일보

과	재산법인세과			납세자보호담당관	
과장	진병환 480			김용웅 210	
계	재산1	재산2	법인	납세자 보호실	민원 봉사실
계장	서흥원 481	현선영 502	이병인 401	이영휘 211	최현 221
국세 조사관	김혜진 이은지 이영례 이도형 이유영 박병태 차인혜	이상왕 최승규	김중재 신나리 김경태 신지수 김한솔	이수진 김성록	최종욱 박보경 김지은 김한솔 이진경
FAX					

고양세무서

대표전화: 031-9009-200 / DID: 031-9009-OOO

서장: **지 임 구**
DID: 031-9009-201

주소	경기도 고양시 일산동구 중앙로1275번길 14-43 (장항동774) (우) 10401			
코드번호	128	**계좌번호** 012014	**사업자번호**	128-83-00015
관할구역	경기도 고양시 일산동구, 일산서구		**이메일**	goyang@nts.go.kr

과	체납징세과				부가가치세과			소득세과	
과장	김미나 240				황재선 280			박현서 360	
계	운영지원	징세	체납추적1	체납추적2	부가1	부가2	부가3	소득1	소득2
계장	장주열 241	이정균 261	오승필 441	이강일 461	신혜주 281	배욱환 301	남영우 321	박영용 361	허은성 381
국세 조사관	임형우 이경빈 조해동 김상균 유창수 정연철	한은숙 기아람 조가영	박윤경 최다인 이미란 김명규 심한보 이승형 김보원 황유솔 김수영	전미영 이상미 최한뫼 박지원 김미경 김수빈 차수빈 박형준 이서호 양윤숙	김민욱 여지현 정지명 오신형 우수정 박예은 이슬 임진옥 임경석 정미라	신선주 김은정 유길웅 강희정 박정호 송일훈 이선아 진민정 이혜련	유정식 공진하 김희진 남기홍 이종관 장일웅 최수경	김진기 조정은 안국찬 한승협 안윤미 신동준 백소이 유환일 조지윤 허세미 김정혁	최회윤 김가영 권혁준 김민조 이권희 채유진 박미진 선현우 송경령 송명진
FAX					907-0677			907-1812	

김익태세무회계

대표세무사 : 김익태 (前 고양.동고양.삼성.은평세무서장)

고양시 일산동구 중앙로 1305-30, 528호
(장항동, 마이다스빌딩) 김익태세무회계

전화 : 031-906-0277　　팩스 : 031-906-0175
핸드폰 : 010-9020-7698　　이메일 : etbang@hanmail.net

과	재산세과			법인세과		조사과			납세자 보호담당	
과장	박선수 480			정국일 400		조혜정 640			김동식 210	
계	재산1	재산2	재산3	법인1	법인2	세원정보	조사	조사관리	납세자보호실	민원봉사실
계장	황영삼 481	남형주 491		김종완 401	이선우 421			김연수 641	이정용 211	조영순 221
국세조사관	안동민 방혜선 윤성귀 김준철 이수현 박윤지	박노승 이해옥 김범석 윤현정 최서윤	김세영 이정현 이광희 김유미 이여경 신명섭	김무남 이영욱 김완석 봉선영 이혜미 이정욱	이성원 윤정현 박선희 원규호 김지영 오지연 최다혜	노은영 이근희 김하얀	<1팀> 이유미(팀장) 김덕교 김대연 <2팀> 최헌순(팀장) 김영재 김가연 <3팀> 박정완(팀장) 이재용 최현성 <4팀> 김도윤(팀장) 김경환 이승리 <5팀> 김정식(팀장) 고경만 이은기	강인행 정지연 정류빈	김광수 조한덕 이루리 남보영	유수재 송지혜 김우현 구지은 이민아 한무현 권지원 이진수 이정원 최연경 이혜옥
FAX				907-0973						907-9177

283

광명세무서

대표전화: 02-26108-200 / DID: 02-26108-OOO

서장: **김 시 현**
DID: 02-26108-201

주소	경기도 광명시 철산로 3-12(철산동 251) (우) 14235 별관: 경기도 광명시 철산로 5 (철산동 250) (우) 14235				
코드번호	235	계좌번호	025195	사업자번호	702-83-00017
관할구역	경기도 광명시			이메일	

과	체납징세과			부가소득세과	
과장	윤성양 240			강부덕 300	
계	운영지원	징세	체납추적	부가	소득
계장	이종민 241	윤권욱 261	박창길 441	장재영 301	곽민성 351
국세 조사관	송정숙 박영민 강인한 김용희 이다민	이형원 박미영	강석훈 장선희 최성환 김지현 김소연 안성국 이민희 송미진	문경 이태용 이수진 김경해 최주희 정수진 김태훈 조민석 천인호 심지영 이현주	조채영 김영숙 맹선영 신수창 이슬비 신민철 김기환 조민경 김태영 송호연
FAX	3666-0611			2617-1486	

과	재산법인세과		조사과					납세자보호담당	
과장	정종오 500		이상길 640					김유신 210	
계	재산	법인	세원정보	조사1	조사2	조사3	조사관리	납세자 보호실	민원봉사실
계장	송영인 401	김정열 501	박병민 682	이경선	임흥식	이재훈	이대일	소본영 211	박상별 221
국세 조사관	이소정 이준홍 한상희 김봉재 최민규 김하원 김유나 이우재 장승연	김경희 고봉균 김동선 김찬주 박규빈 이서은	오경환	김선애	정해시	정연선	한유진	유미연 김재원	윤희수 박진아 이명주 김정인
FAX	2617- 1487	2060- 0027	2685-1992					2617- 1485	2615- 3213

김포세무서

대표전화: 031-9803-200 / DID: 031-9803-OOO

서장: **한 성 옥**
DID: 031-9803-201

고창마을
신영지웰아파트
초당마을휴먼시아
1단지아파트
고창중학교
장기초등학교
솔내근린공원
장기고등학교
고창마을반도
유보라아파트
김포세무서

주소	경기도 김포시 김포한강1로 22 장기동 (우) 10087 강화민원봉사실 : 인천광역시 강화군 강화읍 강화대로 394 (우) 23031						
코드번호	234		계좌번호	023760		사업자번호	
관할구역	경기도 김포시, 인천광역시 강화군					이메일	gimpo@nts.go.kr

과	체납징세과				부가가치세과		소득세과	
과장	배호기 240				한철희 280		김민수 340	
계	운영지원	징세	체납추적1	체납추적2	부가1	부가2	소득1	소득2
계장	정태민 241	이혜경 261	손동칠 441	이광용 461	정선례 281	임지혁 301	김영국 341	박찬택 361
국세 조사관	김태형 주성숙 김수영 윤형식 신용섭 황선길	김현정 박하연	윤혜영 정재욱 태영연 김동엽 윤하영 한진규 손수아 장훈희	안지은 남석주 이윤수 강효정 문진희 권도진 박정현 오윤라 이현민 임수진	최지현 이태상 조수영 정형석 나유림 최재혁 이보라 김한올 박근호 장정현 이지현 고연우 장선영	김진도 김윤경 민경원 이연주 하수정 최유성 전건모 이윤호 강지수 김현민 성다진 이진우 석산호	이병노 설병환 진주희 최동진 김동우 심수진 허성경 김의연 최혜진	김만덕 이용우 이호정 박주연 이주한 박소영 김민선 김다영 김동준
FAX	987-9932	987-9862			983-8028		998-6973	

과	재산법인세과				조사과			납세자 보호담당관	
과장	원종호 400				이성복 600			박상정 210	
계	재산1	재산2	법인1	법인2	세원정보	조사1	조사관리	납세자 보호실	민원 봉사실
계장	조은희 401	한세영 421	왕태선 501	이호준 521	이정민 641		이상락 601	신현준 211	송주규 221
국세 조사관	윤영섭 오기철 정다이 배상용 이민규 윤태인 김지수 최우녕 김진국 황수인 송영욱 현양미	김익왕 박성혁 윤유라	최정완 장미향 송선주 이정문 조정훈 류영리 장진아 선경식 김인욱	안준 김주홍 김민정 이인이 태대환 김윤희 반재욱 심자민	유은선 이금희	<1팀> 성정은(팀장) 김대관 김동수 <2팀> 박민규(팀장) 박용운 정지윤 <3팀> 조종식(팀장) 김현일 지수 <4팀> 최원석(팀장) 이인이 윤지원 <5팀> 안선미(팀장) 김승희 피연지	채연학 이동훈	김근영 선종국 유준상	박영기 김성기 배인애 이정화 정진숙 정지영 홍지안 신중훈 이현화 최우정 이희정
FAX	998- 6971	986-2801						986- 2806	982- 8125

동고양세무서

대표전화: 031-9006-200 / DID: 031-9006-OOO

서장: **조 영 탁**
DID: 031-9006-201

은빛마을6단지
프라웰아파트

● 동고양세무서

● 화정고등학교

화정역

화정역광장   화정역버스

주소	경기도 고양시 덕양구 화중로104번길 16 (화정동) 화정아카데미타워 3층(민원실), 4층, 5층, 9층 (우) 10497				
코드번호	232	계좌번호	023757	사업자번호	
관할구역	경기도 고양시 덕양구			이메일	

과	체납징세과			부가소득세과		
과장	박상율 240			강창식 280		
계	운영지원	징세	체납추적	부가1	부가2	소득
계장	오병태 241	정용석 261	우인식 441	정현중 281	임순하 301	유은주 321
국세 조사관	박일수 김지인 김현철 고지환 강성민 강희정	유영숙 채예지	김영주 이철형 양이곤 전혜윤 김이화 박송이 이동찬 황다빈 박경란 신승진	박재홍 한창규 이슬기 이승재 김지현 정소정 김희영 신지은 오세민 이지영	윤현경 임진연 노규현 신선미 김진원 전승헌 윤새롬 신정수 박수진	강경인 한주성 장설희 이희영 이수경 김정섭 오은숙 문서윤 남지은 박수지 노재원 박찬용 윤여준 장유진 채연학
FAX	963-2979	900-6558		963-2372		

과	재산법인세과			조사과					납세자보호담당관	
과장	양태호 400			김재민 640					고미경 210	
계	재산1	재산2	법인	세원정보	조사1	조사2	조사3	조사관리	납세자 보호실	민원 봉사실
계장	김춘동 481	서광렬 501	정윤철 401	김태환 691		김희정	백성종	고택수 641	김욱진 211	이경권 221
국세 조사관	박진수 정세경 김용민 박종률 섭지수 김혜숙 이혜지 장희숙 류홍근	조영호 이현주 이민정	민수진 윤희선 이현규 김빛누리 홍서준 김유리	권보현	최유나 이도희	손승희 김현준	이준영	안선 안혜진	이혜영 이현철	김혜숙 김태두 문주희 김의영 황지혜 신호빈
FAX	963-2983			963-2972					963- 2271	900- 6572

남부천세무서

대표전화: 032-4597-200 / DID: 032-4597-OOO

서장: **강 영 구**
DID: 032-4597-201

주소	경기도 부천시 경인옛로 115 (우) 14691					
코드번호	152		계좌번호	027685	사업자번호	
관할구역	부천시 부천동 일부(원미, 역곡, 춘의), 심곡동, 대산동, 소사본동, 범안동				이메일	

과	체납징세과			부가가치세과		소득세과	
과장	김찬 240			김진형 320		최영수 360	
계	운영지원	징세	체납추적	부가1	부가2	소득1	소득2
계장	고은희 241	하미숙 261	서동욱 441	유영복 281	김형봉 301	정삼근 361	강혜련 381
국세 조사관	이종섭 김가영 김준영 신지은 서은미 이현채 박민수	주민희 박슬기	추원욱 민경준 신동진 김원중 허원석 성해리 장소영	송석철 진호범 김재경 황정록 박유라 박연진 차준형 박시현	김명선 정성익 배희경 송찬빈 최은진 유광근 이영롱 전하준 전유완	황선태 이소영 이상용 계현희 장은경 배준영 조남명 신경섭	이준우 유진영 정혜아 이성훈 남기은 방서주 강오라
FAX	459-7249			459-7299		459-7379	

과	재산법인세과			조사과				납세자보호담당관	
과장	고정선 480			송영기 640				조재량 210	
계	재산1	재산2	법인	세원정보	조사1	조사2	조사관리	납세자 보호실	민원봉사실
계장	장현수 481	박한중 501	박영길 401	김용석 691		이광식	양영규 641	이신규 211	조양선 221
국세 조사관	김희환 박세라 김규호 강민정 곽유진 이병용 한송희	곽진섭 이영수 김희경 박해리	손민 손창수 이규호 임기문 문영미 전원진	황인태	박미래 채명훈	정승훈 한수지	이은수 최아라	신현원 정혜수 박주호	홍종훈 최은정 오진택 박은미 박지은 심현주
FAX	459-7499			349-8971				459-7219, 459-7231	

부천세무서

대표전화: 032-3205-200 / DID: 032-3205-OOO

서장: **이 승 래**
DID: 032-3205-201

중3동우체국 부천세무서
중흥초등학교 중흥중학교 부천부흥중학교
신중동역

주소	경기도 부천시 원미구 계남로 227 (중동) (우) 14535						
코드번호	130		계좌번호	110246		사업자번호	130-83-00022
관할구역	경기도 부천시 고강동, 내동, 대장동, 도당동, 삼정동, 상동, 약대동, 여월동, 오정동, 원종동, 작동, 중동					이메일	bucheon@nts.go.kr

과	체납징세과				부가가치세과		소득세과	
과장	반종복 240				조병준 280		전경옥 360	
계	운영지원	징세	체납추적1	체납추적2	부가1	부가2	소득1	소득2
계장	고진곤 241	유현석 261	진경철 441	이남주 451		김선봉 301	장남식 361	박현구 371
국세 조사관	조재웅 엄희진 김재호 권자인 조용호 최옥미 서동천	민성기 김혜연 이정훈	조명희 나영 이종찬 김병희 박모린 여승구	이건빈 정현주 류가연 황순우 정호성	황성윤 이서연 임순종 문경은 권오방 오정은 김은하 정희수 안경우 안지혜 송성심 조준구	황미영 이주희 신준호 박미진 곽진우 노익환 김시홍 박수지 유현주 이수아	송충종 우형기 박건규 신지환 조정해 김희수 김미나 류여경 주민희	양경애 남현주 배준용 기승호 정서빈 박한열 이주은 박성민 류여경
FAX	328-6931				328-6932		328-5476	

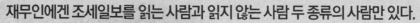

재무인과 함께 걸어가겠습니다 '조세일보'

재무인에겐 조세일보를 읽는 사람과 읽지 않는 사람 두 종류의 사람만 있다.

1등 조세회계 경제신문 조세일보

과	재산법인세과			조사과					납세자보호담당관	
과장	김홍식 480			이경수 640					김선일 210	
계	재산1	재산2	법인	세원정보	조사1	조사2	조사3	조사관리	납세자 보호실	민원 봉사실
계장	김유경 481	오광철 521	최용훈 401	홍석원 691	이영길	김학규	남정식	신영주 641	심경희 211	김동현 221
국세 조사관	이주성 홍준영 임채경 박정배 황연성 이원진 정승철 조가람 홍보경	함광수 김영조 방미경 오주학	김훈 임현정 강재원 송기원 오영 백우현 김지애 김철홍 김회연 임명숙	박미연	김동준 박주영	조현국 권기연	최애련 박지은	이승아 이민훈	최세운 송지원 김한별	유진하 이찬수 허인규 조연화 최혜원 박동진
FAX	328-6423			328-6935					328-5941 328-5942	

293

부평세무서

대표전화: 032-5406-200 / DID: 032-5406-OOO

인천부평경찰서 / 부평구청역 / 부평세림병원 / 부평구청 / 인천광역시교육청 북구도서관 / 신트리공원 / 부평세무서 / 신한타워아파트

서장: **황 인 준**
DID: 032-5406-201

주소	인천광역시 부평구 부평대로 147 (우) 21366				
코드번호	122	**계좌번호**	110233	**사업자번호**	
관할구역	인천광역시 부평구			**이메일**	

과	체납징세과			부가가치세1과		부가가치세2과		소득세과	
과장	정철화 240			이광 280		320		이응수 360	
계	운영지원	징세	체납추적	부가1	부가2	부가1	부가2	소득1	소득2
계장	박은희 241	261	고석철 441	강흥수 281	문종구 291	강경덕 301	송준현 311	김정원 361	송승용 381
국세조사관	양지선 신연순 송지훈 김복현 서현석	윤난희 허정인 박순득	장윤호 문성희 신고현 안종근 이정상 황태희 김수진	최주광 김지숙 박상규 박정원 이유상	정효성 장연화 나태운 손현명 정윤경	정지운 홍다영 정혜인 하성우 백지현	길은영 박경완 조강희 김영훈 이은자	김태승 이소영 박은미 김은송 채희문 김수민 최예숙	김재권 이수정 백다정 한승민 최현숙 박소연
FAX	545-0411			543-2100		546-0719		542-5012	

과	재산법인세과			조사과			납세자보호담당관	
과장	조인찬 480			이유원 530			고종관 210	
계	재산1	재산2	법인	세원정보	조사	조사관리	납세자 보호실	민원봉사실
계장	김명수 481	여종구 521	안병철 421	천현식 591		송영우 531	김순영 211	서위숙221
국세 조사관	정영무 이선미 이아름 윤지현 김수아 김소담 김은정	김병찬 이현석 김보미 최성열	구수정 정경돈 전영무 최경준 최연주 김향숙 황성묵 진경	최장영 김봉식 신혜란	<1팀> 고현(팀장) 이주용 김한나 <2팀> 김재석(팀장) 정다운 정현지 <3팀> 엄의성(팀장) 최석운 김예슬 <4팀> 김은태(팀장) 나민지 오준영 <5팀> 김태완(팀장) 박미진 김유철	민경삼 공민지 홍형주 백정하 김한나	김민정 장형원	김동휘 채혜란 박미나 이민지 김상균
FAX	542-6175			551-0666			542-0132	549-6766

연수세무서

대표전화: 032-6709-200 / DID: 032-6709-OOO

서장: **함 민 규**
DID: 032-6709-201

주소	인천광역시 연수구 인천타워대로 323(송도동, 송도센트로드A동 1층~5층) (우) 22007					
코드번호	150	계좌번호	027300		사업자번호	
관할구역	인천광역시 연수구				이메일	

과	체납징세과			부가가치세과		소득세과	
과장	김항중 240			김영준 280		김종무 360	
계	운영지원	징세	체납추적	부가1	부가2	소득1	소득2
계장	최종묵 241	길수정 261	이정 441	김미정 281	오정일 301	박성찬 361	이왕재 381
국세 조사관	정현정 이혜경 이규석 박주열 박지훈	홍은지 변정연	김보균 박진서 박주희 김홍경 이민지 박세영 김성영 이원희 박진서	우진하 양성철 강유진 김혜은 주보영 안애선 윤영섭 신성규	조영기 하윤정 이재홍 정유정 강한얼 신희라 신나혜	박정진 유지현 심기보 이소연 이상현 김제주 서진혜	이진숙 도승호 이윤경 오로지 박시온 강다연
FAX	858-7351	858-7352		858-7353		858-7354	

과	재산법인세과			조사과					납세자보호담당관	
과장	김윤용 480			강용 640					이경모 210	
계	재산1	재산2	법인	세원정보	조사1	조사2	조사3	조사관리	납세자 보호실	민원 봉사실
계장	천미영 481	최호상 501	신민철 401	김주섭 691	정병숙	곽만권	강선경	정성일 641	문인섭 211	손의철 221
국세 조사관	윤양호 이태곤 유정훈 여의주 장유정 서경덕 오수현 김은주 김진교	이재택 안세연 김영진 오재경	이창원 이선기 이동광 김경미 이재민 김혜정 박세윤 김태희	정치헌	최정명 정혜린	문은진	김준호	장재웅 김영아	유선정 김명진	박주현 채혜미 나길제 김준환 배정미
FAX	858-7355			858-7356					858- 7357	858- 7358

의정부세무서

대표전화: 031-8704-200 DID: 031-8704-OOO

서장: **이 창 남**
DID: 031-8704-201

의정부시청역
● 평화의광장
의정부시청 ●
● 홍선119
안전센터
의정부
정보도서관

주소	경기도 의정부시 의정로 77 (의정부동) (우) 11622				
코드번호	127	계좌번호	900142	사업자번호	127-83-00012
관할구역	경기도 의정부시, 양주시			이메일	uijeongbu@nts.go.kr

과	체납징세과				부가가치세과			소득세과	
과장	성봉진 240				오관택 280			하수현 360	
계	운영지원	징세	체납추적1	체납추적2	부가1	부가2	부가3	소득1	소득2
계장	김찬섭 241	김윤주 261	이문영 441	염경진 461	하명림 281	강태완 301	이성 321	임상규 361	류자영 382
국세 조사관	김영문 강민지 곽성용 최성욱 홍수지 고민경 김황경 김홍영	이정기 최유진 박미영	박미숙 곽훈 장정욱 최은경 박정혜 강희정 배지영 김도균	정해란 나선회 장엄지 신치원 한정호 김도희 이설아 김아정	이상선 김철호 박애심 김도애 박상봉 유다영 김희주 조은애 박소현 홍혜연 임진영	이재균 오승배 최재림 장혜인 정은채 김도형 신미미 송윤정	최은복 정미경 박창현 이지은 손성수 최지우 이도경 최선혜	허형철 전보원 김병현 길미정 이정민 이은지 이성인 이정한 노기훈 박미경 박수진 박신영	방정기 이정현 이현아 이송하 권오찬 장우석 손현경 임소영 김소정 이용희
FAX	875-2736				871-9015, 874-9012			871-9012, 9013	

1등 조세회계 경제신문 조세일보

과	재산법인세과			조사과			납세자보호담당관	
과장	김종현 400			최한근 640			임창빈 210	
계	재산1	재산2	법인	세원정보	조사	조사관리	납세자 보호실	민원 봉사실
계장	윤지수 481	추근식 521	김영승 401	691		박흥배 641	황적경 211	이규석 221
국세 조사관	류경아 양희정 민용우 주애란 곽승훈 황인환 박인배 조영진 장시원 임재은	권혁빈 박선용 장건후 정소연 송재철 정지연	김제봉 김은경 김경호 김정효 정남숙 김주하 최보라 최경화 김혜수	김진섭 김희정 김경라	<1팀> 유동민(팀장) 류승진 오현경 <2팀> 나선일(팀장) 김희선 송선영 <3팀> 송영채(팀장) 문순철 나경훈 <4팀> 송숭 한희정 김지혁	김계정 서아름 오유리	원종훈 박은지 오종민	김정호 김지혜 박현경 김남철 한길택 송승한 이정기 최혜원 김세건 노은영 김나연
FAX	871-9014			837-9010, 871-9017			871-9018	877-2104

파주세무서

대표전화: 031-9560-200 / DID: 031-9560-OOO

서장: **김 성 철**
DID: 031-9560-201

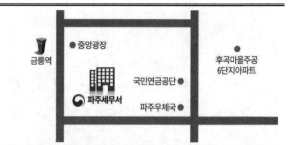

주소	경기도 파주시 금릉역로 62 (금촌동) (우) 10915					
코드번호	141	계좌번호	001575	사업자번호		
관할구역	파주시 전역			이메일	paju@nts.go.kr	

과	체납징세과				부가소득세과		
과장	강기헌 240				안재홍 280		
계	운영지원	징세	체납추적1	체납추적2	부가1	부가2	소득
계장	선창규 241	박수정 261	김병수 441	전대섭 461	신동훈 281	임형수 301	송기선 361
국세 조사관	이한택 양강진 김예진 윤재원 황창기 추연우	심소영 조미애	박종진 안재학 이은옥 김찬우 김수지 안수지 김민아 신은지	박용주 이은영 김성희 최보윤 김중규 김한울	이동근 이종현 이재민 홍정수 안미영 김대범 이지원 김나미 이지영 여선	김지훈 문진희 오현지 최희경 이난희 김일용 지영주 김미혜 장진혁 김감채 김경업	김종화 이헌종 신수범 윤병진 김규림 심재일 지대진 이강혁 마재정 이득규 김은선 김성준 안혜원 김경아
FAX	957-0315				957-0317		

과	재산법인세과				조사과					납세자보호담당관	
과장	정문현 400				이종윤 640					최길만 210	
계	재산1	재산2	법인1	법인2	세원정보	조사1	조사2	조사3	조사관리	납세자 보호실	민원 봉사실
계장	김대환 481 장제영 481	이의태 502	안태동 401	이기정 421	서석천 691	문민규	박종규	전상호	김태영 641	강승룡 211	신재평 221
국세 조사관	신동은 채원식 민윤선 전홍근 안수빈 장승원 김인애 박상수 조안나	이기철 김현서 김민석 남궁훈	고상용 안주희 정인선 윤선영 김민선 김인기 이민지	정환철 오상준 김지혜 문지현 배명선 최용진	박태훈 김민희	임광섭 조병덕	변진형 손주영	유래연 오고은	문지영 김연지	최완규 백진화 정다혜	정상근 황은희 이은영 신화섭 김종서 박인순 전은선 이효정
FAX	957-3654				957-0319					957- 0313	943- 2100

포천세무서

대표전화: 031-5387-200 / DID: 031-5387-OOO

● 신봉초등학교

국민연금공단 ●   ● 송우초등학교

 포천세무서

송우고등학교 ●

서장: **김 형 철**
DID: 031-5387-201

주소	경기도 포천시 소흘읍 송우로 75 (우) 11177 동두천지서: 경기도 동두천시 중앙로 136 (우) 11346 포천시청민원실: 경기도 포천시 중앙로 87 포천시청 본관 1층 세정과(우) 11147 별관(철원민원실) : 강원도 철원군 갈말읍 삼부연로 51 (우) 24039				
코드번호	231	계좌번호	019871	사업자번호	
관할구역	경기도 포천시, 동두천시, 연천군, 철원군			이메일	pocheon@nts.go.kr

과	체납징세과			부가소득세과		재산법인납세과	
과장	박광진 240			임양건 280		강신태 400	
계	운영지원	징세	체납추적	부가	소득	재산	법인
계장	박회경 241	최명선 262	탁용성 441	안홍갑 281	오동구 301	임관수 481	유탁균 401
국세 조사관	이명희 박찬희 임칠성 전주완 최병문 전병무	정희도	김광묵 문성은 이명행 명경철 양지원 모충서 송영지 정맑음 송나연 박보민	천광진 한영준 김상민 하태연 강지현 정은주 경지수 강현우 안지은 양문욱 김민정 이다혜 손동영	장연경 홍윤석 김세명 이다은 윤지현 박효선	안지윤 손명 유재은 김인찬 김다솔 정유빈 손다희 오소은 김지은	양재호 유진우 김희영 박민서 전지영 김영익
FAX	544-6090	538-7249		544-6091		544-6093	544-6094

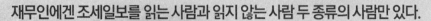

재무인과 함께 걸어가겠습니다 '조세일보'

재무인에겐 조세일보를 읽는 사람과 읽지 않는 사람 두 종류의 사람만 있다.

1등 조세회계 경제신문 조세일보

과	조사과			납세자보호담당관		동두천지서(8606-○○○)			
과장	김성동 640			오민철 210		이정태 201			
계	세원정보	조사	조사관리	납세자 보호실	민원 봉사실	체납추적	납세자 보호	부가소득	재산법인
계장	박형진 691		신성환 641	노광환 211	221	송정금 271	211	300	이근호 250
국세 조사관	조다혜	<1팀> 한문식(팀장) 김두수 김정훈 <2팀> 장병찬(팀장) 박창우 강슬기 <3팀> 유진희(팀장) 이효진 배성진	정영화 양향임	김영환 권세혁 송현권	허승호 김선영 박정린 고정근 안진영 조태욱 김준형	현정용 이은지 최혜정	한희수 유현진 지정훈 김경아 황다혜	함상현 조석균 김성진 고동현 곽지수 이주희 김미정 권기성 이수민	윤선희 오정식 황지영 이재환 최슬기 김시은
FAX	544- 6096	544-6095		544- 6097	544- 6098	867-2115		860- 6279	867- 6259

대전지방국세청
관할세무서

대전지방국세청

주소	대전광역시 대덕구 계족로 677(법동) (우) 34383
대표전화 & 팩스	042-615-2200 / 042-621-4552
코드번호	300
계좌번호	080499
사업자등록번호	102-83-01647
관할구역	대전광역시 및 충청남·북도, 세종특별자치시

청장　　　이경열

(D) 042-6152-201~2

성실납세지원국장	강종훈	(D) 042-6152-400
징세송무국장	황남욱	(D) 042-6152-500
조사1국장	윤승출	(D) 042-6152-700
조사2국장	최용섭	(D) 042-6152-900

대전지방국세청

대표전화: 042-6152-200 / DID: 042-6152-OOO

청장: **이 경 열**
DID: 042-6152-201~2

주소	대전광역시 대덕구 계족로 677(법동) (우) 34383					
코드번호	300	계좌번호	080499	사업자번호	102-83-01647	
관할구역	대전광역시 및 충청남·북도, 세종특별자치시			이메일		

국실			성실납세지원국			
국장			강종훈 400			
과	감사관		납세자보호담당관		부가가치세과	
과장	오원화 300		이영준 330		선의현 401	
계	감사	감찰	납세자보호	심사	부가1	부가2	소비세
계장	변문건 302	임상빈 312	조연숙 332	유인숙 342	이광자 402	전옥선 412	이한성 422
국세조사관	곽형신 김명진 김승주 김원덕 김현웅 이동구	김운주 김재철 박기정 박한석 이정운 조민정 최진옥	한수이 김영지 이형섭	조강희 박찬희 이성민 김경미	안선일 안지영 정선군	이현상 박세환 전병헌 김현태	전지현 원대한 이영 선명우
FAX	634-5098		636-4727		625-9751		

국실	성실납세지원국											
국장	강종훈 400											
과	소득재산세과				법인세과				전산관리팀			
과장	이완표 431				김완구 461				송지은 131			
계	소득	재산	소득지원	소득자료관리 TF	1	2	3	4	전산관리1	전산관리2	정보화센터1	정보화센터2
계장	김영선 432	정인숙 442	이미영 452	강민석 602	송형희 462	윤홍덕 472	한숙란 482	윤태경 492	이영구 132	김재용 142	최영둘 152	이정미 172
국세조사관	차건수 전혜영 김태서 이준탁	강한영 정윤정 김홍근 윤문원	배문수 김영기	윤석창	황남돈 강윤학 이선영 최민	강정숙 김민정 박상옥	이경욱 이선림 임현철	김태건 송재윤 연수민	박승현 염문환 장영석 양선미 주재철	윤은택 문동배 이채윤 김상진 박준형 서정은	신상례 이화자 윤명희 김홍란 조현구 김태순 강영자 김태순 박진숙 안은향 천은영 최은혜	한도순 권인숙 김양미 김명순 김수영 최금년 유혜민 신선희 김연숙 김광순 유수향 문영임 안지연
FAX	634-6129				632-7723				625-8472			

DID : 042-6152-OOO

국실	성실납세지원국			징세송무국					
국장	강종훈 400			황남욱 500					
과	개발지원팀			징세과		송무과		체납추적과	
과장	강기석 021			마삼호 501		이진혁 521		정승태 541	
계	엔티스지원	개발1	개발2	징세	체납관리	1	2	체납추적관리	체납추적
계장	김상숙 022	장윤석 652	이기업 672	이정선 502	허충회 512	황경애 522	이덕주 532	류성돈 542	여미라 552
국세조사관	이상운 이가연 조명순 강선홍 김은희 오수진	문찬우		송칠선 오희정 전명진	김수월 양희연 임수민 임한준	박태정 권준경 심재진 신방인 이가희	양동욱 안재진 임지훈 윤순영	노은아 고일명 이상봉 김양수 박범수 석원영	최영권 황지은 노용래 박홍기
FAX				632-1798		626-4512		625-9758	

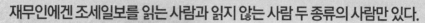

국실	조사1국											
국장	윤승출 700											
과	조사관리과					조사1과				조사2과		
과장	양용산 701					오승호 751				이창수 781		
계	1	2	3	4	5	1	2	3	4	1	2	3
계장	서문석 702	유병민 712	이윤우 719	조선영 732	권민형 740	김삼수 752	김진술 762	배은경 772	주명진 882	이주영 782	김수진 792	김영교 802
국세 조사관	김남훈 김정섭 박미진 유석모 임정혜 정진희	류다현 양종혁 태상미	강경묵 김다연 김장용 사현민 성은숙 이제현 이진수 임동섭	김승태 김지현 신명식 이재명	김희영 박성룡 신열석 엄채연 윤수환 이안수	김기준 김대용 주환욱 허지혜	박상욱 박웅 박준규	고혜진 김두섭 성지환	문병권 박주오 정진성	구승완 박진숙 이태희 이현상	김선미 김현종 정성모	송인용 윤재두 한기룡
FAX	634-6325											

DID : 042-6152-OOO

국실	조사1국			조사2국						
국장	윤승출 700			최용섭 900						
과	조사3과			조사관리과			조사1과			
과장	임영미 811			최수종 901			하상진 931			
계	1	2	3	1	2	3	1	2	3	4
계장	김용보 812	연경태 822	금영송 832	김상태 902	홍성자 912	조재규 922	박영주 932	김경철 942	박종인 952	조은애
국세 조사관	손신혜 이종신 이한기 최동찬	강안나 신광철 장덕구	김근환 박종호 허성민	박혜진 이정임 추원규	오민경 오세윤 육정섭 장시찬 최미숙	민양기 윤희민 이종호 차보미 최성호 추원득	권대근 신숙희 조정주	이정훈 장준용	이원근 한원주	김선기 이철우
FAX	634-6325			626-4514						

국실	조사2국						
국장	최용섭 900						
과	조사2과			운영지원과			
과장	왕성국 961			김종일 240			
계	제1조사	제2조사	제3조사	행정	인사	경리	현장소통
계장	김관오 962	문상균 972	서용하 982	정필영 252	김순복 242	최해욱 262	지대현 272
국세 조사관	오수진 조영혁 한경수	박범석 지상수 하정우	신상훈 이현진	김대진 김동현 김태훈 이경순 허정필 홍성각 안상헌 이성주 유일찬 전희석 전호순 남명수 정무현	최시은 정성진 지슬찬 양영진 유하선 장기원	이주한 여인순 이가희 김정훈 이영화	김태환 조항진 유가연 이동기
FAX	626-4514			621-4552			

대전세무서

대표전화: 042-2298-200 / DID: 042-2298-OOO

서장: **김 기 수**
DID: 042-2298-201

주소	대전광역시 중구 보문로 331 (선화 188) (우) 34851 금산민원실 : 충청남도 금산군 금산읍 인삼약초로 42 (중도리 16-1) (우) 32739				
코드번호	305	계좌번호	080486	사업자번호	305-83-00077
관할구역	대전광역시 동구, 중구, 충청남도 금산군			이메일	daejeon@nts.go.kr

과	체납징세과			부가가치세과			소득세과	
과장	차은규 240			최재균 280			조종연 360	
계	운영지원	징세	체납추적	부가1	부가2	부가3	소득1	소득2
계장	김재구 241	문지영 261	박선영 551	신광재 281	이재일 301	전현정 321	고영춘 361 오세열 361	조준수 381
국세 조사관	고철호 최민정 황순금 안형식 송재호 김병훈 김세욱 박동규	김은혜 홍혜령 황소원	고주석 이석원 이기수 김정근 이은숙 김초혜 송인우 문호영 박성원 황정민 노혜원 박재홍 김경환	박정수 신대수 이호영 양지현 오미영 김선애 김석현 김유빈 이종혁	김년호 강재근 안영희 최미진 박소연 김선주 김다솜 위태홍	박영선 이충근 최은희 유경희 최진이 정금희 전지현 허지언	홍창표 박현정 이숙희 최혜경 김재완 백민열 송윤태 최민지	오용락 김영철 김세호 문진영 김보미 문서림
FAX	253-4990	253-4205		257-9493		257-3783	257-3717	

1등 조세회계 경제신문 조세일보

과	재산법인세과				조사과						납세자보호담당관	
과장	신현서 400				김양래 640						김정범 210	
계	재산1	재산2	법인1	법인2	세원정보	조사1	조사2	조사3	조사4	조사관리	납세자보호실	민원봉사실
계장	김만래 481	이경자 501	정규민 401	김완주 421	김용호 691		권순근	이한승	문찬식	두진국	211	221
국세조사관	송인광 강병조 황현순 권혁희 이승택 조태희	이준혁 정영석 정창훈 조한민	진소영 김재환 이정환 서연주 장혜린	한석희 오하라 임지혜 조명상	이정길	고병준 이홍순	김유진 이현재	황지연	황승현	김기숙 송석중 조유진	안현정 윤상호 이봉현 정판균	원광호 김진희 윤영준 박민호 하미현 성완유 이수연
FAX	254-9831		252-4898		255-9671						253-5344	253-4100

313

북대전세무서

대표전화: 042-6038-200 / DID: 042-6038-OOO

서장: **김 종 성**
DID: 042-6038-201

대전보훈요양원
죽동 국가산업단지
북대전세무서
죽동푸르지오 아파트
충남대학교 대덕캠퍼스
카이스트 본원 →
한밭대로
롯데하이마트유성점

주소	대전광역시 유성구 유성대로 935번길7 (죽동 731-4) (우) 34127			
코드번호	318	계좌번호	023773	사업자번호
관할구역	대전광역시 유성구, 대덕구		이메일	Bukdaejeon@nts.go.kr

과	체납징세과				부가가치세과		소득세과		재산세과	
과장	신동우 240				허일한 280		김동형 360		임종찬 480	
계	운영지원	체납추적1	체납추적2	징세	부가1	부가2	소득1	소득2	재산1	재산2
계장	이형훈 241	전영 551	조대서 571	신지명 261	임국빈 281	박인국 301	맹창호 361	이상훈 381 홍순원 381	서동근 481	류세현 501
국세 조사관	김응남 송현희 주관종 정근선 공기성 금종희	김은주 엄태성 최서진 김선영 이준석 김선영 이원경 이선교 김용석	김동일 박미진 정지선 정주관 이재승 한정민	김현숙 문미희 박선민	김정수 신원영 황성희 여중구 오정선 전현아 고영임 김수현 권영선 김수진 박성재 곽지훈 박민주 방경선	손경아 최윤선 전인복 김아름 강병희 백미순 서나윤 김근하 송연서 한송이 박지수 김로환 정보경	국윤미 최현정 이미희 이안희 임안나 김민준 오수빈 윤옥진	이성도 이명석 양병문 박금숙 이지은 박상희 한수영 한승희 안은경	이경숙 황연주 김기미 이돌신 한종태 송선경 장성봉 이혜민 손경숙	곽문희 김준익 성창경 유장현
FAX	823-9662	828-9662	823-9663	823-9665		823-9646		823-9648		

과	법인세과		조사과							납세자 보호담당관	
과장	황규용 400		지영진 640							김종문 210	
계	법인1	법인2	세원정보	조사1	조사2	조사3	조사4	조사관리	납세자 보호실	민원 봉사실
계장	김병일 401	최원현 421	문강수 691	김성오	이경선	조석정	김창영	주형열 641	이우용 211	이병철 221 이용철 221
국세 조사관	윤명한 이정선 정유리 정미영 이수민 박명수 김지호	차정환 최지영 남경 한효경 윤용화 박미리 안수안	구명옥	여윤수 임슬기	장준 정영웅	김주선 한정필	이화용	김리아 유태응 이종태 조한규	김균태 김용기 박소연	김희태 이영재 채상희 김유림 문미란 한란 이경숙 박엘리 심현이
FAX	823-9616		823-9617						823-9619	823-9610

315

서대전세무서

대표전화: 042-4808-200 / DID: 042-4808-OOO

서장: **이 준 목**
DID: 042-4808-201

주소	대전광역시 서구 둔산서로 70 (둔산동) (우) 35239				
코드번호	314	계좌번호	081197	사업자번호	314-83-01385
관할구역	대전광역시 서구			이메일	seodaejeon@nts.go.kr

과	체납징세과			부가가치세과		소득세과	
과장	박미란 240			김혜경 280		진정욱 360	
계	운영지원	징세	체납추적	부가1	부가2	소득1	소득2
계장	백오숙 241	신수남 261	이동환 551	육영찬 281	김은철 301	배효창 361	윤태요 381
국세 조사관	이순영 김학진 김수민 배형기	백민정 이안희	김영목 안은경 양해숙 정수연 손현정 안재문 금기태 서동화 이호제	백인억 오연균 백선주 임선영 김병철 이미선 엄소정 이유진 김준하 박세진 홍은화	이주한 최민우 이원형 양선숙 김보혜 이대희 이주연 박경환 김미솔	최승오 박준규 이미주 이희종 김지현 최윤경 고석희 안은지 정수연	이영호 정상남 유주상 김이현 문형식 임선하 최경인
FAX	486-8067	480-8681	480-8687	472-1657	480-8682	480-8683	480-8680

10년간 쌓아온 재무인의 역사를 돌려드립니다 '온라인 재무인명부'

수시 업데이트 되는 국세청, 정·관계 인사의 프로필과 국세청, 지방청, 전국세무서, 관세청,
유관기관 등의 인력배치 현황을 볼 수 있는 온라인 재무인명부

1등 조세회계 경제신문 조세일보

과	재산법인세과			조사과					납세자보호담당관	
과장	김병식 400			최갑진 640					박성일 210	
계	재산1	재산2	법인	세원정보	조사1	조사2	조사3	조사관리	납세자보호실	민원봉사실
계장	박경균 481	주구종 501	김신홍 401	신미영 691	이호중	송인한	엄태진		오정탁 211 김창환 211	권영조 221
국세조사관	유승원 이원규 박희정 탁현희 김현중 황윤철 황후용	성창미 우창제 최유리	조혜민 김정수 박지영 황은지 조영주 정예지 고정연	조미화	박영일 박지윤 백송이	강현애 이동근	김재민 심용주	김아경 김지훈 변다연 한현섭	이규완 이다원	강성대 이채민 김진환 정광호 황영숙 이화진 김지윤 박서희 옥진경 최성미
FAX	480-8685	480-8684		480-8686					486-8062	486-2086

317

공주세무서

대표전화: 041-8503-200 / DID: 041-8503-OOO

서장: **고 승 현**
DID: 041-8503-201

주소	충청남도 공주시 봉황로 87 (반죽동332) (우) 32550			
코드번호	307	계좌번호	080460	사업자번호
관할구역	충청남도 공주시		이메일	gongju@nts.go.kr

과	체납징세과			부가소득세과
과장	한정미 240			박춘자 280
계	운영지원	체납추적	조사	부가소득
계장	이덕형 241			금기준 281 김용련 281
국세 조사관	윤지희 이학련 황인혜 이우람 이재강	박민채 허재혁 송효주 권경숙	김세연 노준호 주정권	정명하 이영순 이신열 김주영 박재욱 김대운 양전옥 임소현 한송희
FAX	850-3692			850-3691

과	재산법인세과	납세자보호담당관	
과장	정진호 400	이진수 210	
계	재산법인	납세자보호실	민원봉사실
계장	박세국 421	박학일 211	노태송 221
국세 조사관	이승찬 이성준 김혜미 서대성 김수정 최동훈 임해리		정민영 표미경 한상훈
FAX	850-3693	850-3690	

논산세무서

대표전화: 041-7308-200 / DID: 041-7308-OOO

서장: **박 광 전**
DID: 041-7308-200

주소	충청남도 논산시 논산대로 241번길 6 (강산동) (우) 32959 부여민원봉사실 : 충남 부여군 부여읍 사비로 41 (동남리) (우) 33153 계룡민원봉사실 : 충남 계룡시 장안로 46 (금암동) (우) 32823			
코드번호	308	계좌번호	080473	사업자번호	
관할구역	충청남도 논산시, 계룡시, 부여군		이메일	nonsan@nts.go.kr

과	체납징세과			부가소득세과	
과장	김현종 240			윤동규 280	
계	운영지원	체납추적	조사	부가	소득
계장	심영찬 241	송채성 551	박주항 651	백운효 281	임경숙 361
국세 조사관	김미자 신상수 윤상준 홍동기	김은경 강민구 박태구 강민정 김자경	고민철 길웅섭 주진수 최상형	임유란 백인정 김나희 이수미 이은숙 구은정 홍관의 김승범 김민형 신연주	이재희 최희경 정희남 홍덕길 송승윤
FAX	730-8270	733-3137	733-3140	733-3139	

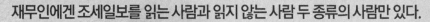

과	재산법인세과		납세자보호담당관	
과장	남은숙 400		서민덕 210	
계	재산	법인	납세자보호	민원봉사
계장	윤승갑 481	김미경 401	김선학 211	이정룡 221
국세 조사관	김수옥 이건홍 양소라 강희석 안제은	오수연 백귀순 이재열 유은혜 조정진 최지은		변상권 김선자 윤춘미 이근수 임세희 정계승
FAX	735-7640	730-8630	733-3136 042-551-6013(계룡) 832-7932(부여)	

보령세무서

대표전화: 041-9309-200 / DID: 041-9309-OOO

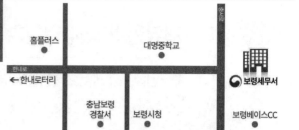

서장: **이 병 오**
DID: 041-9309-201

주소	충청남도 보령시 옥마로 56(명천동) (우) 33482 장항민원실 : 충남 서천군 장항읍 장항로 193 (창선2리) (우) 33674				
코드번호	313	계좌번호	930154	사업자번호	
관할구역	충청남도 보령시, 서천군			이메일	boryeong@nts.go.kr

과	체납징세과			세원관리과	
과장	김민규 240			이관수 205	
계	운영지원	체납추적	조사	부가	소득
계장	박소영 241	이은영 551	조복환 651	신상현 281	남광우 290
국세 조사관	노주연 문안전 박종필 박한수	이선화 김훈수 최연평 이기순 이미현	김유태 서옥배 이명해 최환석	임종화 엄유환 임형빈 이수연 오양금 김성은	김효근 이선우 임찬휘 허남주
FAX	936-2289	936-7289		930-9299	

과	세원관리과	납세자보호담당관	
과장	이관수 205	이영호 210	
계	재산법인	납세자보호실	민원봉사실
계장	박현배 401		성호경 221
국세 조사관	이영락 정상천 이지윤 김중규 김재현 이미정 이진주		조연 지충환 박은수 김미경 한미현
FAX	930-5160, 934-9570	931-0564 956-5292(장항)	

서산세무서

대표전화: 041-6609-200 / DID: 041-6609-OOO

서장: **임 경 환**
DID: 041-6609-201

주소	충청남도 서산시 덕지천로 145-6 (우) 32003 태안민원실 : 충남 태안군 태안읍 후곡로 121 (우) 32144				
코드번호	316	**계좌번호**	000602	**사업자번호**	
관할구역	충청남도 서산시, 태안군			**이메일**	seosan@nts.go.kr

과	체납징세과			부가소득세과	
과장	강신혁 240			송익범 280	
계	운영지원	체납추적	조사	부가	소득
계장	241	이왕수 551	도해구 651	박순규 281	정승재 221
국세 조사관	김기성 윤숙영 이인기 이규림	김영균 유연우 백경령 권순영 천상미 류제현 이영주	김보영 이택근 임창수 조현희	이석기 김문수 김진아 이상요 방재필 정구현 한재상	배준 송재하 장석현 김유정 김택창 송유나
FAX	660-9259	660-9569	660-9659	660-9299	

1등 조세회계 경제신문 조세일보

과	재산법인세과		납세자보호담당관	
과장	이인근 400		김영식 210	
계	재산	법인	납세자보호실	민원봉사실
계장	박광수 481	이성영 401	이정기 211	정혜진 222
국세 조사관	강훈 김선돌 육재하 길민석 김근아	이승기 유미숙 윤희창 김영길 김영중 박정민	최기순	김성렬 김종빈 김진화 홍성희
FAX	660-9499		660-9219	

세종세무서

대표전화: 044-8508-200 / DID: 044-8508-OOO

서장: **권 동 철**
DID: 044-8508-201

금강

보람고등학교 · 세종세무서 · 세종특별자치시 시청 · 세종남부 경찰서
버스 ← 터미널 · NH농협은행
여울초등학교 · 보람동 행정복지센터

주소	세종특별자치시 시청대로 126 (보람동 724) (우) 30151 조치원민원실 : 세종특별자치시 조치원읍 충현로 193 (침산리 256-6) (우) 30021				
코드번호	320	계좌번호	025467	사업자번호	
관할구역	세종특별자치시			이메일	

과	체납징세과			부가가치세과	소득세과
과장	김미애 240			박재혁 270	국태선 340
계	운영지원	체납추적	징세	부가	소득
계장	김덕규 241	한광우 551	백선자 261	김진영 271	박연 341
국세 조사관	최서현 김유경 이정인 김성준 윤여룡	이관순 장현수 마승진 권혁수 나경미 진순자	정재남	전중원 서정원 장미영 고종철 박나정 강현정 임정연 강현정 이재진 김진서 이정원 김소연 이재성 배종호 신시영	김경만 엄지은 차지원 백은미 한용 강동훈 손영주 김은의 서혜진
FAX	850-8431	850-8443	850-8432	850-8433	850-8434

과	재산법인세과			조사과				납세자보호담당관	
과장	김민수 460			이수영 640				김성엽 210	
계	재산1	재산2	법인	세원정보	조사1	조사2	조사관리	납세자보호실	민원봉사실
계장	권오훈 461	양창호 491	하정영 531	소병권 691	권순일	김한민	박승원 641	백지은 211	김남중 221
국세조사관	김인화 민옥자 김연수 권혜지 박수아 양상원 임지은 유선희 김승임	김영간 박병화 유세곤	고영경 노혜정 박미경 최희권 박두용 박길원 송주은	김구호	김보성 조정대	한은영	김지선 정소라	백선아 이상용	강혜경 이혜경 유장현 이은경 정미현 이선영
FAX	850-8435	850-8441	850-8436	850-8437				850-8438	850-8439

아산세무서

대표전화: 041-5367-200 / DID: 041-5367-OOO

서장: **김 태 훈**
DID: 041-5367-201

주소	충청남도 아산시 배방읍 배방로 57-29(공수리 282-15) 토마토빌딩 (우) 31486				
코드번호	319	계좌번호	024688	사업자번호	
관할구역	충청남도 아산시		이메일	asan@nts.go.kr	

과	체납징세과			부가소득세과		재산법인세과	
과장	정종룡 240			최익수 280		박매라 400	
계	운영지원	체납추적	징세	부가	소득	재산	법인
계장	신혜선 241	김구봉 551	박수경 261	유범상 281	김대규 301	김관용 481	이무황 401
국세 조사관	노기우 강은실 김영남 김기동 한상철	노학종 권철균 이대연 김효정 김은주 박찬오 이민경 이설이 신혜인 가윤선	이영순 이정아	김정수 김주현 이진석 윤상동 진현정 신보경 이상재 임지훈 김세령 안서진 이예진 김주언 김경숙 안서진 김민정	전상배 윤연심 이경노 박요안나 최유정 한주성 한수관 김은하	오진성 함미란 엄재희 최우영 송지은 김진웅 백영신	이승환 최영숙 오서진 최충일 홍상우 장현하 손권호 정인영 임형은 김지수
FAX	533-7770	533-1352		533-1325~6		533-1327	533-1328

과	조사과					납세자보호담당관	
과장	최창원 640					유은영 210	
계	세원정보	조사1	조사2	조사3	조사관리	납세자보호실	민원봉사실
계장	이계홍 691	변종철	유경룡	유재남	장석안 641	조명준 211 김동현 211	김희란 221
국세 조사관	임재철	오건우 이은숙	홍경표	한동희	유관호 유지희	가재윤 서명옥	구정인 박선미 박혜림 류원석 유성운 최지연
FAX	533-1353~4					533-1385	533-1383~4

예산세무서

대표전화: 041-3305-200 / DID: 041-330-5○○○

서장: **이 미 진**
DID: 041-3305-201

당진 ↑
좌방1구 마을회관
명품타이어 나라
예산세무서
S-OIL아리랑 주유소
오가우성 아파트

주소	충청남도 예산군 오가면 윤봉길로 1883(좌방19-69) (우) 32425 당진지서 : 충남 당진시 원당로88 (원당동 790-4) (우) 31767					
코드번호	311	계좌번호	930167	사업자번호	
관할구역	충청남도 예산군, 당진시			이메일	yesan@nts.go.kr

과	체납징세과			세원관리과		납세자보호담당관	
과장	박종빈 240			김형기 280		강지원 210	
계	운영지원	체납추적	조사	부가소득	재산법인	납세자보호실	민원봉사실
계장	이철효 241	윤성규 551	송태정 651	281	이모성 481	211	이성호 221
국세 조사관	전윤희 전호남 지은정 강태곤 양동현	박규서 송미나 이의신	이민표 최혜지 현주호 홍은정	이영찬 이재욱 최인애 박성재 변민영 이유정	남택원 양세희 김수원 권호용 김상현 유미숙	박민아 백승민	김영아 엄진숙
FAX	330-5305	330-5302		334-0614	334-0615	334-0612	

과	당진지서(3509-○○○)					
과장	최병기 201					
계	체납추적	부가	소득	재산	법인	납세자보호
계장	강인성 451	김찬규 281	이창홍 361	소병혁 481	정용협 401	권수중
국세 조사관	곽한민 임유리 강정현 노우성 박원진 손은채	윤상탁 변상미 김수현 박시형 안호진 김수빈 임재돈 강기철	김봉진 염태섭 이다연 정지영	권윤구 안태유 최슬기 황진구	김상린 김아영 이나미 전창우	이경아 이다빈 홍충
FAX	350-9424	350-9410		350-9369		350-9229

천안세무서

대표전화: 041-5598-200 / DID: 041-5598-OOO

서장: **임 지 순**
DID: 041-5598-201~2

대전지방검찰청 천안지청 | 대전지방법원 천안지원 | 청룡동 행정복지센터
천안청수지구 수자인아파트 | 하나로마트 | 천안세무서 동천안 우체국 | 청당2 체육공원
농협 | | 남부대로

주소	충청남도 천안시 동남구 청수14로 80 (우) 31198						
코드번호	312		계좌번호	935188		사업자번호	312-83-00018
관할구역	충청남도 천안시					이메일	cheonan@nts.go.kr

과	체납징세과				부가가치세과		소득세과	
과장	남동균 240				김영걸 280		김용주 360	
계	운영지원	징세	체납추적1	체납추적2	부가1	부가2	소득1	소득2
계장	최영준 241	오승진 261	강선규 551	571	기회훈 281	301	361	정영순 381
국세조사관	김성연 김영삼 박동일 강현주 이재성 조지훈 김기대	박혜경 손진이 이헌진 최서진	유경열 홍창화 손민영 고정환 이선미 김은규 김가영 우재은 정보빈	신계희 이공후 임송빈 이양로 조성빈 홍지혜 김민영 김지우	윤영재 원순영 안승연 김현아 오승희 이송미 이하경 홍은경 방수민 백현심 정현정 변정미	박현석 도미선 라기정 박미경 장세연 송승호 김성민 신은주 강소영 김예림 김은옥 김장수	홍성준 김영희 김진기 권진영 박승권 장민환 계예슬 김보경 김영래	정소라 이성호 최서영 김유라 김라희 정인형 임경수 지영은
FAX	559-8250	559-8699			551-2062		555-9556	

332

과	재산세과		법인세과		조사과			납세자보호담당관	
과장	윤영현 480		정한영 400		김창미 640			최은미 210	
계	재산1	재산2	법인1	법인2	세원정보	조사	조사관리	납세자 보호실	민원 봉사실
계장	박상욱 481	이정우 521	이현찬 401	김진문 421	최승식 691		김종진 641	211	최한진 221
국세 조사관	석혜숙 문성빈 배경희 이한나 이은혜 배진령 이민규 최상선 어경윤 권혜원 이혜연	고용국 신경희 이미경 김용진 정재경	김경호 연제석 장은주 안진영 정태윤 김민정 김태균 최은선	유나연 남기범 이순길 이지은 진승환 박재곤 강지연 홍성수 김지영	이경숙	\<1팀\> 장우영(팀장) 채희준 황규동 \<2팀\> 최길상(팀장) 강병수 김이수 \<3팀\> 박인수(팀장) 박성경 조세희 \<4팀\> 이응구(팀장) 우준식 주란	이수진 조우진 황석규	박신정 박은정 우창영	김인호 손화승 염미숙 이윤숙 김미희 박진영 조지훈 왕수현 신우열 유수지 김태은
FAX	563-8723		553-7523		561-2677(관리, 1팀, 2팀) 551-4175(세원, 3팀, 4팀)			551- 4176	553- 4356

홍성세무서

대표전화: 041-6304-200 / DID: 041-6304-OOO

서장: **이 인 희**
DID: 041-6304-201

주소	충청남도 홍성군 홍성읍 홍덕서로 32 (우) 32216 청양민원실 : 충남 청양군 청양읍 중앙로 158 (우) 33327				
코드번호	310	계좌번호	930170	사업자번호	
관할구역	충청남도 홍성군, 청양군		이메일	hongseong@nts.go.kr	

과	체납징세과				세원관리과
과장	양회수 240				이종길 280
계	운영지원	체납추적		조사	부가소득
계장	임인택 241	장찬순 551		종만 651	이선태 281
국세 조사관	김정일 김지연 성기오 이진희	홍성도 김진식 이재명 이지숙 황재승		노영실 박상곤	이호 윤철원 이민호 구은숙 신순영 이병권 박기민 이상욱 임진영 이유나
FAX	630-4249				630-4335

과	세원관리과	납세자보호담당관	
과장	이종길 280	채정훈 210	
계	재산법인	납세자보호	민원봉사
계장	김상훈 481	박종호 211	221
국세 조사관	서창완 강인근 김호겸 최다솜 이화용 박미현 신성호 이연희		우은주 이영주 박혜숙 민수호 박은영
FAX	630-44893	630-4229	

동청주세무서

대표전화: 043-2294-200 / DID: 043-2294-OOO

서장: **정 성 훈**
DID: 043-2294-201

주소	충청북도 청주시 청원구 1순환로 44 (율량동 2242) (우) 28322 괴산민원실 : 충북 괴산군 괴산읍 임꺽정로 90(서부리 125)괴산군청 1층 민원과 내 위치 (우) 28026 증평민원실 : 충북 증평군 증평읍 광장로 88(창동리 100번지) 증평군청내 종합민원실 (우) 27927				
코드번호	317	계좌번호	002859	사업자번호	301-83-07063
관할구역	청주시 상당구, 청원구, 증평군, 괴산군			이메일	dongcheongju@nts.go.kr

과	체납징세과			부가가치세과		소득세과
과장	김영덕 240			이춘희 280		박추옥 360
계	운영지원	징세	체납추적	부가1	부가2	소득
계장	이용환 241	박미숙 261	김대식 551	박병수 281	김영복 301	성백경 361
국세 조사관	강기진 고의환 곽노일 고재우 이경호 임슬기	윤현숙 정은아	김도연 박종경 전소희 문미영 조하영 공유진 나정현 오광석 이재봉 전현주 장혜린 정준희	이상석 신승우 박인선 강현영 박현정 이상금 진영희 이승찬 박성희 이한나	김가원 최임규 염나래 이수빈 박은실 이주형 문보경 김지원 양희윤	김종현 안주희 유지현 서승의 유다형 한인수 한정희 남보라 이현주 이민지 이수빈
FAX	229-4601			229-4605		229-4602

1등 조세회계 경제신문 조세일보

과	재산법인세과			조사과					납세자보호담당관	
과장	장상우 400			김원호 640					김진배 210	
계	재산1	재산2	법인	조사관리	조사1	조사2	조사3	세원정보	납세자 보호실	민원 봉사실
계장	강덕성 481	오세덕 501	이양호 401	강남규 641	조남웅	고수영	백성옥	박병문 691		남혜경 221
국세 조사관	박미정 이인숙 임종혁 김민정 정상원 마숙연	강지은 김두연 박노훈 이정훈	정연경 권경미 최경하 조현경 황미화 박재우 김채린 이익중 장문수 강지훈	윤보배 임보라	강소령 최우진	김희원 박소영	이원종 허승열	윤정민	박수진 오철규 천소진	신언순 이경순 서민경 김황경 배정화 이승균 조미겸 송민우 김유나 송수인
FAX	229-4609		229-4606	229-4607					229-4603	229-4604

영동세무서

대표전화: 043-7406-200 / DID: 043-7406-OOO

서장: **김 성 기**
DID: 043-7406-201

주소	충청북도 영동군 영동읍 계산로2길 10 (계산리 681-4) (우) 29145 옥천민원실 : 충북 옥천군 옥천읍 동부로 15 옥천읍사무소 청사 내 3층 (우) 29040 보은민원실 : 충북 보은군 보은읍 삼산로 50 보은읍행정복지센터 청사 내 2층 (우) 28947				
코드번호	302	계좌번호	090311	사업자번호	306-83-02175
관할구역	충북 영동군, 옥천군, 보은군			이메일	yeongdong@nts.go.kr

과	체납징세과		
과장	노영인 240		
계	운영지원	체납추적	조사
계장	김인태 241	임달순 551	651
국세 조사관	이명한 이지호 정성관 최연옥	김성환 김유식 김혜원 이주성 조영자	오백진 임진규 전재령
FAX	740-6250		740-6260

과	세원관리과		납세자보호담당관	
과장	나정희 280		오문수 210	
계	부가소득	재산법인	납세자보호실	민원봉사실
계장	윤문수 281	강영기 481	배재철 661	김용전 222
국세 조사관	노영하 신용직 오현석 정미현 김난경 박채린 정상수 김수량 김창순 신승환 이보라	이창권 김미선 김소연 최인옥 이신정 나혜진 안지민	이석재	김준영 이성기 이재숙
FAX	740-6600		743-1932	

제천세무서

대표전화: 043-6492-200 / DID: 043-6492-OOO

서장: **조 종 호**
DID: 043-6432-107

주소	충청북도 제천시 복합타운1길 78 (우) 27157				
코드번호	304	**계좌번호**	090324	**사업자번호**	
관할구역	충청북도 제천시, 단양군			**이메일**	jecheon@nts.go.kr

과	체납징세과			세원관리과	
과장	이영규 240			유선우 280	
계	운영지원	체납추적	조사	부가	소득
계장	신기철 241	연태석 551	김영일 651	임영수 281	김한종 361 이미정 362
국세 조사관	김보람 박익상 오상은 인길성	김보미 이문석 최성찬 허원갑 황은희	권석용 김승환 정미화 최용복	전현숙 명혜란 김용현 조은서 성현일	김이영 오진용 김윤겸 백진서
FAX	648-3586		653-2366	645-4171	

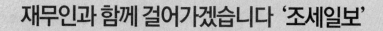

재무인과 함께 걸어가겠습니다 '조세일보'

재무인에겐 조세일보를 읽는 사람과 읽지 않는 사람 두 종류의 사람만 있다.

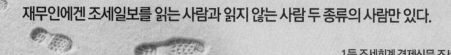

1등 조세회계 경제신문 조세일보

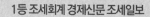

과	세원관리과	납세자보호담당관	
과장	280	조영우 210	
계	재산법인	납세자보호실	민원봉사실
계장	김영달 401	이세호 211	송연호 221
국세 조사관	김기태 이철주 최경아 김석채 나유숙 반병권 이주형 한성경		김동현 노정환 양해만 김소윤
FAX	652-2495	652-2630	

청주세무서

대표전화: 043-2309-200 / DID: 043-2309-OOO

서장: **송 영 주**
DID: 043-2309-201

주소	충북 청주시 흥덕구 죽천로 151 (복대동 262-1) (우) 28583							
코드번호	301		계좌번호	090337		사업자번호	301-83-00395	
관할구역	충청북도 청주시 흥덕구, 서원구					이메일	cheongju@nts.go.kr	

과	체납징세과				부가가치세과		소득세과	
과장	차용철 240				김선문 280		장훈 360	
계	운영지원	체납추적1	체납추적2	징세	부가1	부가2	소득1	소득2
계장	김관수 241	성보경 551	엄황용 571	최진숙 261	유영복 281	전서동 502	김영신 361	윤낙중 381
국세 조사관	나용호 이동준 이종희 오세민 김두환 김민선 김승훈	김약수 박정연 박제영 김복선 송수빈 정유진	남현우 장명화 박지은 이정은 이휴련	김소민 박민수	류제성 박현희 김은경 정인애 김연이 김지아 성진혁 심진영 조용우 문채은	강혜윤 옥지웅 김진주 신형원 김태헌 왕지영 조훈연 양유미	최윤정 박옥길 구효진 임새봄 김병철 김태규 전범준	진수민 오현민 서은영 박문수 이수비 황준석
FAX	235-5417	235-5410			235-5415		235-5413	235-5414

과	재산법인세과			조사과					납세자보호담당관	
과장	400			한구환 640					전성준 210 이찬호 210	
계	재산1	재산2	법인	조사관리	조사1	조사2	조사3	세원정보	납세자 보호실	민원 봉사실
계장	김세희 481	우근중 501	엄기붕 401	송영찬 641	오승훈		송경진		소재성 211	윤건 221
국세 조사관	이진수 권예리 박은정 이건우 전지은 송혜리 이수진	이병용 지소영 김은경 이재원	이효진 전광희 박선영 허숙영 김다현 조영종 이은지 황선유 이근원 조혜연	김은기 이평희	유승아 이재현	노건호 방아현	이채민	최영철	오지윤 전민정	송영화 이명하 박유자 최영미 김주미 나은주 나유진 이병욱
FAX	235-5419		234- 6445	234-6446					235- 5412	235- 5418

충주세무서

대표전화: 043-8416-200 / DID: 043-8416-OOO

서장: **이 광 호**
DID: 043-8416-201

주소	충청북도 충주시 충원대로 724 (금릉동) (우) 27338 충북혁신지서 : 충북 음성군 맹동면 대하1길10 센텀CGV타워3층 (우) 27738					
코드번호	303	계좌번호	090340	사업자번호	303-83-00014	
관할구역	충주세무서(충청북도 충주시), 충북혁신지서(충청북도 음성군, 진천군)			이메일	chungju@nts.go.kr	

과	체납징세과			부가소득세과		재산법인세과	
과장	이상학 240			김몽경 280		안기호 400	
계	운영지원	징세	체납추적	부가	소득	재산	법인
계장	박예규 241	서혜숙 261	김봉호 551	유병호 281	김미애 361	이영직 381	이승재 401
국세 조사관	김종민 박승권 이솔 이상욱 허천일	김효선 정명숙	최광식 강윤정 이연주 권희갑 김나리아 정동엽	조세흠 채홍선 이상봉 권오성 정희정 안수용 김지희 김희창 문지원	이동규 장성미 최병분 손규리 이강원	김광섭 이오령 임인택 주은경	권오찬 김문철 김찬규 이경원
FAX	845-3320			845-3322		851-5594	

10년간 쌓아온 재무인의 역사를 돌려드립니다 '온라인 재무인명부'

수시 업데이트 되는 국세청, 정·관계 인사의 프로필과 국세청, 지방청, 전국세무서, 관세청,
유관기관 등의 인력배치 현황을 볼 수 있는 온라인 재무인명부

과	조사과			납세자 보호담당관		충북혁신지서 8719-200					
과장	조병길 640			이기활 210		김영찬 201					
계	세원 정보	조사	조사 관리	납세자 보호	민원 봉사실	체납 추적	부가	소득	재산	법인	납세자 보호실
계장	김명호 691		임헌진	신혁 211	박병수 221 홍순진 221	이은혜 551	변현수 281 박지혜 281	이정근 361 정성무 361	신진우 481	임현수 401	황재중 221
국세 조사관	홍기오	<1팀> 안남진(팀장) 장한울 정영철 <2팀> 한상배(팀장) 박영임 박재욱 <3팀> 강희웅(팀장) 이동섭	김용진 손정화	손영진 장동환	심혜원 심혜정 오재홍 임수정	김현숙 남기태 권명윤 김승현 방준석 최휘철 박현정	안미분 최지훈 한지우 홍석우 김재영 박노욱 방지선 임다림 정원준 박수현	신원철 오소진 임성옥 한주희 이단비	권유빈 김국현 심준석 전세연	김지웅 차회윤 이동욱 전시영 고주연 김수인 이수영 서정원 황은서	박수연 이혜진 최성한 추민재
FAX	845-3323			851-5595	847-9093	871-9631	871-9632		871-9633		871-9634

345

광주지방국세청
관할세무서

광주지방국세청

주소	광주광역시 북구 첨단과기로 208번길 43 (오룡동 1110-13) (우) 61011
대표전화 & 팩스	062-236-7200 / 062-716-7215
코드번호	400
계좌번호	060707
사업자등록번호	102-83-01647
e-mail	gwangjurto@nts.go.kr

청장　　　윤영석

(D) 062-236-7200

징세송무국장	임경환	(D) 062-236-7500
성실납세지원국장	임진정	(D) 062-236-7400
조사1국장	장신기	(D) 062-236-7700
조사2국장	강병수	(D) 062-236-7900

광주지방국세청

대표전화: 062-2367-200 / DID: 062-2367-OOO

청장: **윤 영 석**
DID: 062-2367-200

주소	광주광역시 북구 첨단과기로 208번길 43 (오룡동) (우) 61011 별관: 광주광역시 서구 월드컵4강로 101길(화정4동 896-3) (우) 61997				
코드번호	400	계좌번호	060707	사업자번호	410-83-02945
관할구역	광주광역시, 전라남도, 전라북도 전체			이메일	gwangjurto@nts.go.kr

국실				성실납세지원국		
국장				임진정 400		
과	감사관		납세자보호담당관		부가가치세과	
과장	박진찬 300		이상준 330		이진재 401	
계	감사	감찰	납세자보호	심사	부가1	부가2	소비세
계장	이필용 302	이규 312	한동석 332	박소현 342	김영민 402	염지영 412	문식 422
국세 조사관	김민경 박홍범 오경태 유종선 정철기 한다정 한원윤	김우신 손충식 신용호 안호정 임수경 황원복	유희경 정수현 정현아	김대일 김재환 백지원 이건주	김태원 유항수 윤병준 윤희겸 장수연	박선영 박지언 심현석 유진선	이정민 주송현 최정이 최환석
FAX	376-3102		376-3108		236-7651		

1등 조세회계 경제신문 조세일보

국실	성실납세지원국										
국장	임진정 400										
과	소득재산세과				법인세과			전산관리팀			
과장	손오석 431				오길재 461			곽명환 131			
계	소득	재산	소득지원	소득자료관리TF	1	2	3	전산관리1	전산관리2	정보화센터1	정보화센터2
계장	박연서 432	최태전 442	박미선 452	문주연 456	이강영 462	정경일 472	최영임 482	김보현 132	김옥희 142	박원석 152	김미애 172
국세조사관	김은영 송미소 송봉선 정희경	강종만 김지민 배민예	김명희 김재욱 배은선	김민정	강희정 박설희 백철주 임철진 정필섭	강이근 김형경 박상범 이승환 정미진	김득수 민지홍 박형민 정선옥	김영오 김운기 정현호 조선경	박종수 송재윤 오상훈 윤여관 이성	김희숙 김혜영 김경례 염현주 윤희경 박금단 김경임 정영숙 황경숙 류진 안정심 이승희	박향숙 김양미 이향화 강진 이혜경 김은희 박귀자 김영미 신미숙 김미경 김은자 유희경
FAX	236-7652				376-3106			716-7221			

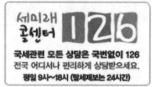

DID : 062-2367-OOO

국실	징세송무국					
국장	임경환 500					
과	징세과		송무과		체납추적과	
과장	홍영표 501		박순희 521		김창현 541	
계	징세	체납관리	1	2	체납추적관리	체납추적
계장	조상옥 502	김옥현 512	김진재 522	박주하 532	박후진 542	민동준 552
국세 조사관	노미경 이정화 최영주	위지혜 이성민 이장원	이동현 박은영 이호석 황동욱 윤형길 석지혜	나인엽 이성 이영훈 한수홍 김화영	김예진 박성진 송재중 전종태 최문영	김성준 김주현 노동균 박지은 정희섭 한채윤
FAX	376-3103		376-3107		716-7223	

국실	조사1국							
국장	장신기 700							
과	조사관리과					조사1과		
과장	정장호 701					장영수 751		
계	1	2	3	4	5	1	2	3
계장	김민철 702	김철호 712	이성근 722	김엘리야 732	김은미 740	이호 752	김용주 762	임선미 772
국세조사관	곽미선 김광성 김보람 박정아 양용희 이승현 임미란 정태호	양승정 유판종 정소영	김상민 배제섭 배주애 서영우 이영은	김학민 김화경 임주리 장성필	김현주 성명재 이채현 하봉남	김지혜 문형민 윤정익	김형주 윤길성 이선민	강중희 신정용 안이슬
FAX	376-3105							

351

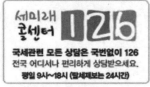

DID : 062-2367-OOO

국실	조사1국			조사2국		
국장	장신기 700			강병수 900		
과	조사2과			조사관리과		
과장	설경양 781			손재명 901		
계	1	2	3	1	2	3
계장	방정원 782	김근우 792	윤경호 802	최권호 902	윤석헌 912	이정관 922
국세 조사관	문윤진 윤승철 이진택	김혜란 박석환 최원규	송희진 이승완 정경종	김윤희 윤은미 이창주	강문승 김윤희 유춘선 임정미 최보영	나채용 문홍배 민혜민 박재환 신영남 차경진
FAX	236-7654			716-7228		

국실	조사2국									
국장	강병수 900									
과	조사1과			조사2과			운영지원과			
과장	박성열 931			김대학 961			김훈 240			
계	1	2	3	1	2	3	행정	인사	경리	현장소통
계장	박기호 932	김성희 942	변재만 952	김정운 962	선희숙 972	이수진 982	김민후 252	강채업 242	남자세 262	오상원 272
국세 조사관	김만성 주온슬	박인 최연수	문은성 최효영	안재형 한정규	김민석 김유나	김용태 이하현	조종필 나승창 양진호 김태준 이승훈 이혁재 김세곤 최철승 김환 김미해	송방의 한유현 이재남 노성은 장시원 정다희	황인철 선경미 추명운 김현성 정진아	김경주 박성정 오한솔 홍정기
FAX	383-4871			383-4873			716-7215			

광산세무서

대표전화: 062-9702-200 /DID: 062-9702-OOO

서장: **이 종 학**
DID: 062-9702-201

주소	광주광역시 광산구 하남대로 83(하남동 1276, 1277) (우) 62232						
코드번호	419		계좌번호	027313		사업자번호	
관할구역	광주광역시 광산구, 전라남도 영광군					이메일	

과	체납징세과			부가가치세과		재산법인세과		
과장	박정식 240			양길호 280		김용오 400		
계	운영지원	징세	체납추적	부가1	부가2	재산1	재산2	법인1
계장	방양석 241	송만수 261	하철수 511	박인환 281	양하섭 301	남왕주 481	김영자 501	공성원 401
국세 조사관	이일재 구윤희 이서정 안소연 정현태	강설화 엄하얀 윤민숙	이백용 기승연 이지연 서우석 김정화 선양기 이은광 오승섭 박소영 범서희	신동용 김지호 이동훈 김은미 박창용 강경희 이정호 김영석 나유민 송다영 박금옥 김영심 최준민	정오영 신덕수 심명진 이지현 김기아 이건호 강용명 정세미 박승연 김영순 김용운	최미영 현경 윤미옥 강길주 문수미 정보현 류호진 문보라 정호영	김기옥 김미화 이동엽 이은진	박종현 최기환 추지연 김서형 손승재 이윤경 전지선 정미라 김효희 박상은 이효선 전성준
FAX	970-2259			970-2299		970-2419		

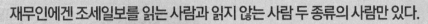

재무인과 함께 걸어가겠습니다 '조세일보'

재무인에겐 조세일보를 읽는 사람과 읽지 않는 사람 두 종류의 사람만 있다.

1등 조세회계 경제신문 조세일보

과	소득세과		조사과					납세자보호담당관	
과장	정길호 360		오현미 640					이성묵 210	
계	소득1	소득2	세원정보	조사1	조사2	조사3	조사관리	납세자 보호실	민원 봉사실
계장	이상준 361	박인수 381	김현철 691	정성수	강성준	신승훈	임종안 641	정기중 211	김영선 221
국세 조사관	강현아 이경환 기민아 박채연 윤채린 정수진	김수영 김정호 지혜림 서은지 한정용 홍해라	김도형	김영보 정호연	오진명 이승준	남도욱 송원호	김미리 김용일 조성재	정영천 하주희	나미선 양동혁 남도욱 이하연 선경숙 이지영 박지선 조정현
FAX	970-2379		970-2649					970-2219	970-2238

광주세무서

대표전화: 062-6050-200 /DID: 062-6050-OOO

서장: **정 학 관**
DID: 062-6050-201

주소	광주광역시 동구 중앙로 154 (호남동 39-1) (우) 61484				
코드번호	408	계좌번호	060639	사업자번호	408-83-00186
관할구역	광주광역시 동구, 남구, 전라남도 곡성군, 화순군			이메일	gwangju@nts.go.kr

과	체납징세과			부가가치세과			재산법인세과		
과장	박영수 240			진중기 280			양옥철 400		
계	운영지원	징세	체납추적	부가1	부가2	부가3	재산1	재산2	법인
계장	김명숙 241	손선미 261	장미랑 511	류제형 281	정채규 301	최형동 321	김남수 481	손경근 501	천경식 401
국세 조사관	최신호 한용철 박신아 김정진 조재연 최가인	김영하 배현옥 서삼미	노은주 윤조아 서범석 신영아 정미향 임미희 이화섭 위광환	이진환 김미애 임치영 이기훈 정덕균 염래경	최연희 임경선 성동연 지혜연 이다영 최상혁	윤연자 김도연 조만호 권인오 박성용 이로아 정종호	조영두 조혜진 주재정 정건철 양환준 한수현 양시은 김규태 양은정	남기정 박민국 한상춘 김가람	정기종 정찬일 정혜화 김승범 김은솔 도하정 송은선 양현황 정혜진
FAX	716-7232			716-7233~4			716-7236		716-7237

과	소득세과		조사과						납세자보호담당관	
과장	김애숙 360		진용훈 640						김덕호 210	
계	소득1	소득2	세원정보	조사1	조사2	조사3	조사4	조사관리	납세자 보호실	민원 봉사실
계장	박이진 361	박준선 381 김희석 382	이태훈 691	정형태	박형희	심재운		오민수 641 김준석	이성용 211	민경옥 221
국세 조사관	박준규 정미선 양혜성 김희진 조유정 황선우 변지수 신세연	박경단 김은수 배진혁 유자연 나선영 이태진	최정욱	김재경 최다혜	김광현 유주미	문경애 진혁환	김다혜 정성문 황정현	박슬기 박유미	김영하 김창진 박유나	강미화 김요환 김주현 송진희 엄석찬 염보미 최창무
FAX	716-7235		716-7238						716- 7239	227- 4710

북광주세무서

대표전화: 062-5209-200 / DID: 062-5209-OOO

서장: **나 향 미**
DID: 062-5209-201

주소	광주광역시 북구 경양로 170 (중흥동 712-3) (우) 61238				
코드번호	409	계좌번호	060671	사업자번호	409-83-00011
관할구역	광주광역시 북구, 전라남도 장성군, 담양군			이메일	bukgwangju@nts.go.kr

과	체납징세과				부가가치세과			소득세과	
과장	엄호만 240				정청운 280			남애숙 360	
계	운영지원	징세	체납추적1	체납추적2	부가1	부가2	부가3	소득1	소득2
계장	강경진 241	박봉선 261	김성호 511	최문자 531	장기영 281	오종식 301	한동환 321	조명관 361	김선희 381
국세 조사관	한송이 오혜경 이주현 김유정 민호성 박선미 방해준 서영조 신영주	정숙경 정은연 조호연	김정아 양창헌 이정복 정재원 박지혜 박형지 장지민	김명선 이인숙 정성오 임강혁 조가윤 허경숙 정미영	홍용길 최성배 오근님 양재훈 안자영 장수희 김윤호 최연희 박봉현	김미선 박복심 김은영 김미영 손정인 양한별 임채영	전용현 박병일 김재은 조혜선 백광호 오로라 김정은	전홍석 정란 김아란 김혜민 주은영 채우리 김지민 정예슬	최승재 신우영 오선주 김재은 이승훈 이아라 박경호 이수진
FAX	716-7280	716-7282~3		716-7287	716-7282~3			716-7287	

과	재산세과		법인세과		조사과			납세자보호담당관	
과장	김현성 480		김희봉 400		심종보 640			김성수 210	
계	재산1	재산2	법인1	법인2	조사관리	조사	세원정보팀	납세자보호실	민원봉사실
계장	박용우 481	윤석길 501	박득연 401	나양선 421	김영호 641		구성본 691		전해철 221
국세조사관	백남중 김영숙 기대원 오종수 최장균 하경아 고혜진 오가원 김영유 남덕현 박홍일	김우성 박봉주 오금선 지정국	정병주 박찬열 고복님 김예준 윤수연 정주희 강기호	강성식 박병민 윤성두 김남이 윤준영 음지영	양명희 정리나 최종민	<1팀> 강춘구(팀장) 김효수 정영현 <2팀> 한규종(팀장) 김완주 윤한슬 <3팀> 김재춘(팀장) 강경완 임수미 <4팀> 채남기(팀장) 김원주 하지영 <5팀> 한기청(팀장) 박지연 오자은	고석봉 박상준	강윤성 박기혁 박정일	이윤호 박경란 김송심 김정아 조은지 주선영 고재성 김현진 박시원 방영화
FAX	716-7286		716-7285		716-7289			716-7284	716-7291

서광주세무서

대표전화: 062-3805-200 / DID: 062-3805-OOO

서장: **나 종 선**
DID: 062-3805-201

주소	광주광역시 서구 상무민주로 6번길 31 (쌍촌동 627-7) (우) 61969				
코드번호	410	계좌번호	060655	사업자번호	410-83-00141
관할구역	광주광역시 서구			이메일	seogwangju@nts.go.kr

과	체납징세과			부가가치세과		재산법인세과		
과장	김용우 240			이장근 280		김형국 400		
계	운영지원	징세	체납추적	부가1	부가2	재산1	재산2	법인
계장	박병환 241	김애심 261	나형채 511	서근석 281	권영훈 301	최재혁 481	강형탁 501	이환 401
국세조사관	홍완표 강정희 이호승 장형재 전은상 최상연	홍수경 김형연	이환성 진문수 김근형 박현준 송은주 김아람 박새봄 한도흔 한송이	김혜정 나한태 박은영 문영규 강나영 김다예 구태휴 김상훈 박지현	이혜경 윤정호 목영주 김수민 김현재 조화경 김현정 박남중 정유진	박은영 방현정 서민하 전태호 최윤주 기금헌 고부경 고선미	김재석 정재훈 채화영 양현진	서경무 윤여찬 한은정 이소연 이수라 박유라 김동신 김태경
FAX	716-7264			371-3143		716-7265		

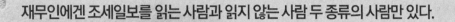

재무인과 함께 걸어가겠습니다 '조세일보'

재무인에겐 조세일보를 읽는 사람과 읽지 않는 사람 두 종류의 사람만 있다.

1등 조세회계 경제신문 조세일보

과	소득세과		조사과					납세자보호담당관	
과장	하상진 360		진남식 640					정일상 210	
계	소득1	소득2	세원정보	조사1	조사2	조사3	조사관리	납세자 보호실	민원 봉사실
계장	김광현 361	이송연 381	유준 691	문경준	박삼용	김광섭	김대현 641	김자회 211	이송희 221
국세 조사관	박해연 정선태 정수자 박무수 이아림 정명운	조성애 한국일 이수연 박진웅 최시은 최예린	이정	김병기 이옥진	오종호 장지원	정형필	노민경 양현진	강용구 이정환	국승미 조윤경 한윤희 허선덕 김종훈 한주성 김영준 문준규
FAX	376-0231		716-7266					716-7267	716-7268

나주세무서

대표전화: 061-3300-200 / DID: 061-3300-OOO

서장: **김 태 열**
DID: 061-3300-201

주소	전라남도 나주시 재신길 33(송월동 1125) (우) 58262				
코드번호	412	계좌번호	060642	사업자번호	412-83-00036
관할구역	전라남도 나주시, 영암군(삼호읍 제외), 함평군			이메일	naju@nts.go.kr

과	체납징세과			부가소득세과	
과장	정형주 240			문미선 280	
계	운영지원	체납추적	조사	부가	소득
계장	장민석 241	조희성 511 박태훈 511	박기홍 651	손삼석 281	361
국세 조사관	이영민 이철승 차은정 오종권 정에녹	양행훈 우재만 최제후 남승원 신명희 안진영 박시연	강지만 기남국 김회창 문영권 송용기 이정우 임정민 조해정	유관식 윤한표 권정용 정명숙 김인중 김도훈 김미혜 박선영 이경희	서정숙 전태현 채숙경 장진혁
FAX	332-8583	333-2100		332-8581	

1등 조세회계 경제신문 조세일보

과	재산법인세과		납세자보호담당관	
과장	김형숙 400		민준기 210	
계	재산	법인	납세자보호실	민원봉사실
계장	김영호 481	박철성 401	정종필 211	이미자 221
국세 조사관	고균석 김현진 이수빈 정세훈 나진희 이다예	김철호 신종식 이재완 유광호 이유미 정미선 주희은 양정희	김기정	마현주 김민정 황지선 신초일 이성진
FAX	332-2900		332-8583	332-8570

목포세무서

대표전화: 061-2411-200 / DID: 061-2411-OOO

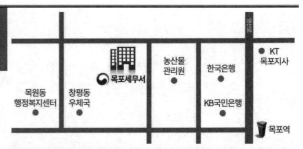

서장: **노 현 탁**
DID: 061-2411-201

주소	전라남도 목포시 호남로 58번길 19 (대안동 3-2) (우) 58723				
코드번호	411	계좌번호	050144	사업자번호	411-83-00014
관할구역	전라남도 목포시, 무안군, 신안군, 영암군 중 삼호읍			이메일	mokpo@nts.go.kr

과	체납징세과			부가가치세과		소득세과	
과장	임광준 240			정완기 280		김재만 360	
계	운영지원	징세	체납추적	부가1	부가2	소득1	소득2
계장	곽현수 241	공병국 261	조영숙 511	서병희 281	김재석 301	정은영 361	설영태 621
국세 조사관	박상일 정미연 박준후 지행주 권혁일	김희정 서경하	최전환 신은화 한상룡 김민수 문형일 조영란 송은영 김영지 노현정 이남희	고수영 심상원 이은아 박지희 박현화 구혜숙 류지훈 문다영 유형근	이성률 김동구 이점희 김공해 박종근 박혁 이동주 최미혜 정명근 임남옥	강성기 김평화 나소영 오재란 김평화 정주리	서동현 김종일 박향엽 진누리 김세원 박태준
FAX	244-5915			241-1349	247-2900	247-2900	

과	재산법인세과			조사과					납세자보호담당관	
과장	오금탁 400			김용길 640					고대영 210	
계	재산1	재산2	법인	세원정보	조사1	조사2	조사3	조사관리	납세자 보호실	민원 봉사실
계장	김종숙 481	강석제 491	김안철 401	691	박철우	김진호	최종선	김태호 641	양석범 211	김은숙 221
국세 조사관	곽새미 안유정 오춘택 정우철 조정효 이창근	윤현웅 임창관 정기은	고재환 김규표 이상훈 김수희 유민희 지은호 김단비 천서정	김종일	김자희 한상룡	김대호 최수현	한정관 한창균	나혜경 우영만	안요한 최지혜	손광민 이기순 최영임 장기현 장슬미 김단 김초원 문지원
FAX	241-1669		241- 1602	245-4339					241- 1601	241- 1567

순천세무서

대표전화: 061-7200-200 / DID: 061-7200-OOO

서장: **주 현 철**
DID: 061-7200-201

지도: 순천교육지원청, 연향동동부아파트, 광양→, 순천연향중학교, 부영초등학교, 순천세무서, 연향파출소, 순천시립연향도서관

주소	전라남도 순천 연향번영길 64 (연향동 1379) (우) 57980 벌교지서 : 전라남도 보성 벌교 채동선로 260 (우) 59425 광양지서 : 전남 광양 중마중앙로 149 (우) 57785				
코드번호	416	계좌번호	920300	사업자번호	416-83-00213
관할구역	전라남도 순천시, 광양시, 구례군, 보성군, 고흥군		이메일	suncheon@nts.go.kr	

과	체납징세과			부가가치세과		소득세과		재산법인세과			납세자보호담당관	
과장	장동규 240			박상현 280		서순기 360		정영곤 400			이시형 210	
계	운영지원	체납추적	징세	부가1	부가2	소득1	소득2	재산1	재산2	법인	납세자보호실	민원봉사실
계장	정준갑 241	구대중 511	전복진 261	김종운 281	이용철 301	박도영 361	최인광 381	김준성 541	정종대 561	허재옥 401	서동정 211	박귀숙 221
국세조사관	이세라 홍성표 김임순 김경현 김성진 김소망 서광기	김선진 이성창 박은화 김상훈 김태진 손성희	정지은 홍미라	김혜경 최병윤 한귀숙 김명중 김종율 추경진 강여울	황승진 김윤정 강임현 류성주 정종은 권민정	김진희 노순정 오인철 임현택 장지선	강아라 김종철 명국빈 박용문 채명석	이종필 박범진 손명희 김정은 손세민 심성환	백기호 우남준 윤경희 한은정	민순기 김미영 이호남 류은미 윤다희 차유곤	김주일 심성연	김현정 나윤미 남상진 곽민경 김상현 이지헌 전미선
FAX	723-6677			723-6673		720-0330		720-0320			723-6676	

과	조사과			벌교지서 (8592-○○○)			광양지서 (7604-○○○)			
과장	박권진 640			송창호 201			백계민 201			
계	조사 관리	조사	세원 정보	납세자 보호	부가 소득	재산 법인	납세자 보호	부가	소득	재산 법인
계장	이양원 641		은희도 691	정성일 211	301	401	이용화 211	이재갑 281	김강수 361	천병희 401
국세 조사관	김문희 박민 박은재 이성실	<1팀> 임수봉(팀장) 안지섭 이진우 <2팀> 배진우 이상철 형신애 <3팀> 임성민(팀장) 김정진 이은행 <4팀> 조광덕(팀장) 차지연 홍영준	양윤성 이창현	강구남 박유진 손수아 이희진	진정 서미순 최선 정시온 조규봉 나형배 강태민 김재경	하성철 유상원 유영근 강성원 김영순 이철	강선대 노시열 문한솔 박설화	오세철 김희창 정찬우 한규리 류의지 김정선 윤유선 이창훈 노승규 박승윤	김상호 김한림 이수연 천지은	류성백 김강진 이재원 강윤지 김학수 박소연 정찬조
FAX	720-0420			857-7707	857-7466	859-2267	760-4238			

여수세무서

대표전화: 061-6880-200 / DID: 061-6880-OOO

서장: **문 홍 승**
DID: 061-6880-201

주소	전라남도 여수시 좌수영로 948-5 (봉계동 726-36) (우) 59631				
코드번호	417	**계좌번호**	920313	**사업자번호**	417-83-00012
관할구역	전라남도 여수시			**이메일**	yeosu@nts.go.kr

과	체납징세과			부가소득세과		
과장	서옥기 240			염삼열 280		
계	운영지원	징세	체납추적	부가1	부가2	소득
계장	김윤주 241	오창옥 511	오용호 261	이정철 281	류영길 301	이재운 361
국세 조사관	권상일 김재찬 안민숙 이순민 황숙자	윤종호 이은석	남상훈 장재영 윤정필 김우정 김효정 이성호 양태영	원두진 배숙희 신상덕 정지운 최상영 홍미숙 신예진 황해승	강혜정 김현진 김아영 김지현 최낙훈 유지화 박영수 조유리	곽용재 주은상 김금영 정인환 허미나 김태원 이한이
FAX	688-0600	682-1649		682-2070		682-1652

과	재산법인세과		조사과				납세자보호담당관	
과장	배종일 400		박정환 640				정찬성 410	
계	재산	법인	조사관리	조사1	조사2	세원정보	납세자보호실	민원봉사실
계장	황교언 481	박진갑 401	임향숙 651	위석	이탁신	691	노정운 211	박행진 221
국세조사관	박광천 박문상 신찬호 김승수 이민희 이호철 최보람	김정현 정현미 이은진 김정희 신수정 이재아 곽재원	김혜원 이용욱	박천주 한용희	송윤민	정경식	정일 최인효	주연봉 홍은영 김동선 김은진 조근비 강경수
FAX	682-1656		682-1653				682-1648	

해남세무서

대표전화: 061-5306-200 / DID: 061-5306-OOO

서장: **김 일 환**
DID: 061-5306-201

주소	전라남도 해남군 해남읍 중앙1로 18 (우) 59027 강진지서: 전남 강진군 강진읍 사의재길 1 (우) 59226				
코드번호	415	계좌번호	050157	사업자번호	415-83-00302
관할구역	전라남도 해남군, 완도군, 진도군, 강진군, 장흥군			이메일	haenam@nts.go.kr

과	체납징세과			세원관리과		
과장	배삼동 240			박정국 280		
계	운영지원	체납추적	조사	부가	소득	재산법인
계장	박남주 241	박상을 511	한영수 651	정성의 281 조경윤 281	오성실 361	이수창 401
국세 조사관	문승식 박정순 유승철 전진철	황득현 손상필 이승준 김진영 류지윤 조상진	강성현 박종근 이승근 이은경	정형준 조현국 박소영 윤해진 허지혜 이보배	권준용 김화영 김희관 박용희 유수호	유성진 강병관 한일용 한나라 박미애 정미선 김창훈 김현철 배정주 황선진
FAX	536-6249	536-6074	536-6132	536-6131	534-3995	(재산) 534-3995 (법인) 536-6131

과	납세자보호담당관		강진지서(061-4302-OOO)	
과장	김봉재 210		노남종 201	
계	납세자보호실	민원봉사실	납세자보호	세원관리
계장	211	이용혁 221	김준수 210	이정훈 300
국세 조사관	김승진	강희다 김옥천 박명식 안혜정 오윤정	강정님	국명래 박홍균 오은주 김진우 손현정 정소영 정병철 강석구 박종훈 박민원 장형욱
FAX	534-3540		433-4140	434-8214

군산세무서

대표전화: 063-4703-200 / DID:063-4703-OOO

서장: **최 이 환**
DID: 063-4703-201

주소	전라북도 군산시 미장13길 49(미장동 525) (우) 54096				
코드번호	401	계좌번호	070399	사업자번호	401-83-00017
관할구역	전라북도 군산시			이메일	gunsan@nts.go.kr

과	체납징세과			부가소득세과		
과장	최홍신 240			전정은 280		
계	운영지원	징세	체납추적	부가1	부가2	소득
계장	장미자 241	김성근 261	이기웅 511	박성종 281	최미경 291	하태준 361
국세 조사관	고의환 구판서 유행철 전요찬 황현	김은아 문은희	강원 이승훈 소윤섭 조홍수 백종현 박선영 반장윤 양아름	노도영 이종호 이다현 문가나 이민영 장하영 백종준 황현주	배기연 허진성 황병준 문희원 한상훈	강인석 김선영 김지혜 손정현 박신영 최호일 배성윤
FAX	468-2100			467-2007		

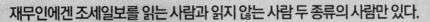

재무인과 함께 걸어가겠습니다 '조세일보'

재무인에겐 조세일보를 읽는 사람과 읽지 않는 사람 두 종류의 사람만 있다.

과	재산법인납세과		조사과				납세자보호담당관	
과장	조혜영 400		이종운 640				박인환 210	
계	재산	법인	조사관리	조사1	조사2	세원정보	납세자 보호실	민원봉사실
계장	조준식 481	고진수 401	이수현 651	정용주	오두환	방성훈 691	정병관 211	김영관 221
국세 조사관	김회광 문영준 이병재 김현지 홍서윤 조성현 김미향	전수현 권은경 이정애 조근호 허유경 장용준 유재룡	김보미 노화정	김혜은 이기원	손세영 정새하	김재실	최수진 최고든	정한길 김환옥 문은수 김남덕 이경진 전이나
FAX	470-3636		470-3344				470-3214	470-3441

남원세무서

대표전화: 063-6302-200 / DID: 063-6302-OOO

서장: **선 규 성**
DID: 063-6302-201

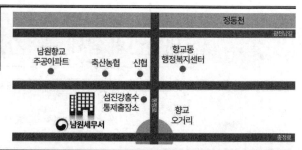

주소	전북 남원시 동림로 91-1(향교동 232-31) (우) 55741				
코드번호	407	계좌번호	180616	사업자번호	407-83-00015
관할구역	전라북도 남원시, 순창군, 임실군, 장수군(천천면, 장계면, 계북면 및 계남면 제외)			이메일	namwon@nts.go.kr

과	체납징세과			세원관리과	
과장	김행곤 240			염대성 280	
계	운영지원	체납추적	조사	부가	소득
계장	박미선 241	박정희 511	양철민 651	이영태 281	기연희 361
국세조사관	강소정 곽민호 김철수 윤영원	강지선 김광성 김효근 양용환	김재원 박란영 박민주 천우남	박지호 류진영 이다혜 박정욱 안기웅 양다은	정초희 정혜경 이정수 김법열
FAX	632-7302		630-2299	631-4254	

과	세원관리과	납세자보호담당관	
과장		장성재 210	
계	재산법인	납세자보호실	민원봉사실
계장	김정임 401		백찬진 221
국세 조사관	임진아 안치영 김용태 박지혜 최윤영 문해수 유재곤 이경화 이춘형 조연종	김춘광	강선양 김현옥 손현태 이수연
FAX	630-2419	635-6121	

북전주세무서

대표전화: 063-2491-200 / DID: 063-2491-OOO

서장: **안 형 태**
DID: 063-2491-201

주소	전라북도 전주시 덕진구 벚꽃로 33 (우) 54937 진안지서 : 전북 진안군 진안읍 중앙로 45 (우) 55426				
코드번호	418	계좌번호	002862	사업자번호	402-83-05126
관할구역	전주시 덕진구, 진안군, 무주군, 장수군 중 일부			이메일	bukjeonju@nts.go.kr

과	체납징세과			부가소득세과			재산법인세과	
과장	정흥기 240			채규일 280			양광준 400	
계	운영지원	징세	체납추적	부가1	부가2	소득	재산	법인
계장	고선주 241	정숙자 261	한재령 511	윤석신 281	김영규 301	김대원 361	이종현 481 최남규 481	안윤섭 401
국세 조사관	이철호 최순희 김귀종 김종호 최경배	안춘자 최복례	장현숙 류지호 이두호 류필수 류아영 채준석 박효정 임형용	이훈 장미영 정애리 최재규 박미진 서보경 고필권 박주형 안형숙	이수현 이정은 박환 노동호 한소은 노명진 박종호	김소영 김수경 허정순 김기동 김예슬 김재만 박현진 장현정 최희재	박승훈 박연 민효정 박성수 고석중 고은정 이하은 임재성	이동규 권은숙 이서진 이주형 진실화 김용선 김한솔
FAX	249-1555	249-1680		249-1682			249-1681	249-1687

1등 조세회계 경제신문 조세일보

과	조사과					납세자보호담당관		진안지서(4305-OOO)	
과장	이상두 640					양천일 210		한일수 201	
계	조사관리	조사1	조사2	조사3	세원정보	납세자 보호실	민원봉사실	납세자 보호실	세원관리
계장	한병민 641	이명준	김준연	권도영	이광선 691	양정희 211	김복기 221	박정재 212	박금규 300
국세 조사관	박정숙 유은애	박태완 최현영	박주형 조영숙	서동진 임아련	박종원	이선경 홍현지	김광희 김명숙 김애령 김혜인 박성주 배정우 전주화	방귀섭 송송이 김이영 류장훈	김다빈 정흥엽 최칠성 손현주 김의철 강혜린 김유경 김정은 문지홍 이성은
FAX	249-1683					249-1684		433-5996	432-1225

익산세무서

대표전화: 063-8400-200 / DID: 063-8400-OOO

서장: **김 상 원**
DID: 063-840-0201

주소	전라북도 익산시 익산대로52길 19 (남중동352-98) (우) 54619 김제지서 : 전라북도 김제시 신풍길 205 (신풍동 494-20) (우) 54407						
코드번호	403		계좌번호	070425	사업자번호	403-83-01083
관할구역	전라북도 익산시, 김제시				이메일	iksan@nts.go.kr

과	체납징세과			부가소득세과			재산법인납세과	
과장	김진환 240			고대식 280			백운영 400	
계	운영지원	징세	체납추적	부가1	부가2	소득	재산	법인
계장	조용식 241	정준 261	김삼원 511	김은정 281	김승영 301	채수정 621	홍근기 481 한권수 481	최병하 401
국세 조사관	이경선 이은경 전봉철 조준철 최정연	박봉근 심재옥	서명권 소태섭 양향열 지승룡 최성관 김복선	김중휘 김은미 박성란 박효진 이성준 이정호 김민주 한윤주	전동현 정필경 김진철 신지수 이현지 하나정 유현순 이현기	김민재 양영훈 오신영 박상민 박소미 송진용 김영현 이세리 정지혜 소병인	오미경 배종진 조길현 이현주 송의진	문정미 김중석 허현 김성주 이승훈 문미나 조성우 황정미
FAX	851-0305			840-0448			840-0549	

과	조사과					납세자보호담당관		김제지서(5400-OOO)		
과장	김현 640					이창준 210		김창연 201		
계	조사관리	조사1	조사2	조사3	세원정보	납세자 보호	민원 봉사실	납세자 보호	부가소득	재산법인
계장	설진 641	이민호		차상윤	박영민 691	이권명 211	최재일 222	이서재 210	유근순 280	장해준 400
국세 조사관	김민지 이한일 최수연	김희태 백연비	김해강 이용출	염보름 최창욱	강태진	이상순 임완진	박인숙 설승환 정진화 오영우 최수연 김형만	김광괄 박가영 이광열	임양주 김은옥 조성훈 박지은 양준복 천진영 김경희 김정원	김용수 문교병 박태신 김성용 박동진 유제석
FAX	840-0509					851-3628		547-4181		

전주세무서

대표전화: 063-2500-200 / DID: 063-2500-OOO

서장: **최 재 훈**
DID: 063-2500-201

주소	전라북도 전주시 완산구 서곡로 95 (효자동3가 1406) (우) 54956					
코드번호	402	**계좌번호**	070438	**사업자번호**	418-83-00524	
관할구역	전라북도 전주시 완산구, 완주군			**이메일**	jeonju@nts.go.kr	

과	체납징세과			부가가치세과		소득세과	
과장	장영철 240			오길춘 280		라용기 360	
계	운영지원	징세	체납추적	부가1	부가2	소득1	소득2
계장	이현주 241	이사영 261	백승학 511	김상욱 281	정수명 301	정명수 361	김춘배 621
국세조사관	김소영 김준석 강수성 최지현 김경환 박상종 권미자 설진원	박인숙 이선림	김지홍 최영근 류종규 조상미 문찬영 김용남 한수경 김종화 심혜진 김선경	금윤순 김병삼 김용례 임소희 손형주 이원교 박소희 이보영 고준석 박성윤 이승하 강성희	오은영 이동영 이수복 김현주 김희숙 박수정 강석 임지훈 조미옥 손수현 송하준	이미선 박지원 김주현 조란 김세연 나진주 양성철 최은철 이학승	조기정 진동권 이현정 민경훈 전유진 차영준 이하승
FAX	250-0249	277-7708	277-7706			250-0449	250-0632

과	재산법인세과			조사과					납세자보호담당관	
과장	김선주 400			이경섭 640					이상수 210	
계	재산1	재산2	법인	조사관리	조사1	조사2	조사3	세원정보	납세자 보호실	민원 봉사실
계장	조형오 481	허윤봉 491	박윤규 401	임기준 641	문동호	정균호	이승일	유요덕 691	황성기 211 이승용 211	최원택 221
국세 조사관	조경제 김학수 백원길 김세웅 배영태 이소은 성미경 오유진 김병주	김지호 박현수 임소미 조지영	최세현 김용범 박지명 소수현 심미선 홍윤기 권수진 최건희 김은지	김은영 이성식 허경란	김종인 이영민 이용진	장완재 장준엽	손종현 최지희	공미자 정우성	김윤환 손안상	배정훈 김재영 양지연 장영주 고유나 김이경 류아영 최미란
FAX	250-0505, 7311			250-0649					275- 2100	275- 2176

정읍세무서

대표전화: 063-5301-200 / DID: 063-5301-OOO

서장: **심 상 동**
DID: 063-5301-201

주소	전라북도 정읍시 중앙1길 93 (수성610) (우) 56163				
코드번호	404	계좌번호	070441	사업자번호	404-83-01465
관할구역	전라북도 정읍시, 고창군, 부안군			이메일	jeongeup@nts.go.kr

과	체납징세과			부가소득세과	
과장	조준영 240			오기범 280	
계	운영지원	체납추적	조사	부가	소득
계장	이정길 241	유세용 511 백홍교 652	박경수 651	박정애 281	김웅진 361
국세 조사관	김태환 김현진 박진규 한성희	허문옥 윤성준 이승재 김서현 김정석 이보람 김미진	김필선 유훈주 이윤선 정우진 천명길	고선주 고서연 신솔지 박새얀 오현창 최현진 전혜진 김경은 김진만 김수경 신규용	천명길 이연희 최방석 윤훈주 박명철 이지연 정옥진
FAX	533-9101		535-0040	535-0041	535-0042

1등 조세회계 경제신문 조세일보

과	재산법인세과		납세자보호담당관	
과장	유태정 400		안선표 210	
계	재산	법인	납세자보호실	민원봉사실
계장	박경수 481	남궁화순 401	김환국 211	이동진 221
국세 조사관	이숙경 한길완 한숙희 정우진 윤지현 오동화 임한솔	박수인 전수영 김택우 윤지현 이윤정 전찬희	양정숙	문기조 박영석 이주은 장수희 김유진 이효선
FAX	535-0043	535-6816	535-5109	

대구지방국세청 관할세무서

대구지방국세청

주소	대구광역시 달서구 화암로 301 (대곡동) (우) 42768
대표전화	**053-661-7200**
코드번호	**500**
계좌번호	**040756**
사업자등록번호	**102-83-01647**
e-mail	**daegurto@nts.go.kr**

청장   정철우

(D) 053-6617-201

징세송무국장	**남영안**	(D) 053-6617-500
성실납세지원국장	**조성래**	(D) 053-6617-400
조사1국장	**박병환**	(D) 053-6617-700
조사2국장	**이동찬**	(D) 053-6617-900

대구지방국세청

대표전화: 053-6617-200 / DID: 053-6617-OOO

청장: **정 철 우**
DID: 053-6617-201

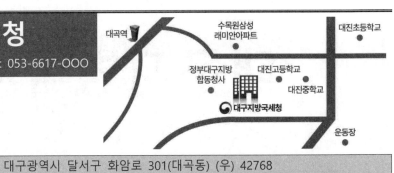

주소	대구광역시 달서구 화암로 301(대곡동) (우) 42768					
코드번호	500	계좌번호	040756	사업자번호	102-83-01647	
관할구역	대구광역시, 경상북도			이메일	daegurto@nts.go.kr	

국실			성실납세지원국			
국장			조성래 400			
과	감사관실		납세자보호담당관실		부가가치세과	
과장	윤재복 300		이하철 330		한채모 401	
계	감사	감찰	납세자보호	심사	부가1	부가2	소비세
계장	문효상	김정환	장은경 332	이선영 342	이문태 402	권용덕 412	이상호 422
국세 조사관	김자헌 명기룡 우영재 이승훈 정성호 황지영	김동욱 김민창 김삼규 박윤형 박주현 이상희 임채홍	김민주 김영인 박자임	박은영 박지연 서은혜 이형우 최재혁	김규진 소충섭 이소영 채주희	권민규 임정관 정유나 이상호	박재규 정대석 최민석 황성만
FAX	661-7054		661-7055		661-7056		

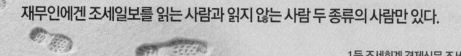

국실	성실납세지원국										
국장	조성래 400										
과	소득재산세과				법인세과			전산관리팀			
과장	김상섭 431				김기형 461			이병탁 621			
계	소득	재산	소득지원	소득자료 관리TF	법인1	법인2	법인3	전산 관리1	전산 관리2	정보화 센터1	정보화 센터2
계장	배세령 432	도해민 442	황재섭 452	김혜진 456	권대훈 462	김지인 472	정창근 482	최상복 622	서계주 632	송재준 642	곽명숙 662
국세 조사관	권은진 김효삼 도인현 신재은	곽민경 권태혁 석종국 신아영	이동균 정현민 조은경	조명석	이지영 임치수 최재협 서상순 안우형 황석현	권순모 김안나 손은숙 우승하	김정환 배진우 이슬 정승우	김연숙 손동민 손윤숙 최은영	박경련 전현정 서영지 김미량 박경미 김미경 이은주	곽정희 김수현 김정실 황주미 정선희 최선주 박미경 장은희 강지용	손미경 정명희 천택순 고유경 김해옥 임시원 조미정 이경숙 김혜경 김은진 양혜진 장현정
FAX	661-7057				661-7058			661-7059			

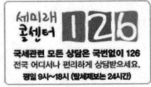

세미래 콜센터 126
국세관련 모든 상담은 국번없이 126
전국 어디서나 편리하게 상담받으세요.
평일 9시~18시 (탈세제보는 24시간)

DID : 053-6617-OOO

국실	징세송무국					조사1국				
국장	남영안 500					박병환 700				
과	징세과		송무과		체납추적과		조사관리과			
과장	최은호 501		문진혁 521		최종기 541		최원수 701			
계	징세	체납관리	송무1	송무2	체납추적	체납추적관리	1	2	3	4	5
계장	안병수 502	이경민 512	황병록 522	김종수 532	김정철 552	이미숙 542	류재무	이명주	이성환	이정남	허재훈
국세조사관	이도경 이동곤 최기용	마성혜 엄경애 하은석	변지흠 이정국 정수호 박수정 최현주 한주성	김부자 김상우 김이레 유병모	김광현 김지윤 박현하 서소담 안성엽	김인덕 이성훈 서정은 김예빈 이상욱 이태희	김성호 김주원 박진희 윤근희 이석진 정현준 주명오	신연숙 이호열 최윤영	김경훈 김득수 김성균 김진영 이준익 이현영 전혜진	김혁동 남상헌 이승명 정은주	권소연 김연희 김재홍 류상효 이장환
FAX	661-7060		661-7061		661-7062		661-7063				

388

국실	조사1국					
국장	박병환 700					
과	조사1과			조사2과		
과장	이훈희 751			박규동 801		
계	1	2	3	1	2	3
계장	유창석	이중구	조재일	김혁준	이재혁	김정석
국세 조사관	권현목 심재훈 최인우 황지성	오세민 이채윤 이충호	김대업 김병욱 서상범	김종민 박소정 박영호	김도연 박정화 이정호	김미애 신성용 하헌욱
FAX	661-7065			661-7066		

국세관련 모든 상담은 국번없이 126
전국 어디서나 편리하게 상담받으세요.
평일 9시~18시 (탈세제보는 24시간)

DID : 053-6617-OOO

국실	조사2국					
국장	이동찬 900					
과	조사관리과			조사1과		
과장	임종철 901			은경례 931		
계	1	2	3	1	2	3
계장	김봉승	김성제	이현수	김명경	서지훈	정규삼
국세 조사관	민갑승 민은연 배유리	김민호 박상혁 송시운 이향옥	오춘식 이진욱 이홍규 정다운 황보정여	권승비 이기동 이지민	박종원 임성훈	권갑선 우병재
FAX	661-7067			661-7068		

국실	조사2국						
국장	이동찬 900						
과	조사2과			운영지원과			
과장	이승괄 961			박수철 240			
계	1	2	3	행정	인사	경리	현장소통
계장	한청희	김진환	차종언	성낙진 252	성한기 242	최남숙 262	최기영 272
국세 조사관	박선혜 박순출 손정훈	김미현 배건한 서동원	구근랑 배민경	이상원 공성웅 박수현 김성은 김윤옥 김지수 권기봉 백종열 이범철 김상조	배재홍 김대훈 남동우 이경아 박재형 이수영	권효은 김주영 전영현 정경남 최용훈	권순형 김태희 박원돈 양철승 이영주
FAX	661-7069			661-7052			

남대구세무서

대표전화: 053-6590-200 / DID: 053-6590-OOO

서장: **신 영 재**
DID: 053-6590-201

주소	대구광역시 남구 대명로 55 (대명동) (우) 42479				
코드번호	514	계좌번호	040730	사업자번호	410-83-02945
관할구역	대구광역시 남구, 달서구 중 월성동, 대천동, 월암동, 상인동, 도원동, 진천동, 대곡동, 유천동, 송현동, 본동, 달성군			이메일	namdaegu@nts.go.kr

과	체납징세과			부가가치세과장		소득세과장		재산세과		법인세과	
과장	신용석 240			이현종 280		강정석 360		김석수 480		변호춘 400	
계	운영지원	징세	체납추적	부가1	부가2	소득1	소득2	재산1	재산2	법인1	법인2
계장	김병석 241	이동준 261	조철호 441	이광희 281	장철 301	신석주 381	하원근 621	조래성 481	박서규 501	임병주 401	배한국 421
국세 조사관	김영숙 도세영 양미례 김덕환 김정목 이안섭 강은비 최현석	이기연 전현진 최춘자	이선희 이호 손예정 안정환 이연숙 강승묵 윤강로 윤중호 이승은 김유진 김혜영	고재봉 김하영 이명수 박미선 박미주 김수경 김윤종 장정혜 정학기 박다겸 배수진 천정희	윤태영 김효경 이경희 박현정 이주안 장진욱 강민지 권인석 오영빈 김효인	손민지 장근철 최지영 김희연 이예지 박기호 김석호 김성우 김송연	이정노 전승조 곽철규 유창진 이영애 최선희	조현덕 이미남 김좌근 송주현 윤기한 김혜림	박정길 조준서 한성욱 이강석 이창우 허정미	안해찬 이동규 이상훈 서인현 최은애	이민우 안진희 배태호 오가은
FAX	627-0157		627-7164	627-7164		623-8498		626-3742		627-0262	

과	조사과			납세자보호담당관		달성지서(6620-OOO)				
과장	서명숙 640			박영언 210		김부한 201				
계	세원정보	조사	조사관리	납세자 보호실	민원 봉사실	체납추적	납세자 보호	부가	소득	재산법인
계장	신상우 691	<1팀> 김진한(팀장)	김현수 641	211	전미자 221	임창수 241	김현두 221	정이천 301	김상태 401	김영주 601
국세 조사관	신진우	한창수 홍현정 <2팀> 윤희진(팀장) 이혜영 장창걸 <3팀> 이희영(팀장) 김호경 조재영 <4팀> 김태겸(팀장) 노은미 임효신 <5팀> 이덕원(팀장) 김인자 안재근 <6팀> 윤판호(팀장) 유미나 이한샘	김상우 김종인 임희인	구병모 김성민 이순임 이치욱 조남규	마명희 이선이 김영아 장효경 황은아	신선혜 조현준 최유철 채미연 허성혁	박명우 황영숙	박만용 윤석천 이인우 김병모 이종휘 강률인 도지회 김은영 이지은	변영철 정민아 김덕년 김길영 박해정 박소영	신근수 정경희 신진연 정찬호 이채원 정재기 박근윤 김영록 이현정
FAX	627-0261			627- 2100	622- 7635					

동대구세무서

대표전화: 053-7490-200 / DID: 053-7490-OOO

서장: **이 영 철**
DID: 053-7490-201

주소	대구광역시 동구 국채보상로 895 (우) 41253						
코드번호	502		계좌번호	040769	사업자번호	410-83-02945	
관할구역	대구광역시 동구				이메일	dongdaegu@nts.go.kr	

과	체납징세과			부가가치세과		소득세과	
과장	장경숙 240			최병달 280		전찬범 360	
계	운영지원	징세	체납추적	부가1	부가2	소득1	소득2
계장	이영철 241	배우철 261	511	곽봉화 281	최점식 301	이도영 361	박진선 381
국세 조사관	김상균 김홍경 류성주 김종한 박정희 박판식 김진규	여창숙 오향아 박승현	장수정 정영진 최성실 이춘복 배혜진 한경태 백경은 이윤재 장종철 김일룡	길성구 김태우 조준환 손소희 신지애 차재익 김동현 김경석	박현주 이광민 임주환 김소연 전수진 류재리 김민정 이대호 박은옥	장현우 정인회 박현경 이도현 이소연 조정혜	김경현 김정섭 이나현 김지원 박선영 허규진
FAX	756-8837			754-0392		756-8106	

1등 조세회계 경제신문 조세일보

과	재산법인세과		조사과					납세자보호담당관	
과장	엄기범 400		김영중 640					장석현 210	
계	재산	법인	세원정보	조사1	조사2	조사3	조사관리	납세자 보호실	민원 봉사실
계장	박형우 481	김창구 401	이원상 691	강덕우	정호용	전종경	전영호 641	박정성 211	유병성 221
국세 조사관	안영길 강경미 김태호 조경희 황준순 노한가람 노동영 이근애	서은호 하경숙 박유민 이승택 이현정 김정훈 박윤정 박혜영	김남정	박미정 오승훈	임준	복현경	서민수 하수진	김광열 신은정	이경옥 박지연 백효정 김남연 서혜경 이동명
FAX	744-5088	756-8104	742-7504					756-8111	

395

북대구세무서

대표전화: 053-3504-200/ DID: 053-3504-OOO

서장: **배 창 경**
DID: 053-3504-201

주소	대구광역시 북구 원대로 118 (침산동) (우) 41590				
코드번호	504	계좌번호	040772	사업자번호	410-83-02945
관할구역	대구광역시 북구, 중구			이메일	bukdaegu@nts.go.kr

과	체납징세과				부가가치세과			소득세과		
과장	이광무 3503-240				권호경 280			김경식 360		
계	운영지원	징세	체납추적1	체납추적2	부가1	부가2	부가3	소득1	소득2	소득3
계장	강대호 241	김경자 261	신동식 441	박재진 461	김근우 281	홍동훈 301	박병권 321	정인현 361	박규철 371	전상련 381
국세 조사관	김동훈 도명선 박수선 김태환 오만석 허현정 강민경 김윤수	김현희 배소영 변재완 최은선	윤원정 박승용 김재윤 이경순 주우성 김향희 손준표 조은비	김동환 이동호 배현숙 강현구 김정숙 황선정 류광오	박정환 엄유섭 권혁도 김동원 강미화 강인순 백지혜 장호정 공인호 최영은 설재혁	이은정 추시은 김완섭 김나영 신미영 박은정 추민성 하예진 박예진	정현중 정환동 김진희 김은주 김정옥 이원형 최혜경 이대헌 이승은 정녕현 박순주	최미나 신정연 황성진 정수빈 조재범 박시현	이연경 이정훈 이창근 강승지 박상욱 이상분	고성렬 박남진 이지연 권민정 김태민
FAX	354-4190				356-2557			356-2105		

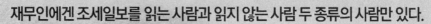

재무인과 함께 걸어가겠습니다 '조세일보'

재무인에겐 조세일보를 읽는 사람과 읽지 않는 사람 두 종류의 사람만 있다.

과	재산세과		법인세과		조사과			납세자보호담당관	
과장	김창신 480		이상경 400		손준호 640			안동상 210	
계	재산1	재산2	법인1	법인2	조사관리	조사	세원정보	납세자보호실	민원봉사실
계장	이명희 481	황일성 501	배대근 401	이준건 421	권성구 641	<1팀>김진숙(팀장)김수호옥수진	송기익 691	211	박영진 221
국세조사관	김영화신대환김현정안지연채명신이선애서미정정형태	김완태김혜경송성근윤일식	김옥현박정용방미주강대화김영미임재학	도성희백종민박양규김아영배혜윤정지헌	김진경문창규서장은손신혜	<1팀>김진숙(팀장)김수호옥수진 <2팀>김규수(팀장)백유정이동민 <3팀>손정완(팀장)이보라황성희 <4팀>이원희(팀장)강형규권민정 <5팀>유현종(팀장)도선정이나영 <6팀>김성대(팀장)김은경정휘언 <7팀>전창훈(팀장)이영재	장수연정현모	고병열김병훈이유지정중수	이금순임수경김훈배리라신예람양준호홍은지
FAX	356-2556		356-2030		357-4415			356-2016	

서대구세무서

대표전화: 053-6591-200 / DID: 053-6591-OOO

서장: **김 만 헌**
DID: 053-6591-201

주소	대구광역시 달서구 당산로38길 33 (두류동) (우) 42645				
코드번호	503	**계좌번호**	040798	**사업자번호**	410-83-02945
관할구역	대구광역시 서구, 달서구(월성동, 대천동, 월암동, 상인동, 도원동, 진천동, 대곡동, 유천동, 송현동 및 본동 제외), 경상북도 고령군			**이메일**	seodaegu@nts.go.kr

과	체납징세과				부가가치세과			소득세과		
과장	김성협 240				김기무 280			정순도 360		
계	운영지원	징세	체납추적1	체납추적2	부가1	부가2	부가3	소득1	소득2	소득3
계장	임상진 241	고재근 261	권성우 441	구종식 461	김명규 281	김영섭 301 김홍태 301	김상희 321	김광석 361	장현미 381	박상열 621
국세조사관	김선영 양서안 유보아 민재영 최태용 허환 강홍일	박준욱 이민지 이종숙	강태윤 최혜영 구혜림 김현숙 김순희 배경순 구광모 서현지	이동민 이정선 김은경 김미재 김주원 정미금	김준우 배영환 이선영 전은혜 손춘희 정진웅 안대근 이선영 전소원 이승환	엄수민 황수진 손경수 박영주 김민연 이수경 김채은 조인애 엄슬희 정경미	전현진 김봉수 안미경 장병호 성민지 신익철 이도현 임수현 최유나	김민주 김영엽 이제욱 장희정 정현규	전은미 조호연 이동하 김애진 예성진 장유나	김선미 박시현 안준현 이원명 정쌍화
FAX	627-6121				622-4278			624-6001		

과	재산법인세과				조사과			납세자보호담당관	
과장	장원국 400				석용길 640			김진현 210	
계	재산1	재산2	법인1	법인2	세원정보	조사	조사관리	납세자 보호실	민원 봉사실
계장	정문제 481	김진도 501	신경우 401	오찬현 421	김명진 691	<1팀> 오재길(팀장) 임중균 최윤영	김재섭 641	강전일 211	김태룡 221
국세 조사관	박찬노 정재현 이은영 박희원 이경옥 전지영 이미선	박홍수 이지하 정수연 정영일	이규태 강정화 고영석 김경난 이승휘 장한슬	김은경 신정석 추은경 안지민 이유정 이진규	김형욱	<1팀>으로 이어서 <2팀> 박민호(팀장) 신지연 정영주 <3팀> 배창식(팀장) 김영은 김재연 <4팀> 류재현(팀장) 김세온 김혜진 <5팀> 여제현(팀장) 박정현 박진아 <6팀> 김용한 허성은	반아성 유수현 이은영	이미영 정순재	김연희 장연숙 권현주 성도현 우병호 권현지 박재원 이승환
FAX	624-6003		629-3643		629-3373			627-5761	625-2103

수성세무서

대표전화: 053-7496-200 / DID: 053-7496-OOO

서장: **이 동 희**
DID: 053-7496-201~2

한국전력공사
대구전력관리처
광명아파트
범어센트럴
푸르지오아파트
DGB대구은행
범어역
달구벌대로
← 대구은행역
범어먹거리타운
수성세무서

주소	대구광역시 수성구 달구벌대로 2362 (수성동3가5-1) (우) 42115			
코드번호	516	계좌번호	026181	사업자번호
관할구역	대구광역시 수성구		이메일	suseong@nts.go.kr

과	체납징세과			부가가치세과		소득세과	
과장	남중화 240			김성진 280		김성열 360	
계	운영지원	체납추적	징세	부가1	부가2	소득1	소득2
계장	이병주 241	이용균 441	박환협 442	박동호 281	김이원 301	이성환 361	김은희 381
국세 조사관	권기창 김영희 나현숙 최선근 도연정 이형욱	이재경 이지안 이해봉 송혜정 이연진 황요셉 김호승 안규민 이승준	김유진 이경향 조은영	서영국 이재복 이효진 윤상아 임종호 배민정 김민석 여정현	김수민 박정길 남상호 이경준 박근영 서지현 성주희	박정수 장외자 안성덕 김보경 임향원 이진욱 이푸름 최근재	김병욱 이혜경 장창호 이준식 박수빈 김관형 이윤주 김지은
FAX	749-6602	749-6623		749-6603		749-6604	

과	재산법인세과			조사과					납세자보호담당관	
과장	이재영 400			박유열 640					한윤구 210	
계	재산1	재산2	법인	조사관리	조사1	조사2	조사3	세원정보	납세자 보호실	민원 봉사실
계장	신옥희 501	하철수 541	김종욱 401	이유조 641	김현수	이종현	송재민	진준식 691	임채현 211	정경일 221
국세 조사관	백미주 오주경 정호선 장훈 김경림 이재락 박상현 백종헌 이주석 김지숙	고광환 정재호 정지환 정호태	서대영 석수현 이병영 손세규 손명주 원종화	김여경 박진영	권영대 김세현 하효준	김대열 윤지연 정은진	신영준	최진	강덕주 김광련	권영숙 신윤숙 윤호현 박혜경 최수정 최은영
FAX	749-6605			749-6606					749- 6607	749- 6608
									(국세신고안내 센터) 749-6609	

경산세무서

대표전화: 053-8193-200 / DID: 054-8193-OOO

서장: **최 흥 길**
DID: 053-8193-201

주소	경상북도 경산시 박물관로 3 (사동 633-2) (우) 38583				
코드번호	515	계좌번호	042330	사업자번호	410-83-02945
관할구역	경상북도 경산시, 청도군			이메일	gyeongsan@nts.go.kr

과	체납징세과			부가소득세과	
과장	박원서 240			한순국 280	
계	운영지원	징세	체납추적	부가	소득
계장	임한경 241	한교정 261	김도광 441	여동구 281 김성수 281	이영조 301
국세 조사관	배시환 윤성아 이종현 조라경	구수목 박동열 황순영	김경택 이영우 이정희 손은식 김민주 양희정	정대섭 노정하 김도민 이인호 최병준 김수진 송민준 김년성 김정한 강고운 김정헌 최재은	우명주 이승아 조윤주 이승엽 김경희 장호우 박가람 황무근 이선미
FAX	811-8307		802-8300	802-8303	

402

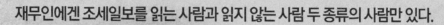

재무인과 함께 걸어가겠습니다 '조세일보'

재무인에겐 조세일보를 읽는 사람과 읽지 않는 사람 두 종류의 사람만 있다.

1등 조세회계 경제신문 조세일보

과	재산법인세과		조사과					납세자보호담당관	
과장	윤윤오 400		장시원 620					박성학 210	
계	재산	법인	조사관리	조사1	조사2	조사3	세원정보	납세자 보호실	민원 봉사실
계장	채성운 481	김영도 401	연상훈 621	고기태	정이열	장교준	서영교 661	김상균 211	양필희 221
국세 조사관	소현철 김진도 이해진 윤성욱 최유일 김지향 박주현 성은애	양병열 이현수 정소영 김재민 성준범 최경화 김규식 정종권	권오신 장경희	손태우 윤종훈	김지은	장유민	서용준	박재찬	김보정 김하수 송은지 정혜원 최도영
FAX	802-8305	802-8304	802-8306					802-8301	802-8302 (청도) 054-372 -2107

경주세무서

대표전화: 054-7791-200/ DID: 054-7791-OOO

서장: **백 종 찬**
DID: 054-7791-201

주소	경상북도 경주시 원화로 335 (성동동) (우) 38138 영천지서: 경상북도 영천시 강변로 12 (성내동 230) (우) 38841 (영천지서 대표전화:054-330-9200)						
코드번호	505	계좌번호	170176	사업자번호	410-83-02945	
관할구역	경상북도 경주시, 영천시			이메일	gyeongju@nts.go.kr	

과	체납징세과			부가소득세과			재산법인세과	
과장	김자영 240			홍경란 280			이홍환 400	
계	운영지원	체납추적	징세	부가1	부가2	소득	재산	법인
계장	이길석 241	김준연 441	송기삼 442	전갑수 281	양정화 261	이춘우 361	김현숙 481	이병희 421
국세 조사관	박경남 백경엽 예동희 설진우 정연훈 유재현	이광재 하태운 류기환 김정미 김혜정 김혜지 한규원	이혜란 최윤형	김병훈 박석흠 김애진 임완수 김윤경 양예주 이나경	권순식 오규열 은종온 김태훈 이승렬 조언혜 백지영	박준영 윤희범 정동철 정현정 권대호 나지윤 김민혁 장두수	우형수 이백춘 이상건 권은경 나상일 임지은 최정혜	이주형 우제경 김정국 김지웅 석진안 안진우 신문정 유헌정 이규호
FAX	743-4408			742-2002			749-0913	

과	조사과			납세자보호담당관		영천지서(3309-OOO)			
과장	640			고상기 210		조승현 201			
계	조사관리	조사	세원정보	납세자 보호실	민원 봉사실	납세자 보호실	체납추적	부가소득	재산법인
계장			이재훈 691	조범제 211	양순관 221		이원복 261	류희열 222	박종욱 241
국세 조사관	김재국 안초희 이형준	<1팀> 김용민(팀장) 이은희 정유철 <2팀> 황왕규(팀장) 김지연 박청진 <3팀> 김희정(팀장) 김재락 문혜령 <4팀> 정윤철(팀장) 하승범	이유상	구정숙 김상기	김상운 김주완 김찬태 조은미	김상무 정세희	김상범 이동우	김구하 박자윤 채승훈 강동호 오준오 주홍준 오주희 홍민영	김현섭 윤상환 조민제 김종현 이근호 이시형
FAX	771-9402			749-9206		333-3943	338-5100		

구미세무서

대표전화: 054-4684-200 / DID: 054-4684-OOO

← 구미IC

구미소방서　KT구미공단 지점

LG전자 구미2공장

LS전선 구미공장

수출대로

서장: **이 상 락**
DID: 054-4684-201~2

주소	경상북도 구미시 수출대로 179 (공단동) (우) 39269 선산이동민원실: 경상북도 구미시 선산읍 선산중앙로 83-2 (우) 39119 칠곡민원실: 경상북도 칠곡군 왜관읍 공단로1길 7 (우) 39909						
코드번호	513		계좌번호	905244		사업자번호	410-83-02945
관할구역	경상북도 구미시, 칠곡군					이메일	gumi@nts.go.kr

과	체납징세과				부가가치세과		소득세과	
과장	이강훈 240				오재환 280		백희태 360	
계	운영지원	체납추적1	체납추적2	징세	부가1	부가2	소득1	소득2
계장	최지숙 241	민태규 441	강상주 461 이희걸 441	강하연 261	박기탁 281	김창환 302	김익태 361	정석철 381
국세 조사관	김진우 서이현 이은정 김은석 우상훈	박민주 양세영 유영숙 이상협 정환주 황지원 성영순 함희원	김도숙 김명국 천혜정 빈승주 안수진 이병욱 정경식	박선희 신주영 조미경	황윤식 이선호 김태운 이승엽 진소영 김신규 김상온 이민해 김현주 김휘민 복소정 우현지 천민근	백유기 장형순 김정숙 김종연 박찬녕 김상희 전양호 문호영 이지영 이정은 조현태 천승렬 이현지	김순자 남영호 마일명 배은경 이예슬 왕화 김민석	이상규 이정순 정수현 김동범 김민준 남정민 최은진
FAX	464-0537				461-4666		461-4057	461-4665

1등 조세회계 경제신문 조세일보

과	재산법인세과				조사과			납세자보호담당관	
과장	김성호 400				권병일 640			변월수 210	
계	재산1	재산2	법인1	법인2	조사관리	조사	세원정보	납세자 보호실	민원 봉사실
계장		서정우 501	전근 401	이성환 421			조한규 691		최상규 221
국세 조사관	김준식 장병호 배영옥 강은진 김보배 이윤정	김도유 김민수 이승은 이재현	윤종현 김선영 서경영 김선중 김세철 노현진 윤웅희 이수정	심상운 이재홍 황은영 강덕훈 김대영 도이광 김규리	유현숙 이상헌 최주영	<1팀> 김승년(팀장) 강지현 김상헌 <2팀> 김민국(팀장) 권순홍 배진희 <3팀> 조용길(팀장) 김경수 김소희 <4팀> 최영윤(팀장) 이경숙 장성주	김세권	시진기 노진철 정경미	안진용 윤미은 정미연 오은비 정민주 주현정 황지원 황현정
FAX	461-4665				461-4144			463-5000	463-2100 (선산) 481-1708 (칠곡) 972-4037

김천세무서

대표전화: 054-4203-200 / DID: 054-4203-OOO

서장: **조 수 진**
DID: 054-4203-201

주소	경상북도 김천시 평화길 128 (평화동) (우) 39610 성주민원실: 경북 성주군 성주읍3길 57 (예산리 334-1) (우) 40026				
코드번호	510	계좌번호	905257	사업자번호	410-83-02945
관할구역	경상북도 김천시, 성주군			이메일	gimcheon@nts.go.kr

과	체납징세과			세원관리과	
과장	김선민 240			박경춘 280	
계	운영지원	체납추적	조사	부가	소득
계장	천상수 241	김경남 441	정성민 651	장재형 281	김정열 361
국세 조사관	권희정 서석태 손동진 정중현	유세은 이창한 이희옥 강진영 김정수 박미숙 오호석	이선정 이주형 정석호 하성호	최수진 이수미 이찬우 김정협 김지민 송채연 정현명	박규진 박선옥 전성우 김남희 김지현 변연주
FAX	430-6605	433-6608		430-8764	

과	세원관리과	납세자보호담당관	
과장	박경춘 280	조희선 210	
계	재산법인	납세자보호실	민원봉사실
계장	김종근 481	211	민택기
국세 조사관	김미현 장철현 박기호 김용기 진언지 김태완 김하나 박경태	백성철	김민주 박세일 정동준
FAX	430-8763	432-2100	432-6604 (성주) 933-2006

상주세무서

대표전화: 054-5300-200 / DID: 054-5300-OOO

서장: **이 범 락**
DID: 054-5300-201

주소	경상북도 상주시 경상대로 3173-11 (만산동) (우) 37161 문경민원실: 문경시 당교로 225 (모전동) 문경 시청내 문경지역민원봉사실 (우) 36982				
코드번호	511	계좌번호	905260	사업자번호	410-83-02945
관할구역	경상북도 상주시, 문경시			이메일	sangju@nts.go.kr

과	체납징세과			세원관리과	
과장	이광오 240			김종석 280	
계	운영지원	체납추적	조사	부가	소득
계장	최재영 241	김성우 441	김두곤 651	이인수 281	임광혁 361
국세 조사관	권익찬 김인 이선육 최화성	김성순 배익준 유선희 윤태희 정운월	김종훈 우상준 우용민 정해진	최승필 김민철 남창희 김은영 신유진 이승현 강미진 구태훈 조강호	김경동 김현호 장선희 조원영
FAX	534-9026	534-9025		535-1454	534-8024

과	세원관리과	납세자보호담당관	
과장	김종석 280	박정숙 210	
계	재산법인	납세자보호실	민원봉사실
계장	전익성 401		박재갑 221
국세 조사관	김철연 강대일 이상민 안예지 강성철 김덕현 김길희 김민정 손가영	이순기	문지윤 박금희 신건묵 안홍서
FAX	(재산) 530-0234 (법인) 535-1454	534-9017	536-0400 (문경) 553-9102

안동세무서

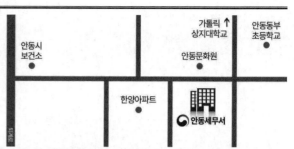

대표전화: 054-8510-200 / DID: 054-8510-OOO

서장: **이 미 애**
DID: 054-8510-201

주소	경상북도 안동시 서동문로 208 (우) 36702 의성지서: 경북 의성군 의성읍 후죽5길 27 (우) 37337				
코드번호	508	계좌번호	910365	사업자번호	410-83-02945
관할구역	경상북도 안동시, 영양군, 청송군, 의성군, 군위군			이메일	andong@nts.go.kr

과	체납징세과			세원관리과		
과장	황순영 240			김일우 280		
계	운영지원	체납추적	조사	부가	소득	재산법인
계장	김동찬 241	배석관 441	이재성 651	배웅준 281	김진모 361	권오규 401
국세 조사관	강순원 노현정 이문한 조영태	하경섭 김영아 김태형 이기훈 이미자 조식 권수현	김현주 남효주 서지훈 성현성 우정호 이지현	김순남 김옥자 최은숙 최재광 김선경 박주성 구신영 김상근 박철순 이영주	강용철 김소현 이동우 장명진 이은서	김수빈 성원용 김용석 유혜진 이소현 신소연 박근열 박성욱 이호인 장진영 정혁철
FAX	859-6177	852-9992	857-8411	857-8412	857-8415	(재산) 857-8413 (법인) 857-8415

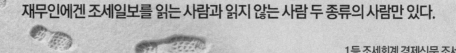

과	납세자보호담당관		의성지서(8307-OOO)		
과장	이대희 210		윤혁진 601		
계	납세자보호실	민원봉사실	납세자보호실	부가소득	재산법인
계장		김수정 221	권혁규 210	허노환 300	김동춘 400
국세 조사관	권영한 이기동	고인수 김윤정 남해용 정혜림	신원경 오현직 임진환	김성하 도민지 송영진 김영만 김주영 이윤주 홍라겸	김혜림 박문수 조성민 최종운
FAX	859-0919 (청송·영양) 873-2101 (군위) 383-3110		832-2123	832-9477	832-2123

영덕세무서

대표전화: 054-7302-200 / DID: 054-7302-OOO

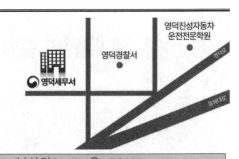

서장: **정 규 호**
DID: 054-7302-201

주소	경상북도 영덕군 영덕읍 영덕로 35-11(남산리61-1) (우) 36441 울진지서: 울진군 울진읍 월변2길 48 (읍내리 346-2) (우) 36326				
코드번호	507	계좌번호	170189	사업자번호	410-83-02945
관할구역	경상북도 영덕군, 울진군			이메일	yeongdeok1@nts.go.kr

과	체납징세과			세원관리과	
과장	이동범 240			김순석 280	
계	운영지원	체납추적	조사	부가소득	재산법인
계장	김중영 241	권준혁 441	남정근 651	조금옥 281	최준호 401
국세 조사관	김상철 김은윤 박만기 박영우	이성한 이예원 이재원 이종민	김혜영 서우형	김관태 김유진 안소형 이승모	김병철 김송원 조순행 최용훈 한상국
FAX	730-2504		730-2695	730-2314	

1등 조세회계 경제신문 조세일보

과	납세자보호담당관		울진지서(7805-OOO)	
과장	김성종 210		김두현 101	
계	납세자보호실	민원봉사실	납세자보호실	세원관리
계장	211	221	강정호 120	권오형 140
국세 조사관	이경철	김태원 이광정	이광용	박상희 이도현 여세영 배재호 김세훈 이보영 윤지승 전호종
FAX	734-2323		780-5181	780-5182 780-5183

영주세무서

대표전화: 054-6395-200 / DID: 054-6395-OOO

서장: **김 진 업**
DID: 054-6395-201

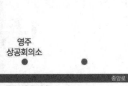

주소	경상북도 영주시 중앙로 15 (가흥동) (우) 36099 예천민원실: 경북 예천군 예천읍 충효로 111 (대심리 353) (우) 36826 봉화민원실: 경북 봉화군 봉화읍 봉화로 1111 (내성리) 봉화군청 민원실내 (우) 36239				
코드번호	512	**계좌번호**	910378	**사업자번호**	410-83-02945
관할구역	경상북도 영주시, 봉화군, 예천군			**이메일**	yeongju@nts.go.kr

과	체납징세과			세원관리과	
과장	백종규 240			신유환 280	
계	운영지원	체납추적	조사	부가	소득
계장	엄세영 241	이내길 441	배동노 651	김시근 281	안재훈 361
국세 조사관	권일홍 문지현 이준석 장현기	송윤선 이복남 권은순 김수정 이창구 최승훈	우운하 이영수 전상주 정지원 진미란	박무성 안수경 김연희 김종혁 김도훈 김의영 임예인 임종철	곽우정 유성춘 채만식 최미란
FAX	633-0954			635-5214	

과	세원관리과	납세자보호담당관	
과장	신유환 280	조예현 210	
계	재산법인	납세자보호실	민원봉사실
계장	오조섭 401		권상빈 361 옥승 221 김태훈 221
국세 조사관	손증렬 장현주 김동준 김혜림 장혁민 전우정 김종택 김천섭 황상준	정용구	금대호 우희정 김인경 김강인 석귀희 조경숙
FAX	635-5214	634-2111 (예천) 654-0954 (봉화) 674-0954	

포항세무서

대표전화: 054-2452-200 / DID: 054-2452-OOO

서장: **김 상 현**
DID: 054-2452-201

| 주소 | 경상북도 포항시 북구 중앙로 346 (덕수동) (우) 37727
울릉지서: 경북 울릉군 울릉읍 도동2길 76 (도동리) (우) 40221
오천민원실: 경상북도 포항시 남구 오천읍 세계길5 (오천읍주민센터 별관) (우) 37912 | | | | | | |

코드번호	506	계좌번호	170192	사업자번호	410-83-02945
관할구역	경상북도 포항시, 울릉군			이메일	pohang@nts.go.kr

과	체납징세과				부가가치세과		소득세과	
과장	김상훈 240				이충형 390		김복성 360	
계	운영지원	체납추적1	체납추적2	징세	부가1	부가2	소득1	소득2
계장	이건옥 241	김장수 441	손삼락 461	김영기 261	박경호 281	이창수 301	우병옥 361	박상국 381
국세 조사관	정연옥 조병래 최병구 김서영 오정훈 장준환	채충우 박점숙 천기문 이승익 홍준혁 박슬기 박언준	김종석 남옥희 송인순 성현진 이동욱	권준혜 박기영 임지원	이규활 이상훈 김미 서은우 정주영 유승헌 백지원 임지수 장은영 손효빈	박종국 배형수 김경한 이인원 김민식 엄준호 김예지 이주현 정성윤	배재호 손동우 이은호 허소영 김성홍 조남철 이채민 장세황 최원제	우인호 고남우 김도형 김명선 배윤제 박귀영 우승형 김종원 김재형
FAX	248-4040	241-0900			249-2665		246-9013	

418

10년간 쌓아온 재무인의 역사를 돌려드립니다 '온라인 재무인명부'

수시 업데이트 되는 국세청, 정·관계 인사의 프로필과 국세청, 지방청, 전국세무서, 관세청, 유관기관 등의 인력배치 현황을 볼 수 있는 온라인 재무인명부

과	재산법인세과				조사과			납세자보호담당관		울릉지서 (7912-OOO)
과장	이동원 400				조현진 640			정희석 210		이종훈 661
계	재산1	재산2	법인1	법인2	조사관리	조사	세원정보	납세자 보호실	민원 봉사실	세원관리
계장	박원열 481	한종관 501	김동환 401	421	이향석 641	<1팀> 이주환(팀장)	김성희 691	김용제 211	문성연 221	김재연 602
국세 조사관	김월하 김재미 최미애 강수련 임정훈 추혜진 손근희 엄정은	김진건 박노진 박주언 이재욱	이동욱 김강훈 정혜진	박수범 전윤현 권지숙 김병수 김정영 한혜영	이승재 임경희 허성길	이주환(팀장) 배재현 정정하 <2팀> 유성만(팀장) 김현진 박미희 <3팀> 최경애(팀장) 김상련 <4팀> 송명철(팀장) 박필규 양유나 <5팀> 손태욱(팀장) 최경미	김형국	류승우 박재성	임유선 김영철 김정은 김윤우 김재현 남희욱 안서윤	박용우 이동희 고순태 이성엽
FAX	242-9434		249-2549		241-3886			248-2100		791-4250

부산지방국세청
관할세무서

부산지방국세청

주소	부산광역시 연제구 연제로 12 (연산2동 1557번지) (우) 47605
대표전화 & 팩스	051-750-7200 / 051-759-8400
코드번호	600
계좌번호	030517
사업자등록번호	607-83-04737
e-mail	busanrto@nts.go.kr

청장   노정석

(D) 051-750-7200

징세송무국장	박해영	(D) 051-750-7500
성실납세지원국장	한재현	(D) 051-750-7370
조사1국장	이승수	(D) 051-750-7630
조사2국장		(D) 051-750-7800

부산지방국세청

대표전화: 051-7507-200 / DID: 051-7507-OOO

청장: **노 정 석**
DID: 051-7507-200

주소	부산광역시 연제구 연제로 12 (연산2동 1557) (우) 47605 별관: 부산광역시 연제구 토곡로 20 (연산동) (우) 47586				
코드번호	600	계좌번호	030517	사업자번호	607-83-04737
관할구역	부산광역시, 울산광역시, 경상남도, 제주특별자치도			이메일	busanrto@nts.go.kr

국						성실납세지원국		
국장						한재현 370		
과	감사관		납세자보호담당관			부가가치세과		
과장	신예진 300		김광수 330			김진영 371		
계	감사	감찰	납세자 보호1	납세자 보호2	심사	부가1	부가2	소비세
계장	최강식 302	정상봉 322	정도식 332	한정홍 342	오세정 352	오세두 372	황진하 382 조명익 382	조성용 392
국세 조사관	김성철 김준수 김호 박정하 서현주 이동혁 이주영 최영선 한상수	김현성 김형걸 박영훈 박진우 변민석 이호상 임정환 최윤겸 허성은	박은주 박재우 이지하 주보은	김기중 김지현 안혜영 이용정	제상훈 이준우 김대희 김문정 정유영 황동일 김민재	김동일 김태우 설전 이소애 하이레	봉지영 안창현 장덕희 곽상은 김경숙 장두진	김봉진 박정의 백종렬 김슬지 김영숙 서충석 전진하
FAX	711-6437		711-6456			711-6451		

422

1등 조세회계 경제신문 조세일보

국	성실납세지원국									
국장	한재현 370									
과	소득재산세과				법인세과				전산관리팀	
과장	전재달 401				유수호 431				박민기 471	
계	소득	재산	소득 지원	소득자료 관리 TF	법인1	법인2	법인3	법인4	전산관리 1	전산관리 2
계장	심정미 402	한성삼 412	조성훈 422 김택근 422	정혜원 492	최만석 432	이우석 442	양기화 452	이석중 462	김병수 472	박상구 482
국세 조사관	김보석 신정곤 윤달영 제홍주 하원경	권성준 김준평 배재연 조형석 허남현	박성민 박하나 지연주	김판신	안수만 이동욱 이현동 김민석 김영경 최우영 김유리 최정훈	홍민표 유홍주 이진경 김혜진 박미영 지우석	강희경 김동영 김현주 유지현 한창용	김태호 조현 하민혜	김경선 남창현 이영신 장석문 정전화	최윤실 강기모 김지현 김현진 정미리
FAX	711-6461				711-6432				711-6457	

국	성실납세지원국			징세송무국						
국장	한재현 370			박해영 500						
과	전산관리팀			징세과		송무과				
과장	박민기 471			황영표 501		최현창 521				
계	정보화센터1	정보화센터2	정보화센터3	징세	체납관리	총괄	법인	개인1	개인2	상증
계장	한희석 102	제일한 132	문승구 162	황순민 502	권영훈 512	박경민 522	김항범 526	김대옥 532	채한기 536	이재춘 542
국세 조사관	장은경 김애란 박선애 정정희 석이선 허윤진 김희경 임나경 배미애 김필순 이복재	예성미 송창훈 임태순 김영미 최진민 이정애 김정남 조외숙 임미선 이진경 장인숙 최정운	이혜란 김외숙 이주연 손명숙 정의지 김소연 송영아 최진숙 허수정 김지현	전지용 이동준 김시현 이은정 이한빈	김고은 박선애 우성현 임종진 정수진	고명순 김혜영 설도환	김성훈 배영호 송미정 이진	김주완 이상현 정재효	배달환 조태성 최진호	권지은 김민수 황민주
FAX	711-6457			758-2746		711-6458				

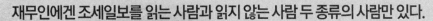

재무인과 함께 걸어가겠습니다 '조세일보'

재무인에겐 조세일보를 읽는 사람과 읽지 않는 사람 두 종류의 사람만 있다.

국	징세송무국			조사1국					
국장	박해영 500			이승수 630					
과	체납추적과			조사관리과					
과장	손채령 551			정동주 631					
계	체납 추적관리	체납 추적1	체납 추적2	1	2	3	4	5	6
계장	주종기 552	박행옥 562	권민정 572	권상수 632	652	662	이진환 672	김창일 682	백선기 702
국세 조사관	진유신 방유진 이해은 임경주 최혜리 허준영	김경무 김성진 오정임 이승진 주형석	강정연 김성준 장원대 정선두 조선영	강길순 김형수 류혜미 박장훈 서보연 안재원 윤홍규 이나영 이병택 이은주 이종호 이한준 정석우 주지홍	경수현 구수연 이미주 정창재 최세영	김봉준 김상현 김정주 조승연 현경민	김명윤 김종헌 김평섭 김형훈 마혜진 문희진 이한솔 임부은	김동우 김수창 김재중 우미라 이주경 정경미 정해영 최신애	박상용 박웅종 박주현 박준현 배현경 조정목 조현진
FAX	759-8816			711-6442					

DID : 051-7507-OOO

국	조사1국									
국장	이승수 630									
과	조사1과					조사2과				
과장	정영배 711					김종진 741				
계	1	2	3	4	5	1	2	3	4	5
계장	조용택 712	백영상 717	조선제 722	고준석 726	엄인성 730	박혜경 742	김도암 747	윤영진 752	조형주 756	김홍기 760
국세 조사관	강경보 강보성 김나래 이재영	김명훈 박재철 송창희 이남호	정성훈 최병철 편지현	박미회 서기원 임창섭	김경화 손다영 이상훈	박건 심우용 이지은 최해성	강선미 강성민 김영진 서은혜	김성진 서정균 허영수	신수미 이용진 홍윤종	전성화 정원석 최지영
FAX	711-6454					711-6435				

10년간 쌓아온 재무인의 역사를 돌려드립니다 '온라인 재무인명부'

수시 업데이트 되는 국세청, 정·관계 인사의 프로필과 국세청, 지방청, 전국세무서, 관세청,
유관기관 등의 인력배치 현황을 볼 수 있는 온라인 재무인명부

1등 조세회계 경제신문 조세일보

국실	조사1국					조사2국					
국장	이승수 630					800					
과	조사3과					조사관리과					
과장	771					손병환 801					
계	1	2	3	4	5	1	2	3	4	5	6
계장	이동규 772	조준호 777	781	한현국 785	지재홍 792	성병규 802	이동훈 812	이창렬 822	이영재 832	강연태 842	서승희 852
국세 조사관	강보경 김두식 윤영근 이진화	김명렬 김종길 김홍석	곽한식 김형섭 손석주 신연정	김태훈 이현희 추지희	김세진 박치호 여지은 홍민지	김도영 박승희 정승우 하승민 하지경	김재열 조희정	남경호 신민혜 이보은 이상묵 전지현 하복수	강은아 남윤석 박영곤 정현옥 최숙경 한석복	강동희 김일권 배영애 안세희 이성재 정수연 조영일	김정호 김헌국 유승주
FAX	711-6445					758-8210					

427

DID : 051-7507-OOO

국실	조사2국						
국장	800						
과	조사1과				조사2과		
과장	861				정규진 881		
계	1	2	3	4	1	2	3
계장	조현진 862	황정만 866	임인수 872	유승명	조민래 882	정진욱 886	구경식 892
국세 조사관	강정환 김병삼 하선우	김정현 도현종 이정화	강회영 김익상 이선규	김소영 김진석 주광수	김민경 박선영 이규형	강민규 박진영 조경배	김도연 임득균 한윤주
FAX	711-6462				711-6434		

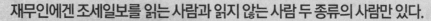

재무인과 함께 걸어가겠습니다 '조세일보'

재무인에겐 조세일보를 읽는 사람과 읽지 않는 사람 두 종류의 사람만 있다.

1등 조세회계 경제신문 조세일보

국	조사2국							
국장	800							
과	조사3과				운영지원과			
과장	최청흠 901				임경택 240			
계	1	2	3	4	행정	인사	경리	현장소통
계장	김봉수 902	감경탁 906	서재균 912	손희경 916	신관호 252	차무환 242	김종웅 262	현경훈 272
국세 조사관	강종근 김난희 김지훈 최민식	서효진 우윤중 최명길	박건영 이민우 정회영	노운성 유상선 최인실	이혁섭 김동원 정성만 정은영 조강훈 김남희 박진호 손성자 이도경 금병호 김종월 김동욱 김동신 김묘연 박두제 금도훈 서종율	임정섭 김형래 허태민 이강식 이성재 최수현 김창영	손보경 손석민 윤정원 김지은 박지우 윤지연 김옥진	김남영 김형진 노영일 백아름 하서연
FAX	711-6444				711-6426			

금정세무서

대표전화: 051-5806-200 / DID: 051-5806-OOO

서장: **이 민 수**
DID: 051-5806-201

주소	부산광역시 금정구 중앙대로 1636 (부곡동 266-5) (우) 46272					
코드번호	621		계좌번호	031794	사업자번호	621-83-00019
관할구역	부산광역시 금정구, 기장군				이메일	geumjeong@nts.go.kr

과	체납징세과			부가가치세과		소득세과	
과장	김승임 240			임채일 280		신승환 320	
계	운영지원	체납추적	징세	부가1	부가2	소득1	소득2
계장	김호 241	최인식 441	김동환 261	노세현 281	최현택 301	이현기 321	정순애 341 박정호 341
국세 조사관	박현정 이자원 전영수 박준영 양승철 천원철	이선자 김민석 박주범 김민진 이미경 김민규 정소윤	박영규 성태선 정영희 문정현	김금주 안정민 박민우 문소원 김명미 김보현 양기혁 전세현 추수연	최호성 현지훈 임혜정 오지혜 조형래 박영순 김민정 박미선 신지혜	곽미숙 권재영 김숙희 박성환 신미경	김지민 박영철 유화윤 윤한
FAX	516-8272			516-9928		516-9364	

과	재산법인세과		조사과					납세자보호담당관	
과장	백주현 480		박종헌 640					김동현 210	
계	재산신고	법인	조사관리	조사1	조사2	조사3	세원정보	납세자 보호실	민원 봉사실
계장	김경대 481	지재기 401	641		이광섭 651	조재성	이재열 691	이선호 211	임동욱 221
국세 조사관	하진우 김준연 이상훈 이정필 홍경은 박원호 김명지 오혁기	이지영 정희종 우희준 민영신 정준용 서수현 여수민 이제연 정성욱 양세실리아	박승찬 장노기	김태희 심서현 이현진	김민석 박용진	양수원	서재은	이상덕 장선우	노진명 전경숙 문경희 강은선 김선광 김소연 손정화 오주하 이효현 박재한
FAX	711-6418		711-6421					516- 9377	516- 0667

431

동래세무서

대표전화: 051-8602-200 / DID: 051-8602-OOO

서장: **김 호 현**
DID: 051-8602-201

주소	(본관) 부산시 연제구 월드컵대로 125 더웰타워(연산동) (우)47596				
	(별관) 부산시 연제구 중앙대로 1091 제세빌딩(연산동) (우)47540				
코드번호	607	계좌번호	030481	사업자번호	607-83-00013
관할구역	부산광역시 동래구, 연제구			이메일	dongnae@nts.go.kr

과	체납징세과			부가가치세과			소득세과		재산법인세과		
과장	김웅 240			오은경 280 김효숙 280			김기현 360		이상명 400		
계	운영지원	체납추적	징세	부가1	부가2	부가3	소득1	소득2	재산 신고	법인1	법인2
계장	박정수 241	김덕성 441	문경덕 261	이봉기 281	김병선 301	이재수 321	김건중 361	양봉규 381	최용국 482	이수용 401	
국세 조사관	김성엽 유문희 이정숙 백상현 박희종 김진상 백광민 이현승 최현정	조인국 최민준 원성택 김연희 김정미 장지영 김병윤 정현우 송현주 이예담	김미지 김오순 이은옥	이미향 노희옥 이세호 김민정 오주영 이하경 전윤지	정명환 정춘영 최근식 이강현 이동환 이효진 허순미	곽원일 정은정 채승아 김상훈 김현범 이미연 공휘람	박경수 박진용 구경임 남수빈 서솔지 이동민 구승현	신현우 윤창중 구경아 김민희 홍수민 김영권 이민영	박건대 서화영 조수동 김상엽 김현미 김아람 김솔 김해영	최고진 이용수 홍승현 서미영 송보경 한시윤	김경태 김수연 위부일 이준혁 이지수
FAX	711-6579	866-1055	865-9351	865-9351			866-1182		711-6577		

1등 조세회계 경제신문 조세일보

과	조사과							납세자보호담당관	
과장	윤남식 640							정진주 210	
계	세원 정보	조사 관리	조사1	조사2	조사3	조사4	조사5	납세자 보호실	민원 봉사실
계장	성대경 691	이영재 641	한면기 651	654	장유진 657	김동수 660	유세명 663	성기일 211	심태석 221
국세 조사관	우을숙 조홍섭	배영태 유창경 최아라	이민주 최대현 강양욱 김영란 이동형	강양욱 김영란 이동형	김가령 김정환	박선하 허유정	오지현	김은희 박욱현 박지숙	전봉민 황종하 문성철 이영옥 이현지 임혜경 강혜진 강경숙 이신애 주명진
FAX	866- 3571	866-5476						711- 6572	866- 2657

부산진세무서

대표전화: 051-4619-200 / DID: 051-4619-OOO

서장: **손 해 수**
DID: 051-4619-201

주소	부산광역시 동구 진성로 23 (수정동) (우) 48781				
코드번호	605	계좌번호	030520	사업자번호	605-83-00017
관할구역	부산광역시 부산진구, 동구			이메일	busanjin@nts.go.kr

과	체납징세과				부가가치세과				소득세과	
과장	유병길 240				정헌호 280				장재선 320	
계	운영지원	체납추적1	체납추적2	징세	부가1	부가2	부가3	부가4	소득1	소득2
계장	김무열 241	박영철 441	강병철 461	김은경 261	김부석 281	신미정 381	김현철 301	이준길 361	전병도 321	김정욱 341
국세조사관	김형천 정원대 이수정 김민주 김승용 손동주 정민영	전병일 조인순 오영주 이상도 이소정 이영란 이탁희	진종희 이영일 김성이 강인숙 추원희 박은영 이가영	서유희 이옥임 차윤주	이재원 김한석 임은미 오영동 이현재 이희령 이희정	박선남 유치현 김언선 문권선 장주환 박선호	박형호 곽현숙 윤가영 김유리 백영규 양소라 김예원	김승철 박종무 손선희 서자영 윤지영 이동철 한은숙	배다래 서미선 송은영 안대호 김문재 최재용 김혜영	박선영 박지현 진성은 송민국 임지현 김은비 박선연
FAX	464-9552				466-9097				468-7331	

과	법인세과		재산세과	조사과				납세자보호담당관	
과장	백종복 400		박기식 480	손완수 640				김일한 210	
계	법인1	법인2	재산신고	조사관리	조사		세원정보	납세자보호실	민원봉사실
계장	김상영 401	류진수 421	박경석 481	641			박필근 691	211	변환철 221
국세조사관	이동목 고은경 김현목 박진희 박화경 손민정 박윤희 이연숙 손민정	천태근 박서연 손민정 오지연 이승주 정경민	권영록 강은순 백상순 이문호 박문주 강영희 곽소라 배선미	강남호 고현주 손미숙 예종옥	<1팀> 강호인(팀장) 김양희 이경훈 <2팀> 정은성(팀장) 옥수빈 정종근 <3팀> 장효영(팀장) 김희선 박진영 <4팀> 안병만(팀장) 구상은 이상준		김성환 임윤영	김도윤 김동건 윤호영	강혜윤 김현숙 전하윤 김한신 민정 박지현 김지안 석진백 장송영 김해은
FAX	466-8538		468-7175	466-8537				0503-116-9201	466-9098

부산강서세무서

대표전화: 051-7409-200 / DID: 051-7409-OOO

서장: **손 유 승**
DID: 051-7409-201

주소	부산시 강서구 명지국제7로 44 (퍼스트월드브라이튼 3~6층) (우) 46726				
코드번호	625	**계좌번호**	027709	**사업자번호**	
관할구역	부산시 강서구 전지역			**이메일**	

과	체납징세과			부가소득세과		
과장	김용곤 240			신동훈 280		
계	운영지원	징세	체납추적	부가1	부가2	소득
계장	김석환 241	김찬중 261	맹수업 441	김풍겸 281	정창후 381	문원수 321
국세 조사관	오익수 정세미 김동현	김영경 박소현	정숙희 김경진 이경희 강한솔 배형철 이효진	이호영 박인혁 박종현 이정현 김동길 김대희 양인애	김태인 이미애 정건화 김경옥 김지용 박보중 강두석	이근환 이택건 문하윤 엄미라 황미진 박희진
FAX	294-9506		294-9507	466-9508		

10년간 쌓아온 재무인의 역사를 돌려드립니다 '온라인 재무인명부'

수시 업데이트 되는 국세청, 정·관계 인사의 프로필과 국세청, 지방청, 전국세무서, 관세청,
유관기관 등의 인력배치 현황을 볼 수 있는 온라인 재무인명부

1등 조세회계 경제신문 조세일보

과	재산법인세과		납세자보호담당관	
과장	권성호 480		김동형 210	
계	법인	재산신고	납세자보호실	민원봉사실
계장	이진홍 401	김대철 481	김철태 211	김분숙 221
국세조사관	원욱 김일규 하정욱 김호승 박상준 김대원 고정애 이상현 임채영 박민영	채규욱 류세경 박종민 김혜리 정효주	정원미 전영우	박태성 박희령 이청림 김호
FAX	294-9509	294-9509		294-9511

북부산세무서

대표전화: 051-3106-200 / DID: 051-3106-OOO

서장: **이 용 규**
DID: 051-3106-201

주소	부산광역시 사상구 학감대로 263 (감전동) (우) 46984				
코드번호	606	계좌번호	030533	사업자번호	606-83-00193
관할구역	부산광역시 강서구, 북구, 사상구			이메일	bukbusan@nts.go.kr

과	체납징세과			부가가치세1과		소득세과	
과장	이승준 240			김지훈 280		이종우 360	
계	운영지원	징세	체납추적	부가1	부가2	소득1	소득2
계장	강승묵 241	김인화 261	주종휘 441	백순종 281	장준영 301	윤상필 361	곽충균 381
국세 조사관	주철우 정미현 강경민 권성주 김사라 김덕봉 강승우	김은영 조은하	김대연 김용주 조창래 이태형 류임정 최지윤 김주영 심민정 안상언 김정대	전영욱 김인숙 김대원 김도년 김민정 박하영 권진아 박현주 한정희 이순영	김후영 문성배 조소현 신병전 안영서 장주영 김정은 김지현 김화선 정수영	엄상원 제정임 형서우 이성준 김혜진 이재진 정미연	전인석 김종철 신하나금 문강민 박미영 안혜령
FAX	711-6389		328-0044	711-6377		711-6379	

1등 조세회계 경제신문 조세일보

과	재산법인세과		조사과			납세자보호담당관	
과장	박희술 400		정철규 640			백정태 210	
계	재산신고	법인	조사관리	조사	세원정보	납세자 보호실	민원 봉사실
계장	이수원 481	우창화 401	이상훈 641	<1팀> 조형나(팀장)	정권 691	정인택 211	박경숙 221
국세 조사관	우경화 은기남 이호성 서명진 심창훈 안언형 김시연	신호철 이진영 박진수 이용환 오승현 우동윤 장성욱 송주은 허유미 박현주 이혜미 제민지	김영자 배성원 성봉준 이채호 장희라 전희원 정민석 하승희	김민숙 이철호 <2팀> 신용하(팀장) 이미영 조준우 <3팀> 이구현(팀장) 김소영 이훈희 <4팀> 류정희(팀장) 유영진 장홍정 <5팀> 김성호(팀장) 김방민 이민정 <6팀> 정호원(팀장) 김태근 주미균 <7팀> 박순찬 서준영 한재영 <8팀> 김상우(팀장) 신성일 오애란	서주영 안재필 유효진 윤봉한	김상욱 김진삼 전문숙	김학욱 강영미 정수인 박용훈 하상우 정지현 최정주 김수현
FAX	711-6380		314-8143			711-6385	311-0042

서부산세무서

대표전화: 051-2506-200 / DID: 051-2506-OOO

서장: **황 정 욱**
DID: 051-2506-201

주소	부산광역시 서구 대영로 10 (서대신동2가 288-2) (우) 49228				
코드번호	603	계좌번호	0322571	사업자번호	603-83-00535
관할구역	부산광역시 서구, 사하구			이메일	seobusan@nts.go.kr

과	체납징세과			부가가치세과		소득세과	
과장	남관길 240			손은희 280		최해수 360	
계	운영지원	징세	체납추적	부가1	부가2	소득1	소득2
계장	하인선 241	이명용 261	김기환 441	강성태 281	정창성 301	박정신 361	김대엽 381 노아영 381
국세 조사관	이승민 김지연 이승희 김병수 박성재 배수진	유지혜 이혜경 천효순	김현배 노윤희 강유신 윤경출 김미현 박종욱 김수현 김용제 선은미	김은영 진훈미 박지영 김수현 박정현 백운기 김동겸 김현정 윤금남 이명호 송인숙	강성문 김형섭 박혜원 김상우 임윤정 신민기 김덕원 이일구	김숙아 최은태 이우정 구선희 박하니 유재학 전수미	김찬일 송향기 허현 김보민 노종근 박민정 서지원
FAX	241-7004		253-2507	253-6922, 256-4490		256-4492	

과	재산법인세과			조사과			납세자보호담당관	
과장	하치석 400			홍충훈 640			210	
계	재산신고	법인1	법인2	조사관리	조사	세원정보	납세자 보호실	민원 봉사실
계장	조재성 481	박동기 401	박성진 421	박정태		김성찬 691		박현지 221
국세 조사관	김권하 김점준 이한아 최혜윤 하정란 이윤경 최미경 박나영	김은애 명상희 정성화 김다예 이정호	김정인 박소영 박태훈 이은희 정호진	김의성 유연숙 장성근	<1팀> 강준오(팀장) 임완진 조윤서 <2팀> 안준건(팀장) 박재형 성민주 <3팀> 임선기(팀장) 김재형 정민경 <4팀> 이혜령(팀장) 박다정 박승종	이정웅 정성주	김경우 박노성 박동진 천호철	박미영 오초룡 이철민 홍영임 홍정수
FAX	256-7147	253-2707		257-0170, 255-4100			256-4489	256-7047

수영세무서

대표전화: 051-6209-200 / DID: 051-6209-OOO

서장: **손 진 호**
DID: 051-6209-201

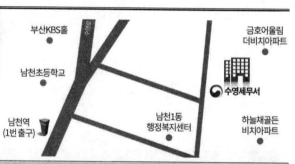

주소	부산광역시 수영구 남천동로 19번길 28 (남천동) (우) 48306					
코드번호	617		계좌번호	030478	사업자번호	
관할구역	부산광역시 남구, 수영구			이메일	suyeong@nts.go.kr	

과	체납징세과			부가가치세과		소득세과	
과장	유현인 240			정창원 280		오지윤 360	
계	운영지원	체납추적	징세	부가1	부가2	소득1	소득2
계장	고영준 241	박성민 441	서귀자 261	이장환 281	김정도 301	권영규 361	손연숙 381
국세 조사관	김철 박헌숙 조정훈 권용승 임우철 이은진	이시호 장수연 주연신 강정대 홍지성 장윤정 허진웅 정재호 조세영 신주영	이미숙 최윤실	박종민 이은정 양승민 이수경 한준희 박재군 김용현 손채은 이지연	김민수 김승환 최선경 금인숙 엄지환 이태호 김선혁 박경화 정대화	신미옥 정재철 민경진 배지원 이지희 허태구 김준성	황진희 최순봉 노근석 김나은 박주희 이승걸
FAX	711-6152			711-6149		622-2084	

442

과	재산법인세과		조사과					납세자보호담당관	
과장	심희정 400		윤광철 640					차규상 210	
계	재산신고	법인	조사관리	조사1	조사2	조사3	세원정보	납세자 보호실	민원 봉사실
계장	유민자 481	서명준 401	641	이영근	김수재	이종배	조용희 691	211	최영호 221
국세 조사관	김명철 최지영 김병활 정은희 정성용 김수연 권동민	김진영 이영옥 이지민 박영진 도주연 최재혁 박수영 배용현	김성연 박수경 송치호	박숙현 박지훈	김금순 김성준	윤석미	최상덕	김병욱 이정은 하태영	김양수 성현영 김민진 강승훈 김은영 이미경 정효주
FAX	711- 6153	623- 9203	711-6154					711- 6148	626- 2502

중부산세무서

대표전화: 051-2400-200 / DID: 051-2400-OOO

서장: **손 호 익**
DID: 051-2400-201

동아대학교 부민캠퍼스
보수파출소
보수초등학교
중부산세무서
스타벅스
보수동우체국
보수사거리
대천로
부평파출소
토성역
자갈치

주소	부산광역시 중구 흑교로 64 (보수동1가) (우) 48962		
코드번호	602	계좌번호 030562	사업자번호 602-83-00129
관할구역	부산광역시 중구, 영도구	이메일	jungbusan@nts.go.kr

과	체납징세과			부가소득세과		
과장	윤현아 240			기태경 280 서주원 280		
계	운영지원	징세	체납추적	부가1	부가2	소득
계장	조홍우 241	서경심 261	강태규 441	이상표 281	박상현 301	송진욱 361
국세 조사관	강재희 김선임 김현준 이수경 최두환 최정훈	김상순 김진경	이현재 김세운 이승훈 김종선 박정운 임종근 강병진 조채영	최임선 김혜경 양현정 임상현 임하나	최재호 장재필 강원혁 이주현 김미희 최미녀 조혜윤	김은혜 김정수 김주영 김지혜 신선미 하소영
FAX	241-6009	253-5581	253-5581	711-6535		

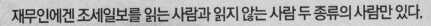

재무인과 함께 걸어가겠습니다 '조세일보'

재무인에겐 조세일보를 읽는 사람과 읽지 않는 사람 두 종류의 사람만 있다.

과	재산법인세과		조사과					납세자보호담당관	
과장	양철근 400		허성준 640					정경주 210	
계	재산	법인	조사관리	조사1	조사2	조사3	세원정보	납세자보호	민원봉사실
계장	이정훈 481	최창배 401	전병운 641	박태원	김영숙	이형석	윤성환 691	이영태 211	하성준 221
국세 조사관	최학선 위지혜 이재철 김정이 조민희	김동건 이계훈 강지선 박동철 안승현 전현명 최수진 한정예	김현정 엄애화	이수빈 조용현 진효영	이상언 이하림 전태호	송희진	박건태 황흥모	고상희 이경진	고지원 김경민 김경이 정연재 임상현
FAX	240-0419		711-6538					240-0628	

해운대세무서

대표전화: 051-6609-200 / DID: 051-6609-OOO

서장: **이 재 영**
DID: 051-6609-201

주소	부산광역시 해운대구 좌동순환로 17(좌동) 해운대세무서 (우) 48094					
코드번호	623		계좌번호	025470	사업자번호	
관할구역	부산광역시 해운대구				이메일	

과	체납징세과			부가가치세과		소득세과	
과장	양정일 240			이길형 280		윤나영 360	
계	운영지원	징세	체납추적	부가1	부가2	소득1	소득2
계장	신웅기 241	정정애 261	김미영 441	박찬만 281	김용문 301	신용대 361	김이회 621
국세 조사관	이묘금 김명수 김혜은 성문성 정진호 하창길	심은경 윤노영	김동오 양회종 김미영 이지은 조영진 강성룡 김태헌 박가영 박수진 김아름 최지혜	정태옥 김은연 박종국 박세준 박시현 이소영 김경애 이수연	박영진 정우영 김태영 윤제현 장유나 유정욱 나단비 송강 장상원 최고은	김동한 최한호 권익현 김은주 김지현 김초이	양문석 정선경 김주훈 최지은 최혜미 박영민 성혜리
FAX	660-9610	660-9200		660-9602		660-9601	

과	재산법인세과		조사과			납세자보호담당관	
과장	김용정 400		김길호 640			김유신 210	
계	재산신고	법인	조사관리	조사	세원정보	납세자보호실	민원봉사실
계장	이선철 481	김필곤 401	김광수 641		염왕기 691	엄지명 212	이상근 221
국세조사관	윤석중 김찬희 김태순 김민정 문홍섭 이상훈 박소정 노학준 심정희 장회정	강담연 최성준 이예지 이은정 임정진 황지영 김이현 박유진	박성희 정상훈 조상래	<1팀> 윤상동(팀장) 박지민 심정보 이도연 <2팀> 강유정 정다윗 한대섭 <3팀> 오규진 윤현식 <4팀> 이재석 정유진	권유화	김보경 김선기	서순연 이배삼 전하나 김영주 류호림 조정은
FAX	660-9604		660-9605			660-9607	660-9608

동울산세무서

대표전화: 052-2199-200 / DID: 052-2199-OOO

서장: **이 경 순**
DID: 052-2199-201

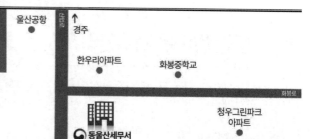

주소	울산광역시 북구 사청2길 7 (화봉동) (우) 44239				
코드번호	620	계좌번호	001601	사업자번호	610-83-05315
관할구역	울산광역시 중구, 동구, 북구, 울주군(언양읍, 범서읍, 두동면, 두서면, 상북면, 삼남면, 삼동면)			이메일	dongulsan@webmail.nts.go.kr

과		체납징세과			부가가치세과		소득세과		재산법인세과	
과장		선연자 240			조성수 280		임종훈 360		진우영 400	
계	운영지원	체납추적1	체납추적2	징세	부가1	부가2	소득1	소득2	재산신고	법인
계장	이태호 241	조숙현 441	박문호 461	강경태 261	유진희 281	김진도 301	김부일 361	권병선 621	이기용 481	류진열 401
국세 조사관	김영미 김은주 심영주 고주환 남인제 이정애 최동석	제재호 김준호 우세훈 김민정 최보윤 조소연	김장석 안은주 정인철 정보겸 김유진	강보화 김인주 이진희	김라은 김수진 차기숙 진선미 장미진 민병현 조연주 고윤학 김시은	정수희 허명화 유희진 박미라 김미소 안은미 김숙 박민주 이태진 장유진	이소영 김현아 엄새얀 이다솜 이성은 이재연 김남현 이기정	김윤주 김은호 김민지 이예원 박현순 정유진	최성임 조성래 최경은 박선희 김효민 오경언	박용섭 김미옥 김성기 하현주 백제흠 김윤서 백선미
FAX	713-5173				289-8367		289-8375		287-0729	289-8368

448

1등 조세회계 경제신문 조세일보

과	조사과			납세자보호담당관		울주지서(2914-OOO)		
과장	장영호 640			정승원 210		정문수 201		
계	조사관리	조사	세원정보	납세자 보호실	민원 봉사실	납세자 보호실	부가소득	재산법인
계장	641		조석주 691	손민영 211	남권효 221	211	최주영 300	이승진 400
국세 조사관	이정규 정영록	<1팀> 조석권(팀장) 신병준 이윤서 <2팀> 김미아(팀장) 이재열 허도곤 <3팀> 이선우(팀장) 엄수민 천혜미 <4팀> 윤민희(팀장) 조학래 최창호	우인영 이상욱	박수경 박정은 최원우	권지혜 안영준 이선화 이창훈 이희정 한혜숙 황나래	안영준 김준희	노동율 이성민 황경호 김계향 전승록 정순욱 김기업 김선희 정주희 이진수	곽영근 이형근 김연진 박일동 엄기동 주성민 박미영 우세훈
FAX	289-8369			289- 8370	289- 8371			

울산세무서

대표전화: 052-2590-200 / DID: 052-2590-OOO

서장: **주 맹 식**
DID: 052-2590-201

주소	울산광역시 남구 갈밭로 49 (삼산동 1632-1번지) (우) 44715				
코드번호	610	**계좌번호**	160021	**사업자번호**	
관할구역	울산광역시 남구, 울산광역시 울주군(웅촌,온산,온양,청량,서생)			**이메일**	ulsan@nts.go.kr

과	체납징세과				부가가치세과		소득세과	
과장	이창규 240				홍석주 280		강헌구 360	
계	운영지원	체납추적1	체납추적2	징세	부가1	부가2	소득1	소득2
계장	임주경 241	박정이 441	김주수 461	지광민 261	홍정자 281	윤혜경 301	진은주 361	권윤호 621
국세 조사관	장광택 백승연 김우형 이승훈 이위형 이정걸	이수임 정경임 김령우 권나영 김보희 손성웅 황지혜 임나영	안양후 양규복 최효순 김석민 김지윤 유동준 윤혜정 정설아	구화란 권미정 윤영자	김기범 허규석 류장식 김정은 정성훈 최태영 김경진 최은수 최진영 김영진 박혜지	김경화 우정순 박주아 양영선 양효진 조상운 김태완 박정현 한정현 김국진 손지혜	홍성민 엄태준 김미경 강수연 김나현 김현진 윤주련	임정훈 전국화 정재현 강슬아 윤주민
FAX	266-2135				266-2136		257-9435	

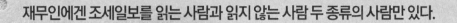
과	세원관리과		납세자보호담당관	
과장	노승진 280		우인제 210	
계	부가소득	재산법인	납세자보호실	민원봉사실
계장	김충일 281	정재록 481	전태회 211	조강래 221
국세 조사관	한임철 손성락 이규호 이병훈 최승덕 박석훈 김원희 김태수 박상도 박주영	배정환 정태환 김경은 백상훈 권은정 김성홍 남예나 박호용 안대철 황상진		김경승 김예인 두영배 장덕진
FAX	944-0382	944-5448	944-0381	

김해세무서

대표전화: 055-3206-200 / DID: 055-3206-OOO

서장: **이 종 현**
DID: 055-3206-201

주소	경상남도 김해시 호계로 440 (부원동) (우) 50922 밀양지서: 경남 밀양시 중앙로 235 (삼문동 141-2번지) (우) 50440				
코드번호	615	계좌번호	000178	사업자번호	
관할구역	경상남도 김해시, 밀양시 전체			이메일	gimhae@nts.go.kr

과	체납징세과				부가가치세과			소득세과		재산세과
과장	최천식 240				장지훈 280			조미숙 360		김동업 480
계	운영 지원	징세	체납 추적1	체납 추적2	부가1	부가2	부가3	소득1	소득2	재산신고
계장	이상곤 241	문명식 261	한종창 441	김보경 461	변주섭 281	이강우 301	조용호 330	엄병섭 361	권종인 621	장준 481
국세 조사관	박미연 윤덕희 조미희 김나영 송다성 허준영 김명섭 김민재	오승희 조미애 김지희	김병우 김성희 이성웅 박지혜 송재경 이현정 강병수 류서현 조예언	윤정아 이유만 이혜령 박상미 김병창 양호정 김진영 하승훈	이영진 김진우 이정관 권선주 송세미 이경민 정가영 김현준 오현아	선병우 김경용 김은연 김희정 제갈형 백지훈 박건학 박도현 장혜진	김상희 이현진 임성미 송건 황홍비 최지나 김지혜 민승기 황현석	김주홍 이상조 배명한 박정화 배미영 지현민 고기석 이유정 이지영	박흥수 윤은미 추병욱 김승훈 류영선 박모영 배선미	이세훈 김영은 서성덕 양서영 김미정 최희숙 서유진 조경진 함수민
FAX	335-2250		349-3471		329-3476			329-3473		329- 4902

454

과	법인세과		조사과			납세자보호담당관		밀양지서(3590-OOO)		
과장	이상헌 400		공명호 640			임지은 210		김수영 201		
계	법인1	법인2	관리	조사	세원정보	납세자보호실	민원봉사실	납세자보호실	부가소득	재산법인
계장	이종면 401	강호창 421	엄지원 641		김병찬 691		윤성조 221	이진섭 211	김성수 300	양현근 400
국세조사관	이주현 서준영 어윤필 정희선 심재인 황선주 송연지 정도영 박주현 정은이	손영미 전종태 김순정 김지원 김희련 정인구 남연주 조미주 최안욱	김규한 서민혜 이원섭	<1팀> 공민석 신혜진 <2팀> 성인섭(팀장) 박지영 이재성 <3팀> 백신기(팀장) 김형종 이정숙 <4팀> 이동훈(팀장) 강정선 <5팀> 하은미(팀장) 문혜리 추종완 <6팀> 신성용(팀장) 서미영	박미화 최성민	김진수 윤정훈 이현실 이현정	박홍제 백종욱 변숙자 김유정 장수연 정대교 박태준 정지현 강혜은	류선아 배기득 장다혜 박지원 이우형	김유진 김준영 박진하 김나겸 배기윤 최정웅 김나영 안준식 임규빈 하회성	김장관 이현도 김수진 박일호 정성윤 주지훈
FAX	329-3477		329-4903		329-3472	335-2100	329-4901	355-8462	359-0612	353-2228

455

마산세무서

대표전화: 055-2400-200 / DID: 055-2400-OOO

서장: **이 철 경**
DID: 055-2400-201

주소	경상남도 창원시 마산합포구 3.15대로 211 (중앙동3가 3-8) (우) 51265				
코드번호	608	**계좌번호**	140672	**사업자번호**	
관할구역	경상남도 창원시 마산합포구, 마산회원구, 함안군, 의령군, 창녕군		**이메일**	masan@nts.go.kr	

과	체납징세과				부가가치세과			소득세과	
과장	한기준 240				우영진 280			이민우 360	
계	운영지원	체납추적1	체납추적2	징세	부가1	부가2	부가3	소득1	소득2
계장	조민경 241	박석규 441	김태은 461	서영호 261 최경희 261	이승규 281	김희준 301	정부섭 321	이병준 361	이화석 381
국세 조사관	서상율 이진호 김나영 김경태 김경혜 유정우 김중훈	이중호 정옥상 공을상 김윤지 조재형 최정애 옥상하	서윤경 송인수 이병국 김봉재 김연수 정다운	김도형 성지혜 홍지영	이남범 민연배 곽윤영 강대현 이영수 남송이 이경희 이현희 홍민정	김희문 박해경 최수식 강민정 김기용 강수원 김규민 김민채	정준모 남동현 명영빈 구현진 김민서 윤재련 김정은 정대희 정희봉	권보란 이봉철 김진수 허종구 정유영 김동한 박수인 김화진 박희숙 김현주	서재필 심순보 이점순 이은미 황규현 황성택 박상우 박재홍 신민정
FAX	223-6881				241-8634			245-4883	

과	재산법인세과			조사과			납세자보호담당관	
과장	곽귀명 400			정성훈 640			신현국 210	
계	재산신고	법인1	법인2	조사관리	조사	세원정보	납세자 보호실	민원 봉사실
계장	윤봉원 501	최은호 401	백성경 421	이상미 641	<1팀> 이재관(팀장)	홍덕희 691	성희찬 211	양종원 221 이상현 221
국세 조사관	안종규 윤진명 이윤미 박세린 이은주 박주희 우재경 강희	최원태 문승준 하구식 황민훈 이병철 황지언 김동현 서민경 이소은	김정국 심연주 이희진 김예정 박동홍 박인애	김병철 박종군 이상민	김도헌 김형민 <2팀> 조주호(팀장) 양재영 이정옥 <3팀> 안수진 전용진 진현덕 <4팀> 이동규(팀장) 노지원 유지향 <5팀> 전창석(팀장) 김수진 <6팀> 임상조(팀장) 김민정	정창국 조현아	배광한 염인균 지만	김나현 김창석 박용남 이경미 차민식 고진수 김정현 정수진 홍고은
FAX	223-6911	245-4885		244-0850			240- 0238	223- 6880

양산세무서

대표전화: 055-3896-200 / DID: 055-3896-OOO

서장: **김 필 식**
DID: 055-3896-201

주소	경상남도 양산시 물금읍 증산역로 135, 9층, 10층 (가촌리1296-1) (우) 50653 웅상민원실 : 경상남도 양산시 진등길 40 (주진동) (우) 50519				
코드번호	624	**계좌번호**	026194	**사업자번호**	
관할구역	경상남도 양산시			**이메일**	

과	체납징세과			부가소득세과			재산세과
과장	강신걸 240			현은식 280			강경구 480
계	운영지원	체납추적	징세	부가1	부가2	소득	재산신고
계장	안정희 241	최재우 441	김홍수 261	노영기 281	이금대 301	강보길 321	이수미 481
국세 조사관	안상재 백상인 정미선 부강석 장성근 조미란	제범모 한정민 장해미 장현진 주아라 하선유 이길재 이예영 이창호	김슬기론 이채은	조준영 최항호 김동욱 김세은 김지현 양은지 최봉순	윤성훈 김상덕 노미향 신은숙 최주연 김병주 남학진 김민지 김연주	공미경 정부원 이창일 정슬기 우성락 이채은 민규홍 김지현 이옥주 황영	김민정 김숙례 김태민 김명선 이영재 전봄내
FAX	389-6602	389-6603		389-6604			389-6605

과	법인세과		조사과					납세자보호담당관	
과장	최정식 400		최용훈 640					유종호 210	
계	법인1	법인2	조사관리	조사1	조사2	조사3	세원정보	납세자보호실	민원봉사실
계장	401	서덕수 421	정해룡 641		김경우	김이규	민병기 691	최갑순 211	박병철 221
국세조사관	김준현 이태호 이현진 최윤아	문민지 박수빈 오진수 황은영	김민영 황미경	김민지 배승현	조재승	박재희	정하선	이혜림 임주영	김윤경 박복자 송인출 김성수 이다인 이주엽
FAX	389-6606		389-6607				389-6608	389-6609	389-6610

459

진주세무서

대표전화: 055-7510-200 / DID: 055-7510-OOO

서장: **김 선 미**
DID: 055-7510-201

주소	경상남도 진주시 진주대로908번길 15 (칠암동) (우) 52724 사천지서: 경상남도 사천시 용현면 시청2길 27-20 (우) 52539 하동지서: 경상남도 하동군 하동읍 하동공원길 8 (우) 52331				
코드번호	613	계좌번호	950435	사업자번호	
관할구역	경상남도 진주시, 사천시, 산청군, 하동군, 남해군		이메일		jinju@nts.go.kr

과	체납징세과			부가소득세과			재산법인세과		
과장	신승태 240			김정남 280			문병엽 400		
계	운영지원	체납추적	징세	부가1	부가2	소득	재산신고	법인1	법인2
계장	김용대 241	이병숙 441	하영설 261	장은영 281	김병수 301	김귀현 361	최윤섭 481	김창현 401	조완석 421
국세 조사관	이전승 손해진 김인수 박화순 이근우 이정례 박용선 정연국	김현열 강상원 이종원 이보라 이성규 김아영 김준호 허지영 박윤정 이예미 현경석	류태경 정하정	정유진 김동호 김은주 이미희 정은미 진현탁 성정현 신기한	김민정 김태성 김태식 강경옥 천승리 장윤화 석대겸 정수영 우동훈 정성원	강동수 김나영 김정민 김준영 김현수 박지혜 서금주 이은순 이현우 이환선 천민아	김영훈 배준철 안원기 여명철 윤경현 이은영 이진주	허치환 김병기 김영민 이상혁 김난영 김수연 배영은	김수영 하민수 윤성혜 박준태 이경구 최서윤
FAX	753-9009			752-2100			762-1397		

1등 조세회계 경제신문 조세일보

과	조사과			납세자보호담당관		하동지서(8800-OOO)			사천지서(8300-OOO)		
과장	신준기 640			김양수 210		강승구 201			김현철 201		
계	조사관리	조사	세원정보	납세자보호실	민원봉사실	납세자보호실	부가소득	재산	납세자보호실	부가소득	재산
계장	이철승 641	<1팀> 이대균(팀장)	고병렬 691	오영권 211	손은경 221		하철호 300	하병욱 400		강욱중 301 송기홍 301	모규인 401
국세조사관	김경인 여정민	공보선 윤중해 <2팀> 박병규(팀장) 김화영 신재원 <3팀> 이동희(팀장) 민병려 최승훈 <4팀> 구경택 이은미 조현용	박용희 임태수	강민호 김경미 김용원	서민재 송효진 오연정 정의웅 조미경	여리화 오병환 최진관 황미정 진영숙	권성표 전영철 김정식 장승일 서형선 천승민 유민호	임원희 화종원	김규진 이진경 정준규	이인재 서정운 홍성기 박수민 이영미 강혜인 김민정 김성혁 김진 곽진우	김재준 류정훈 진경준
FAX	758-9060			753-9269	758-9061	883-9931			835-2105		

창원세무서

대표전화: 055-2390-200 / DID: 055-2390-OOO

서장: **천 용 욱**
DID: 055-2390-201

주소	경상남도 창원시 성산구 중앙대로105 STX 오션타워 (우) 51515 진해민원실 : 경상남도 창원시 진해구 진해대로 719 진해상공회의소 1층 (우) 51582								
코드번호	609		계좌번호	140669		사업자번호			
관할구역	창원시 성산구, 의창구, 진해구					이메일		changwon@nts.go.kr	
과	체납징세과				부가가치세과			소득세과	
과장	김진석 240				손성주 280			박영민 360	
계	운영지원	징세	체납추적1	체납추적2	부가1	부가2	부가3	소득1	소득2
계장	송성욱 241	김종진 261	장백용 441	임상현 461	오세은 281	정성호 301	문병찬 321	이상호 361	박성규 381
국세 조사관	문선희 이창희 고인식 이기영 이혜정 김태철 배지홍 강대석 임종필	김정분 김태숙 최진숙 최혜선	유송화 이수길 임현진 최혜선 박성준 김영혜	정수환 송미연 주혜진 김승미 이대현 최서우 윤태영	강경래 권태훈 김세영 김현정 박은경 윤현화 박구슬 박지은 신동근 한지혜 홍경숙	송대섭 송우용 김미진 허수범 오정민 박현경 김영수 신유진 최인영	하경혜 김재철 윤정미 이지현 변은희 조정선 박성현 서기정 윤한필	노재진 윤간오 이봉화 정권술 진석주 홍은아 권은경 이은상 이지수 황혜경	김태균 이효영 황성업 김가은 이부경 김윤진 김현정 전종호 최기원
FAX	285-1201	287-1394			285-0161~2			285- 0163	285- 0164

462

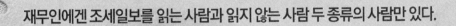

과	재산세과	법인세과		조사과			납세자보호 담당관	
과장	구석연 480	김현도 400		유진호 640			변승철 210	
계	재산신고	법인1	법인2	조사관리	조사	세원정보	납세자보호	민원봉사실
계장	노재동 481	임희택 401	류용운 421	김계영 641	<1팀> 정월선(팀장)	강성호 691	211	김구수 221 박호갑 221
국세 조사관	김태호 김영주 노미해 김회정 전홍미 양예진 이인혁 강민규 김태경 장혜원 최인아	류현철 임수정 장명수 김가은 박효진 김령언 강곡지 서예주 우재진 진현호	박욱상 배선경 김미숙 우현하 강호윤 배주원 김다운 김성범 유도권	문숙미 손병열 최대림 최은경	박미숙 이동윤 이성훈 <2팀> 홍원의(팀장) 이현우 전지민 <3팀> 김창윤(팀장) 김민후 오은주 <4팀> 조병환(팀장) 김혜원 송승리 <5팀> 김형두(팀장) 김혜린 채여정 <6팀> 최윤혁(팀장) 권수경 서자원	김태수 박윤경	강효경 안승훈 이혜경 임병섭 임창수	이재웅 김종식 정성우 권영철 황미옥 안재현 김영화 도준혁 엄희지 곽은미 배지현
FAX	285-0165	287-1332		285-0166			266-9155	

통영세무서

대표전화: 055-6407-200 / DID: 055-6407-OOO

서장: **이 규 성**
DID: 055-6407-201

주소	경상남도 통영시 무전5길 20-9 (무전동) (우) 53036 거제지서: 거제시 계룡로11길 9 (고현동) (우) 53257				
코드번호	612	계좌번호	140708	사업자번호	
관할구역	경상남도 통영시, 거제시, 고성군			이메일	tongyeong@nts.go.kr

과	체납징세과					세원관리과		
과장	황인자 240					김남배 280		
계	운영지원	체납추적	징세	조사	세원정보	부가	소득	재산법인
계장	이인권 241	박유경 441	박재완 261	김환중 651	691	신성원 281	정용섭 361	이상호 401
국세 조사관	이현주 정연욱 최은경 김광덕 김기웅 박성환	윤연갑 진호근 안지연 송예은 옥채순 허금희	김행은 조경혜	김경민 김동건 박성훈 서호성 이혜정 한동훈 한명진 황재민	최선우	고대근 정소영 이승록 정희숙 김마리아 이창주 이화영	이치권 권준혁 박인홍 안태영 이현아 이규영 하현주	임상만 정성욱 강철구 이해웅 최지선 구영범 백선우 허진호 서형숙 박경희 최현빈 추상미
FAX	644-1814		645-7283	645-0397		644-4010		(재산) 648-2748 (법인) 649-5117

464

과	납세자보호담당관		거제지서(6307-OOO)			
과장	신언수 210		허종 201			
계	납세자보호실	민원봉사실	체납추적	납세자보호실	부가소득	재산
계장	최명환 211	오대석 221	전종원 441	김문수 211	김정면 300	신용현 401
국세 조사관	김민준 허춘도	강지현 김혜영 서수정 서용오 윤영수	김명희 김성민 박세웅 손진락 윤지영	김시윤 문라형 임인섭 조윤주 한민아	김민규 이주석 윤덕원 박성준 허준호 윤미현 이미선 정해식 김경숙 임수정 곽용석 김동민 임수현 김혜빈 배소연	강동희 김태원 송민정 김효진 성미로 조영수
FAX	645-7287	646-9420	636-5456	635-5002	(부가) 636-5457 (소득) 636-5456	636-5456

제주세무서

대표전화: 064-7205-200 / DID: 064-7205-OOO

서장: **박 상 준**
DID: 064-7205-201

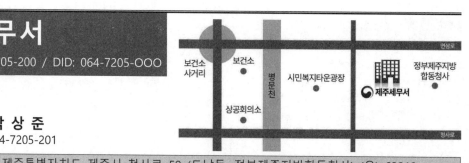

주소	제주특별자치도 제주시 청사로 59 (도남동, 정부제주지방합동청사) (우) 63219 서귀포지서: 제주도 서귀포시 신중로55 서귀포시청 제2청사 1층 (우) 63565			
코드번호	616	계좌번호	120171	사업자번호
관할구역	제주특별자치도 전체		이메일	jeju@nts.go.kr

과	체납징세과				부가가치세과		소득세과		재산세과
과장	김성준 240				김영두 280		최희경 360		이정걸 480
계	운영지원	체납추적1	체납추적2	징세	부가1	부가2	소득1	소득2	재산신고
계장	홍영균 241	이철수 441	노인섭 461	조용문 261	이창림 281	홍성수 301	김영민 361	박명철 381 문현국 381	
국세 조사관	이경상 이창욱 고예나 강형수 장익준	변시철 양석재 오쇄행 조병녕 양제문 이대구 김성주 신정아 정우현	박길훈 양영혁 최연덕 지현철 황현정 이부형 손찬희 신민서 구세현	강정인 강해영 고영배	문영순 이승환 차정우 강창희 한상명 고지은 김문정 김찬희 도진주 김도연 오미진 김윤정	박정화 이계봉 이재성 신영화 변혜정 김민규 김민건 김한솔 문혜정 변태민 석혜연 오창곤 이지은	김양수 이창환 김완철 좌용준 김나영 김수민 송하연 임경표	문서연 박종훈 좌종훈 허윤숙 김연순 변민정 김성은 오지섭	박희찬 진경희 김제춘 고정은 문영수 김혜림 서현경 임성아 장소영
FAX	724-1107				724-2272		724-2274		724-2273

466

10년간 쌓아온 재무인의 역사를 돌려드립니다 '온라인 재무인명부'

수시 업데이트 되는 국세청, 정·관계 인사의 프로필과 국세청, 지방청, 전국세무서, 관세청, 유관기관 등의 인력배치 현황을 볼 수 있는 온라인 재무인명부

과	법인세과		조사과			납세자보호담당관		서귀포지서(7309-○○○)		
과장	김성오 400		김영창 640			박진홍 210		박병관 201		
계	법인1	법인2	조사관리	조사	세원정보	납세자보호실	민원봉사실	납세자보호실	부가소득	재산
계장	최경수 401	김유철 421	조영심 641		김광석 691	정희문 211	강영식 222	최재훈 210	고영남 220	부상석 250
국세조사관	양원혁 김평화 이상진 고경균 신담호 이은영 이종률 조은영 김태환 김용재	부종철 김대훈 김우석 김재환 김지원 이진선 홍수은 박연주 박진형 김택우	김시연 마순옥	<1팀> 문기창(팀장) 고민하 김형익 <2팀> 강영진(팀장) 고창우 고희주 <3팀> 김혜진 임병훈 <4팀> 현승철(팀장) 강가에 김민경 <5팀> 이지민(팀장) 김준섭	고규진 정진우	고계명 고봉국 김수현	강희언 이창언 김성면 곽민석 김진호 박지호 김연주 김원경 박수진 김다혜	김지현 이지석 안예지	구인서 변현영 이주우 강호성 이희윤 정세나 변은희 김수남 김승용 김현민 정재조 김남규 이수민	박정오 석민구 이건준 이지환
FAX	724-2276		724-2280			720-5217	724-1108	730-9245	730-9280	730-9290

관세청

관 세 청

주소	대전광역시 서구 청사로 189 정부대전청사 1동 (우) 35208
대표전화	1577-8577
팩스	042-472-2100
당직실	042-481-1163
고객지원센터	125
홈페이지	www.customs.go.kr

청장   윤태식

(D) 042-481-7600, 02-510-1600 (FAX) 042-481-7609

비 서 관 최문기	(D) 042-481-7601
비 서 김석우	(D) 042-481-7602
비 서 이준아	(D) 042-481-7603

차장   이종우

(D) 042-481-7610, 02-510-1610 (FAX) 042-481-7619

비 서 우제국	(D) 042-481-7611
비 서 박은지	(D) 042-481-7612

관세청

대표전화: 042-481-4114 DID: 042-481-OOOO

청장: **윤 태 식**
DID: 042-481-7600

과	대변인	관세국경위험관리센터	운영지원과장	코로나19 미래전략추진단
과장	이철훈 7615	김현정 1160	강연호 7620	정구천 1150

국실	기획조정관			
국장	고석진 7640			
과	기획재정담당관	행정관리담당관	법무담당관	비상안전담당관
과장	최연수 7660	이광우 7670	이상욱 7680	이병호 7690

국실	감사관		정보데이터정책관				
국장	이석문 7700		박헌 7950				
과	감사담당관	감찰팀장	정보데이터기획담당관	정보관리담당관	빅데이터분석팀정	연구장비개발팀장	시스템운영팀장
과장	이철재 7710	김창영 7720	한창령 7760	현명진 7790	김지현 3290	방대성 3250	노시교 7770

국실	통관국					심사국			
국장	서재용 7800					이종욱 7850			
과	통관물류정책과	관세국경감시과	수출입안전검사과	전자상거래통관과	보세산업지원과	심사정책과	세원심사과	기업심사과	공정무역심사팀
과장	김희리 7810	성용욱 7920	김한진 7830	조한진 7840	김원식 7750	양승혁 7860	윤동주 7870	최현정 7980	이원상 7880

국실	조사국		
국장	이근후 7900		
과	조사총괄과	외환조사과	국제조사과
과장	손성수 7910	이동현 7930	박천정 7740

국실	국제관세협력국			
국장	김종호 3200			
과	국제협력총괄과	자유무역협정집행과	원산지검증과	해외통관지원팀장
과장	민희 3210	오현진 3230	이승필 3220	신재형 7970

관세인재개발원			중앙관세분석소			
원장 : 조은정 / DID : 041-410-8500			소장 : 양진철 / DID : 055-792-7300			
충청남도 천안시 동남구 병천면 충절로 1687 (병천리 331) (우) 31254			경상남도 진주시 동진로 408 (충무공동 16-1) (우) 52851			
과	교육지원과	인재개발과	탐지견훈련센터담당관	총괄분석과	분석1관	분석2관	분석3관
과장	김은경 8510	마순덕 8530	김용섭 032-722-4850		한규희 7320	문상호 7330	신을기 7340

관세평가분류원			평택직할세관			
원장 : 김정 / DID : 042-714-7500			세관장 : 장웅요 / DID : 031-8054-7001			
대전광역시 유성구 테크노2로 214 (탑림동 693) (우) 34027			경기도 평택시 포승읍 평택항만길 45 (만호리 340-3) (우) 17962			
과	관세평가과	품목분류1과	품목분류2과	통관총괄과	통관검사과	특송통관과
과장	김영경 7501	이승연 7521	정지원 7541		이상진 7060	조정훈 7101
과	품목분류3과	품목분류4과	수출입안전심사1과	수출입안전심사2과	물류감시과	심사과	조사과	여행자통관과
과장	박재열 7551	유승희 7560	박진규 7570	홍성구 7590	강봉철 7130	임현웅 7170	김현구 7200	이규본 7240

예규 판례 서비스

조세일보 정회원 특권형만이 누릴 수 있는

차별화된 조세 판례 서비스	매주 고등법원 및 행정법원 판례 30건 이상을 업데이트하고 있습니다. (1년 2천여 건 이상)
모바일 기기로 자유롭게 이용	PC환경과 동일하게 스마트폰, 태블릿 등 모바일기기에서도 검색하고 다운로드할 수 있습니다.
신규 업데이트 판례 문자안내 서비스	매주 업데이트되는 최신 고등법원, 행정법원 등의 판례를 문자로 알림 서비스를 해드립니다.
판례 원문 PDF 파일 제공	판례를 원문 PDF로 제공해 다운로드하여 한 눈에 파악할 수 있습니다.

정회원 통합형 연간 30만원 (VAT 별도)

추가 이용서비스 : 온라인 재무인명부 + 프로필,
　　　　　　　　　구인정보, 유료기사 등
회원가입 　　　 : www.joseilbo.com

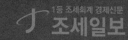

서울본부세관

주소	서울특별시 강남구 언주로 721 (논현2동 71) (우) 06050
대표전화	**02-510-1114**
팩스	**02-548-1381**
당직실	**02-510-1999**
고객지원센터	**125**
홈페이지	**www.customs.go.kr/seoul/**

세관장　　　　성태곤

(D) 02-510-1000 (FAX) 02-548-1922

비　　　서　조은애　　　　　　(D) 02-510-1002

통 관 국 장	**오 상 훈**	(D) 02-510-1100
심 사 1 국 장	**윤 선 덕**	(D) 02-510-1200
심 사 2 국 장	**백 도 선**	(D) 02-510-1400
조 사 1 국 장	**남 성 훈**	(D) 02-510-1700
조 사 2 국 장	**이 민 근**	(D) 02-510-1800
안 양 세 관 장	**정 윤 성**	(D) 031-596-2001
천 안 세 관 장	**김 동 이**	(D) 041-640-2300
청 주 세 관 장	**신 강 민**	(D) 043-717-5700
대 전 세 관 장	**정 학 수**	(D) 042-717-2200
속 초 세 관 장	**김 성 복**	(D) 033-820-2100
동 해 세 관 장	**최 재 관**	(D) 033-539-2650
성 남 세 관 장	**윤 영 배**	(D) 031-697-2570
파 주 세 관 장	**손 영 환**	(D) 031-934-2800
구 로 지 원 센 터 장	**이 상 수**	(D) 02-2107-2501
대 산 지 원 센 터 장	**김 원 희**	(D) 041-419-2700
충 주 지 원 센 터 장	**곽 기 복**	(D) 043-720-5691
고 성 지 원 센 터 장	**김 학 규**	(D) 033-820-2180
원 주 지 원 센 터 장	**서 용 택**	(D) 033-811-2680
의 정 부 지 원 터 장	**표 동 삼**	(D) 031-540-2600
도 라 산 지 원 센 터 장	**안 준**	(D) 031-934-2900

서울본부세관

대표전화: 02-510-1114 / DID: 02-510-OOOO

청장: **성 태 곤**
DID: 02-510-1000

과	세관운영과	납세자보호담당관	감사담당관	수출입기업지원센터
과장	신숙경 1030	이은호 1060		윤청운 1370

국실	통관국			
국장	오상훈 1100			
과	수출입물류과	통관검사1과	통관검사2과	이사화물과
과장	이영도 1110	박헌욱 1150	장은수 1130	김흥주 1180

국실	심사1국				심사2국			
국장	윤선덕 1200				백도선 1400			
과	심사총괄1과	심사1관	심사2관	심사3관	심사총괄2과	심사1관	심사2관	심사3관
과장	김미정 1210	이훈재 1240	정하경 1250	김진용 1270	박성주 1410	성행제 1440	노근홍 1470	곽경훈 1490
과	심사정보과	환급심사과	체납관리과	분석실	심사4관	심사5관	자유무역협정검증1과	자유무역협정검증2과	자유무역협정검증3과
과장	김종철 1310	장영민 1350	김대길 1330	곽재석 1290	양현 1510	길연섭 1530	이종호 1550	이의상 1580	임길호 1640

국실	조사1국			조사2국			
국장	남성훈 1700			이민근 1800			
과	조사총괄과	조사1관	조사2관	외환조사총괄과	외환조사1관	외환조사2관	외환조사3관
과장	김규진 1710	이은렬 1680	박부열 1690	김재철 1810	박수영 1840	최인규 1850	신동윤 1860
과	특수조사과	디지털무역범죄조사과	조사정보과	외환검사과	외환검사1관	외환검사2관
과장	이옥재 1740	이근영 1750	김관주 1780	문을열 1870	김영기 1910	박일보 1920

국실	안양세관		천안세관	
세관장	정윤성 031-596-2001		김동이 041-640-2300	
과	통관지원과	조사심사과	통관지원과	조사심사과
과장	김진원 2050	배국호 2010	조진용 2350	김남섭 2320

세관	청주세관			대전세관		속초세관	
세관장	신강민 043-717-5700			정학수 042-717-2200		김성복 033-820-2100	
과	통관지원과	조사심사과	여행자통관과	통관지원과	조사심사과	통관지원과	조사심사과
과장	김원석 5710	김익현 5730	김상연 5750	이용훈 2220	김용국 2250	김창옥 2120	백철형 2140

세관	동해세관	성남세관	파주세관	구로지원센터	대산지원센터
세관장	최재관 033-539-2650	윤영배 031-697-2570	손영환 031-934-2800	이상수 02-2107-2501	김원희 041-419-2700

세관	충주지원센터	고성지원센터	원주지원센터	의정부지원센터	도라산지원센터
세관장	곽기복 043-720-5691	김학규 033-820-2180	서용택 033-811-2680	표동삼 031-540-2600	안준 031-934-2900

재무인의 가치를 높이는 변화

조세일보 정회원

| 온라인 재무인명부 | 수시 업데이트되는 국세청, 정·관계 인사의 프로필, 국세청, 지방국세청, 전국 세무서, 관세청, 공정위, 금감원 등 인력배치 현황 |

| 예규·판례 | 행정법원 판례를 포함한 20만 건 이상의 최신 예규, 판례 제공 |

| 구인정보 | 조세일보 일평균 10만 온라인 독자에게 구인 정보 제공 |

| 업무용 서식 | 세무·회계 및 업무용 필수서식 3,000여 개 제공 |

| 세무계산기 | 4대보험, 갑근세, 이용자 갑근세, 퇴직소득세, 취득/등록세 등 간편 세금계산까지! |

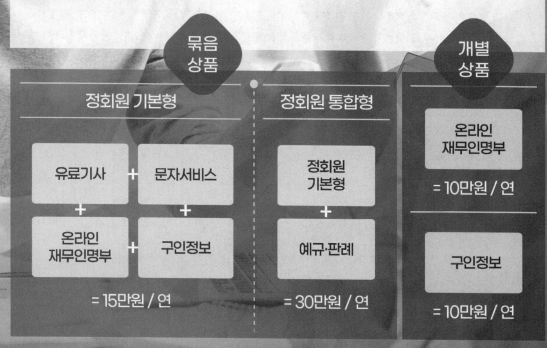

묶음 상품

정회원 기본형

유료기사 + 문자서비스
+
온라인 재무인명부 + 구인정보

= 15만원 / 연

정회원 통합형

정회원 기본형
+
예규·판례

= 30만원 / 연

개별 상품

온라인 재무인명부

= 10만원 / 연

구인정보

= 10만원 / 연

※ 자세한 조세일보 정회원 서비스 안내 http://www.joseilbo.com/members/info/

1등 조세회계 경제신문
조세일보

인천본부세관

주소	인천광역시 중구 서해대로 339 (항동7가 1-18) (우) 22346
대표전화	032-452-3114
팩스	032-452-3149
당직실	032-452-3535
고객지원센터	125
홈페이지	www.customs.go.kr/incheon/

세관장   최능하

(D) 032-452-4000 (FAX) 032-891-9131

비　　서　이주안　　　　　　(D) 032-452-4002

항 만 수 출 입 물 류 과 장	이 소 면	(D) 032-452-3210
항 만 통 관 정 보 과 장	김 종 웅	(D) 032-452-3500
공 항 통 관 감 시 국 장	백 형 민	(D) 032-722-4110
여 행 자 통 관 1 국 장	오 세 현	(D) 032-722-4400
여 행 자 통 관 2 국 장	김 태 영	(D) 032-722-5100
특 송 통 관 국 장	김 종 덕	(D) 032-722-4300
심 사 국 장	정 기 섭	(D) 032-452-3300
조 사 국 장	김 혁	(D) 032-452-3400
김 포 공 항 세 관 장	임현철	(D) 02-6930-4900
인 천 공 항 국 제 우 편 세 관 장	유 태 수	(D) 032-720-7410
수 원 세 관 장	강 병 로	(D) 031-547-3910
안 산 세 관 장	정 광 춘	(D) 031-8085-3800
부 평 지 원 센 터 장	신 진 일	(D) 032-509-3700

인천본부세관

대표전화: 032-452-3114/ DID: 032-452-OOOO

청장: **최 능 하**
DID: 032-452-4000

인천지방
해양수산청

인천중동
우체국

인천항사거리

인하대병원사거리

한국은행
인천본부

인천지방
조달청

인천본부세관

과	세관운영과		감사담당관	수출입기업지원센터	협업검사센터
과장	김경호 3100		최연재 4702	최형균 3630	전병건 3680
팀	인사팀	기획팀			
팀장	장용호 3120	장세창 3110			

국실	항만통관감시국					
국장	주시경 032-452-3200					
과	항만수출입 물류과	인천항운영팀장	항만물류 감시1과	항만물류 감시2과	항만통관 검사5과	신항통관과
과장	이소면 3210	정호남 3205	이윤택 3490	김헌주 3480	채정균 3270	여환준 3650

과	항만통관정보과	통관총괄팀장	항만통관 검사1과	항만통관 검사2과	항만통관 검사3과	항만통관 검사4과
과장	김종웅 3500	문성환 3477	석창휴 3230	권대호 3240	이승희 3280	김성수 3220

국실	공항통관감시국								
국장	백형민 032-722-4110								
과	공항수출 입물류과	공항통관 정보과	공항물류 감시1과	공항물류 감시2과	공항통관 검사1과	공항통관 검사2과	공항통관 검사3과	장비 관리과	전산정보 관리과
과장	지성근 4105	남동수 4101	이자열 4730	공성회 5810	민경욱 4210	이재훈 4250	김경태 4190	이창희 4780	신효상 4790

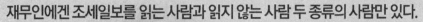
국실	여행자통관1국						
국장	손문갑 032-722-4400						
과	공항여행자통관1과	여행자정보분석과	공항여행자통관검사1관	공항여행자통관검사2관	공항여행자통관검사3관	공항여행자통관검사4관	공항여행자통관검사5관
과장		김승민 4470	신승호	김동철	박병옥	박상원	이정우
			(B)4520 (C)4530 (D)4540 (E)4550				

과	공항여행자통관검사6관	공항여행자통관검사7관	공항여행자통관검사8관	공항여행자통관검사9관	항만여행자통관과	항만여행자통관검사관
과장	김원섭	류성현	김수복	임용견 4450	강민석 3460	황영철 3520
	(B)4520 (C)4530 (D)4540 (E)4550					

국실	여행자통관2국							
국장	김태영 032-722-5100							
과	공항여행자통관2과	공항여행자통관검사1관	공항여행자통관검사2관	공항여행자통관검사3관	공항여행자통관검사4관	공항여행자통관검사5관	공항여행자통관검사6관	공항여행자통관검사7관
과장	홍준오 5110	김진갑	오도영	임활규	오영진	김성진	어태룡	최훈균 5180
		(A)5160 (B)5170						

국실	조사국									
국장	김혁 032-452-3400									
과	조사총괄과	조사1관	조사2관	조사3관	조사4관	조사5관	조사6관	조사정보과	마약조사1과	마약조사2과
과장	조영상 3410	김민세 3040	조영천 3440	이정희 3430	정교진 4610	김충식 4670	김범준 5040	장춘호 3420		최상배 4690

479

국실	심사국									
국장	정기섭 032-452-3300									
과	심사 총괄과	심사1관	심사2관	심사3관	FTA검증 1과	FTA검증 2과	심사정보 1관	심사정보 2관	분석실	분석관
과장	김재홍 3310	유정환 3390	김민호 3340	박세윤 3570	이돈변 5910	문미호 4010	김명섭 3350	김성희 4340	정재하 3380	양승준 4390

세관	특송통관국				김포공항세관		
세관장	김종덕 032-722-4300				임현철 02-6930-4900		
과	특송통관1	특송통관2	특송통관3	특송통관4	통관지원과	조사심사과	여행자통관과
과장	주성렬 4310	서정년 4800	강봉구 5200	류재철 5240	손요나 4910	김영준 4940	심기현 4970

세관	인천공항국제우편세관		수원세관		안산세관		부평지원센터
세관장	유태수 032-720-7410		강병로 031-547-3910		정광춘 031-8085-3800		신진일 032-509-3700
과	우편통관과	우편검사과	통관지원과	조사심사과	통관지원과	조사심사과	
과장	김상식 7420	윤동규 7440	고광규 3920	박남기 3950	김보성 3850	이동화 3810	

부산본부세관

주소	부산광역시 중구 충장대로 20 (중앙로 4가 17) (우) 48940
대표전화	051-620-6114
팩스	051-469-5089
당직실	051-620-6666
고객지원센터	125
홈페이지	customs.go.kr/busan/

세관장　　　　　김재일

(D) 051-620-6000 (FAX) 051-620-1100

비　　서　　심희정　　　　　(D) 051-620-6001

통　관　국　장	김 동 수	(D) 051-620-6100
감　시　국　장	김 현 석	(D) 051-620-6700
신 항 통 관 감 시 국 장	하 유 정	(D) 051-620-6200
심　사　국　장	이 갑 수	(D) 051-620-6300
조　사　국　장	문 행 용	(D) 051-620-6400
김 해 공 항 세 관 장	송 석 범	(D) 051-899-7201
용　당　세　관　장	이 현 주	(D) 055-240-7101
양　산　세　관　장	김 완 조	(D) 055-783-7300
창　원　세　관　장	강 성 철	(D) 055-210-7600
마　산　세　관　장	이 동 훈	(D) 055-240-7000
경 남 남 부 세 관	김 기 동	(D) 055-639-7500
경 남 서 부 세 관	권 대 선	(D) 055-750-7900
부 산 국 제 우 편 지 원 센 터	나 두 영	(D) 055-783-7400
진 해 지 원 센 터	김 동 영	(D) 055-210-7680
통 영 지 원 센 터	황 종 규	(D) 055-733-8000
사 천 지 원 센 터	김 재 석	(D) 055-830-7800

부산본부세관

대표전화: 051-620-6114/ DID : 051-620-OOOO

청장: **김 재 일**
DID: 051-620-6000

과	세관운영과	감사담당관	수출입기업지원센터	협업검사센터
과장	도기봉 6030	구태민 6010	이득수 6950	양두열 6910

국실	통관국					
국장	김동수 051-620-6100					
과	통관총괄과	통관검사1과	통관검사2과	통관검사3과	통관검사4과	통관검사5과
과장	신각성 6110	장경호 6140	홍석헌 6170	박순태 6501	박언종 6520	황윤주 6540

국실	감시국						
국장	김현석 051-620-6700						
과	수출입물류과	물류감시과	물류감시1관	물류감시2관	물류감시3관	여행자통관과	장비관리과
과장	류경주 6710	노경환 6760	박병철 6790	정연오 6810	장종희 6830	고장우 6730	민정기 6850

국실	신항통관감시국				
국장	하유정 051-620-6200				
과	신항통관감시과	신항물류감시과	신항통관검사1과	신항통관검사2과	신항통관검사3과
과장	백광환 6210	피상철 6240	남창훈 6260	김훈 6560	김병헌 6580

국실	심사국						
국장	이갑수 051-620-6300						
과	심사총괄과	심사1관	심사2관	자유무역협정검증과	심사정보과	체납관리과	분석실	분석관
과장	임종민 6310	곽승만 6330	유명재 6350	김용진 6630	김기현 6370	박준희 6390	김영희 6650	김정욱 6660

국실	조사국					
국장	문행용 051-620-6400					
과	조사총괄과	조사1관	조사2관	조사3관	외환조사과	조사정보과
과장	문흥호 6402	이철옥 6460	조흥래 6470	조철 6490	윤인철 6430	최병웅 6450

세관	김해공항세관			용당세관		양산세관	
세관장	송석범 051-899-7201			이현주 055-240-7101		김완조 055-783-7300	
과	통관지원과	조사심사과	여행자통관과	통관지원과	조사심사과	통관지원과	조사심사과
과장	허윤영 7210	유현종 7260	최현오 7240	김가웅 7130	안병윤 7110	김국만 7304	윤해욱 7303

세관	창원세관		마산세관		경남남부세관	
세관장	강성철 055-210-7600		이동훈 055-240-7000		김기동 055-639-7500	
과	통관지원과	조사심사과	통관지원과	조사심사과	통관지원과	조사심사과
과장	윤영진 7610	이병용 7630	신동현 7003	이학보 7004	송인숙 7510	오순학 7520

세관	부산국제우편지원센터	진해지원센터	통영지원센터	경남서부세관	사천지원센터
세관장	나두영 055-783-7400	김동영 055-210-7680	황종규 055-733-8000	권대선 055-750-7900	김재석 055-830-7800

대구본부세관

주소	대구광역시 달서구 화암로 301 정부대구지방합동청사 4층, 5층 (우) 42768
대표전화	**053-230-5114**
팩스	**053-230-5611**
당직실	**053-230-5130**
고객지원센터	**125**
홈페이지	**www.customs.go.kr/daegu/**

세관장 　김용식

(D) 053-230-5000 (FAX) 053-230-5129

비　　　서　정성은　　　　　　　　(D) 053-230-5001

울 산 세 관	**심 재 현**	(D) 052-278-2200
구 미 세 관	**김 기 재**	(D) 054-469-5600
포 항 세 관	**한 용 우**	(D) 054-720-5700
온 산 지 원 센 터	**이 종 필**	(D) 052-278-2340

대구본부세관

대표전화: 053-230-5114/ DID: 053-230-OOOO

청장: **김 용 식**
DID: 053-230-5000

수목원삼성래미안
1차아파트

● 대진어린이공원

● 대구대진초등학교

대진고등학교 대진중학교

대구본부세관

과	세관운영과	감사담당관	수출입기업지원센터	통관지원과	납세지원과	심사과	조사과	여행자통관과
과장	김기환 5100	반재현 5050	정영진 5180	김성태 5200	임종덕 5300	김희권 5301	권신희 5400	조강식 5500

세관	울산세관			
세관장	심재현 052-278-2200			
과	통관지원과	조사심사과	감시과	감시관
과장	정용환 2230	강승남 2260	서승현 2290	박정해 2300

세관	구미세관		포항세관		온산지원센터
세관장	김기재 054-469-5600		한용우 054-720-5700		이종필 052-278-2340
과	통관지원과	조사심사과	통관지원과	조사심사과	
과장	심상수 5610	송승언 5630	이창준 5710	박해준 5730	

광주본부세관

주소	광주광역시 북구 첨단과기로208번길 43 정부광주지방합동청사 10층, 11층 (우) 61011
대표전화	**062-975-8114**
팩스	**062-975-3102**
당직실	**062-975-8114**
고객지원센터	**125**
홈페이지	**www.customs.go.kr/gwangju/**

세관장   **정승환**

(D) 062-975-8000 (FAX) 062-975-3101

비 서   남소연   (D) 062-975-8003

광 양 세 관 장	**김 재 식**	(D) 061-797-8400
목 포 세 관 장	**염 승 열**	(D) 061-460-8500
여 수 세 관 장	**김 덕 종**	(D) 061-660-8601
군 산 세 관 장	**최 천 식**	(D) 063-730-8701
제 주 세 관 장	**양 을 수**	(D) 064-797-8801
전 주 세 관 장	**우 동 욱**	(D) 063-710-8951
완 도 지 원 센 터 장	**오 명 식**	(D) 061-460-8570
보 령 지 원 센 터 장	**강 정 수**	(D) 041-419-2751
익 산 지 원 센 터 장	**차 상 두**	(D) 063-720-8901

광주본부세관

대표전화: 062-975-8114 / DID: 062-975-OOOO

청장: **정 승 환**
DID: 062-975-8000

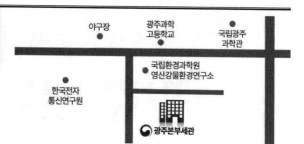

과	세관운영과	감사담당관	수출입기업지원센터	통관지원과	심사과	조사과	여행자통관과
과장	박재붕 8020	임동욱 8010	정진호 8190	양병택 8040	김승현 8060	김양관 8080	정연교 8200

세관	광양세관		목포세관	
세관장	김재식 061-797-8400		염승열 061-460-8500	
과	통관지원과	조사심사과	통관지원과	조사심사과
과장	이한선 8410	이동수 8430	양술 8510	송웅호 8540

세관	여수세관		군산세관		제주세관		
세관장	김덕종 061-660-8601		최천식 063-730-8701		양을수 064-797-8801		
과	통관지원과	조사심사과	통관지원과	조사심사과	통관지원과	조사심사과	여행자통관과
과장	박병용 8610	선승규 8650	권오성 8710	송현남 8730	박상준 8810	안상욱 8850	장유용 8830

세관	전주세관	완도지원센터	보령지원센터	익산지원센터
세관장	우동욱 063-710-8951	오명식 061-460-8570	강정수 041-419-2751	차상두 063-720-8901

http://www.joseilbo.com/taxguide

세금신고 가이드

법 인 세
종합소득세
부가가치세
원 천 징 수

국 민 연 금
건강보험료
고용보험료
산재보험료

지 방 세
재 산 세
자동차세
세 무 일 지

연 말 정 산
양도소득세
상속증여세
증권거래세

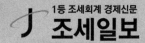

1등 조세회계 경제신문
j 조세일보

대표전화: 02-2100-3399/ DID: 044-205-OOOO

실장: **김 장 회**
DID: 044-205-3600

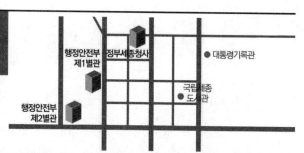

주소	세종특별자치시 정부2청사로 13(나성동) (우) 30128 제1별관: 세종특별자치시 한누리대로 411(어진동) (우) 30116 제2별관: 세종특별자치시 가름로 143(어진동) (우)30116

과	지방재정정책관 최만림 044-205-3700				지방세정책관 이우종 044-205-3800			
	재정정책과	재정협력과	교부세과	회계제도과	지방세 정책과	부동산 세제과	지방소득 소비세제과	지방세특례 제도과
과장	천준호 3702	김수희 3731	서정훈 3751	김수경 3771	이현정 3802	홍삼기 3831	진선주 3871	권순태 3851
서기관	김문호 3724 서왕장 3719 장강혁 3703	장현석 3769	임성범 3760	장명기 3777	한수덕 3803 홍자은 3811	김남헌 3834	천혜원 3881	
사무관	김하영 3706 나기홍 3710 심창수 3716 이유경 3720 장혜민 3711 전제범 3715 허정 3721 홍성우 3704	김경옥 3766 박영주 3733 이정우 3738 김태범 3732	명삼수 3753 백진걸 3754 장유진 3752 홍성권 3763	권오영 3783 김종갑 3772 손동주 3788 양현진 3781 예병찬 3782 유재민 3799 정창기 3786 조재우 3780 최우성 3776	김용구 3804 김한경 3813 류병욱 3816 박미정 3817 손우승 3807 손은경 3812 송은주 3818 한현 3819	김종택 3848 위형원 3839 이광영 3836 최찬배 3846 한건수 3843	권순현 3878 김정수 3876 박은희 3875 박해근 3885 이유경 3884 조진배 3883 강민철 3872	박현정 3861 서명자 3856 손용석 3858 조석훈 3852
주무관	고진영 3718 이동건 3707 이선경 3712 전지양 3717 주은희 3701 최민지 3722 김윤호 3708 박희주 3709	김민경 3739 김용진 3736 이준호 3734 이해창 3737 김원민 3768 박지연 3735 심효선 3767 조원희 3770	문성훈 3755 박경숙 3764 양필수 3758 이영민 3757 이재우 3761 이혜림 3756 이광일 3759	김성중 3784 김수지 3790 류경옥 3779 이종만 3787 이효진 3774 한재호 3798 백선희 3778 윤찬섭 3789 이동하 3792 정양제 3773	박인숙 3801 심철구 3809 이수호 3814 배인호 3813 김효정 3806 김효주 3805 장은영 3810	나병진 3837 신진주 3841 조익현 3840 황인산 3838 안명환 3844 엄세열 3833 정유진 3847	김요왕 3886 김정훈 3880 김영호 3873 서정주 3882 장유정 3877 김다혜 3874 김원웅 3887 유수연 3888	공지훈 3853 남건욱 3857 이재호 3855 이태훈 3854 조용식 3854
행정 실무원	조선영 3601			김은성 3775				
기타				이충길 3795 이동인 3794 방래혁 3795 김혜미 3793 오아름 3797				

1등 조세회계 경제신문 조세일보

	지역경제지원관					차세대지방세입정보화추진단				
	김광휘 044-205-3900					송경주 02-2100-4200				
과	지역일자리경제과	지방규제혁신과	지역금융지원과	공기업정책과	공기업지원과	총괄기획과	재정정보화사업과	세외수입보조금정보과	지방세정보화사업과	인프라구축과
과장	한치흠 3902	이기영 3931	박종옥 3941	김태익 3961	김창남 3981	심진홍 4202	김종범 4141	정유근 4161	전종길 4181	권창현 4211
서기관	김일 3912	김두수 3937 박상국 3935	호미영 3946	이경하 3971	김만봉 3982 이준우 3985		조현혜 4145	김수정 4166		이수진 4212
사무관	권용탁 3903 김호일 3914 서호성 3904 신창범 3909 윤미순 3922 이동훈 3908 이상로 3921 이현종 3917 형광현 3920	강말순 3933 김길수 3932 임승윤 3998 장형석 3997 정병진 3936 정유천 3996	노지원 3943 박찬혁 3944 이화령 3942 정동화 3955 주현민 3954	김미영 3969 박창우 3963 박현우 3962 변석영 3963	고준석 3986 양성훈 3984 이범수 3990 전형구 3991 채가람 3987	성고운 4222 이은숙 4204 이도원 4209	김동희 4227 김민교 4179 김현경 4228 신동화 4226 이관석 4148 이진경 4176	정양기 4162 현승우 4167	이윤경 4182 하관수 4189 송희라 4184 강윤정 4185	노광래 4214 양석모 4216 심상욱 4213
주무관	김민관 3906 김영규 3919 박선옥 3911 박영진 3905 윤희문 3913 최창완 3918 윤진아 3907 박재정 3910	김선 3940 김윤태 3934 강민수 3938	이창일 3950 장현근 3947 진판곤 3948 김선태 3945	설창환 3968 신소은 3964 전예제 3966 박선재 3965	박규선 3988 이윤희 3992 박종재 3983 심가현 3989	권슬기 4207 오혜림 4203 이우영 4210 이지혜 4170 석희정 4223 황성일 4205	서유식 4149 최호준 4177	고복인 4168 김태광 4164 이정은 0000 한지성 4165	김곤휘 4187 박병원 4192 박종근 4188 양중구 4190 김민 4197 이승엽 4198	김동영 4219 김예수 4215 이다일 4217 이호찬 4218
행정실무원	이민아 3901		심규현 3953			장지혜 4201				
기타				황판희 3973			장명희 4146	이채광 4180 조상호 4183	이보람 4194	

국무총리실 조세심판원

대표전화: 044-200-1800 / DID: 044-200-OOOO

밀마루전망대 · 조세심판원
36
첫마을 ·
금남교

원장: **이 상 율**
DID: 044-200-1700~2

주소	세종특별자치시 다솜3로 95 정부세종청사2동 4층 조세심판원 (우) 30108 서울(별관): 서울특별시 종로구 종로1길 42, 3층 301호 (이마빌딩) (우) 03152

원장실	심판부	1심판부	2심판부	3심판부
박선임(비서) 1703 황재호(기사) 1715	심판관		황정훈 1805	박춘호 1802

FAX	044-200-1705

행정실	비서	신영남 1817	박미란 1837	신영남 1817

행정실장
박태의 1710

심판조사관	1조	2조	3조	4조	5조	6조
	이용형 1750	오인석 1770	곽상민 1870	김병철 1860	최영준 1790	지장근 1780

구분	행정	기획	운영	조정1	조정2	조정3		서기관					
서기관							서기관	이재균 1751			김신철 1861	정진욱 1791	

| 사무관 | 정해빈 1711 | 전성익 1731 | 주강석 1735
송기영 1712 | 김정오 1741 | 남연화 1721 | 김종윤 1725 | 사무관 | 조혜정 1752
신정민 1753
주재현 1754 | 이지훈 1771
오대근 1772
손대균 1773
김혁준 1774 | 장태희 1871
황성혜 1872
조진희 1862
손태빈 1873 | 윤연원 1863
전연진 1874
모재완 1864 | 김승하 1794
이승훈 1793 | 고창보 1781
백재민 1782
최창원 1783
심우돈 1784 |

| 주무관 | 임대규 1713
최유미 1716
강경애 1800
이승호 1714
성현일 1717 | 송동훈 1732 | 최진현 1719
김온식 1736
김문수 1704
황혜진 1718 | 홍승연 1742
오세민 1743
이지연 1744 | 문수영 1722
문정우 1723
강병희 1724 | 박천호 1726
김기홍 1727 | 주무관 | 장효숙 1759 | | 김수정 1869 | | 임윤정 1789 | |

※서울별관
이희복
02-722-8801
Fax)725-6400

전산1, 전산2(1728), 상황실(044-865-1121)	FAX	조사관실	200-1758, 1768	200-1868	200-1778
FAX 200-1706(행정실) 200-1707(민원실)		심판관실	200-1818	200-1838	200-1818

심판부	4심판부		5심판부		6심판부 (소액·관세)			7심판부(지방세)		8심판부(지방세)	
심판관	류양훈 1803		김영노 1804		이명구 1806			이동혁 1807		김영빈 1808	
비서	신영남 1817		윤승희 1827		윤승희 1827			박미란 1837		박미란 1837	
심판조사관	7조	8조	9조	10조	11조	12조	13조	14조	15조	16조	17조
	정정회 1760	이슬 1820	이주한 1820	김천희 1830	이종철 1845	은희훈 1850	조용민 1840	최선재 1880	박정민 1890	서은주 1894	강필구 1895
서기관	배병윤 1761			최경민 1831					조용도 1891		성호승 1889
사무관	김성엽 1763 강경관 1762	이은하 1853 박희수 1765 김보람 1767	송현탁 1822 윤석환 1823 박인혜 1824 박수혜 1825	이석원 1832 이정화 1833	김효남 1856 조광래 1846 김상곤 1844	김선엽 1854 김예원 1852 하명균 1848 김동원 1848	지영근 1841 강용규 1842 한종건 1843 안중관 1847	박석민 1881 김상진 1883 한나라 1884 김필한 1887	김두섭 1886 곽충험 1893	홍순태 1885 서지용 1896 윤근희 1897 이유진 1879	현기수 1882 박천수 1892 허광욱 1888
주무관	이현우 1764 이민희 1745		박혜숙 1829		이승희 1858			김연진 1899		전경선 1729	
FAX 조사관실	200-1778		200-1788		200-1848			200-1898		200-1898	
FAX 심판관실	200-1818		200-1828		200-1828			200-1838		200-1838	

한국조세재정연구원

대표전화:044-414-2114/DID: 044-414-OOOO

원장: **박 찬 욱**
DID: 044-414-2101

세종국책
연구단지

금강

행정중심
복합도시
4-1
생활권

한국조세
재정연구원

소속	성명/원내	소속	성명/원내	소속	성명/원내
부원장		부연구위원	고지현 2321	세정연구팀	
원장실		부연구위원	권성오 2248	팀장	정훈 2485
선임전문원	홍유남 2100	부연구위원	권성준 2360	선임연구원	김민경 2325
감사실		부연구위원	정다운 2243	특수전문직3급	홍민옥 2484
실장	신영철 2118	부연구위원	최인혁 2446	특수전문직4급	권순오 2451
감사역	김정현 2117	부연구위원	홍병진 2315	특수전문직4급	김재경 2216
감사역	배현호 2119	선임연구원	권선정 2263	연구원	박하얀 2466
특수전문직2급	정훈 2485	선임연구원	김학효 2482	특수전문직4급	서희진 2276
연구기획실		선임연구원	노지영 2246	특수전문직4급	이나현 2404
실장	정재호 2120	선임행정원	변경숙 2252	특수전문직4급	이미현 2450
기획예산팀		선임연구원	서주영 2471	특수전문직4급	이희경 2408
팀장	최윤용 2121	선임연구원	정경화 2310	위촉연구원	김치율 2212
선임행정원	김선정 2123	선임연구원	황미연 2369	조세·개발협력팀	
선임행정원	오승민 2126	연구원	김미정 2371	팀장	정훈 2485
선임전문원	정경순 2124	연구원	나영 2578	연구원	김세인 2349
선임연구원	정은경 2122	연구원	노수경 2405	연구원	오현빈 2334
행정원	배지호 2128	연구원	이희선 2525	연구원	윤소영 2324
성과확산팀		연구원	장아론 2402	연구원	이다영 2354
팀장	이준성 2520	세법연구센터		특수전문직4급	이은경 2437
선임전문원	박주희 2521	센터장 직무대리	홍성희 2418	연구원	최은혜 2493
전문원	이슬기 2524	초빙전문위원	최영준 2346	연구원	최이선 2579
위촉연구원	김선화 2512	선임행정원	변경숙 2252	위촉연구원	박혜원 2268
위촉연구원	박지은 2513	선임연구원	현하영 2499	조세지출성과관리센터	
연구사업팀		세제연구팀		센터장	김용대 2238
팀장	유재민 2500	팀장	홍성희 2418	명예책임전문원	신영철 2118
선임연구원	박성훈 2506	책임연구원	송은주 2262	책임연구원	강미정 2261
선임연구원	송진민 2501	특수전문직3급	박수진 2412	책임연구원	이은경 2273
선임연구원	조혜진 2502	특수전문직3급	이성현 2347	선임연구원	김상현 2376
행정원	김영화 2505	특수전문직3급	이형민 2201	특수전문직3급	이슬기 2403
위촉연구원	길민선 2504	선임연구원	허윤영 2308	선임행정원	최미영 2265
위촉연구원	정석진 2503	연구원	김효림 2239	연구원	허현정 2236
위촉연구원	정재원 2507	특수전문직 4급	서동연 2215	조세재정전망센터	
연구출판팀		연구원	양지영 2278	센터장	김빛마로 2339
팀장	장정순 2130	관세연구팀		연구위원	오종현 2289
선임행정원	이현영 2132	팀장	강동익 2575	선임연구원	김유현 2473
전문원	김서영 2134	선임연구원	노영예 2335	선임행정원	안상숙 2381
위촉전문원	한울림 2137	선임연구원	박지우 2292	선임연구원	오지연 2225
조세정책연구실		특수전문직3급	이재선 2419	재정전망팀	
실장	홍범교 2226	세정연구센터		팀장	고창수 2370
선임연구위원	전병목 2200	명예선임연구위원	홍범교 2226	선임연구원	권미연 2374
연구위원	김빛마로 2339	선임행정원	변경숙 2252	선임연구원	백가영 2454
연구위원	오종현 2289				
부연구위원	강동익 2575				

소속	성명/원내	소속	성명/원내	소속	성명/원내
선임연구원	오소연 2205	선임연구원	이정인 2478	선임연구원	김평강 2329
선임연구원	오수정 2307	선임연구원	한혜란 2463	선임연구원	김현숙 2277
연구원	정상기 2287	연구원	서동규 2496	선임연구원	박창우 2344
연구원	주남균 2497	연구원	염보라 2271	선임연구원	우지은 2351
위촉연구원	이정윤 2207	사회복지분석팀		선임연구원	장민혜 2382
세수추계팀		팀장	김우현 2338	선임연구원	조은빛 2416
팀장	정다운 2243	선임연구원	김은숙 2453	선임연구원	최윤미 2449
부연구위원	권성준 2360	선임연구원	박신아 2253	연구원	소준영 2487
선임연구원	김신정 2291	선임연구원	이정은 2475	연구원	심태완 2461
선임연구원	김은정 2303	선임연구원	장준희 2474	정부투자분석센터	
연구원	김영직 2318	선임연구원	황보경 2367	센터장	김하영 2368
연구원	오은혜 2302	연구원	이재원 2352	선임연구위원	박한준 2353
연구원	임연빈 2413	재정성과평가센터		부연구위원	송경호 2247
재정정책연구실		소장	장우현 2286	선임연구원	박유미 2442
실장	김현아 2214	부소장	강희우 2224	선임행정원	윤혜순 2264
선임연구위원	박노욱 2267	선임연구위원	박노욱 2267	분석지원팀	
선임연구위원	원종학 2234	부연구위원	조희평 2455	팀장	송남영 2240
선임연구위원	최성은 2288	선임행정원	윤혜순 2264	선임연구원	박은정 2378
선임연구위원	최준욱 2221	선임연구원	이순향 2105	선임연구원	최미선 2391
연구위원	김문정 2342	선임연구원	임소영 2290	연구원	이세미 2483
연구위원	김우현 2338	연구원	변이슬 2294	연구원	주재민 2320
연구위원	이은경 2231	연구원	이은솔 2434	위촉연구원	임재홍 2422
부연구위원	고창수 2370	국가계약TFT		위촉연구원	조연주 2317
부연구위원	김정환 2328	팀장	강희우 2224	인프라사업조사팀	
부연구위원	김평식 2218	연구원	이아름 2270	팀장	김종혁 2393
부연구위원	박정흠 2420	연구원	이형석 2407	연구원	김정현 2481
부연구위원	송경호 2247	평가제도팀		연구원	최시원 2424
부연구위원	조희평 2455	팀장	이환웅 2219	위촉연구원	이윤서 2285
선임연구원	박선영 2251	선임연구원	김경훈 2447	위촉연구원	이윤탁 2202
선임연구원	신동준 2364	선임연구원	안새롬 2293	민투사업조사TFT	
선임행정원	안상숙 2381	선임연구원	이보화 2245	팀장	이남주 2565
선임연구원	이수연 2336	선임연구원	장낙원 2456	특수전문직3급	김다랑 2331
선임연구원	임현정 2275	선임연구원	장문석 2448	위촉연구원	김나윤 2417
선임연구원	정보름 2332	위촉연구원	김준혁 2210	아태재정협력센터	
선임연구원	현하영 2499	경제성과관리팀		센터장	허경선 2241
연구원	박진우 2406	팀장	장운정 2365	선임연구원	김윤옥 2385
연구원	이강연 2257	선임연구원	민경석 2204	선임연구원	이재영 2384
연구원	이재국 2410	선임연구원	백종선 2333	선임행정원	최미영 2265
재정지출분석센터		선임연구원	봉재연 2323	선임연구원	최승훈 2340
센터장	김우현 2338	선임연구원	이홍범 2232	연구원	김윤지 2395
선임연구원	구윤모 2452	선임연구원	전예원 2399	연구원	김의주 2389
선임연구원	김인유 2280	선임연구원	하에스더 2326	연구원	박도현 2392
선임연구원	김정은 2235	선임연구원	한경진 2330	연구원	임종우 2388
선임연구원	김진아 2343	선임연구원	허미혜 2316	위촉연구원	이영미 2297
선임연구원	박지혜 2244	연구원	강경민 2444	공공기관연구센터	
선임행정원	안상숙 2381	연구원	심백교 2438	소장	라영재 2550
경제분석팀		연구원	이응준 2441	선임연구위원	허경선 2241
팀장	송경호 2247	사회문화성과관리팀		부연구위원	한동숙 2312
선임연구원	강민채 2458	팀장	김창민 2350	명예책임행정원	이희수 2426
선임연구원	김선미 2477	선임연구원	김인애 2327	책임행정원	조종읍 2561

소속	성명/원내	소속	성명/원내	소속	성명/원내
선임행정원	강민주 2191	특수전문직3급	이진관 2559	특수전문직3급	최지영 2577
공공정책부		특수전문직3급	현지용 2572	연구원	왕승현 2398
부소장	하세정 2091	특수전문직4급	김재민 2345	위촉연구원	변주하 2227
공공정책1팀		특수전문직4급	장원석 2319	**세수통계TFT**	
팀장	민경률 2256	특수전문직4급	전형진 2470	팀장	윤영훈 2445
선임연구원	김준성 2573	**평가지원팀**		연구원	장아론 2402
선임연구원	이강신 2459	팀장	심재경 2543	**경영지원실**	
선임연구원	임미화 2272	선임연구원	서영빈 2542	실장	성주석 2160
특수전문직4급	김도훈 2281	선임연구원	장정윤 2544	**재무회계팀**	
연구원	남지현 2574	선임연구원	정혜진 2587	팀장	최영란 2180
연구원	소병욱 2282	연구원	강혜진 2546	행정원	강성훈 2186
특수전문직4급	안윤선 2498	연구원	고승희 2545	행정원	이지혜 2183
위촉연구원	김태양 2274	위촉연구원	구남규 2436	행정원	임상미 2187
위촉연구원	박진주 2296	**경영컨설팅팀**		**총무팀**	
위촉연구원	최슬기 2254	팀장	이주경 2266	팀장	박현옥 2170
공공정책2팀		선임연구원	김종원 2362	선임행정원	강신중 2173
팀장	배진수 2440	선임연구원	서니나 2396	선임행정원	손동준 2177
선임연구원	박화영 2357	연구원	양다연 2401	선임행정원	신수미 2171
선임연구원	정예슬 2358	연구원	허민영 2479	선임행정원	윤여진 2176
선임연구원	홍소정 2279	**국가회계재정통계센터**		행정원	한용균 2174
연구원	강선희 2443	부소장	문창오 2305	행정원	한유미 2175
연구원	서은혜 2433	초빙연구위원	양은주 2373	**전산·학술정보팀**	
연구원	윤다솜 2298	초빙연구위원	윤영훈 2445	팀장	김성동 2150
연구원	최예나 2427	선임연구원	이정미 2259	선임전문원	권정애 2142
정책사업팀		선임행정원	최미영 2265	선임전문원	심수희 2140
팀장	변민정 2306	위촉연구원	라혜림 2428	선임전문원	이창호 2153
선임연구원	송경호 2348	**국가회계팀**		전문원	김민영 2151
선임연구원	오윤미 2377	팀장	한소영 2554	전문원	김인아 2154
선임연구원	유승현 2457	특수전문직3급	오예정 2563	전문원	홍서진 2155
선임연구원	이슬 2366	특수전문직3급	임정혁 2553	**시설구매팀**	
연구원	김정은 2435	특수전문직3급	진태호 2552	팀장	노걸현 2190
위촉연구원	선혜경 2415	특수전문직4급	이은경 2437	선임연구원	강문정 2191
경영평가부		특수전문직4급	장윤지 2518	행정원	김범수 2192
부소장	문창오 2305	**결산교육팀**		행정원	박정훈 2193
평가연구팀		팀장	윤성호 2562	**인사혁신팀**	
팀장	임홍래 2375	특수전문직3급	오가영 2567		
초빙연구위원	이경영 2341	특수전문직3급	이명인 2555		
초빙연구위원	최근호	특수전문직3급	임종권 2581		
선임연구원	나진희 2460	특수전문직3급	한은미 2556		
선임연구원	봉우리 2355	특수전문직4급	정유경 2258	팀장	이태우 2161
선임연구원	유효정 2363	행정원	정현석 2462	선임행정원	문지영 2168
선임연구원	임희영 2208	위촉연구원	윤여진 2304	선임행정원	전승진 2162
선임연구원	홍윤진 2361	위촉특수전문직	정지윤 2537	선임행정원	정찬영 2164
연구원	강석훈 2356	**재정통계팀**		행정원	공요환 2165
연구원	곽원욱 2223	팀장	박윤진 2569	행정원	김태은 2163
위촉연구원	김달유 2228	특수전문직3급	방민식 2489	행정원	박소연 2166
계량평가·검증팀		특수전문직3급	유귀운 2566	행정원	유준오 2167
팀장	임형수 2209	특수전문직3급	장지원 2557		
특수전문직3급	강초롱 2337	특수전문직3급	최금주 2558		
특수전문직3급	남승오 2551	특수전문직3급	최중갑 2582		

전 국 세 무 관 서 주 소 록

세무서	주소	우편번호	전화번호	팩스번호	코드	계좌
국세청	세종특별자치시 국세청로 8-14 국세청 (정부세종2청사 국세청동)	30128	044-204-2200	02-732-0908	100	011769
서울청	서울특별시 종로구 종로5길 86 (수송동)	03151	02-2114-2200	02-722-0528	100	011895
강남	서울특별시 강남구 학동로 425 (청담동 45)	06068	02-519-4200	02-512-3917	211	180616
강동	서울특별시 강동구 천호대로 1139 (길동 459-3)	05355	02-2224-0200	02-489-3251	212	180629
강서	서울특별시 강서구 마곡서1로 60 (마곡동 745-1)	07799	02-2630-4200	02-2679-8777	109	012027
관악	서울특별시 관악구 문성로 187 (신림동 438-2)	08773	02-2173-4200	02-2173-4269	145	024675
구로	서울특별시 영등포구 경인로 778 (문래동1가 23-1)	07363	02-2630-7200	02-2679-6394	113	011756
금천	서울특별시 금천구 시흥대로152길 11-21 (독산동)	08536	02-850-4200	02-861-1475	119	014371
남대문	서울특별시 중구 삼일대로 340 (저동1가 1-2)	04551	02-2260-0200	02-755-7114	104	011785
노원	서울특별시 도봉구 노해로69길 14 (창동 15)	01415	02-3499-0200	02-992-1485	217	001562
도봉	서울특별시 강북구 도봉로 117 (미아동 327-5)	01177	02-944-0200	02-984-2580	210	011811
동대문	서울특별시 동대문구 약령시길 159 (청량리1동)	02489	02-958-0200	02-967-7593	204	011824
동작	서울특별시 영등포구 대방천로 259 (신길동)	07432	02-840-9200	02-831-4137	108	000181
마포	서울특별시 마포구 독막로 234 (신수동)	04090	02-705-7200	02-717-7255	105	011840
반포	서울특별시 서초구 방배로 163 (방배동)	06573	02-590-4200	02-536-4083	114	180645
삼성	서울특별시 강남구 테헤란로 114 (역삼동)	06233	02-3011-7200	02-564-1129	120	181149
서대문	서울특별시 서대문구 충정로 60 (미근동 21-1)	03740	02-2287-4200	02-379-0552	110	011879
서초	서울특별시 강남구 테헤란로 114 (역삼동)	06233	02-3011-6200	02-563-8030	214	180658
성동	서울특별시 성동구 광나루로 297 (송정동)	04802	02-460-4200	02-468-0016	206	011905
성북	서울 성북구 삼선교로 16길 13	02863	02-760-8200	02-744-6160	209	011918
송파	서울특별시 송파구 강동대로 62 (풍납동)	05506	02-2224-9200	02-409-8329	215	180661
양천	서울특별시 양천구 목동동로 165 (신정동)	08013	02-2650-9200	02-2652-0058	117	012878
역삼	서울특별시 강남구 테헤란로 114 (역삼동)	06233	02-3011-8200	02-561-6684	220	181822
영등포	서울특별시 영등포구 선유동 1로 38 (당산동3가)	07261	02-2630-9200	02-2678-4909	107	011934
용산	서울특별시 용산구 서빙고로24길15 (한강로3가)	04388	02-748-8200	02-792-2619	106	011947
은평	서울특별시 은평구 서오릉로7 (응암동84-5)	03460	02-2132-9200	02-2132-9501	147	026165
잠실	서울특별시 송파구 강동대로 62 (풍납2동 388-6)	05506	02-2055-9200	02-475-0881	230	019868
종로	서울특별시 종로구 삼일대로 30길 22	03133	02-760-9200	02-744-4939	101	011976
중랑	서울특별시 중랑구 망우로 176 (상봉동 137-1)	02118	02-2170-0200	02-493-7315	146	025454
중부	서울 중구 소공로 70(충무로1가 21-1)	04535	02-2260-9200	02-2268-0582	201	011989
중부청	경기도 수원시 장안구 경수대로 1110-17 (파장동)	16206	031-888-4200	031-888-7612	200	000165
강릉	강원도 강릉시 수리골길 65 (교동)	25473	033-610-9200	033-641-4186	226	150154
경기광주	경기도 광주시 문화로 127	12752	031-880-9200	031-769-0417	233	023744

세무서	주 소	우편번호	전화번호	팩스번호	코드	계좌
구리	경기도 구리시 안골로 36 (교문동 736-2)	11934	031-326-7200	031-326-7249	149	027290
기흥	경기도 용인시 기흥구 흥덕2로117번길15 (영덕동)	16953	031-8007-1200	031-895-4902	236	026178
남양주	경기도 남양주시 화도읍 경춘로 1807 (묵현리)	12167	031-550-3200	031-566-1808	132	012302
동수원	경기도 수원시 영통구 청명남로 13 (영통동)	16704	031-695-4200	031-273-2416	135	131157
동안양	경기도 안양시 동안구 관평로202번길 27 (관양동)	14054	031-389-8200	0503-112-9375	138	001591
분당	경기도 성남시 분당구 분당로 23 (서현동 277)	13590	031-219-9200	031-781-6852	144	018364
삼척	강원도 삼척시 교동로 148 (교동 735)	25924	033-570-0200	033-574-5788	222	150167
성남	경기도 성남시 수정구 희망로 480 (단대동)	13148	031-730-6200	031-736-1904	129	130349
속초	강원도 속초시 수복로 28 (교동)	24855	033-639-9200	033-633-9510	227	150170
수원	경기도 수원시 팔달구 매산로 61 (매산로3가 28)	16456	031-250-4200	031-258-9411	124	130352
시흥	경기도 시흥시 마유로 368 (정왕동)	15055	031-310-7200	031-314-3973	140	001588
안산	경기도 안산시 단원구 화랑로 350 (고잔동 517)	15354	031-412-3200	031-412-3300	134	131076
동안산	경기도 안산시 상록구 상록수로 20 (본오동 877-6)	15532	031-937-3200	031-8042-4602	153	027707
안양	경기도 안양시 만안구 냉천로 83 (안양동)	14090	031-467-1200	031-467-1300	123	130365
영월	강원도 영월군 영월읍 하송안길 49 (하송리 185-1)	26235	033-370-0200	033-374-2100	225	150183
용인	경기도 용인시 처인구 중부대로1161번길71(삼가동)	17019	031-329-2200	031-321-1625	142	002846
원주	강원도 원주시 북원로 2325 (단계동 1081-10)	26411	033-740-9200	033-746-4791	224	100269
이천	경기도 이천시 부악로 47 (중리동)	17380	031-644-0200	031-634-2103	126	130378
춘천	강원도 춘천시 중앙로 115 (중앙로3가 73)	24358	033-250-0200	033-252-3589	221	100272
평택	경기도 평택시 죽백6로6 (죽백동 796)	17862	031-650-0200	031-658-1116	125	130381
홍천	강원도 홍천군 홍천읍 생명과학관길 50 (연봉리)	25142	033-430-1200	033-433-1889	223	100285
동화성	경기도 화성시 동탄오산로 86-3 MK 타워 (오산동)	18478	031-934-6200	031-934-6249	151	027684
화성	경기도 화성시 봉담읍 참샘길 27 (와우리 31-16)	18321	031-8019-1200	031-8019-8211	143	018351
인천청	인천광역시 남동구 남동대로 763 (구월동)	21556	032-718-6200	032-718-6021	800	027054
남동	인천광역시 남동구 인하로 548 (구월동 1447-1)	21582	032-460-5200	032-463-5778	131	110424
서인천	인천광역시 서구 서곶로369번길 17 (연희동)	22721	032-560-5200	032-561-5777	137	111025
인천	인천광역시 동구 우각로 75 (창영동)	22564	032-770-0200	032-777-8104	121	110259
계양	인천광역시 계양구 효서로 244 (작전2동 422-1)	21120	032-459-8200		154	027708
고양	경기도 고양시 일산동구 중앙로1275번길 14-43 (장항동 774)	10401	031-900-9200	031-901-9177	128	012014
광명	경기도 광명시 철산로 3-12 (철산동 251)	14235	02-2610-8200	02-3666-0611	235	025195
김포	경기도 김포시 김포한강1로 22 (장기동 1656)	10087	031-980-3200	031-983-8125	234	023760
동고양	경기도 고양시 덕양구 화중로104번길 16 (화정동) 화정아카데미타워 3층(민원실), 4층, 5층, 9층	10497	031-900-6200	031-963-2372	232	023757
남부천	경기도 부천시 경인옛로 115 (괴안동 6-5)	14691	032-459-7200	032-459-7249	152	027685
부천	경기도 부천시 계남로227 (중동 1051-10)	14535	032-320-5200	032-328-6931	130	110246
부평	인천광역시 부평구 부평대로 147 LOY문화예술실용전문학교 (부평동 44-9)	21366	032-540-6200	032-545-0411	122	110233

세무서	주 소	우편번호	전화번호	팩스번호	코드	계좌
연수	인천광역시 연수구 인천타워대로 323 (송도동)	22007	032-670-9200	032-858-7351	150	027300
의정부	경기도 의정부시 의정로 77 (의정부동)	11622	031-870-4200	031-875-2736	127	900142
파주	경기도 파주시 금릉역로 62 (금촌동)	10915	031-956-0200	031-957-0315	141	001575
포천	경기도 포천시 소흘읍 송우로 75 (송우리 729-3)	11177	031-538-7200	031-544-6090	231	019871
대전청	대전광역시 대덕구 계족로 677 (법동)	34383	042-615-2200	042-621-4552	300	080499
공주	충청남도 공주시 봉황로 87 (반죽동 332)	32550	041-850-3200	041-850-3692	307	080460
논산	충청남도 논산시 논산대로241번길 6 (강산동)	32959	041-730-8200	041-730-8270	308	080473
대전	대전광역시 중구 보문로 331 (선화 188)	34851	042-229-8200	042-253-4990	305	080486
동청주	충청북도 청주시 청원구 1순환로 44 (율량동)	28322	043-229-4200	043-229-4601	317	002859
보령	충청남도 보령시 옥마로 56 (명천동 58-2)	33482	041-930-9200	041-936-7289	313	930154
북대전	대전광역시 유성구 유성대로 935번길7 (죽동)	34127	042-603-8200	042-823-9662	318	023773
서대전	대전광역시 서구 둔산서로 70 (둔산동)	35239	042-480-8200	042-486-8067	314	081197
서산	충청남도 서산시 덕지천로 145-6 (석림동 398-10)	32003	041-660-9200	041-660-9259	316	000602
세종	세종특별자치시 시청대로 126 (보람동 724)		044-850-8200	044-850-8431	320	025467
아산	충청남도 아산시 배방읍 배방로 57-29 (공수리)	31486	041-536-7200	041-533-1351	319	024688
영동	충청북도 영동군 영동읍 계산로2길 10 (계산리)	29145	043-740-6200	043-740-6250	302	090311
예산	충청남도 예산군 오가면 윤봉길로 1883 (좌방리)	32425	041-330-5200	041-330-5305	311	930167
제천	충청북도 제천시 복합타운1길 78 (신월동 1476)	27157	043-649-2200	043-648-3586	304	090324
천안	충청남도 천안시 동남구 청수14로 80 (청당동 550)	31198	041-559-8200	041-559-8250	312	935188
청주	충청북도 청주시 흥덕구 죽천로 151 (복대화동)	28583	043-230-9200	043-235-5417	301	090337
충주	충청북도 충주시 충원대로 724 (금릉동 277-1)	27338	043-841-6200	043-845-3320	303	090340
홍성	충청남도 홍성군 홍성읍 홍덕서로 32 (소향리)	32216	041-630-4200	041-630-4249	310	930170
광주청	광주광역시 북구 첨단과기로208번길 43 (오룡동)	61011	062-236-7200	062-716-7215	400	060707
광주	광주광역시 동구 중앙로 154 (호남동 39-1)	61484	062-605-0200	062-225-4701	408	060639
광산	광주광역시 광산구 하남대로 83 (하남동 1276)	62232	062-970-2200	062-970-2209	419	027313
군산	전라북도 군산시 미장13길 49 (미장동 525)	54096	063-470-3200	063-470-3249	401	070399
나주	전라남도 나주시 재신길 33 (송월동 1125)	58262	061-330-0200	061-332-8583	412	060642
남원	전라북도 남원시 동림로 91-1 (향교동 232-31)	55741	063-630-2200	063-632-7302	407	070412
목포	전라남도 목포시 호남로 58번길 19 (대안동 3-2)	58723	061-241-1200	061-244-5915	411	050144
북광주	광주광역시 북구 경양로 170 (중흥동 712-3)	61238	062-520-9200	062-716-7280	409	060671
북전주	전라북도 전주시 덕진구 벚꽃로 33 (진북동)	54937	063-249-1200	063-249-1555	418	002862
서광주	광주광역시 서구 상무민주로 6번길 31 (쌍촌동)	61969	062-380-5200	062-716-7260	410	060655
순천	전라남도 순천시 연향번영길 64 (연향동)	57980	061-720-0200	061-723-6677	416	920300
여수	전라남도 여수시 좌수영로 948-5 (봉계동 726-36)	59631	061-688-0200	061-682-1649	417	920313
익산	전라북도 익산시 익산대로52길 19 (남중동 352-98)	54619	063-840-0200	063-851-0305	403	070425
전주	전라북도 전주시 완산구 서곡로 95 (효자동3가)	54956	063-250-0200	063-277-7708	402	070438
정읍	전라북도 정읍시 중앙1길 93 (수성동 610)	56163	063-530-1200	063-533-9101	404	070441

세무서	주소	우편번호	전화번호	팩스번호	코드	계좌
해남	전라남도 해남군 해남읍 중앙1로 18 (해리 441-1)	59027	061-530-6200	061-536-6249	415	050157
대구청	대구광역시 달서구 화암로 301 (대곡동 1035)	42768	053-661-7200	053-661-7052	500	040756
경산	경상북도 경산시 박물관로 3 (사동 633-2)	38583	053-819-3200	053-802-8300	515	042330
경주	경상북도 경주시 원화로 335 (성동동 180-4)	38138	054-779-1200	054-743-4408	505	170176
구미	경상북도 구미시 수출대로 179 (공단동 174)	39269	054-468-4200	054-464-0537	513	905244
김천	경상북도 김천시 평화길 128 (평화동 320-2)	39610	054-420-3200	054-430-6605	510	905257
남대구	대구광역시 남구 대명로 55 (대명동 1593-20)	42479	053-659-0200	053-627-0157	514	040730
동대구	대구광역시 동구 국채보상로 895 (신천동 303-1)	41253	053-749-0200	053-756-8837	502	040769
북대구	대구광역시 북구 원대로 118 (침산동 402-1)	41590	053-350-4200	053-354-4190	504	040772
상주	경상북도 상주시 경상대로 3173-11 (만산동 599-2)	37161	054-530-0200	054-534-9026	511	905260
서대구	대구광역시 달서구 당산로 38길 33 (두류동 497-5)	42645	053-659-1200	053-627-6121	503	040798
수성	대구광역시 수성구 달구벌대로 2362 (수성동3가)	42115	053-749-6200	053-749-6602	516	026181
안동	경상북도 안동시 서동문로 208 (동부동 145-1)	36702	054-851-0200	054-859-6177	508	910365
영덕	경상북도 영덕군 영덕읍 영덕로 35-11 (남산리)	36441	054-730-2200	054-730-2504	507	170189
영주	경상북도 영주시 중앙로 15 (가흥동 2-15)	36099	054-639-5200	054-633-0954	512	910378
포항	경상북도 포항시 북구 중앙로346 (덕수동 46-1)	37727	054-245-2200	054-248-4040	506	170192
부산청	부산광역시 연제구 연제로 12 (연산2동 1557)	47605	051-750-7200	051-759-8400	600	030517
거창	경상남도 거창군 거창읍 상동2길 14 (상림리 80)	50132	055-940-0200	055-942-3616	611	950419
금정	부산광역시 금정구 중앙대로 1636 (부곡동 266-5)	46272	051-580-6200	051-516-8272	621	031794
김해	경상남도 김해시 호계로 440 (부원동 61-1)	50922	055-320-6200	055-335-2250	615	000178
동래	부산광역시 연제구 월드컵대로 125 (연산동 701-1)	47517	051-860-2200	051-866-6252	607	030481
동울산	울산광역시 북구 사청2길 7 (화봉동 883-1)	44239	052-219-9200	052-289-8365	620	001601
마산	경상남도 창원시 마산합포구 3.15대로 211 (중앙동)	51265	055-240-0200	055-223-6881	608	140672
부산진	부산광역시 동구 진성로 23 (수정동 247-7)	48781	051-461-9200	051-464-9552	605	030520
부산강서	부산광역시 강서구 명지국제7로 44 퍼스트월드 브라이튼 3~ 6층 (명지동 3595-2)	46726	051-740-9200	051-294-9506	625	027709
북부산	부산광역시 사상구 학감대로 263 (감전동 134-3)	46984	051-310-6200	051-711-6389	606	030533
서부산	부산광역시 서구 대영로 10 (서대신동2가 288-2)	49228	051-250-6200	051-241-7004	603	030546
수영	부산광역시 수영구 남천동로 19번길 28 (남천동)	48306	051-620-9200	051-621-2593	617	030478
양산	경상남도 양산시 물금읍 증산역로135 (가촌리)	50653	055-389-6200	055-389-6602	624	026194
울산	울산광역시 남구 갈밭로 49 (삼산동 1632-1)	44715	052-259-0200	052-266-2135	610	160021
제주	제주특별자치도 제주시 청사로 59 (도남동 662)	63219	064-720-5200	064-724-1107	616	120171
중부산	부산광역시 중구 흑교로 64 (보수동1가 50-4)	48962	051-240-0200	051-241-6009	602	030562
진주	경상남도 진주시 진주대로908번길 15 (칠암동)	52724	055-751-0200	055-753-9009	613	950435
창원	경상남도 창원시 성산구 중앙대로105 STX 오션타워 (중앙동 93-3)	51515	055-239-0200	055-287-1394	609	140669
통영	경상남도 통영시 무전5길 20-9 (무전동 1065-1)	53036	055-640-7200	055-644-1814	612	140708
해운대	부산광역시 해운대구 좌동순환로 17 (좌동 1353-1)	48084	051-660-9200	051-660-9610	623	025470

색인

ㄱ

이름	소속	쪽	이름	소속	쪽	이름	소속	쪽	이름	소속	쪽	이름	소속	쪽
강유정	해운대서	447	강정환	부산청	428	강하라	강릉서	252	강희정	고양서	282	고병준	대전서	313
강유진	시흥서	232	강정훈	기재부	71	강하연	구미서	406	강희정	동고양서	288	고병찬	구로서	156
강유진	연수서	296	강정훈	남대문서	161	강하영	송파서	184	강희정	의정부서	298	고보해	성동서	180
강윤성	북광주서	359	강정희	서광주서	360	강한나	강서서	152	강희정	광주청	349	고복남	북광주서	359
강윤숙	동화성서	248	강종근	부산서	429	강한덕	은평서	194	강희천	분당서	226	고복인	지방재정	491
강윤영	양천서	186	강종만	광주청	349	강한솔	동래서	436	강희진	서인천서	276	고봉국	제주서	467
강윤정	기재부	66	강종식	서울청	135	강한수	분당서	226	강희호	평택서	246	고봉균	광명서	285
강윤정	충주서	344	강종훈	대전청	306	강한얼	연수서	296	경기영	성동서	181	고부경	서광주서	360
강윤정	지방재정	491	강종훈	대전청	307	강한영	대전청	307	경력관	기재부	64	고빛나	기흥서	219
강윤지	성남서	229	강종훈	대전청	308	강해영	제주서	466	경수연	부산청	425	고상기	경주서	405
강윤지	순천서	367	강주연	중부청	210	강헌구	울산서	450	경재호	분당서	227	고상덕	기재부	66
강윤학	대전청	307	강주영	중랑서	201	강현구	북대구서	396	경지수	포천서	302	고상범	금융위	80
강윤형	이천서	244	강주영	용인서	242	강현삼	고시회	32	경지은	송파서	184	고상석	중부서	202
강은경	서초서	178	강주은	종로서	198	강현성	서초서	178	계구봉	서울청	146	고상용	파주서	301
강은비	남대구서	392	강주현	경기광주	234	강현순	기재부	75	계봉성	삼정회계	24	고상현	기재부	69
강은선	금정서	431	강준모	역삼서	188	강현아	광산서	355	계예슬	천안서	332	고상현	마포서	171
강은숙	종로서	198	강준모	기재부	66	강현애	서대전서	317	계준범	서울청	131	고상희	수영서	445
강은순	동래서	435	강준오	동래서	441	강현연	강서서	151	계현희	남부천서	290	고서연	정읍서	382
강은실	서울청	129	강준원	서울청	133	강현영	동청주서	336	고경균	제주서	467	고석봉	북광주서	359
강은실	금천서	158	강준이	기재부	61	강현우	삼성서	175	고경만	국세청	283	고석중	북전주서	376
강은실	아산서	328	강준희	기재부	75	강현우	포천서	302	고경미	서울청	135	고석진	관세청	470
강은아	부산청	427	강중호	기재부	63	강현웅	양천서	187	고경미	삼성서	175	고석철	부평서	294
강은영	기재부	65	강중희	광주청	351	강현정	기재부	64	고경아	수원서	230	고석춘	서울청	135
강은영	서울청	136	강지만	나주서	362	강현정	도봉서	164	고경아	동화성서	249	고석희	서대전서	316
강은영	경기광주	234	강지선	서울청	137	강현정	세종서	326	고경진	종로서	198	고선미	북광주서	360
강은진	구미서	407	강지선	남원서	374	강현주	강동서	151	고경진	시흥서	233	고선주	북전주서	376
강은호	서울청	135	강지선	수영서	445	강현주	노원서	163	고경태	EY한영	14	고선주	정읍서	382
강이	딜로이트	16	강지성	국세청	117	강현주	동대문서	167	고계명	제주서	467	고선하	국세청	107
강이근	광주청	349	강지수	강동서	150	강현주	성북서	183	고광규	인천세관	480	고선혜	인천청	268
강이슬	평택서	246	강지수	인천청	269	강현주	인천청	271	고광남	기재부	73	고설민	남동서	274
강이은	서울청	147	강지수	김포서	286	강현주	천안서	332	고광남	예일세무	40	고성렬	북대구서	396
강인근	홍성서	335	강지연	천안서	333	강현창	남동서	274	고광덕	서울청	136	고성순	노원서	163
강인석	군산서	372	강지용	대구청	387	강현철	성동서	180	고광민	기재부	68	고성헌	서울청	140
강인성	예산서	331	강지원	중부청	213	강형규	북대구서	397	고광환	수성서	401	고성호	강릉서	252
강인성	신한관세	43	강지원	예산서	330	강형덕	중기회	97	고광효	기재부	61	고성희	국세청	110
강인소	서대문서	176	강지윤	중부청	206	강형석	서울청	129	고광효	기재부	62	고세훈	법무지평	49
강인숙	동래서	434	강지숙	서울청	126	강형석	동작서	169	고광효	기재부	63	고수영	동청주서	337
강인순	북대구서	396	강지은	중랑서	201	강형수	제주서	466	고규진	제주서	467	고수영	목포서	364
강인욱	중부청	209	강지은	동화성서	249	강형탁	남양주서	360	고균석	나주서	363	고순임	송파서	184
강인주	기재부	73	강지은	동청주서	337	강혜경	역삼서	189	고근수	국세청	112	고순태	포항서	419
강인태	서울청	141	강지인	동작서	169	강혜경	세종서	327	고근희	국세상담	120	고승균	성현회계	13
강인한	광명서	284	강지현	노원서	163	강혜란	남부천서	290	고기석	김해서	454	고승모	서대문서	177
강인행	고양서	283	강지현	양천서	187	강혜린	북전주서	377	고기태	경산서	403	고승욱	서울청	143
강인혜	서울청	144	강지현	포천서	302	강혜림	중부서	203	고기훈	은평서	195	고승현	공주서	318
강인혜	구로서	156	강지현	구미서	407	강혜수	남양주서	220	고남우	포항서	418	고승희	조세재정	496
강임현	순천서	366	강지현	통영서	465	강혜숙	기재부	64	고다현	세무하나	39	고아라	삼성서	175
강장욱	동대문서	166	강지현	법무광장	46	강혜영	평택서	247	고다혜	안산서	237	고아라	종로서	199
강장원	수원서	230	강지혜	동안산서	238	강혜원	청주서	342	고대권	딜로이트	16	고아영	서울청	147
강장환	은평서	194	강지훈	양천서	187	강혜윤	동래서	435	고대근	통영서	464	고양숙	국세교육	122
강재근	대전서	312	강지훈	동청주서	337	강혜은	서초서	178	고대식	익산서	378	고연구	EY한영	14
강재신	영등포서	190	강진명	기재부	71	강혜은	김해서	455	고대연	속초서	256	고연우	김포서	286
강재원	기재부	62	강진선	분당서	226	강혜정	진주서	461	고대영	목포서	365	고영경	세종서	327
강재원	부천서	293	강진선	국세상담	120	강혜정	여수서	368	고대현	기재부	61	고영남	제주서	467
강재은	기재부	67	강진순	금감원	92	강혜지	서울서	134	고대홍	서울청	139	고영록	기재부	74
강재형	서울청	134	강진아	국세상담	120	강혜진	동양서	225	고대훈	국세청	103	고영배	제주서	466
강재희	수영서	444	강진영	중부청	213	강혜진	인천청	268	고덕상	서인천서	277	고영상	서울청	133
강전일	서대구서	399	강진영	김천서	408	강혜진	서인천서	277	고덕환	서울청	137	고영석	서대구서	399
강정구	서울청	138	강진욱	세무하나	39	강혜진	해남서	433	고도경	기흥서	218	고영수	강동서	150
강정규	강서서	153	강찬홍	분당서	226	강혜진	조세재정	496	고돈흠	동작서	169	고영숙	구로서	157
강정님	해남서	371	강창기	기재부	77	강호성	제주서	467	고동현	포천서	303	고영욱	중부청	214
강정대	수영서	442	강창식	동고양서	288	강호영	창원서	463	고동환	국세교육	122	고영일	국세청	104
강정모	서울청	129	강창호	서울청	133	강호인	동래서	435	고만수	서울청	144	고영일	북대전서	314
강정목	금천서	159	강창호	제주서	466	강호종	서울서	147	고명수	국세청	117	고영주	인천청	271
강정미	잠실서	196	강채업	광주청	353	강호창	해남서	455	고명순	제주서	424	고영준	수영서	442
강정미	남양주서	220	강철수	통영서	464	강호현	국세청	113	고명현	인천서	279	고영집	금감원	88
강정민	춘천서	262	강체윤	관악서	155	강홍일	서대구서	398	고명훈	인천청	271	고영철	국세청	117
강정석	남대구서	392	강초롱	조세재정	496	강화영	동작서	169	고미경	경기광주	289	고영춘	대전서	312
강정선	용인서	243	강춘구	북광주서	359	강회영	부산청	428	고미숙	서대문서	177	고영필	중부청	215
강정선	김해서	455	강탁수	성동서	181	강효경	창원서	463	고민경	경기광주	234	고영호	금융위	80
강정수	관악서	154	강태경	동안양서	225	강효숙	기재부	62	고민경	계양서	280	고영훈	동대문서	167
강정수	광주세관	487	강태곤	예산서	330	강효숙	강산서	192	고민영	의정부서	298	고예나	제주서	466
강정수	광주세관	487	강태규	강릉서	252	강효정	김포서	286	고민석	잠실서	196	고예지	국세청	107
강정수	광주세관	488	강태규	수영서	444	강홍수	마포서	171	고민수	남동서	274	고완구	반포서	173
강정숙	대전청	307	강태길	성남서	229	강홍수	북평서	294	고민지	금천서	158	고완병	삼성서	175
강정연	부산청	425	강태민	순천서	367	강희경	서울청	132	고민지	종로서	199	고우성	화성서	159
강정원	남동서	274	강태완	의정부서	298	강희경	부산청	423	고민철	논산서	320	고운이	천안서	251
강정인	제주서	466	강태욱	국세청	104	강희다	해남서	371	고민하	제주서	467	고운지	이천서	245
강정일	성남서	228	강태욱	고시회	32	강희민	기재부	76	고배영	인천청	268	고유경	국세청	114
강정필	서현이천	7	강태윤	서대구서	398	강희석	논산서	321	고병덕	중부청	209	고유경	남동서	275
강정현	예산서	331	강태진	익산서	379	강희우	제주서	467	고병렬	진주서	461	고유경	대구청	387
강정호	국세교육	123	강태헌	인천청	273	강희우	조세재정	495	고병석	마포서	171	고유나	영등포서	190
강정호	영덕서	415	강택호	강남서	148	강희웅	서초서	179	고병열	북대구서	397	고유나	전주서	381
강정화	국세청	102	강표	경기광주	234	강희웅	충주서	345	고병완	금감원	91	고유영	성북서	182
강정화	영등포서	190	강필구	조세심판	493	강희윤	삼성서	175	고병재	국세청	116	고윤석	안산서	236
강정화	서대구서	399	강하규	강동서	150							고윤정	역삼서	189

이름	소속	번호
고윤하	국세청	105
고윤학	해운대서	448
고윤형	평택서	247
고은경	동래서	435
고은미	중부청	213
고은별	국세청	100
고은비	국세청	115
고은선	중부청	207
고은정	동화성서	248
고은정	북전주서	376
고은주	양천서	187
고은지	강동서	150
고은혜	안산서	237
고은희	중부청	208
고은희	남부천서	290
고의환	동청주서	336
고의환	군산서	372
고인수	안동서	413
고인식	창원서	462
고인영	국세청	107
고임형	송파서	185
고장우	부산세관	482
고재국	중부청	207
고재근	서대구서	398
고재민	역삼서	188
고재민	인천청	270
고재봉	남대구서	392
고재성	북광주서	359
고재신	기재부	74
고재우	동청주서	336
고재윤	중부청	214
고재화	세무하나	39
고재홍	목포서	365
고정근	포천서	303
고정란	중부서	203
고정민	기재부	75
고정삼	기재부	60
고정선	남부천서	291
고정수	도봉서	165
고정애	국세청	437
고정연	서대전서	317
고정은	제주서	466
고정주	인천청	271
고정진	서울청	142
고정환	천안서	332
고종경	부평서	295
고종섭	중기회	97
고종우	중랑서	201
고종철	세종서	326
고주석	서울청	127
고주석	대전서	312
고주연	충주서	345
고주환	해운대서	448
고준석	전주서	380
고준석	부산청	426
고준식	지방재정	491
고지연	기재부	65
고지원	수영서	445
고지은	제주서	466
고지현	평택서	247
고지현	조세재정	494
고지현	동고양서	288
고진곤	부천서	292
고진수	군산서	373
고진수	마산서	457
고진숙	평택서	246
고진영	지방재정	490
고진호	평택서	247
고창보	조세심판	492
고창수	조세재정	494
고창수	조세재정	495
고창우	제주서	467
고철호	대전서	312
고태래	영등포서	191
고태혁	국세청	107
고택수	동고양서	289
고필권	북전주서	376
고혁준	서울청	135
고현	부평서	295
고현숙	양천서	186
고현숙	경기광주	235
고현웅	동대문서	166
고현일	구로서	156
고현재	이천서	244
고현주	구로서	156
고현주	영등포서	191
고현주	중부청	208
고현주	동래서	435
고현준	종로서	199
고현태	기재부	69
고현호	서울청	143
고형관	동작서	169
고혜준	대전청	309
고혜진	북광주서	359
고호경	동안산서	238
고호석	국세청	114
고희경	중부청	208
고희선	종로서	199
고희주	제주서	467
공기영	관악서	155
공덕환	서울청	127
공동훈	기재부	62
공명호	동안서	455
공미경	양산서	458
공미자	전주서	381
공민석	김해서	455
공민주	부평서	295
공병국	목포서	364
공병규	수서	198
공석환	중부청	206
공선미	성남서	229
공선영	서울청	141
공성용	대구청	391
공성원	광산서	354
공성회	인천세관	478
공숙영	기재부	64
공신혜	화성서	250
공영재	기재부	75
공영은	용인서	243
공영칠	서현이현	7
공요용	조세재정	496
공용성	인천청	272
공원재	인천청	273
공유진	국세교육	123
공유택	동청주서	336
공윤선	마포서	170
공을상	마산서	456
공익훈	이촌회계	28
공인호	북대구서	396
공자빈	반포서	173
공정민	시흥서	233
공주만	국세청	103
공지훈	지방재정	490
공진배	성남서	131
공진하	고양서	282
공채원	원주서	260
공태문	종로서	199
공현주	서울청	142
공효정	강남서	148
공화람	동래서	432
공희현	인천청	270
곽경미	삼성서	175
곽경훈	서울세관	474
곽귀명	마산서	457
곽기복	서울세관	473
곽기복	서울세관	473
곽기복	동고양서	475
곽길영	동안산서	238
곽노일	동청주서	336
곽동파	마산서	126
곽동윤	금천서	159
곽동훈	서인천서	277
곽락원	춘천서	263
곽만권	연수서	297
곽명숙	대구청	387
곽명환	광주청	349
곽문희	북대전서	314
곽미나	서울청	128
곽미선	주안청	351
곽미송	안산서	237
곽미숙	금정서	430
곽민경	순천서	366
곽민관	대구청	387
곽민석	제주서	467
곽민성	광명서	284
곽민정	남대문서	161
곽민정	역삼서	188
곽민혜	국세청	103
곽민호	남원서	374
곽민환	딜로이트	16
곽범준	금감원	83
곽병철	중부청	207
곽보경	춘천서	262
곽봉섭	송파서	185
곽봉화	동대구서	394
곽상민	조세심판	492
곽상은	부산청	422
곽새미	목포서	365
곽성용	의정부서	298
곽성준	동안양서	224
곽세욱	동화성서	248
곽세운	관악서	154
곽소라	동래서	435
곽소희	기재부	71
곽수연	동대문서	167
곽수정	시흥서	232
곽승만	부산세관	482
곽승철	잠실서	197
곽승훈	의정부서	299
곽시명	태평양	50
곽영경	서울청	146
곽영국	태평양	50
곽영근	해운대서	449
곽영미	마포서	171
곽용석	중랑서	200
곽용석	통영서	465
곽용은	용산서	192
곽용재	여수서	368
곽우정	영주서	416
곽원섭	금감원	85
곽원욱	조세재정	496
곽원일	동래서	432
곽유진	남부천서	291
곽윤영	마산서	456
곽윤희	금천서	159
곽은미	창원서	463
곽은선	기흥서	218
곽은희	경기광주	235
곽인수	기재부	65
곽인혜	중부서	202
곽장운	김앤장	45
곽재석	서울세관	474
곽재승	중부청	212
곽재원	여수서	369
곽재형	인천청	273
곽정민	금감원	84
곽정수	용인서	243
곽정은	서울청	131
곽정은	반포서	172
곽정환	기재부	64
곽정희	대구청	387
곽종훈	역삼서	188
곽주권	국세청	113
곽주덕	송파서	184
곽준옥	안산서	236
곽지수	포천서	303
곽지은	국세청	113
곽지은	서울청	132
곽지혜	기재부	70
곽지훈	반포서	173
곽지훈	북대전서	314
곽진섭	남부천서	291
곽진우	부천서	292
곽진우	진주서	461
곽진후	동대문서	167
곽진희	동화성서	249
곽철규	남대구서	392
곽충균	동래서	438
곽충협	조세심판	493
곽한인	예산서	331
곽한식	부산청	427
곽한울	동화성서	248
곽현수	목포서	364
곽현숙	동래서	434
곽현승	서초서	178
곽형신	대전청	306
곽혜원	서울청	134
곽혜정	중부청	207
곽호현	원주서	261
구경렬	감사원	57
구경식	부산청	428
구경아	동래서	432
구경임	동래서	432
구경택	진주서	461
구광모	서대구서	398
구교소	기재부	62
구규완	평택서	246
구근랑	대구청	391
구남규	조세재정	496
구대중	순천서	366
구대현	인천청	273
구동욱	마포서	171
구명옥	서울청	137
구명옥	북대전서	315
구명희	기흥서	219
구문주	국세청	105
구미선	양천서	186
구민성	서울청	138
구병모	남대구서	393
구본경	금감원	90
구본균	기재부	63
구본균	경기광주	234
구본기	서울청	141
구본녕	기재부	65
구본섭	국세청	275
구본수	속초서	256
구본옥	기재부	63
구본하	동대문서	176
구상수	법무지평	49
구상은	동래서	435
구석연	창원서	463
구선영	서울청	134
구선영	구로서	156
구선미	동래서	440
구섭본	한국관세	42
구성민	동안양서	224
구성본	서대구서	359
구성진	서울청	132
구세윤	국세청	104
구세진	용산서	192
구세현	제주서	466
구수목	경산서	402
구수연	부산청	425
구수정	부평서	295
구순옥	국세청	117
구순옥	서울청	130
구승미	국세청	116
구승완	대전청	309
구승현	동래서	432
구승희	삼정회계	22
구신영	안동서	412
구아림	인천청	279
구아현	부천청	213
구양훈	서현이현	7
구영대	관악서	154
구영민	강남서	148
구영범	통영서	464
구영진	국세청	110
구옥선	국세청	129
구용모	잠실서	197
구우형	서대문서	177
구원호	금감원	92
구위원	조세재정	494
구윤모	조세재정	495
구윤희	광산서	354
구은숙	북대전서	314
구은정	논산서	320
구응서	기흥서	219
구인서	제주서	467
구인선	삼성서	174
구자연	남대문서	160
구자영	기재부	68
구자옥	동대문서	166
구자율	서울청	129
구자은	국세청	108
구자호	중부청	210
구재호	반포서	172
구정대	기재부	65
구정서	용산서	192
구정숙	경주서	405
구정인	아산서	329
구정환	서인천서	277
구종식	서대구서	398
구지은	고양서	283
구진아	감사원	57
구진영	성북서	181
구태경	서울청	137
구태민	부산세관	482
구태환	동화성서	249
구태효	울산서	451
구태훈	상주서	410
구태휴	서광주서	360
구판서	군산서	372
구표수	인천청	272
구한석	용인서	243
구현정	삼성서	175
구현지	서울청	126
구현진	마산서	456
구현철	성동서	181
구혜란	동인산서	238
구혜림	서대구서	398
구혜숙	목포서	364
구훈림	중부청	210
구화란	울산서	450
구효진	청주서	342
구훈모	영등포서	190
국경호	중부청	210
국명래	해남서	371
국봉균	인천서	279
국승섭	국세청	99
국승미	서광주서	361
국승원	구로서	157
국무삼룡	세무삼룡	37
국윤미	북대전서	314
권갑선	대구청	390
권경란	서울청	140
권경미	동청주서	337
권경범	서울청	135
권경수	공주서	318
권경해	서울청	126
권경훈	경기광주	235
권관수	은평서	194
권교범	노원서	162
권구성	동안양서	225
권규종	분당서	227
권근아	기재부	69
권기대	감사원	57
권기봉	대구청	391
권기성	포천서	303
권기수	중부서	203
권기연	부천서	293
권기완	인천청	272
권기정	중부청	209
권기주	국세청	117
권기후	기재부	63
권기창	은평서	195
권기창	수성서	400
권기태	기재부	60
권기태	딜로이트	16
권기현	서울청	126
권기홍	은평서	194
권나경	수원서	231
권나영	울산서	450
권나예	서대문서	177
권나현	도봉서	164
권대근	대전청	310
권대명	용인서	242
권대선	부산세관	483
권대식	남대문서	160
권대영	금융위	80
권대완	국세청	105
권대호	경주서	404
권대호	인천세관	478
권대환	대구청	387
권덕환	구로서	156
권도영	북전주서	377
권도윤	김포서	286
권도현	서인천서	276
권동민	수영서	443
권동철	세종서	326
권동한	기재부	66
권명윤	충주서	345
권명자	강남서	148
권명호	서울청	129
권문연	기재부	71
권미경	기재부	70
권미경	반포서	172
권미경	평택서	247
권미라	기재부	61
권미애	경기광주	234
권미연	조세재정	494
권미영	종로서	198
권미자	전주서	380

이름	소속	번호
권미정	울산서	450
권미희	안산서	237
권민경	국세청	100
권민경	동안양서	224
권민규	대구청	386
권민상	기재부	76
권민선	동작서	168
권민선	분당서	226
권민성	신한관세	43
권민수	서울청	129
권민수	서초서	179
권민정	기재부	63
권민정	서초서	179
권민정	순천서	366
권민정	북대구서	396
권민정	북대구서	397
권민정	부산청	425
권민지	관악서	154
권민지	송파서	184
권민철	국세교육	122
권민형	대전청	309
권범준	서울청	145
권범진	영등포서	190
권병묵	인천서	278
권병선	해운대서	448
권병수	울산서	451
권병일	구미서	407
권보란	마산서	456
권보성	관악서	154
권보현	동고양서	289
권부환	송파서	185
권상빈	영주서	417
권상수	부산청	425
권상욱	기재부	76
권상일	여수서	368
권서영	서인천서	276
권석용	제천서	340
권석주	마포서	171
권석진	국세상담	120
권석현	서울청	128
권선정	조세재정	494
권선주	김해서	454
권선화	기흥서	218
권설진	안양서	241
권성구	북대구서	397
권성대	서초서	179
권성미	인천청	273
권성오	조세재정	494
권성우	서대구서	398
권성은	EY한영	14
권성주	동래서	438
권성준	부산청	423
권성준	조세재정	494
권성준	조세재정	495
권성철	기재부	64
권성표	진주서	461
권성호	동래서	437
권성훈	금감원	91
권세혁	포천서	303
권소연	대구청	388
권소현	중부청	214
권수경	창원서	463
권수중	예산서	331
권수진	전주서	381
권수현	안동서	412
권순근	대전서	313
권순도	성현회계	13
권순락	중부청	215
권순모	대구청	387
권순미	영등포서	190
권순배	기재부	63
권순식	경주서	404
권순엽	반포서	173
권순영	기재부	73
권순영	서산서	324
권순영	울산서	451
권순오	조세재정	494
권순일	구리서	217
권순일	세종서	327
권순재	서울청	130
권순찬	서울청	142
권순태	지방재정	490
권순표	금감원	84
권순현	지방재정	490
권순형	대구청	391
권순호	강서서	152
권순호	국세청	40
권순홍	구미서	407
권슬기	지방재정	491
권승민	성남서	229
권승비	대구청	390
권승욱	양천서	186
권신희	대구세관	486
권안석	미래회계	17
권영규	수영서	442
권영균	인천서	278
권영대	수성서	401
권영대	법무광장	47
권영록	동래서	435
권영모	경기광주	234
권영민	기재부	62
권영민	금감원	89
권영발	금감원	88
권영빈	동수원서	222
권영선	북대전서	314
권영수	금감원	90
권영숙	수성서	401
권영승	서울청	146
권영신	김앤장	45
권영승	춘천서	262
권영인	시흥서	233
권영조	서대문서	317
권영주	동대문서	166
권영진	기재부	75
권영진	도봉서	165
권영진	용인서	242
권영진	화성서	251
권영창	삼덕회계	18
권영철	창원서	463
권영칠	마포서	171
권영한	안동서	413
권영현	기재부	68
권영호	동안양서	224
권영훈	서광주서	360
권영훈	부산청	424
권영희	서울청	127
권예리	청주서	343
권예솔	안양서	225
권예원	강남서	148
권예지	노원서	162
권오광	강서서	168
권오광	강릉서	252
권오교	이천서	245
권오구	안동서	412
권오남	반포서	173
권오방	부천서	292
권오복	감사원	56
권오봉	역삼서	188
권오상	역삼서	189
권오석	동대문서	166
권오성	삼성서	174
권오성	충주서	344
권오성	광주세관	488
권오승	영등포서	191
권오신	경산서	403
권오영	기재부	74
권오영	지방재정	490
권오윤	상공회의	96
권오정	양천서	186
권오준	노원서	163
권오직	동안산서	238
권오진	중부청	208
권오찬	의정부서	298
권오찬	충주서	344
권오철	예일세무	40
권오평	국세청	102
권오현	법무광장	47
권오현	국세청	109
권오현	강서서	152
권오형	서초서	179
권오형	영덕서	415
권옥기	세종서	327
권옥기	시흥서	232
권용덕	대구청	386
권용상	도봉서	164
권용승	수영서	442
권용익	성북서	183
권용준	기재부	69
권용탁	지방재정	491
권용학	중부서	202
권용현	한국관세	42
권용훈	국세청	102
권우건	마포서	171
권우철	서현이현	7
권유택	도봉서	165
권유림	기재부	72
권유미	서울청	139
권유비	인천서	345
권유이	금융위	79
권유화	해운대서	447
권윤구	예산서	331
권윤호	울산서	450
권윤희	영등포서	191
권윤희	반포서	173
권은경	종로서	199
권은경	남동서	275
권은경	군산서	373
권은경	경주서	404
권은경	창원서	462
권은민	김앤장	45
권은숙	반포서	172
권은숙	북전주서	376
권은순	영주서	416
권은영	기재부	68
권은영	서초서	178
권은정	남양주서	221
권은정	거창서	453
권은지	서초서	179
권은진	대구청	387
권은호	동작서	169
권익근	동화성서	248
권익성	동수원서	222
권익성	상주서	410
권익현	해운대서	446
권인석	남대구서	392
권인숙	대전청	307
권인오	광주서	356
권일홍	영주서	416
권자인	부천서	292
권재판	기재부	73
권재서	춘천서	262
권재선	서울청	137
권재순	금감원	91
권재영	금정서	430
권재효	국세청	110
권정기	신천서	159
권정석	경기광주	235
권정숙	인천청	270
권정숙	서울청	129
권정애	조세재정	496
권정용	나주서	362
권정우	영등포서	191
권정운	강서서	152
권정훈	삼성서	175
권정희	서울청	135
권종기	역삼서	189
권종욱	강남서	149
권종인	김해서	454
권주성	금융위	79
권주희	서초서	179
권준경	대전청	308
권준수	기재부	72
권준엽	서현이현	7
권준용	해남서	370
권준영	영덕서	414
권준혁	통영서	464
권준혜	포항서	418
권중후	시흥서	232
권지숙	포항서	419
권지용	동화성서	248
권지원	강남서	283
권지원	딜로이트	16
권지은	동작서	168
권지은	부산청	424
권지혜	해운대서	449
권진록	서울청	147
권진솔	경기광주	234
권진아	동래서	438
권진아	천안서	332
권진웅	감사원	56
권진형	국세청	102
권진혁	서대문서	176
권창위	시흥서	233
권창현	춘천서	262
권창현	지방재정	491
권창호	국세상담	121
권채윤	금천서	159
권철균	아산서	328
권춘식	동화성서	249
권충구	감사원	57
권태경	금감원	88
권태민	서인천서	276
권태영	법무광장	47
권태윤	동대문서	166
권태인	구로서	157
권태준	관악서	154
권태혁	대구청	387
권태훈	창원서	462
권택경	동수원서	222
권택민	속초서	257
권한조	예일회계	26
권해영	노원서	162
권혁규	안동서	413
권혁기	딜로이트	16
권혁노	안산서	153
권혁도	상공회의	96
권혁도	북대구서	396
권혁란	서울청	129
권혁빈	의정부서	299
권혁성	국세청	106
권혁수	삼척서	326
권혁순	기재부	65
권혁순	서울청	127
권혁영	남원서	253
권혁일	목포서	364
권혁준	서울청	131
권혁준	서울청	146
권혁준	고양서	282
권혁진	성동서	181
권혁찬	기재부	63
권혁찬	동대문서	166
권혁찬	원주서	260
권혁희	대전서	313
권현복	대구청	389
권현서	서울청	130
권현수	삼덕회계	18
권현신	구로서	157
권현옥	국세청	117
권현정	수원서	230
권현주	서대구서	399
권현지	서대구서	399
권현택	서인천서	276
권현회	남양주서	220
권현희	서울청	139
권혜랑	성북서	182
권혜련	계양서	280
권혜미	반포서	172
권혜연	서울청	129
권혜영	천안서	333
권혜정	국세청	113
권혜정	영등포서	191
권혜지	관악서	155
권혜지	안산서	327
권혜화	서인천서	276
권호영	북대구서	396
권로용	국세청	330
권회종	금감원	86
권효은	대구청	391
권효정	남동서	274
권흥일	성남서	228
권희갑	충주서	344
권희숙	이천서	244
권희정	김천서	408
권희준	공주서	318
금기태	북대전서	316
금대호	영주서	417
금도미	동안산서	238
금도훈	부산청	429
금동화	삼척서	255
금병호	부산청	429
금봉요	성북서	183
금승수	잠실서	196
금승훈	강남서	148
금영송	대전청	310
금윤순	전주서	380
금인숙	수영서	442
금잔디	성북서	182
금현정	서울청	146
기금헌	서광주서	360
기남국	나주서	362
기노선	평택서	247
기대원	북광주서	359
기두현	남동서	275
기민아	광산서	355
기상도	김앤장	45
기승연	광산서	354
기승호	부천서	292
기아람	고양서	282
기연희	남원서	374
기영서	국세청	100
기영준	인천서	279
기은지	원주서	260
기은진	영등포서	190
기재희	서울청	147
기정림	역삼서	189
기태경	수영서	444
기회훈	천안서	332
길미정	시흥서	233
길미정	의정부서	298
길민석	서산서	325
길민선	조세재정	494
길성구	동대구서	394
길수영	연수서	296
길연섭	서울세관	474
길요한	중부청	206
길웅섭	논산서	320
길은영	부평서	294
길익찬	반포서	172
길혜선	강남서	149
김가람	기재부	69
김가람	인천청	272
김가람	광주서	356
김가령	동래서	433
김가림	중부서	202
김가민	수원서	230
김가연	송파서	185
김가연	중부서	203
김가연	고양서	283
김가영	인천서	278
김가영	고양서	282
김가영	남부천서	290
김가우	부산세관	483
김가원	동청주서	336
김가은	창원서	462
김가은	창원서	463
김가이	서울청	142
김가인	중부청	215
김가혜	기흥서	218
김가희	성동서	180
김감채	파주서	300
김갑수	서울청	133
김갑심	송파서	185
김갑인	울산서	451
김강록	화성서	251
김강미	안양서	240
김강산	화성서	250
김강산	법무지평	49
김강수	순천서	367
김강인	영주서	417
김강주	중부청	210
김강진	순천서	367
김강현	성동서	181
김강훈	금천서	159
김강훈	기흥서	218
김강훈	포항서	419
김건식	마포서	171
김건영	인천청	271
김건우	국세청	103
김건우	남양주서	221
김건웅	중랑서	201
김건유	감사원	56
김건중	국세상담	121
김건중	동래서	432
김건형	남동서	274
김건호	강서서	152
김건호	화성서	250
김경구	삼일회계	21
김경국	기재부	65
김경국	삼성서	174
김경난	기재부	66
김경난	서대구서	399
김경남	김천서	408

이름	소속	번호	이름	소속	번호	이름	소속	번호	이름	소속	번호	이름	소속	번호	이름	소속	번호
김경대	금정서	431	김경인	진주서	461	김광괄	익산서	379	김규수	북대구서	397	김기용	마산서	456	김나겸	김해서	455
김경덕	서울청	129	김경일	중부청	211	김광대	국세청	101	김규식	경산서	403	김기웅	통영서	464	김나경	동화성서	248
김경돈	원주서	261	김경임	광주청	349	김광덕	통영서	464	김규완	서울청	128	김기은	구로서	156	김나나	강동서	151
김경동	상주서	410	김경자	성동서	180	김광래	국세청	104	김규완	서울청	147	김기은	중부청	211	김나래	용인서	243
김경두	서울청	147	김경자	북대구서	396	김광련	수성서	401	김규용	감사원	57	김기재	대구세관	485	김나래	부산청	426
김경라	의정부서	299	김경조	딜로이트	16	김광묵	중랑서	201	김규원	동대성서	248	김기재	대구세관	485	김나리	서초서	178
김경란	안양서	240	김경주	광주서	353	김광묵	포천서	302	김규원	금천서	158	김기재	대구세관	486	김나리아	충주서	344
김경란	이천서	245	김경진	강서서	153	김광미	역삼서	189	김규진	금감원	92	김기정	나주서	363	김나미	파주서	300
김경랑	중부청	214	김경진	중부청	214	김광미	은평서	195	김규진	대구청	386	김기준	대전청	309	김나미	국세교육	123
김경래	기재부	67	김경진	인천서	272	김광복	화성서	251	김규진	진주서	461	김기중	성동서	181	김나연	강서서	153
김경례	광주청	349	김경진	동래서	436	김광석	양천서	186	김규진	서울세관	474	김기중	부산청	422	김나연	용산서	193
김경록	기재부	67	김경진	울산서	450	김광석	서대구서	398	김규태	광주서	356	김기천	서울청	143	김나연	중랑서	200
김경록	국세청	102	김경철	기재부	61	김광석	제주서	467	김규표	목포서	365	김기천	서울청	135	김나연	의정부서	299
김경록	마포서	171	김경철	대전청	310	김광섭	충주서	344	김규한	경기광주	235	김기철	용산서	192	김나연	삼성서	175
김경룡	속초서	256	김경태	구로서	157	김광섭	서광주서	361	김규해	김해서	455	김기태	국세청	102	김나영	중부청	211
김경률	금감원	89	김경태	동안양서	224	김광성	남원서	374	김규혁	수원서	231	김기태	제천서	341	김나영	구리서	217
김경린	성남서	228	김경태	계양서	281	김광수	서울서	127	김규호	남양주서	221	김기현	서울청	145	김나영	동안양서	225
김경림	수성서	401	김경태	동래서	432	김광수	동수원서	223	김규호	남부천서	291	김기현	동래서	432	김나영	북대구서	396
김경민	국세청	102	김경태	마산서	456	김광수	고양서	283	김규희	대구청	132	김기현	부산세관	482	김나영	김해서	454
김경만	세종서	326	김경태	인천세관	478	김광수	부산청	422	김균열	국세청	109	김기형	대구청	387	김나영	김해서	455
김경모	마포서	171	김경태	대현회계	15	김광수	서대구서	447	김극돈	북대전서	315	김기홍	기재부	70	김나영	마산서	456
김경모	수원서	230	김경택	법무광장	46	김광수	삼일회계	20	김근경	화성서	250	김기홍	서울청	139	김나영	진주서	460
김경무	부산청	425	김경택	경산서	402	김광순	대전청	307	김근수	서울청	136	김기홍	이천서	244	김나영	제주서	466
김경미	서울청	145	김경필	서울청	129	김광식	동화성서	248	김근수	중부청	208	김기홍	조세심판	492	김나윤	기재부	70
김경미	마포서	171	김경하	성동서	181	김광식	강릉서	253	김근아	서산서	325	김기훈	종로서	199	김나윤	조세재정	495
김경미	연수서	297	김경한	포항서	418	김광식	삼척서	254	김근우	포천서	287	김기환	안산서	237	김나은	노원서	162
김경미	대전청	306	김경해	국세청	102	김광식	마포서	171	김근우	인천청	272	김기환	광명서	284	김나은	반포서	172
김경미	진주서	461	김경해	광명서	284	김광열	동대구서	395	김근우	광주청	352	김기환	동래서	440	김나은	수영서	442
김경미	삼정회계	24	김경향	반포서	172	김광영	서울청	127	김근우	북대구서	396	김기환	대구세관	486	김나현	국세주류	118
김경민	국세청	102	김경현	성동서	180	김광염	국세청	105	김근하	북대전서	314	김기훈	동화성서	249	김나현	마포서	171
김경민	국세청	103	김경현	이천서	245	김광일	기재부	66	김근한	평택서	246	김기훈	인천청	273	김나현	안산서	237
김경민	잠실서	196	김경현	순천서	366	김광일	금융위	80	김근형	서광주서	360	김길수	지방재정	491	김나현	울산서	450
김경민	남양주서	221	김경현	동대구서	394	김광준	중부청	209	김근화	서울청	130	김길영	남대구서	393	김나현	울산서	451
김경민	용인서	242	김경혜	영등포서	191	김광천	인천청	271	김근환	대전청	310	김길웅	중부청	206	김나현	마산서	457
김경민	평택서	247	김경혜	마산서	456	김광태	남동서	275	김금비	기재부	67	김길호	해운대서	447	김나희	논산서	320
김경민	인천청	270	김경호	감사원	55	김광표	인천서	279	김금순	수영서	443	김길희	상주서	411	김낙영	성동서	181
김경민	수영서	445	김경호	감사원	57	김광현	서울청	134	김금영	여수서	368				김난경	송파서	184
김경민	통영서	464	김경호	강서서	152	김광현	구로서	156	김금자	분당서	226				김난경	송동서	339
김경복	남대문서	161	김경호	양천서	187	김광현	평택서	247	김금자	금정서	430				김난미	서울청	127
김경석	동대구서	394	김경호	의정부서	299	김광현	광주서	357	김금태	금감원	84				김난숙	기재부	63
김경선	국세청	102	김경호	천안서	333	김광현	서광주서	361	김기나	예일세무	40				김난영	중부청	206
김경선	도봉서	164	김경호	인천세관	478	김광현	대구청	388	김기남	강서서	153				김난영	진주서	460
김경선	부산청	423	김경호	삼일회계	20	김광혜	중부청	209	김기대	천안서	332				김난영	강남서	149
김경수	기재부	62	김경화	부산청	426	김광호	성동서	180	김기덕	서울청	140				김난희	서울청	135
김경수	금감원	84	김경화	울산서	450	김광환	강남서	149	김기덕	이천서	244				김난희	부산청	429
김경수	구미서	407	김경환	금감원	91	김광희	지방재정	491	김기동	기재부	66				김남교	서초서	179
김경숙	관악서	154	김경환	강서서	153	김광희	북전주서	377	김기동	아산서	328				김남구	국세청	110
김경숙	남대문서	161	김경환	고양서	283	김교선	중부서	202	김기동	북전주서	376				김남국	서현이현	7
김경숙	기흥서	218	김경환	대전서	312	김교성	중부청	212	김기동	부산세관	483				김남규	제주서	467
김경숙	용인서	245	김경환	전주서	380	김교중	기재부	70	김기만	종로서	199						
김경숙	원주서	261	김경훈	삼성서	175	김교태	삼정회계	22	김기무	법무바른	1						
김경숙	인천청	272	김경훈	중부청	214	김구름	서울청	127	김기무	서대구서	398						
김경숙	아산서	328	김경훈	구리서	216	김구봉	아산서	328	김기문	기재부	72						
김경숙	부산청	422	김경훈	대구청	388	김구수	창원서	463	김기문	중기회	97						
김경숙	통영서	465	김경훈	조세재정	495	김구영	경주서	405	김기미	용산서	192						
김경승	거창서	453	김경희	기재부	71	김구호	구리서	216	김기미	북대전서	314						
김경식	서울청	141	김경희	국세청	110	김구호	세종서	327	김기배	안산서	237						
김경식	홍천서	264	김경희	강서서	153	김구환	울산서	451	김기범	울산서	450						
김경식	북대구서	396	김경희	구로서	157	김국만	금감원	85	김기복	법무바른	1						
김경아	국세청	102	김경희	서초서	179	김국만	부산세관	483	김기쁨	노원서	163						
김경아	서대문서	176	김경희	영등포서	191	김국성	중부청	210	김기석	관악서	154						
김경아	성동서	181	김경희	성남서	228	김국성	서울청	147	김기석	인천서	279						
김경아	중부서	202	김경희	광명서	285	김국진	울산서	450	김기선	동대문서	167						
김경아	동안산서	238	김경희	익산서	379	김국현	서울청	145	김기선	동작서	169						
김경아	파주서	300	김경희	경산서	402	김국현	서울청	146	김기선	성동서	181						
김경아	포천서	303	김계영	동대문서	167	김국현	서울청	147	김기성	서산서	324						
김경애	기재부	69	김계영	창원서	463	김국현	기흥서	218	김기수	상공회의	95						
김경애	해운대서	446	김계정	의정부서	299	김국현	수원서	230	김기수	대전서	312						
김경업	반포서	172	김계향	해운대서	449	김국현	충주서	345	김기숙	대전청	313						
김경업	파주서	300	김계현	국세청	102	김권	노원서	163	김기식	중부청	215						
김경연	기재부	71	김고은	남대문서	160	김권하	동래서	441	김기식	서인천서	277						
김경열	경기광주	235	김고은	잠실서	197	김귀범	기재부	67	김기아	광산서	354						
김경영	금감원	92	김고은	부산청	424	김귀종	북전주서	376	김기업	해운대서	449						
김경옥	성동서	181	김고환	종로서	199	김귀혁	진주서	460	김기연	종로서	199						
김경옥	동래서	436	김고희	수원서	230	김규리	관악서	154	김기열	국세청	113						
김경옥	지방재정	490	김곤휘	지방재정	491	김규리	도봉서	165	김기영	금감원	81						
김경우	김해서	454	김공해	목포서	364	김규리	종로서	199	김기영	금감원	89						
김경우	동래서	441	김관수	청주서	342	김규리	구미서	407	김기영	국세청	117						
김경우	양산서	459	김관오	대전청	311	김규림	파주서	300	김기영	평택서	246						
김경원	성동서	181	김관우	아산서	328	김규민	마산서	456	김기옥	광산서	354						
김경은	정읍서	382	김관우	인천청	270	김규석	태평양	50	김기완	서울청	136						
김경은	거창서	453	김관석	서울세관	474	김규성	강서서	152									
김경이	수영서	445	김관태	영덕서	414	김규성	영등포서	190									
김경익	중부서	202	김관형	수성서	400	김규수	기재부	69									
			김관홍	인천청	270												

이름	소속	번호
김남균	강서서	152
김남균	용산서	193
김남덕	군산서	373
김남배	통영서	464
김남석	기재부	77
김남섭	서울세관	475
김남수	광주서	356
김남영	동대구서	395
김남영	중부청	208
김남영	부산청	429
김남영	예일세무	40
김남용	국세청	104
김남이	북광주서	359
김남정	동대구서	395
김남주	마포서	170
김남주	안양서	240
김남주	홍천서	265
김남준	국세상담	121
김남중	동수원서	222
김남중	세종서	327
김남철	의정부서	299
김남태	금감원	85
김남헌	지방재정	490
김남현	해운대서	448
김남호	동안양서	224
김남훈	국세청	101
김남훈	대전청	309
김남희	기재부	65
김남희	동작서	168
김남희	서초서	178
김남희	인천서	408
김남희	부산청	429
김내리	국세청	114
김년성	경산서	402
김년호	대전서	312
김노섭	중랑서	200
김녹영	상공회의	96
김누리	이천서	245
김다람	중부청	215
김다랑	조세재정	495
김다미	분당서	226
김다민	서울청	138
김다빈	북전주서	377
김다솔	동화성서	248
김다솔	포천서	302
김다솜	대전서	312
김다연	대구서	168
김다연	대전청	309
김다영	강서서	152
김다영	삼성서	174
김다영	중부청	207
김다영	동안양서	224
김다영	마포서	286
김다예	서광주서	360
김다예	동래서	441
김다운	중부청	206
김다운	창원서	463
김다원	동작서	168
김다은	국세청	113
김다은	화성서	250
김다은	인천청	273
김다이	중부청	208
김다현	기재부	71
김다현	중랑서	200
김다현	청주서	343
김다형	남동서	274
김다혜	광주서	357
김다혜	제주서	467
김다혜	지방재정	490
김다희	중부청	212
김단비	성남서	228
김단비	평택서	247
김단비	목포서	365
김단아	금천서	158
김달님	춘천서	263
김달유	조세재정	496
김대관	강남서	148
김대권	김포서	287
김대권	영등포서	190
김대규	아산서	328
김대길	도봉서	164
김대길	서울세관	474
김대범	금감원	89
김대범	인천청	271
김대범	파주서	300
김대석	기재부	74
김대성	동수원서	223
김대식	동청주서	336
김대업	대구청	389
김대연	기재부	61
김대연	동화성서	249
김대연	고양서	283
김대연	동래서	438
김대엽	수성서	401
김대열	동래서	440
김대엽	서울청	143
김대영	남동서	275
김대영	구미서	407
김대욱	국세청	115
김대욱	부산청	424
김대용	은평서	195
김대용	대전청	309
김대우	서울청	132
김대우	서울청	134
김대욱	계양서	280
김대운	공주서	318
김대원	기재부	63
김대원	강남서	149
김대원	중부청	208
김대원	중부청	209
김대원	중부청	213
김대원	북전주서	376
김대원	동래서	437
김대원	동래서	438
김대일	국세청	101
김대일	서인천서	276
김대일	광주서	348
김대준	서울청	141
김대중	국세청	115
김대중	서울청	136
김대진	금감원	85
김대진	반포서	173
김대진	대전청	311
김대진	세무삼릉	37
김대철	서울청	138
김대철	동래서	437
김대학	광주청	353
김대혁	동안양서	224
김대현	감사원	56
김대현	국세청	105
김대현	서울청	144
김대현	서광주서	361
김대현	고시회	32
김대호	서울청	142
김대호	목포서	365
김대환	수원서	230
김대환	파주서	301
김대훈	마포서	171
김대훈	기흥서	218
김대훈	제주서	467
김대훈	대구청	391
김대희	부산청	422
김대희	동래서	436
김덕교	안산서	283
김덕규	세종서	326
김덕기	양천서	186
김덕년	남대구서	393
김덕봉	동래서	438
김덕성	동래서	432
김덕수	삼덕회계	18
김덕영	강동서	151
김덕원	동래서	440
김덕	서울서	126
김덕종	광주세관	487
김덕종	광주세관	487
김덕종	광주세관	488
김덕현	서초서	178
김덕현	동안양서	224
김덕호	상주서	411
김덕환	남대구서	392
김도경	기재부	69
김도경	강남서	148
김도경	동화성서	248
김도광	경산서	402
김도균	국세청	109
김도균	양천서	187
김도균	의정부서	298
김도년	동래서	438
김도민	경산서	402
김도숙	구미서	406
김도암	부산서	426
김도애	의정부서	298
김도연	기재부	73
김도연	서울청	147
김도연	서울청	169
김도연	중부청	211
김도연	용인서	243
김도연	광주서	336
김도연	광주서	356
김도연	대구청	389
김도연	서울청	428
김도연	제주서	466
김도영	구로서	156
김도영	송파서	184
김도영	중부청	215
김도영	부산청	427
김도유	국세청	112
김도유	구미서	407
김도윤	송파서	184
김도윤	고양서	283
김도윤	동래서	435
김도은	서울청	142
김도헌	삼척서	254
김도헌	마산서	457
김도현	국세청	117
김도현	서울청	128
김도현	용인서	242
김도협	서인천서	276
김도형	동작서	168
김도형	구리서	217
김도형	의정부서	298
김도형	광산서	355
김도형	포항서	418
김도형	마산서	456
김도형	성현회계	13
김도화	삼덕회계	18
김도화	마산서	185
김도훈	기재부	70
김도훈	국세청	104
김도훈	경기광주	234
김도훈	나주서	362
김도훈	영주서	416
김도훈	조세재정	496
김도희	기재부	71
김도희	금감원	83
김도희	금감원	86
김도희	용산서	192
김도희	분당서	226
김도희	의정부서	298
김동건	동래서	435
김동건	수영서	445
김동건	통영서	464
김동겸	동래서	440
김동곤	기재부	68
김동구	평택서	246
김동구	목포서	364
김동근	중기회	97
김동근	국세청	112
김동근	서울청	126
김동근	남양주서	220
김동길	동래서	436
김동만	삼도회계	19
김동만	중랑서	201
김동민	용산서	192
김동민	수원서	231
김동민	통영서	465
김동범	성북서	182
김동범	구미서	406
김동빈	국세청	100
김동석	기재부	72
김동석	송파서	255
김동선	광명서	285
김동선	여수서	369
김동선	EY한영	14
김동소	EY한영	45
김동수	국세청	105
김동수	기흥서	219
김동수	김포서	287
김동수	동래서	433
김동수	부산세관	482
김동수	용인서	283
김동신	서광주서	360
김동신	부산청	429
김동엽	김해서	454
김동열	동화성서	248
김동엽	인천청	270
김동엽	서울청	131
김동영	김포서	286
김동영	영등포서	190
김동영	부산청	423
김동영	부산세관	483
김동영	지방재정	491
김동오	해운대서	446
김동완	영등포서	190
김동완	영등포서	190
김동우	관악서	154
김동우	인천청	270
김동우	김포서	286
김동우	부산청	425
김동욱	기재부	70
김동욱	기재부	74
김동욱	국세청	115
김동욱	서울청	134
김동욱	서울청	134
김동욱	삼성서	174
김동욱	역삼서	188
김동욱	역삼서	189
김동욱	은평서	195
김동욱	평택서	247
김동욱	대구서	386
김동욱	부산청	429
김동욱	양산서	458
김동윤	서초서	179
김동윤	안양서	240
김동윤	속초서	257
김동은	양천서	187
김동이	서울세관	473
김동이	서울세관	473
김동이	서울세관	475
김동일	기재부	65
김동일	국세청	109
김동일	국세청	110
김동일	북대전서	314
김동일	부산청	422
김동조	부산청	210
김동준	중부청	211
김동준	김포서	286
김동준	부천서	293
김동준	영주서	417
김동직	국세청	103
김동진	마포서	171
김동진	잠실서	197
김동진	성남서	228
김동진	서인천서	277
김동찬	용산서	192
김동찬	안동서	412
김동철	양천서	202
김동철	인천세관	479
김동춘	안동서	413
김동하	금감원	84
김동하	구로서	156
김동하	해운대서	446
김동한	마산서	456
김동혁	기재부	67
김동현	강동서	151
김동현	관악서	154
김동현	구로서	157
김동현	마포서	170
김동현	삼성서	174
김동현	은평서	195
김동현	중부청	211
김동현	구리서	216
김동현	남동서	275
김동현	부천서	293
김동현	대전청	311
김동현	아산서	329
김동현	제천서	341
김동현	동대구서	394
김동현	금정서	431
김동현	동래서	436
김동현	울산서	451
김동현	마산서	457
김동현	태평양	50
김동형	북대전서	314
김동형	동래서	437
김동호	국세교육	123
김동호	남동서	275
김동호	진주서	460
김동환	기재부	67
김동환	금융위	79
김동환	서울청	144
김동환	은평서	195
김동환	종로서	199
김동환	북대구서	396
김동환	포항서	419
김동환	금정서	430
김동회	금감원	81
김동회	금감원	87
김동훈	기재부	66
김동훈	금감원	84
김동훈	국세청	101
김동훈	서울청	126
김동훈	서초서	178
김동훈	북대구서	396
김동휘	삼정회계	23
김동휘	부평서	295
김동희	국세청	113
김동희	구미서	216
김동희	지방재정	491
김두곤	상주서	410
김두리	이천서	244
김두섭	대전청	309
김두섭	조세심판	493
김두성	성북서	183
김두수	구리서	216
김두수	춘천서	262
김두수	포천서	303
김두수	지방재정	491
김두식	부산청	427
김두연	동청주서	337
김두영	영월서	258
김두현	영덕서	415
김두환	중부서	203
김두환	청주서	342
김득수	광주청	349
김득수	대구청	388
김득중	서초서	179
김득화	인천서	278
김라영	영등포서	191
김라운	해운대서	448
김라희	천안서	332
김란주	시흥서	233
김래하	성동서	181
김령도	은평서	195
김령언	창원서	463
김령우	울산서	450
김로환	북대전서	314
김리아	북대전서	315
김리영	서울청	146
김마리아	통영서	464
김만기	기재부	62
김만덕	김포서	286
김만래	대전서	313
김만봉	지방재정	491
김만석	감사원	56
김만성	광주청	353
김만숙	기재부	63
김만숙	노원서	163
김만식	경기광주	234
김만헌	서대구서	398
김말숙	국세청	115
김말영	인천청	271
김명경	대구청	390
김명국	구미서	406
김명규	서울청	126
김명규	고양서	282
김명규	북대구서	398
김명규	딜로이트	16
김명대	평택서	246
김명도	국세청	107
김명렬	부산청	427
김명미	금정서	430
김명봉	기재부	69
김명선	강서서	152
김명선	성남서	228
김명선	남부천서	290
김명선	북광주서	358
김명선	포항서	418
김명선	양산서	458
김명섭	김해서	454
김명섭	인천세관	480
김명수	부평서	295
김명수	해운대서	446

이름	소속	쪽	이름	소속	쪽	이름	소속	쪽	이름	소속	쪽	이름	소속	쪽
김명숙	송파서	184	김미경	대구청	387	김미정	포천서	303	김민수	국세청	113	김민주	잠실서	197
김명숙	중부청	209	김미경	울산서	450	김미정	김해서	454	김민수	노원서	162	김민주	종로서	198
김명숙	광주서	356	김미나	반포서	173	김미정	세무세관	474	김민수	동작서	169	김민주	원주서	261
김명숙	북전주서	377	김미나	중랑서	201	김미정	조세재정	494	김민수	인천청	268	김민주	서인천서	276
김명순	잠실서	196	김미나	중부청	209	김미주	반포서	173	김민수	김포서	286	김민주	인천서	279
김명순	대전청	307	김미나	기흥서	218	김미지	동래서	432	김민수	세종서	327	김민주	익산서	378
김명신	동작서	169	김미나	고양서	282	김미진	기재부	68	김민수	목포서	364	김민주	대구청	386
김명열	서울청	134	김미나	부천서	292	김미진	기재부	75	김민수	구미서	407	김민주	서대구서	398
김명옥	기재부	65	김미덕	성북서	183	김미진	남대문서	161	김민수	부산청	424	김민주	경산서	402
김명원	서울청	127	김미라	기재부	60	김미진	동대문서	166	김민숙	수영서	442	김민주	김천서	409
김명윤	부산청	425	김미라	중부청	212	김미진	양천서	186	김민숙	서울청	129	김민주	동래서	434
김명자	마포서	170	김미란	서대문서	176	김미진	정읍서	382	김민숙	동래서	439	김민준	북대전서	314
김명제	국세청	111	김미란	양천서	186	김미진	창원서	462	김민식	중부청	209	김민준	구미서	406
김명주	관악서	154	김미란	역삼서	188	김미해	광주청	353	김민식	포항서	418	김민준	통영서	465
김명준	인천청	270	김미란	중부서	202	김미향	수원서	230	김민아	서울청	138	김민중	기재부	62
김명중	순천서	366	김미란	동화성서	248	김미향	군산서	373	김민아	삼성서	174	김민중	인천서	279
김명지	금정서	431	김미량	대구청	387	김미현	대구청	391	김민아	파주서	300	김민지	기재부	70
김명진	서울청	144	김미례	서울청	141	김미현	김천서	409	김민애	인천서	278	김민지	기재부	74
김명진	반포서	173	김미리	광산서	355	김미현	동래서	440	김민영	성남서	229	김민지	국세청	105
김명진	연수서	297	김미림	강서서	152	김미혜	파주서	300	김민연	서대구서	398	김민지	노원서	162
김명진	대전청	306	김미림	반포서	172	김미혜	나주서	362	김민영	국세청	104	김민지	동작서	168
김명진	서대구서	399	김미미	인천서	278	김미화	광산서	354	김민영	국세청	108	김민지	반포서	173
김명진	이촌회계	28	김미선	기재부	75	김미희	역삼서	188	김민영	도봉서	165	김민지	종로서	198
김명철	금감원	87	김미선	금감원	92	김미희	시흥서	233	김민영	서대문서	176	김민지	종로서	199
김명철	수영서	443	김미선	서초서	179	김미희	천안서	333	김민영	양천서	186	김민지	익산서	379
김명철	삼덕회계	18	김미선	구리서	216	김미희	수영서	444	김민영	천안서	332	김민지	해운대서	448
김명호	잠실서	197	김미선	인천청	273	김민	인천청	273	김민영	양산서	459	김민지	양산서	458
김명호	중부청	214	김미선	영동서	339	김민	제주서	466	김민완	인천청	273	김민지	양산서	459
김명호	충주서	345	김미선	북광주서	358	김민건	국세청	104	김민우	서울청	133	김민지	미래회계	17
김명환	기재부	61	김미성	서대문서	176	김민경	강서서	153	김민우	구로서	156	김민진	기재부	69
김명환	서울청	129	김미소	동작서	169	김민경	동대문서	167	김민욱	고양서	282	김민진	기재부	76
김명훈	부산청	426	김미소	은평서	194	김민경	마포서	171	김민웅	국세청	105	김민진	역삼서	188
김명희	서울청	145	김미소	해운대서	448	김민경	성북서	182	김민재	부산청	378	김민진	잠실서	196
김명희	금천서	158	김미솔	서대전서	316	김민경	용산서	193	김민재	부산청	422	김민진	금정서	430
김명희	남대문서	161	김미숙	관악서	155	김민경	동수원서	222	김민재	김해서	454	김민진	수영서	443
김명희	성동서	181	김미숙	동작서	168	김민경	수원서	230	김민정	감사원	57	김민찬	서현이현	7
김명희	광주청	349	김미숙	삼성서	174	김민경	평택서	247	김민정	국세청	105	김민창	대구청	386
김명희	통영서	465	김미숙	울산서	451	김민경	인천청	272	김민정	국세상담	120	김민채	마산서	456
김명희	성현회계	13	김미숙	창원서	463	김민경	광주청	348	김민정	서울청	132	김민철	구리서	216
김몽경	충주서	344	김미순	금천서	159	김민경	부산청	428	김민정	도봉서	164	김민철	광주청	351
김묘성	서울청	135	김미아	해운대서	449	김민경	제주서	467	김민정	마포서	170	김민철	상주서	410
김묘연	부산청	429	김미애	서울청	141	김민경	지방재정	490	김민정	성동서	180	김민태	구리서	217
김묘정	안양서	240	김미애	도봉서	164	김민경	조세재정	494	김민정	잠실서	197	김민표	중부청	214
김무남	수영서	283	김미애	수원서	230	김민관	지방재정	491	김민정	중부청	213	김민혁	경주서	404
김무수	수원서	230	김미애	세종서	326	김민광	서초서	179	김민정	기흥서	218	김민형	기재부	72
김무열	동래서	434	김미애	충주서	344	김민교	지방재정	491	김민정	안양서	240	김민형	금천서	159
김무영	영월서	259	김미애	광주서	349	김민구	구미서	407	김민정	이천서	245	김민형	서인천서	276
김문건	기재부	61	김미애	광주서	356	김민규	이천서	245	김민정	평택서	247	김민형	논산서	320
김문경	서울청	136	김미애	대구청	389	김민규	보령서	322	김민정	속초서	256	김민혜	관악서	154
김문경	삼성서	174	김미연	국세청	117	김민규	금정서	430	김민정	남동서	275	김민호	기재부	72
김문기	서울청	127	김미연	관악서	154	김민규	통영서	465	김민정	인천서	279	김민호	중부청	214
김문길	삼성서	174	김미연	도봉서	165	김민규	제주서	466	김민정	계양서	280	김민호	대구청	390
김문성	서울청	129	김미연	동작서	168	김민균	수원서	230	김민정	김포서	287	김민호	인천세관	480
김문수	기재부	68	김미연	중부서	203	김민기	서울청	142	김민정	부평서	295	김민후	주안서	353
김문수	서산서	324	김미연	서인천서	277	김민기	중부청	212	김민정	포천서	302	김민후	창원서	463
김문수	통영서	465	김미연	금감원	81	김민래	서초서	178	김민정	대전청	307	김민후	법무광장	46
김문수	조세심판	492	김미영	금감원	82	김민비	춘천서	263	김민정	아산서	328	김민희	양천서	187
김문숙	성북서	183	김미영	국세청	111	김민상	은평서	194	김민정	천안서	333	김민희	남양주서	220
김문영	중부서	202	김미영	서울청	129	김민상	인천청	273	김민정	동청주서	337	김민희	인천청	271
김문재	동래서	434	김미영	노원서	162	김민서	마산서	456	김민정	광주청	349	김민희	파주서	301
김문정	부산청	422	김미영	잠실서	196	김민석	기재부	66	김민정	나주서	363	김민희	동래서	432
김문정	제주서	466	김미영	동화성서	249	김민석	서울청	137	김민정	동대구서	394	김반디	안산서	237
김문정	조세재정	495	김미영	서인천서	277	김민석	용산서	193	김민정	상주서	411	김반석	국세교육	122
김문철	충주서	344	김미영	북광주서	358	김민석	중부청	210	김민정	금정서	430	김방민	동래서	439
김문형	평택서	246	김미영	순천서	366	김민석	파주서	301	김민정	동래서	432	김백규	남동서	274
김문호	지방재정	490	김미영	해운대서	446	김민석	광주청	353	김민정	동래서	438	김범구	국세청	113
김문환	강남서	148	김미영	지방재정	491	김민석	수성서	400	김민정	해운대서	447	김범석	기재부	68
김문환	안양서	241	김미옥	남대문서	160	김민석	구미서	406	김민정	해운대서	448	김범석	기재부	76
김문훈	중랑서	200	김미옥	분당서	226	김민석	부산청	423	김민정	마산서	457	김범석	고양서	283
김문희	안양서	240	김미옥	인천서	278	김민석	금정서	430	김민정	양산서	458	김범석	고시회	32
김문희	안양서	241	김미옥	해운대서	448	김민석	금정서	431	김민정	진주서	460	김범수	금감원	82
김문희	순천서	367	김미옥	울산서	451	김민선	강동서	151	김민정	진주서	461	김범수	삼척서	255
김미경	국세청	104	김미원	금천서	158	김민선	용산서	192	김민제	국세청	114	김범수	조세재정	496
김미경	금천서	158	김미자	논산서	320	김민선	중부청	209	김민제	동안양서	238	김범재	동안양서	224
김미경	금천서	159	김미재	서대구서	398	김민선	삼척서	254	김민조	고양서	282	김범전	국세청	108
김미경	노원서	163	김미정	서울청	134	김민선	김포서	286	김민주	기재부	66	김범준	금감원	84
김미경	삼성서	174	김미정	강동서	151	김민선	파주서	301	김민주	기재부	70	김범준	금감원	85
김미경	서대문서	177	김미정	남대문서	160	김민선	청주서	342	김민주	국세청	108	김범준	마포서	171
김미경	종로서	199	김미정	반포서	172	김민섭	중랑서	200	김민주	서울청	131	김범준	인천세관	479
김미경	중부서	203	김미정	삼성서	174	김민성	동대문서	167	김민주	서울청	132	김범채	삼척서	254
김미경	춘천서	262	김미정	성동서	180	김민성	구리서	216	김민주	금천서	158	김범철	국세청	104
김미경	종로서	282	김미정	성북서	183	김민세	인천세관	479	김민주	남대문서	160	김범열	구미서	374
김미경	논산서	321	김미정	동안양서	224	김민수	금감원	82	김민주	성동서	180	김별나	구로서	156
김미경	보령서	323	김미정	경기광주	235	김민수	국세청	109	김민주	영등포서	190	김별아	중부청	212
김미경	광주청	349	김미정	연수서	296							김별진	서울청	137

이름	소속	쪽	이름	소속	쪽	이름	소속	쪽	이름	소속	쪽	이름	소속	쪽
김병구	원주서	260	김보나	동수원서	222	김봉희	종로서	198	김상천	성동서	180	김선균	분당서	226
김병국	삼정회계	22	김보나	인천청	272	김부석	동래서	434	김상천	인천서	279	김선근	중부청	209
김병국	삼정회계	23	김보라	도봉서	164	김부일	해운대서	448	김상철	삼성서	175	김선기	대전청	310
김병규	인천청	271	김보라	종로서	199	김부자	대구청	388	김상철	중부청	214	김선기	해운대서	447
김병기	서울청	145	김보라	중부서	202	김부한	남대구서	393	김상철	서인천서	276	김선길	기재부	73
김병기	평택서	247	김보라	남동서	275	김분숙	중부청	437	김상철	영덕서	414	김선덕	역삼서	189
김병기	서광주서	361	김보람	춘천서	263	김분희	중부청	209	김상태	기재부	61	김선도	금천서	159
김병기	진주서	460	김보람	남동서	275	김봉호	충주서	344	김상태	대전청	310	김선돌	서산서	325
김병래	도봉서	164	김보람	제천서	340	김빛누리	동고양서	289	김상태	남대구서	393	김선량	종로서	137
김병로	금천서	159	김보람	광주서	351	김빛마로	조세재정	494	김상혁	구미서	407	김선면	국세교육	122
김병만	강서서	153	김보람	조세심판	493	김사라	동래서	438	김상혁	성동서	181	김선명	고시회	32
김병모	남대구서	393	김보람	강남서	149	김삼수	대구청	386	김상현	수원서	230	김선문	청주서	342
김병묵	삼일회계	21	김보미	구로서	156	김삼수	대전청	309	김상현	금감원	85	김선미	서울청	143
김병삼	전주서	380	김보미	영등포서	191	김삼원	익산서	378	김상현	종로서	199	김선미	노원서	162
김병삼	부산청	428	김보미	기흥서	219	김삼중	은평서	195	김상현	화성서	251	김선미	동대문서	167
김병석	동작서	169	김보미	수원서	231	김상결	서대문서	176	김상현	예산서	330	김선미	대전청	309
김병석	남대구서	392	김보미	화성서	250	김상경	인천서	278	김상현	순천서	366	김선미	서대구서	398
김병선	동작서	168	김보미	화성서	251	김상곤	서울서	137	김상현	포항서	418	김선미	진주서	460
김병선	동래서	432	김보미	서인천서	277	김상곤	조세심판	493	김상현	부산청	425	김선미	조세재정	495
김병섭	분당서	226	김보미	부평서	295	김상구	서울서	144	김상현	조세재정	494	김선민	김천서	408
김병성	서울청	126	김보미	대전서	312	김상규	기재부	68	김상형	기재부	70	김선봉	부천서	292
김병수	감사원	56	김보미	제천서	340	김상규	고양서	282	김상호	영등포서	190	김선수	국세청	103
김병수	중기회	97	김보미	군산서	373	김상균	부평서	295	김상호	순천서	367	김선순	중부서	202
김병수	파주서	300	김보민	동래서	440	김상균	동대구서	394	김상훈	국세청	108	김선아	기재부	70
김병수	포항서	419	김보배	구미서	407	김상근	경산서	403	김상훈	안산서	236	김선아	국세청	99
김병수	부산청	423	김보석	성북서	182	김상근	중부서	202	김상훈	홍성서	335	김선아	관악서	154
김병수	동래서	440	김보석	부산청	423	김상근	안동서	412	김상훈	서광주서	360	김선아	서대문서	177
김병수	진주서	460	김보성	금감원	82	김상기	경주서	405	김상훈	순천서	366	김선아	양천서	187
김병수	세무하나	39	김보성	서초서	178	김상길	관악서	154	김상훈	포항서	418	김선아	용인서	243
김병식	국세청	104	김보성	동안양서	225	김상덕	경기광주	234	김상훈	동래서	432	김선아	서인천서	277
김병식	서대전서	317	김보성	세종서	327	김상덕	강산서	458	김상훈	법무광장	46	김선아	기재부	75
김병옥	서울청	126	김보성	인천세관	480	김상동	국세청	113	김상훈	삼정회계	23	김선애	평택서	246
김병우	동작서	169	김보송	도봉서	164	김상련	포항서	419	김상희	송파서	184	김선애	광명서	285
김병우	김해서	454	김보연	서울서	140	김상록	동안양서	224	김상희	용산서	192	김선애	대전서	312
김병욱	대구청	389	김보연	강남서	149	김상린	예산서	331	김상희	서대구서	398	김선엽	조세심판	493
김병욱	수성서	400	김보연	서대문서	176	김상만	인천서	278	김상희	구미서	406	김선영	기재부	72
김병욱	수영서	443	김보연	양천서	186	김상목	역삼서	188	김상희	김해서	454	김선영	동대문서	166
김병윤	관악서	155	김보연	영등포서	191	김상무	경주서	405	김새날	기재부	69	김선영	마포서	171
김병윤	동래서	432	김보연	화성서	250	김상문	감사원	57	김새미	관악서	155	김선영	중부청	207
김병일	성남서	229	김보영	구로서	157	김상문	분당서	226	김새봄	중부청	208	김선영	화성서	250
김병일	북대전서	315	김보영	금천서	159	김상민	수원서	231	김생문	인천청	272	김선영	인천청	270
김병조	동수원서	222	김보영	평택서	247	김상민	화성서	251	김서경	안양서	240	김선영	포천서	303
김병주	중부청	211	김보영	서산서	324	김상민	포천서	302	김서란	기재부	61	김선영	북대전서	314
김병주	전주서	381	김보영	서울청	129	김상민	광주청	351	김서안	강남서	149	김선영	군산서	372
김병주	양산서	458	김보우	고양서	282	김상배	국세청	112	김서연	역삼서	188	김선영	서대구서	398
김병준	금천서	158	김보원	울산서	451	김상범	중부청	207	김서연	역삼서	189	김선영	구미서	407
김병준	법무광장	46	김보정	경산서	403	김상범	경산서	405	김서영	서울서	129	김선영	법무세종	48
김병진	강서서	153	김보현	기재부	72	김상선	관악서	155	김서영	서대문서	177	김선우	인천서	278
김병찬	은평서	194	김보현	광주청	349	김상섭	대구청	387	김서영	포항서	418	김선웅	구리서	216
김병찬	부평서	295	김보현	금정서	430	김상숙	대전청	308	김서영	조세재정	494	김선율	강남서	148
김병찬	김해서	455	김보혜	국세청	112	김상순	수영서	444	김서윤	영등포서	190	김선율	용인서	243
김병창	김해부	454	김보혜	서대전서	316	김상식	인천세관	480	김서은	서울청	129	김선익	기재부	67
김병철	기재부	64	김보희	울산서	450	김상식	시흥서	232	김서은	용산서	192	김선인	국세상담	120
김병철	국세청	116	김복기	북전주서	377	김상연	서울청	127	김서은	시흥서	233	김선일	서울청	136
김병철	서대전서	316	김복래	인천청	270	김상연	서울세관	475	김서이	양천서	187	김선일	부천서	293
김병철	청주서	342	김복선	청주서	342	김상엽	기재부	67	김서정	중부청	214	김선일	동작서	168
김병철	영덕서	414	김복선	익산서	378	김상엽	국세청	107	김서중	기재부	75	김선임	수영서	444
김병철	마산서	457	김복성	포항서	418	김상엽	동래서	432	김서현	기재부	72	김선자	논산서	321
김병철	조세심판	492	김복임	인천청	270	김상영	동래서	435	김서현	강동서	150	김선장	평택서	247
김병칠	금감원	83	김복희	부평서	294	김상옥	동수원서	222	김서현	정읍서	382	김선재	원주서	260
김병헌	부산세관	482	김복희	서울청	133	김상온	구미서	406	김서형	광산서	354	김선정	기재부	63
김병현	서울청	141	김봉규	서울청	144	김상용	동화성서	248	김석규	영등포서	190	김선정	국세상담	120
김병현	의정부서	298	김봉기	이천서	244	김상우	기재부	65	김석모	구리서	216	김선정	국세상담	121
김병호	법무세종	48	김봉범	강남서	149	김상우	남양주서	221	김석민	울산서	450	김선정	반포서	172
김병홍	국세청	100	김봉수	구리서	216	김상우	대구청	388	김석수	남대구서	392	김선정	조세재정	494
김병환	동수원서	222	김봉수	서대구서	398	김상우	남대구서	393	김석우	서울서	133	김선종	시흥서	232
김병환	서현이천	7	김봉수	부산청	429	김상우	동래서	439	김석우	관세청	469	김선주	기재부	74
김병환	서현이천	7	김봉승	대구청	390	김상우	동래서	440	김석원	용인서	242	김선주	금융위	79
김병활	수영서	443	김봉식	부평서	295	김상욱	서울청	137	김석의	원주서	261	김선주	서울청	138
김병훈	대전서	312	김봉완	인천청	272	김상욱	전주서	380	김석제	수원서	230	김선주	동작서	169
김병훈	북대구서	397	김봉재	국세청	105	김상욱	동래서	439	김석주	용인서	242	김선주	반포서	173
김병훈	경주서	404	김봉재	국세청	114	김상욱	경주서	405	김석주	평택서	245	김선주	대전서	312
김병휘	서울청	142	김봉재	광명서	285	김상원	성동서	180	김석진	딜로이트	16	김선주	전주서	381
김병희	부천서	292	김봉재	해남서	371	김상원	역삼서	189	김석찬	국세상담	120	김선중	시흥서	232
김보경	서울청	128	김봉재	마산서	456	김상원	익산서	378	김석채	제천서	341	김선중	구미서	407
김보경	관악서	154	김봉조	국세청	105	김상윤	인천청	273	김석호	남대구서	392	김선중	딜로이트	16
김보경	구로서	157	김봉조	서초서	179	김상은	반포서	173	김석환	동래서	436	김선진	동대문서	167
김보경	동화성서	249	김봉준	기재부	70	김상인	서울청	139	김석환	금감원	85	김선진	순천서	366
김보경	서인천서	277	김봉준	부산청	425	김상인	국세청	117	김석훈	국세청	116	김선태	지방재정	491
김보경	천안서	332	김봉중	기재부	77	김상일	서울청	127	김석경	강동서	150	김선하	국세청	113
김보경	수성서	400	김봉진	예산서	331	김상조	대구청	391	김선경	전주서	380	김선학	논산서	321
김보경	해운대서	447	김봉진	부산청	422	김상진	인천청	273	김선경	안동서	412	김선항	송파서	185
김보경	김해서	454	김봉찬	서울청	142	김상진	대전청	307	김선광	금정서	431	김선항	남대문서	160
김보균	국세상담	121	김봉한	금감원	88	김상진	조세심판	493	김선국	법무지평	49	김선혁	수영서	442
김보균	연수서	296	김봉호	남동서	274	김상진	예일세무	40				김선호	잠실서	197

이름	관서	쪽	이름	관서	쪽	이름	관서	쪽	이름	관서	쪽	이름	관서	쪽
김선화	동작서	168	김성엽	동래서	432	김성현	수원서	230	김소라	서초서	178	김수빈	고양서	282
김선화	성북서	183	김성엽	조세심판	493	김성현	홍천서	265	김소리	반포서	172	김수빈	예산서	331
김선화	송파서	184	김성영	국세청	101	김성현	삼정회계	24	김소라	평택서	246	김수빈	안동서	412
김선화	중부청	208	김성영	연수서	296	김성협	서대구서	398	김소망	순천서	366	김수상	중부청	206
김선화	동안양서	225	김성영	삼일회계	20	김성호	국세청	110	김소민	청주서	342	김수섭	서울청	136
김선화	인천청	273	김성오	북대전서	315	김성호	서울청	142	김소민	기재부	72	김수아	중부청	211
김선화	조세재정	494	김성오	제주서	467	김성호	송파서	185	김소연	서울청	135	김수아	부평서	295
김선희	국세청	103	김성용	기재부	73	김성호	중부청	206	김소연	강남서	149	김수연	구로서	156
김선희	은평서	195	김성용	동작서	169	김성호	시흥서	233	김소연	노원서	162	김수연	도봉서	165
김선희	시흥서	232	김성용	익산서	379	김성호	용인서	243	김소연	도봉서	164	김수연	성동서	181
김선희	북광주서	358	김성우	기재부	77	김성호	북광주서	358	김소연	서초서	178	김수연	역삼서	189
김선희	해운대서	449	김성우	금감원	89	김성호	대구청	388	김소연	성동서	180	김수연	용산서	192
김성경	속초서	257	김성우	종로서	199	김성호	구미서	407	김소연	영등포서	190	김수연	수원서	230
김성국	세무하나	39	김성우	남양주서	221	김성호	동래서	439	김소연	영등포서	191	김수연	동화성서	249
김성균	대구청	388	김성우	남대구서	392	김성홍	포항서	418	김소연	영등포서	191	김수연	화성서	251
김성근	국세교육	123	김성우	상주서	410	김성홍	거창서	453	김소연	중랑서	201	김수연	인천서	279
김성근	중부청	213	김성욱	기재부	60	김성환	역삼서	188	김소연	동수원서	222	김수연	동래서	432
김성근	군산서	372	김성욱	기재부	69	김성환	영동서	338	김소연	평택서	247	김수연	수영서	443
김성기	국세청	100	김성욱	기재부	70	김성환	영동서	435	김소연	속초서	257	김수연	진주서	460
김성기	서울청	132	김성욱	금감원	82	김성환	법무광장	46	김소연	남동서	274	김수열	국세청	105
김성기	김포서	287	김성욱	서울청	138	김성훈	기재부	72	김소연	광명서	284	김수영	기재부	74
김성기	중부청	338	김성욱	강남서	149	김성훈	중부청	209	김소연	세종서	326	김수영	서울청	129
김성기	해운대서	448	김성욱	성동서	181	김성훈	기흥서	218	김소연	영동서	339	김수영	구로서	157
김성길	중부청	208	김성웅	기재부	77	김성훈	원주서	260	김소연	동대구서	394	김수영	성북서	182
김성길	안양서	241	김성율	삼성서	175	김성훈	부산청	424	김소연	부산청	424	김수영	구리서	216
김성년	금감원	88	김성은	성동서	181	김성희	기재부	69	김소연	금정서	431	김수영	고양서	282
김성대	서울청	134	김성은	종로서	199	김성희	서울청	130	김소영	금융위	78	김수영	김포서	286
김성대	북대구서	397	김성은	분당서	226	김성희	양천서	187	김소영	서울청	126	김수영	대전청	307
김성덕	마포서	170	김성은	보령서	322	김성희	영등포서	190	김소영	강남서	148	김수영	광산서	355
김성덕	삼성서	175	김성은	대구청	391	김성희	파주서	300	김소영	관악서	154	김수영	김해서	455
김성덕	성북서	183	김성은	제주서	466	김성희	광주청	353	김소영	관악서	154	김수영	진주서	460
김성도	동작서	168	김성일	동래서	434	김성희	포항서	419	김소영	수원서	230	김수옥	논산서	321
김성동	포천서	303	김성일	국세청	117	김성희	김해서	454	김소영	수원서	231	김수용	국세상담	120
김성동	조세재정	496	김성일	남대문서	160	김성희	인천세관	480	김소영	동화성서	248	김수용	서울청	127
김성두	동작서	168	김성재	인천청	268	김세건	의정부서	299	김소영	화성서	250	김수원	서울청	146
김성래	서울청	131	김성제	대구청	390	김세곤	광주청	353	김소영	북전주서	376	김수원	인천서	278
김성렬	서산서	325	김성종	영덕서	415	김세권	구미서	407	김소영	전주서	380	김수원	예산서	330
김성록	계양서	281	김성주	금감원	83	김세기	동수원서	222	김소영	부산청	428	김수월	대전청	308
김성면	제주서	467	김성주	삼성서	174	김세동	금감원	92	김소영	동래서	439	김수인	기흥서	218
김성묵	은평서	194	김성주	송파서	185	김세라	국세청	104	김소윤	삼척서	254	김수인	충주서	345
김성문	서울청	135	김성주	익산서	378	김세령	용산서	193	김소윤	서인천서	277	김수일	용산서	193
김성문	중부청	210	김성주	제주서	466	김세령	아산서	328	김소윤	제천서	341	김수재	수영서	443
김성미	강남서	149	김성준	국세청	109	김세리	기재부	63	김소은	기흥서	218	김수정	동작서	168
김성미	마포서	171	김성준	파주서	300	김세린	금천서	159	김소정	서초서	202	김수정	영등포서	191
김성미	중부청	207	김성준	세종서	326	김세명	포천서	302	김소정	중부청	209	김수정	기흥서	218
김성미	수원서	230	김성준	광주청	350	김세모	금감원	83	김소정	의정부서	298	김수정	동안양서	224
김성민	국세청	101	김성준	부산서	425	김세민	국세교육	122	김소정	시흥서	232	김수정	분당서	226
김성민	국세청	108	김성준	수영서	443	김세빈	관악서	154	김소현	원주서	261	김수정	성남서	228
김성민	국세청	111	김성준	제주서	466	김세빈	반포서	173	김소현	안동서	412	김수정	인천청	271
김성민	국세상담	121	김성중	한국관세	42	김세식	동안양서	224	김소현	서울청	146	김수정	공주서	319
김성민	속초서	257	김성중	지방재정	490	김세언	성현회계	13	김소희	강동서	151	김수정	안동서	413
김성민	천안서	332	김성진	감사원	57	김세연	공주서	318	김소희	성동서	181	김수정	영주서	416
김성민	남대구서	393	김성진	기재부	76	김세연	전주서	380	김소희	송파서	184	김수정	지방재정	491
김성민	통영서	465	김성진	금융위	80	김세영	고양서	283	김소희	구미서	407	김수정	조세심판	492
김성범	국세청	116	김성진	국세청	110	김세영	창원서	462	김송범	금감원	82	김수종	동수원서	223
김성범	동안양서	225	김성진	국세청	112	김세온	서대구서	399	김송연	북광주서	359	김수종	국세청	113
김성범	창원서	463	김성진	서울청	138	김세운	대전서	312	김송연	남대구서	392	김수지	서울청	127
김성복	서울세관	473	김성진	도봉서	164	김세운	수영서	444	김송원	영덕서	414	김수지	시흥서	232
김성복	서울세관	473	김성진	동대문서	166	김세웅	전주서	381	김송이	중부청	211	김수지	동화성서	249
김성복	서울세관	475	김성진	마포서	170	김세웅	목포서	364	김송이	기흥서	218	김수지	화성서	251
김성봉	한국관세	42	김성진	서대문서	177	김세은	기재부	63	김송이	안산서	237	김수지	파주서	300
김성선	성동서	181	김성진	잠실서	197	김세은	서인천서	276	김송정	인천서	278	김수지	지방재정	490
김성수	금감원	86	김성진	화성서	251	김세은	양산서	458	김송주	중부청	214	김수진	금감원	86
김성수	성북서	182	김성진	포천서	303	김세인	조세재정	494	김송주	기재부	67	김수진	국세청	100
김성수	안산서	237	김성진	순천서	366	김세일	국세상담	120	김수경	동작서	169	김수진	서울청	129
김성수	속초서	256	김성진	수성서	400	김세종	잠실서	196	김수경	중랑서	200	김수진	강서서	153
김성수	북광주서	359	김성진	부산청	425	김세진	부산청	427	김수경	북전주서	376	김수진	금천서	159
김성수	경산서	402	김성진	부산청	426	김세철	구미서	407	김수경	정읍서	382	김수진	동작서	168
김성수	김해서	455	김성진	인천세관	479	김세철	서울청	144	김수경	지방재정	490	김수진	마포서	170
김성수	양산서	459	김성찬	동래서	441	김세현	중부서	203	김수남	제주서	467	김수진	반포서	172
김성수	인천세관	478	김성채	기재부	63	김세현	수성서	401	김수랑	제주서	466	김수진	반포서	173
김성수	예일세무	40	김성철	파주서	300	김세현	거창서	452	김수미	평택서	246	김수진	서초서	178
김성숙	용산서	193	김성철	부산청	422	김세호	원주서	260	김수민	기재부	60	김수진	종로서	198
김성순	상주서	410	김성태	대구세관	486	김세호	대전서	312	김수민	도봉서	165	김수진	중부청	207
김성식	기재부	76	김성택	거창서	452	김세호	서울청	129	김수민	성남서	228	김수진	구리서	217
김성식	안양서	240	김성필	금천서	158	김세환	삼정회계	22	김수민	서인천서	276	김수진	기흥서	218
김성실	서울청	146	김성필	서울청	127	김세훈	서울청	127	김수민	부평서	294	김수진	안산서	237
김성연	인천서	279	김성학	안동서	413	김세훈	안산서	237	김수민	서대전서	316	김수진	동안양서	239
김성연	천안서	332	김성학	기재부	64	김세훈	영덕서	415	김수민	서광주서	360	김수진	용인서	242
김성연	수영서	443	김성한	국세청	101	김세희	서울청	139	김수민	수성서	400	김수진	용인서	243
김성연	상공회의	96	김성한	서울청	133	김세희	청주서	343	김수민	제주서	466	김수진	평택서	247
김성열	노원서	163	김성향	서울청	140	김소나	서울청	147	김수복	인천세관	479	김수진	부평서	294
김성열	안산서	236	김성향	송파서	185	김소담	서초서	178	김수빈	서초서	178	김수진	대전청	309
김성열	수성서	400	김성혁	진주서	461	김소담	부평서	295	김수빈	성북서	183	김수진	북대전서	314
김성엽	세종서	327	김성현	서초서	179	김소라	남대문서	160				김수진	경산서	402

이름	소속	쪽
김수진	해운대서	448
김수진	김해서	455
김수진	마산서	457
김수진	더택스	36
김수창	부산청	425
김수한	국세청	111
김수헌	삼성서	174
김수현	국세청	105
김수현	서울청	136
김수현	강남서	148
김수현	강서서	152
김수현	남대문서	160
김수현	도봉서	165
김수현	동작서	168
김수현	양천서	187
김수현	용산서	192
김수현	중부청	206
김수현	중부청	207
김수현	안산서	236
김수현	평택서	246
김수현	동화성서	249
김수현	북대전서	314
김수현	예산서	331
김수현	대구청	387
김수현	동래서	439
김수현	동래서	440
김수현	제주서	467
김수형	서울청	137
김수호	금융위	80
김수호	국세상담	121
김수호	북대구서	397
김수환	홍천서	265
김수희	분당서	226
김수희	목포서	365
김수희	지방재정	490
김숙기	국세청	106
김숙례	양산서	458
김숙아	동래서	440
김숙영	중부서	203
김숙영	중부서	208
김숙영	성남서	228
김숙자	성동서	180
김숙희	평택서	247
김숙희	청정서	430
김순구	거창서	452
김순근	양천서	186
김순남	안동서	412
김순복	대전청	311
김순석	인천청	271
김순석	영덕서	414
김순식	감사원	56
김순아	동수원서	222
김순영	서울청	129
김순영	중부청	207
김순영	부평서	295
김순옥	기재부	62
김순옥	서울청	135
김순옥	성남서	228
김순자	구미서	406
김순정	삼성서	175
김순정	김해서	455
김순중	남대문서	161
김순현	기재부	61
김순화	고시회	32
김순임	서대구서	398
김스텔라	EY한영	14
김슬기	국세청	101
김슬기	남대문서	161
김슬기	도봉서	164
김슬기론	양산서	458
김슬지	부산청	422
김승구	용산서	192
김승국	분당서	226
김승년	구미서	407
김승룡	도봉서	178
김승모	EY한영	14
김승미	중부청	212
김승미	창원서	462
김승민	국세청	115
김승민	인천세관	479
김승범	용인서	243
김승범	논산서	320
김승범	광주서	356
김승석	송파서	185
김승수	여수서	369
김승연	기재부	61
김승영	익산서	378
김승용	동래서	434
김승용	제주서	467
김승욱	동대문서	167
김승욱	중부청	212
김승원	평택서	246
김승일	강서서	152
김승임	세종서	327
김승임	금정서	430
김승주	삼척서	255
김승주	대전청	306
김승진	해남서	371
김승철	상공회의	96
김승철	경기광주	234
김승철	동래서	434
김승태	기재부	67
김승태	국세청	100
김승태	대전청	309
김승하	조세심판	492
김승현	중부청	209
김승현	충주서	345
김승현	광주세관	488
김승현	예일세무	40
김승혜	종로서	199
김승호	태평양	50
김승환	삼성서	174
김승환	제천서	340
김승환	수영서	442
김승훈	시흥서	233
김승훈	청주서	342
김승훈	김해서	454
김승희	서대문서	176
김승희	인천청	272
김승희	김포서	287
김시곤	국세주류	118
김시근	영주서	416
김시백	국세청	104
김시아	동작서	168
김시연	동래서	439
김시연	제주서	467
김시영	노원서	162
김시온	서인천서	276
김시욱	종로서	198
김시원	금감원	92
김시윤	강릉서	252
김시윤	통영서	465
김시은	해운대서	448
김시일	금감원	90
김시정	경기광주	235
김시태	서울청	127
김시현	광명서	284
김시현	부산청	424
김시형	금감원	86
김시형	국세청	105
김시홍	부천서	292
김신훈	삼성서	174
김신규	구미서	406
김신덕	중부청	212
김신애	서울청	145
김신애	수원서	231
김신애	경기광주	235
김신우	국세청	105
김신우	남대문서	161
김신자	마포서	170
김신정	조세재정	495
김신정	조세심판	492
김신흥	서대전서	317
김신희	춘천서	262
김아경	서대전서	317
김아란	북광주서	358
김아람	시흥서	233
김아람	서광주서	360
김아람	동래서	432
김아람	이천서	244
김아름	인천서	278
김아름	북대전서	314
김아름	해운대서	446
김아름	미래회계	17
김아리수	강서서	152
김아영	성남서	228
김아영	안양서	240
김아영	예산서	331
김아영	여수서	368
김아영	북대구서	397
김아영	진주서	460
김아정	의정부서	298
김아현	성동서	181
김안나	노원서	163
김안나	잠실서	196
김안나	대구청	387
김안순	이천서	244
김안철	목포서	365
김애란	강동서	150
김애란	부산서	424
김애령	북전주서	377
김애리	기재부	67
김애숙	분당서	226
김애숙	광주서	357
김애심	서광주서	360
김애진	서대구서	398
김애진	경주서	404
김약수	광주청	342
김양관	광주세관	488
김양근	서울청	126
김양기	금감원	88
김양래	대전서	313
김양미	대전청	307
김양미	광주청	349
김양수	구로서	157
김양수	송파서	185
김양수	대전청	308
김양수	수영서	443
김양수	진주서	461
김양수	제주서	466
김양언	기재부	61
김양희	기재부	70
김양희	경기광주	234
김양희	동래서	435
김억주	강릉서	252
김언선	동래서	434
김언성	기재부	74
김엘리야	광주청	351
김여경	중부청	206
김여경	수성서	401
김여진	은평서	195
김여진	중부서	207
김연광	평택서	247
김연규	양천서	186
김연대	기재부	73
김연수	기재부	71
김연수	국세청	117
김연수	고양서	283
김연수	세종서	327
김연수	마산서	456
김연숙	서울청	129
김연숙	대전청	307
김연숙	대구청	387
김연순	제주서	466
김연석	성북서	183
김연아	용인서	242
김연아	청주서	342
김연자	강동서	150
김연재	서대문서	177
김연주	남양주서	220
김연주	산본서	159
김연주	양산서	458
김연준	제주서	467
김연준	금융위	80
김연지	강릉서	252
김연지	파주서	301
김연진	해운대서	449
김연진	조세심판	493
김연태	기재부	63
김연호	화성서	251
김연화	국세청	117
김연화	삼척서	254
김연희	송파서	185
김연희	수원서	230
김연희	대구청	388
김연희	서대구서	399
김연희	영주서	416
김연희	동래서	432
김영간	세종서	327
김영걸	국세청	112
김영걸	천안서	332
김영경	부산청	423
김영경	동래서	436
김영경	관세청	471
김영곤	동수원서	223
김영관	감사원	55
김영관	감사원	56
김영관	군산서	373
김영교	대전청	309
김영국	김포서	286
김영권	동래서	432
김영규	감사원	57
김영규	서울청	133
김영규	인천서	278
김영규	북전주서	376
김영규	지방재정	491
김영균	강동서	150
김영균	서산서	324
김영근	송파서	185
김영근	화성서	250
김영기	서울청	126
김영기	남대문서	161
김영기	중부청	213
김영기	대전청	307
김영기	포항서	418
김영기	서울세관	474
김영기	티앤피	35
김영기	티앤피	114
김영길	중기회	97
김영길	서산서	325
김영남	도봉서	164
김영남	아산서	328
김영노	인천청	269
김영노	조세심판	493
김영달	제천서	341
김영대	기재부	61
김영덕	동청주서	336
김영도	경산서	403
김영도	삼도회계	19
김영동	영등포서	191
김영두	제주서	466
김영란	국세청	111
김영란	동래서	433
김영란	동래서	433
김영래	천안서	332
김영록	남대구서	393
김영린	안동서	413
김영면	강동서	150
김영목	서대전서	316
김영문	종로서	199
김영문	의정부서	298
김영미	서울청	129
김영미	관악서	154
김영미	은평서	195
김영미	잠실서	196
김영미	동수원서	222
김영미	인천청	273
김영미	광주청	349
김영미	북대구서	397
김영미	부산청	424
김영미	해운대서	448
김영미	법무바른	1
김영민	기재부	63
김영민	기재부	76
김영민	서울청	127
김영민	도작서	169
김영민	성북서	182
김영민	수원서	231
김영민	화성서	250
김영민	광주청	348
김영민	진주서	460
김영민	제주서	466
김영보	광산서	355
김영복	동청주서	336
김영빈	국세청	109
김영빈	서울청	126
김영빈	조세심판	493
김영삼	이천서	244
김영삼	천안서	332
김영석	감사원	57
김영석	서울청	136
김영석	동작서	168
김영석	중랑서	201
김영석	중부청	211
김영석	구리서	216
김영석	광산서	354
김영선	서대문서	177
김영선	중랑서	200
김영선	안산서	237
김영선	대전청	307
김영선	광산서	355
김영섭	서대구서	398
김영성	중부서	203
김영세	수원서	231
김영수	기재부	71
김영수	서울청	129
김영수	강서서	153
김영수	송파서	185
김영수	인천청	269
김영수	창원서	462
김영수	대현회계	15
김영숙	서울청	129
김영숙	금천서	158
김영숙	노원서	163
김영숙	삼성서	175
김영숙	삼척서	254
김영숙	광명서	284
김영숙	북광주서	359
김영숙	남대구서	392
김영숙	부산청	422
김영숙	수영서	445
김영순	광산서	354
김영순	순천서	367
김영승	의정부서	299
김영식	남양주서	221
김영식	서산서	325
김영신	감사원	56
김영신	도봉서	164
김영신	영등포서	191
김영신	청주서	342
김영심	광산서	354
김영아	연수서	297
김영아	예산서	330
김영아	남대구서	393
김영아	안동서	412
김영애	수원서	230
김영엽	서대구서	398
김영오	광주청	349
김영옥	기재부	64
김영옥	구로서	156
김영옥	노원서	162
김영옥	삼일회계	20
김영옥	기재부	63
김영옥	평택서	247
김영웅	마포서	170
김영웅	기재부	72
김영웅	금천서	158
김영유	북광주서	359
김영은	계양서	280
김영은	서대구서	399
김영은	수원서	454
김영익	포천서	302
김영인	대구청	386
김영일	강남서	149
김영일	강서서	152
김영일	제천서	340
김영일	광산서	354
김영자	동래서	439
김영재	서울청	131
김영재	관악서	154
김영재	서인천서	276
김영재	고양서	283
김영조	부천서	293
김영종	국세청	106
김영종	서울청	130
김영주	금감원	81
김영주	금감원	91
김영주	국세청	103
김영주	국세청	112
김영주	국세교육	122
김영주	강남서	148
김영주	성북서	182
김영주	양천서	187
김영주	동고양서	288
김영주	남대구서	393
김영주	해운대서	447
김영주	창원서	463
김영주	삼일회계	20
김영준	서초서	178
김영준	구리서	192
김영준	연수서	296
김영준	서광주서	361
김영준	인천세관	480

이름	근무지	쪽	이름	근무지	쪽	이름	근무지	쪽	이름	근무지	쪽	이름	근무지	쪽
김윤한	이천서	244	김은영	남대문서	161	김은희	서울청	135	김인화	잠실서	197	김재열	부산청	427
김윤혁	동안산서	238	김은영	남양주서	220	김은희	금천서	159	김인화	세종서	327	김재영	기재부	64
김윤호	서대문서	176	김은영	광주청	270	김은희	서초서	179	김인화	동래서	438	김재영	영월서	258
김윤호	북광주서	358	김은영	광주청	349	김은희	남양주서	221	김인화	감사원	55	김재영	충주서	345
김윤호	지방재정	490	김은영	북광주서	358	김은희	원주서	261	김인희	인천청	270	김재영	전주서	381
김윤환	전주서	381	김은영	전주서	381	김은희	대전청	308	김일권	부산청	427	김재완	서울청	140
김윤희	기재부	74	김은영	남대구서	393	김은희	광주청	349	김일규	동래서	437	김재완	대전서	312
김윤희	역삼서	188	김은영	상주서	410	김은희	수성서	400	김일도	국세청	115	김재용	영월서	259
김윤희	기흥서	219	김은영	동래서	438	김은희	동래서	433	김일동	서대문서	177	김재우	용산서	193
김윤희	경기광주	234	김은영	동래서	440	김을령	서초서	179	김일두	양천서	187	김재욱	국세청	104
김윤희	경기광주	235	김은영	수영서	443	김응남	북대전서	314	김일룡	동대구서	394	김재욱	서울청	126
김윤희	동화성서	249	김은옥	인천서	278	김의구	상공회의	95	김일용	파주서	300	김재욱	서울청	132
김윤희	남동서	275	김은옥	천안서	332	김의구	상공회의	95	김일우	안동서	412	김재욱	중부청	211
김윤희	김포서	287	김은옥	익산서	379	김의동	동화성서	249	김일하	동대문서	166	김재욱	광주청	349
김윤희	광주청	352	김은올	영덕서	414	김의성	동래서	441	김일환	동래서	435	김재원	법무광장	46
김율희	성동서	181	김은의	세종서	326	김의연	김포서	286	김일희	해남서	370	김재원	기재부	71
김용희	기재부	71	김은이	중부서	202	김의영	기재부	74	김일희	울산서	451	김재원	광명서	285
김은경	금감원	81	김은자	국세교육	122	김의영	청주서	289	김임경	관악서	155	김재원	남원서	374
김은경	금감원	90	김은자	종로서	198	김의영	영주서	416	김임년	국세청	105	김재윤	구리서	216
김은경	국세상담	120	김은자	광주청	349	김의주	조세재정	495	김임순	순천서	366	김재윤	인천청	270
김은경	노원서	163	김은정	국세청	113	김의중	도봉서	164	김자경	논산서	320	김재윤	북대구서	396
김은경	마포서	171	김은정	서울청	128	김의철	북전주서	377	김자림	인천서	278	김재율	예일회계	26
김은경	서초서	179	김은정	서울청	132	김의환	김앤장	45	김자영	경주서	404	김재은	대전청	307
김은경	시흥서	232	김은정	금천서	159	김이경	전주서	381	김자헌	대구청	386	김재은	북광주서	358
김은경	이천서	244	김은정	남대문서	161	김이구	양산서	459	김자현	양천서	187	김재은	수원서	230
김은경	의정부서	299	김은정	도봉서	165	김이레	대구청	388	김자회	서광주서	361	김재일	경기광주	235
김은경	논산서	320	김은정	반포서	172	김이섭	인천청	272	김자희	목포서	365	김재일	동안산서	239
김은경	청주서	342	김은정	삼성서	174	김이수	양천서	333	김장관	해운대서	448	김재일	부산세관	481
김은경	청주서	343	김은정	성동서	180	김이영	제천서	340	김장근	은평서	195	김재일	부산세관	482
김은경	북대구서	397	김은정	구리서	217	김이영	북전주서	377	김장년	국세청	102	김재준	원주서	261
김은경	서대구서	398	김은정	평택서	246	김이원	수성서	400	김장섭	경기광주	235	김재준	계양서	280
김은경	서대구서	399	김은정	인천청	268	김이한	기재부	63	김장수	천안서	332	김재준	진주서	461
김은경	동래서	434	김은정	고양서	282	김이현	기재부	66	김장수	포항서	418	김재중	분당서	227
김은경	관세청	471	김은정	부평서	295	김이현	대전서	316	김장회	지방재정	490	김재중	인천청	273
김은규	천안서	332	김은정	익산서	378	김이현	해운대서	447	김장훈	대전청	309	김재중	부산청	425
김은기	국세청	103	김은정	조세재정	495	김이화	동고양서	288	김장훈	기재부	65	김재진	중기회	97
김은기	인천서	279	김은정	예일세무	40	김이희	해운대서	446	김재갑	금감원	85	김재집	서울청	136
김은기	청주서	343	김은주	서울청	126	김익상	부산청	428	김재경	남부천서	290	김재집	기재부	69
김은령	강서서	153	김은주	도봉서	164	김익왕	김포서	287	김재경	광주서	357	김재찬	여수서	368
김은령	은평서	194	김은주	반포서	173	김익태	구미서	406	김재경	순천서	367	김재천	국세청	112
김은령	화성서	250	김은주	중부청	211	김익태	김포서	175	김재경	조세재정	494	김재철	구로서	157
김은미	서울청	128	김은주	안양서	240	김익태	김익태	195	김재곤	양천서	187	김재철	인천청	272
김은미	광주서	351	김은주	용인서	243	김익태	김익태	283	김재곤	시흥서	233	김재철	대전청	306
김은미	광산서	354	김은주	인천청	270	김익태	김익태	289	김재관	성동서	181	김재철	창원서	462
김은미	익산서	378	김은주	연수서	297	김익현	서울세관	475	김재관	역삼서	189	김재철	서울세관	474
김은비	동래서	434	김은주	북대전서	314	김익환	관악서	154	김재광	남양주서	221	김재춘	북광주서	359
김은서	안산서	236	김은주	아산서	328	김인경	양산서	126	김재구	대전서	312	김재한	양천서	186
김은석	금천서	158	김은주	북대구서	396	김인겸	중부청	210	김재국	경주서	405	김재한	기재부	74
김은석	구미서	406	김은주	해운대서	446	김인경	중부서	203	김재권	부평서	294	김재현	국세청	104
김은선	서울청	142	김은주	해운대서	448	김인경	영주서	417	김재규	성동서	180	김재현	국세청	105
김은선	삼성서	174	김은주	진주서	460	김인기	파주서	301	김재균	서울청	128	김재현	서울청	137
김은선	파주서	300	김은중	성동서	180	김인덕	대구청	388	김재규	대현회계	15	김재현	서울청	144
김은설	동대문서	166	김은지	동작서	169	김인빈	성성서	174	김재년	거창서	452	김재현	강서서	153
김은성	금감원	92	김은지	전주서	381	김인석	서울청	138	김재락	경주서	405	김재현	양천서	186
김은성	성남서	229	김은진	국세청	100	김인성	인천서	278	김재만	양천서	186	김재현	중부서	203
김은성	지방재정	490	김은진	국세청	104	김인성	서울청	128	김재만	목포서	364	김재현	보령서	323
김은솔	광주서	356	김은진	서울청	128	김인수	서울청	139	김재만	북전주서	376	김재현	포항서	419
김은송	부평서	294	김은진	서울청	144	김인수	진주서	460	김재미	포항서	419	김재형	금감원	87
김은수	광주청	209	김은진	송파서	184	김인숙	서울청	130	김재민	중부청	207	김재형	구로서	159
김은수	광주서	357	김은진	영등포서	190	김인숙	양천서	186	김재민	동고양서	289	김재형	역삼서	189
김은숙	서울청	126	김은진	중부청	208	김인숙	구리서	216	김재민	서대전서	317	김재형	중부청	213
김은숙	서울청	136	김은진	안양서	241	김인숙	동화성서	249	김재민	경산서	403	김재형	속초서	256
김은숙	구로서	157	김은진	여수서	369	김인숙	인천청	272	김재민	조세재정	496	김재형	포항서	418
김은숙	종로서	198	김은진	대구청	387	김인숙	동래서	438	김재백	서울청	134	김재형	동래서	441
김은숙	중부청	214	김은채	기재부	70	김인아	서울청	129	김재산	국세청	112	김재호	금감원	83
김은숙	동수원서	223	김은철	조세재정	316	김인아	조세재정	496	김재석	국세청	103	김재호	서울청	127
김은숙	목포서	365	김은태	부평서	295	김인애	경기광주	234	김재석	인천청	272	김재호	이천서	244
김은숙	조세재정	495	김은하	성동서	180	김인애	파주서	301	김재석	부평서	295	김재호	인천청	272
김은순	금감원	86	김은하	부천서	292	김인애	조세재정	495	김재석	서광주서	360	김재호	부천서	292
김은순	남양주서	220	김은하	아산서	328	김인영	기재부	70	김재석	목포서	364	김재홍	이천서	245
김은실	동대문서	167	김은해	서대문서	177	김인욱	김포서	287	김재석	부산세관	483	김재홍	대구청	388
김은실	양천서	186	김은향	인천청	270	김인욱	조세재정	495	김재선	인천서	279	김재홍	인천세관	480
김은아	국세청	100	김은혜	금천서	158	김인자	남대구서	393	김재섭	서대구서	399	김재환	기재부	67
김은아	서울청	131	김은혜	마포서	171	김인정	남동서	275	김재성	서울청	132	김재환	기재부	68
김은아	마포서	171	김은혜	양천서	186	김인주	해운대서	448	김재성	삼성서	174	김재환	대전서	313
김은아	군산서	372	김은혜	중부청	213	김인중	서울청	138	김재식	광주세관	487	김재환	광주청	348
김은애	화성서	250	김은혜	안산서	237	김인중	나주서	362	김재식	광주세관	487	김재환	제주서	467
김은애	동래서	441	김은혜	대전서	312	김인찬	천안서	302	김재식	광주세관	488	김재훈	중랑서	201
김은연	해운대서	446	김은혜	수영서	444	김인천	국세청	103	김재신	감사원	56	김재휘	계양서	280
김은연	김해서	454	김은호	구로서	157	김인철	화성서	251	김재신	기재부	63	김재흥	금감원	91
김은영	국세상담	120	김은호	서초서	178	김인태	영동서	338	김재실	군산서	373	김재희	동대구서	166
김은영	서울청	140	김은호	중부청	215	김인혜	동안양서	225	김재연	성북서	183	김재희	수원서	230
김은영	강남서	148	김은호	해운대서	448	김인호	서대문서	176	김재연	서대구서	399	김점동	딜로이트	16
김은영	강서서	153	김은화	노원서	162	김인호	천안서	333	김재연	포항서	419	김점준	동래서	441
김은영	남대문서	160	김은화	도봉서	164	김인흥	강동서	151						

이름	소속	쪽	이름	소속	쪽	이름	소속	쪽	이름	소속	쪽	이름	소속	쪽
김정	관세청	471	김정연	송파서	185	김정훈	기재부	60	김종웅	부산청	429	김주연	서울청	132
김정각	금융위	79	김정열	광명서	285	김정훈	금감원	83	김종웅	인천세관	477	김주연	구로서	157
김정건	동수원서	223	김정열	김천서	408	김정훈	국세교육	122	김종웅	인천세관	477	김주연	중부청	211
김정관	중부청	210	김정영	국세상담	120	김정훈	서울청	147	김종웅	인천세관	478	김주연	수원서	230
김정국	경주서	404	김정영	포항서	419	김정훈	안산서	237	김종원	포항서	418	김주엽	관악서	155
김정국	마산서	457	김정오	조세심판	492	김정훈	포천서	303	김종원	조세재정	496	김주영	국세청	103
김정규	기흥서	218	김정우	북대구서	396	김정훈	대전청	311	김종월	부산청	429	김주영	삼성서	174
김정근	서울청	143	김정우	서울청	128	김정훈	동대구서	395	김종윤	국세청	100	김주영	잠실서	197
김정근	대전서	312	김정욱	평택서	247	김정훈	지방재정	490	김종윤	조세심판	492	김주영	동안산서	239
김정기	동화성서	249	김정욱	동래서	434	김정흠	강남서	149	김종율	인천서	279	김주영	공주서	318
김정기	인천서	279	김정욱	부산세관	482	김정희	국세청	102	김종율	순천서	366	김주영	대구청	391
김정남	국세청	103	김정원	금감원	91	김정희	서울청	133	김종의	국세청	105	김주영	안동서	413
김정남	국세상담	121	김정원	광주청	353	김정희	양천서	186	김종인	전주서	381	김주영	동래서	438
김정남	부산청	424	김정원	국세청	100	김정희	잠실서	197	김종인	남대구서	393	김주영	수영서	444
김정남	진주서	460	김정원	부평서	294	김정희	동수원서	222	김종일	국세청	105	김주영	삼도회계	19
김정담	역삼서	188	김정원	익산서	379	김정희	이천서	245	김종일	국세상담	120	김주예	강남서	148
김정대	인천청	271	김정윤	서울청	135	김정희	삼척서	254	김종일	대전청	311	김주옥	삼성서	174
김정대	동래서	438	김정윤	서울청	135	김정희	인천청	270	김종일	목포서	364	김주옥	시흥서	232
김정도	기재부	66	김정은	고시회	32	김정희	여수서	369	김종일	목포서	365	김주옥	화성서	251
김정도	수영서	442	김정은	강서서	153	김제민	국세청	110	김종임	기재부	72	김주완	경주서	405
김정동	동대문서	166	김정은	분당서	227	김제봉	의정부서	299	김종재	세무하나	39	김주완	부산청	424
김정동	남동서	274	김정은	수원서	231	김제석	국세청	106	김종주	서울청	137	김주원	기재부	75
김정란	기재부	74	김정은	동안산서	239	김제성	서울청	126	김종진	마포서	170	김주원	서울청	132
김정란	관악서	154	김정은	북광주서	358	김제성	구로서	156	김종진	천안서	333	김주원	반포서	172
김정래	화성서	250	김정은	순천서	366	김제성	강남서	148	김종진	부산서	426	김주원	중부청	209
김정렬	금감원	85	김정은	북전주서	377	김제주	연수서	296	김종진	창원서	462	김주원	평택서	247
김정륜	서울청	132	김정은	포항서	419	김제춘	제주서	466	김종철	순천서	366	김주원	대구청	388
김정림	중부청	209	김정은	동래서	438	김제헌	인천청	273	김종철	동래서	438	김주원	서대구서	398
김정면	통영서	465	김정은	울산서	450	김조겸	고시회	32	김종철	서울세관	474	김주일	기재부	72
김정목	남대구서	392	김정은	마산서	456	김종각	국세청	114	김종태	상공회의	96	김주일	순천서	366
김정미	서울청	145	김정은	조세재정	495	김종갑	지방재정	490	김종태	안산서	236	김주일	종로서	199
김정미	강서서	153	김정은	조세재정	496	김종곤	서울청	141	김종택	영주서	417	김주찬	속초서	257
김정미	구로서	156	김정은	삼성회계	23	김종국	서울청	147	김종필	영월서	259	김주하	의정부서	299
김정미	동대문서	166	김정이	인천청	269	김종국	마포서	171	김종학	서울청	105	김주헌	서울청	127
김정미	동대문서	166	김정인	수영서	445	김종근	김천서	409	김종한	동대구서	394	김주헌	금융위	78
김정미	중부서	202	김정인	중랑서	200	김종길	부산청	427	김종헌	반포서	173	김주현	금융위	79
김정미	경주서	404	김정인	광명서	285	김종덕	인천세관	477	김종헌	부산청	425	김주현	국세상담	120
김정미	동래서	432	김정인	동래서	441	김종덕	인천세관	477	김종혁	영주서	416	김주현	강동서	150
김정민	국세청	100	김정일	홍성서	334	김종덕	인천세관	480	김종혁	조세재정	495	김주현	금천서	158
김정민	강서서	153	김정임	남원서	375	김종두	서울청	145	김종현	기재부	68	김주현	동작서	169
김정민	동작서	169	김정주	기재부	63	김종락	기재부	77	김종현	서울청	128	김주현	아산서	328
김정민	원주서	261	김정주	국세청	101	김종만	국세청	106	김종현	의정부서	299	김주현	광주청	350
김정민	진주서	460	김정주	부산청	425	김종만	서초서	179	김종현	동청주서	336	김주현	광주서	357
김정배	잠실서	196	김정준	동안산서	239	김종만	성동서	180	김종현	경주서	405	김주현	전주서	380
김정범	종로서	198	김정준	법무바른	1	김종만	동수원서	223	김종현	삼도회계	19	김주형	남양주서	220
김정범	성남서	228	김정진	기재부	63	김종무	연수서	296	김종협	서울청	138	김주혜	서울청	142
김정범	대전서	313	김정진	광주서	356	김종문	반포서	173	김종필	금감원	91	김주홍	서울청	137
김정복	세무하나	39	김정진	순천서	367	김종문	북대전서	315	김종호	국세주류	118	김주홍	김포서	287
김정분	창원서	462	김정철	대구청	388	김종민	금감원	81	김종호	분당서	226	김주홍	김해서	454
김정석	정읍서	382	김정태	금감원	82	김종민	금감원	85	김종호	시흥서	232	김주환	평택서	246
김정석	대구청	389	김정태	서울청	140	김종민	중부청	212	김종호	북전주서	376	김주환	해운대서	446
김정선	국세청	102	김정태	안산서	236	김종민	충주서	344	김종호	울산서	451	김주희	성북서	182
김정선	마포서	171	김정태	평택서	246	김종민	대구청	389	김종화	관세청	471	김주희	분당서	226
김정선	순천서	367	김정학	국세청	100	김종범	지방재정	491	김종화	전주서	380	김주희	남동서	275
김정섭	역삼서	189	김정한	서울청	131	김종복	서울청	139	김종환	금감원	92	김준기	서울청	146
김정섭	경기광주	234	김정한	계양서	280	김종빈	더택스	36	김종환	금융위	80	김준기	고시회	32
김정섭	동고양서	288	김정한	경산서	402	김종빈	서산서	325	김종훈	중부청	206	김준범	서현이현	7
김정섭	대전청	309	김정한	경산서	402	김종삼	삼성서	174	김종훈	안산서	236	김준범	기재부	60
김정섭	동대구서	394	김정혁	고양서	282	김종서	파주서	301	김종훈	인천청	269	김준범	평택서	246
김정수	기재부	65	김정현	노원서	162	김종석	기재부	62	김종훈	서광주서	361	김준상	잠실서	196
김정수	기재부	74	김정현	중부청	214	김종석	서울청	127	김종훈	상주서	410	김준석	광주서	357
김정수	서울청	132	김정현	여수서	369	김종석	상주서	410	김좌근	남대구서	392	김준석	전주서	380
김정수	안산서	188	김정현	부산청	428	김종석	상주서	411	김주강	서울청	131	김준석	제주서	467
김정수	북대전서	314	김정현	마산서	457	김종석	포항서	418	김주덕	삼일회계	20	김준성	기재부	67
김정수	서대전서	317	김정현	조세재정	494	김종선	수영서	444	김주란	중부청	207	김준성	순천서	366
김정수	아산서	328	김정현	조세재정	495	김종성	기재부	71	김주란	중부청	209	김준성	수영서	442
김정수	김천서	408	김정협	김천서	408	김종성	용산서	193	김주만	남동서	193	김준성	조세재정	496
김정수	수영서	444	김정혜	화성서	251	김종성	북대전서	314	김주미	동안양서	224	김준수	중랑서	200
김정수	지방재정	490	김정호	국세청	100	김종수	국세청	105	김주미	청주서	343	김준수	남동서	274
김정숙	기재부	60	김정호	서울청	147	김종수	강남서	149	김주미	기재부	68	김준수	해남서	371
김정숙	서울청	127	김정호	동안양서	224	김종수	대구청	388	김주상	춘천서	263	김준수	부산청	422
김정숙	서울청	129	김정호	의정부서	299	김종수	목포서	365	김주생	마포서	171	김준식	구미서	407
김정숙	금천서	158	김정호	광산서	355	김종승	기재부	61	김주석	서울청	144	김준연	노원서	163
김정숙	반포서	172	김정호	부산청	427	김종식	양천서	186	김주선	북대전서	315	김준연	종로서	199
김정숙	북대구서	396	김정홍	법무광장	47	김종식	창원서	463	김주섭	연수서	297	김준연	북전주서	377
김정숙	구미서	406	김정화	서울청	134	김종연	노원서	162	김주수	서초서	178	김준연	경주서	404
김정식	영월서	259	김정화	용인서	242	김종연	구미서	406	김주수	울산서	450	김준연	금정서	431
김정식	고양서	283	김정화	광산서	354	김종완	기재부	62	김주식	국세청	100	김준영	중기회	97
김정식	진주서	461	김정환	기재부	70	김종완	고양서	283	김주아	남동서	274	김준영	서울청	147
김정실	국세상담	120	김정환	국세청	100	김종요	울산서	451	김주아	성북서	182	김준영	중부청	210
김정실	대구청	387	김정환	대구청	386	김종우	경기광주	235	김주애	남양주서	221	김준영	남부천서	290
김정아	기재부	66	김정환	대구서	387	김종욱	기재부	61	김주언	아산서	328	김준영	영동서	339
김정아	북광주서	358	김정환	동래서	433	김종욱	수성서	401	김주연	기재부	61	김준영	김해서	455
김정아	북광주서	359	김정환	조세재정	495	김종운	화성서	251				김준영	진주서	460
김정애	기재부	65	김정효	의정부서	299	김종운	순천서	366				김준오	이천서	245

이름	소속	번호
김준용	서초서	179
김준우	국세청	116
김준우	서울청	141
김준우	용산서	192
김준욱	서대구서	398
김준욱	금감원	84
김준이	동화성서	249
김준익	북대전서	314
김준철	기재부	64
김준철	마포서	170
김준철	고양서	283
김준태	시흥서	233
김준평	부산청	423
김준하	기재부	61
김준하	삼성서	174
김준하	서대전서	316
김준혁	원주서	260
김준혁	조세재정	495
김준현	양산서	459
김준형	남대문서	160
김준형	포천서	303
김준호	기재부	63
김준호	금감원	87
김준호	국세청	113
김준호	성남서	229
김준호	안산서	237
김준호	화성서	250
김준호	서인천서	277
김준호	연수서	297
김준호	해운대서	448
김준호	진주서	460
김준호	법무바른	1
김준환	금감원	86
김준환	연수서	297
김준희	기흥서	218
김준희	해운대서	449
김중규	파주서	300
김중규	보령서	323
김중근	경기광주	235
김중래	딜로이트	16
김중래	딜로이트	16
김중삼	중부청	209
김중석	익산서	378
김중영	영덕서	414
김중재	계양서	281
김중현	성남서	229
김중훈	마산서	456
김중휘	익산서	378
김지동	서인천서	277
김지만	서초서	179
김지미	노원서	162
김지민	기재부	62
김지민	국세청	113
김지민	서울청	128
김지민	중부청	210
김지민	광주청	349
김지민	북광주서	358
김지민	김천서	408
김지민	금정서	430
김지범	구로서	157
김지선	기재부	75
김지선	역삼서	168
김지선	역삼서	188
김지선	종로서	199
김지선	세종서	327
김지성	역삼서	189
김지수	기재부	64
김지수	기재부	72
김지수	기재부	73
김지수	강남서	148
김지수	구리서	216
김지수	인천청	270
김지수	김포서	287
김지수	아산서	328
김지숙	대구청	391
김지숙	부평서	294
김지아	수성서	401
김지아	청주서	342
김지안	동래서	435
김지암	중부청	215
김지애	부천서	293
김지연	국세상담	121
김지연	동안산서	238
김지연	국세청	112
김지연	서울청	127
김지연	서울청	129
김지연	마포서	170
김지연	삼성서	174
김지연	서대문서	176
김지연	성동서	181
김지연	송파서	185
김지연	영등포서	190
김지연	은평서	194
김지연	안산서	236
김지연	평택서	246
김지연	홍성서	334
김지연	경주서	405
김지연	동래서	440
김지엽	인천청	273
김지엽	기재부	69
김지영	기재부	71
김지영	기재부	73
김지영	서울청	126
김지영	서울청	133
김지영	구로서	157
김지영	성동서	180
김지영	성동서	181
김지영	역삼서	188
김지영	역삼서	189
김지영	영등포서	191
김지영	안양서	240
김지영	안양서	241
김지영	용인서	242
김지영	이천서	244
김지영	서인천서	277
김지영	고양서	283
김지영	천안서	333
김지완	마포서	171
김지완	동래서	436
김지우	국세청	108
김지우	천안서	332
김지우	삼성서	174
김지운	금감원	83
김지웅	충주서	345
김지웅	경주서	404
김지원	기재부	62
김지원	은평서	195
김지원	종로서	198
김지원	중부청	215
김지원	시흥서	232
김지원	동청주서	336
김지원	동대구서	394
김지원	김해서	455
김지원	제주서	467
김지윤	국세청	107
김지윤	강동서	151
김지윤	남대문서	160
김지윤	노원서	163
김지윤	수원서	230
김지윤	경기광주	234
김지윤	이천서	245
김지윤	서대전서	317
김지윤	대구청	388
김지윤	울산서	450
김지은	기재부	75
김지은	국세청	116
김지은	마포서	170
김지은	성동서	180
김지은	양천서	187
김지은	중부서	203
김지은	수원서	231
김지은	인천서	278
김지은	계양서	281
김지은	포천서	302
김지은	수성서	400
김지은	경산서	403
김지은	부산청	429
김지은	법무바른	1
김지인	동고양서	288
김지인	대구청	387
김지태	서초서	178
김지향	화성서	250
김지향	경산서	403
김지혁	의정부서	299
김지현	서울청	129
김지현	강서서	152
김지현	서대문서	176
김지현	양천서	187
김지현	영등포서	190
김지현	용산서	193
김지현	잠실서	197
김지현	종로서	198
김지현	중랑서	201
김지현	중부청	207
김지현	중부청	210
김지현	남양주서	220
김지현	동안양서	224
김지현	평택서	247
김지현	남동서	274
김지현	서인천서	277
김지현	광명서	284
김지현	동고양서	288
김지현	대전청	309
김지현	서대전서	316
김지현	여수서	368
김지현	김천서	408
김지현	부산청	422
김지현	부산청	423
김지현	부산청	424
김지현	동래서	438
김지현	해운대서	446
김지현	양산서	458
김지현	제주서	467
김지현	관세청	470
김지현	성현회계	13
김지현	딜로이트	16
김지혜	서울청	126
김지혜	강남서	148
김지혜	강동서	151
김지혜	강서서	152
김지혜	마포서	170
김지혜	마포서	171
김지혜	중부서	203
김지혜	중부청	211
김지혜	구리서	217
김지혜	안양서	240
김지혜	동화성서	249
김지혜	서인천서	277
김지혜	의정부서	299
김지혜	파주서	301
김지혜	광주청	351
김지혜	군산서	372
김지혜	수영서	444
김지혜	해남서	454
김지혜	세무하나	39
김지호	국세상담	121
김지호	북대전서	315
김지호	광산서	354
김지호	전주서	381
김지호	전주서	380
김지훈	서울청	135
김지훈	서울청	136
김지훈	서울청	137
김지훈	파주서	300
김지훈	서대전서	317
김지훈	부산청	429
김지훈	동래서	438
김지희	기재부	68
김지희	충주서	344
김지희	김해서	454
김진갑	동화성서	248
김진갑	인천세관	479
김진건	포항서	419
김진경	감사원	57
김진경	북대구서	397
김진경	수영서	444
김진곡	상공회의	96
김진곤	역삼서	189
김진관	송파서	257
김진광	용인서	243
김진교	연수서	297
김진구	관악서	154
김진국	김포서	287
김진규	서울청	146
김진규	대구서	394
김진기	고양서	282
김진기	천안서	332
김진달라	중부청	206
김진덕	김포서	286
김진도	서대구서	399
김진도	경산서	403
김진도	해운대서	448
김진동	잠실서	196
김진만	속초서	257
김진만	정읍서	382
김진명	기재부	60
김진모	안동서	412
김진문	은평서	194
김진문	천안서	333
김진미	서울청	137
김진배	동청주서	337
김진범	서울청	128
김진삼	구리서	217
김진삼	동래서	439
김진상	동래서	432
김진서	세종서	326
김진석	국세청	108
김진석	남대문서	161
김진석	부산청	428
김진석	창원서	462
김진섭	의정부서	299
김진섭	기재부	63
김진성	성북서	183
김진성	홍천서	264
김진세	고시회	32
김진솔	강서서	152
김진수	기재부	65
김진수	기재부	66
김진수	기재부	72
김진수	마포서	170
김진수	종로서	198
김진수	수원서	230
김진수	춘천서	262
김진수	김해서	455
김진수	마산서	456
김진수	삼정회계	18
김진수	예일세무	40
김진숙	북대구서	397
김진술	대전청	309
김진슬	동안양서	224
김진식	서울청	127
김진식	홍성서	334
김진아	기재부	75
김진아	역삼서	189
김진아	경기광주	234
김진아	안산서	237
김진아	계양서	280
김진아	서산서	324
김진아	조세재정	495
김진엽	영주서	416
김진열	국세청	105
김진영	국세청	103
김진영	서울청	136
김진영	기흥서	218
김진영	춘천서	263
김진영	서인천서	277
김진영	세종서	326
김진영	해남서	370
김진영	대구청	388
김진영	부산청	422
김진영	수영서	443
김진영	김해서	454
김진오	평택서	246
김진옥	양천서	187
김진옥	시흥서	233
김진우	서울세관	474
김진우	서울청	130
김진우	서울청	131
김진우	중부청	208
김진우	중부청	209
김진우	인천청	271
김진우	해남서	371
김진우	구미서	406
김진우	김해서	454
김진욱	아산서	328
김진원	동고양서	288
김진원	서울세관	475
김진재	광주청	350
김진주	서울청	136
김진주	도봉서	164
김진주	경기광주	234
김진주	청주서	342
김진철	익산서	378
김진태	서현이현	7
김진한	남대구서	393
김진현	중부청	205
김진현	중부청	206
김진현	서대구서	399
김진현	삼정회계	22
김진형	동안산서	239
김진형	남부천서	290
김진호	서울청	134
김진호	서울청	138
김진호	서울청	139
김진호	서울청	140
김진호	서울청	141
김진호	성동서	180
김진호	안산서	236
김진호	목포서	365
김진호	제주서	467
김진홍	기재부	64
김진홍	기재부	76
김진홍	국세청	105
김진홍	울산서	451
김진화	강릉서	252
김진환	서산서	325
김진환	동작서	169
김진환	성남서	228
김진환	용인서	242
김진환	서대전서	317
김진환	익산서	378
김진환	대구청	391
김진환	고시회	32
김진희	국세청	115
김진희	서울청	133
김진희	강동서	150
김진희	반포서	173
김진희	삼성서	175
김진희	성동서	180
김진희	남양주서	220
김진희	동화성서	248
김진희	강릉서	252
김진희	인천청	270
김진희	대전청	313
김진희	순천서	366
김진희	북대구서	396
김진희	세무하나	39
김차남	강남서	148
김차돌	구리서	216
김찬	남부천서	290
김찬규	예산서	331
김찬규	충주서	344
김찬규	삼일회계	20
김찬기	수원서	230
김찬미	동안양서	224
김찬섭	감사원	56
김찬수	안양서	240
김찬옥	마포서	171
김찬우	파주서	300
김찬웅	동대문서	167
김찬일	성북서	183
김찬일	동래서	440
김찬주	송파서	184
김찬주	광명서	285
김찬주	동래서	436
김찬태	경주서	405
김찬훈	금감원	91
김찬희	삼성서	175
김찬희	해운대서	447
김찬희	제주서	466
김창구	동대구서	395
김창권	국세청	105
김창근	마포서	171
김창기	기재부	76
김창기	국세청	99
김창기	국세청	100
김창남	지방재정	491
김창명	남대문서	184
김창미	남대문서	161
김창미	천안서	333
김창범	조세재정	495
김창범	송파서	184
김창석	마산서	457
김창섭	예일세무	40
김창수	양천서	187
김창수	울산서	451
김창순	영동서	339
김창신	북대구서	397
김창연	익산서	379
김창영	북대전서	315
김창영	부산청	429

이름	소속	번호
김창영	관세청	470
김창오	동안양서	225
김창옥	서울세관	475
김창우	분당서	226
김창윤	경기광주	234
김창윤	창원서	463
김창일	부산청	425
김창진	광주서	357
김창진	세림세무	159
김창현	인천서	278
김창현	광주청	350
김창현	진주서	460
김창호	영등포서	191
김창호	남동서	274
김창호	서인천서	276
김창호	법무세종	48
김창환	서대전서	317
김창환	구미서	406
김창훈	해남서	370
김창희	국세청	111
김창희	국세청	113
김창희	법무광장	47
김채린	동청주서	337
김채아	용인서	242
김채원	중랑서	201
김채윤	중랑서	200
김채은	서대구서	398
김채현	국세청	168
김천섭	영주서	417
김천수	동수원서	222
김천수	삼도회계	19
김천희	조세심판	493
김철권	종로서	198
김철민	서울청	134
김철민	서초서	179
김철수	남원서	374
김철연	상주서	411
김철영	금감원	91
김철웅	국세청	102
김철태	동래서	437
김철현	기재부	62
김철현	은평서	195
김철현	금감원	89
김철호	시흥서	233
김철호	의정부서	298
김철호	광주청	351
김철호	나주서	363
김철호	예일세무	40
김철홍	기재부	70
김철홍	부천서	293
김청일	서울청	126
김초롱	분당서	227
김초아	용문서	199
김초원	목포서	365
김초이	해운대서	446
김초혜	대전서	312
김초희	평택서	246
김춘경	송파서	184
김춘경	종로서	199
김춘광	남원서	375
김춘동	동고양서	289
김춘례	강동서	150
김춘배	전주서	380
김춘수	서울청	147
김춘화	시흥서	232
김충국	신승회계	25
김충만	서울청	143
김충산	동안산서	238
김충배	이천서	245
김충상	남대문서	160
김충식	인천세관	479
김충우	금감원	87
김충일	거창서	453
김충진	금감원	86
김충현	기재부	64
김충현	영등포서	190
김치우	금감원	85
김치우	영등포서	191
김치율	조세재정	494
김치헌	서울청	133
김치호	국세청	115
김치호	인천청	272
김칠규	이촌회계	28
김탁현	감사원	56
김태건	대전청	307
김태겸	남대구서	393
김태경	기재부	63
김태경	기재부	67
김태경	역삼서	188
김태경	삼척서	255
김태경	홍천서	265
김태경	서광주서	360
김태경	창원서	463
김태경	딜로이트	16
김태경	법무광장	47
김태곤	기재부	64
김태광	지방재정	491
김태규	청주서	342
김태균	역삼서	188
김태균	천안서	333
김태균	창원서	462
김태균	태평양	50
김태근	금감원	83
김태근	동래서	439
김태남	안양서	240
김태두	동고양서	289
김태랑	송파서	185
김태룡	서대구서	399
김태민	마포서	170
김태민	북대구서	396
김태민	양산서	458
김태범	이천서	244
김태범	원주서	261
김태범	지방재정	490
김태서	대전청	307
김태석	감사원	56
김태석	서울청	128
김태석	영등포서	191
김태석	영등포서	190
김태섭	남대문서	160
김태섭	남대문서	161
김태성	감사원	57
김태성	금감원	92
김태성	국세청	116
김태성	구리서	216
김태성	진주서	460
김태성	삼일회계	21
김태수	국세청	104
김태수	거창서	453
김태수	창원서	463
김태숙	창원서	462
김태순	기재부	67
김태순	대전청	307
김태순	해운대서	447
김태순	부천서	294
김태식	강서서	152
김태식	진주서	460
김태양	조세재정	496
김태연	서울청	141
김태연	기재부	67
김태연	금천서	159
김태연	반포서	172
김태연	수원서	231
김태연	속초서	256
김태열	나주서	362
김태영	동대문서	167
김태영	서초서	178
김태영	기흥서	218
김태영	광명서	284
김태영	파주서	301
김태영	해운대서	446
김태영	인천세관	477
김태영	인천세관	477
김태영	인천세관	479
김태오	용산서	193
김태완	기재부	61
김태완	중기회	97
김태완	국세청	103
김태완	부평서	295
김태완	김천서	409
김태완	울산서	450
김태용	중부청	206
김태용	남동서	275
김태우	감사원	57
김태우	성동서	181
김태우	중부청	207
김태우	구리서	217
김태우	동대구서	394
김태우	부산청	422
김태욱	금감원	85
김태욱	서울청	136
김태욱	대현회계	15
김태운	국세청	100
김태운	구미서	406
김태웅	기재부	67
김태웅	계양서	280
김태원	국세청	103
김태원	인천청	272
김태원	광주청	348
김태원	여수서	368
김태원	영덕서	415
김태원	금감원	465
김태윤	기재부	60
김태윤	반포서	173
김태윤	양천서	187
김태은	성동서	181
김태은	성북서	183
김태은	동수원서	222
김태은	평택서	246
김태은	평택서	247
김태은	천안서	333
김태은	마산서	456
김태은	조세재정	496
김태익	기재부	74
김태익	감사원	57
김태익	지방재정	491
김태인	서울청	143
김태인	동래서	436
김태정	기재부	62
김태주	삼정회계	23
김태준	강남서	149
김태준	광주청	353
김태준	삼정회계	23
김태중	기재부	70
김태진	기재부	72
김태진	중부청	210
김태진	남양주서	220
김태진	순천서	366
김태철	창원서	462
김태철	청주서	342
김태헌	해운대서	446
김태현	삼성서	175
김태현	서초서	179
김태현	동안산서	238
김태현	화성서	251
김태형	국세청	103
김태형	국세청	113
김태형	서울청	127
김태형	동수원서	222
김태형	김포서	286
김태형	안동서	412
김태형	법무지평	49
김태호	기재부	69
김태호	국세청	99
김태호	국세상담	120
김태호	노원서	162
김태호	목포서	365
김태호	동대구서	395
김태호	부산청	423
김태호	창원서	463
김태호	이안세무	41
김태환	동고양서	289
김태환	대전청	311
김태환	정읍서	382
김태환	북대구서	396
김태환	제주서	467
김태효	이천서	245
김태훈	금감원	84
김태훈	국세청	103
김태훈	국세청	110
김태훈	삼성서	175
김태훈	서대문서	177
김태훈	서초서	178
김태훈	용산서	192
김태훈	중부청	206
김태훈	인천서	278
김태훈	광명서	284
김태훈	대전청	311
김태훈	아산서	328
김태훈	경주서	404
김태훈	영주서	417
김태훈	부산청	427
김태희	역삼서	189
김태희	남동서	274
김태희	인천서	279
김태희	연수서	297
김태희	대구청	391
김태희	금정서	431
김택근	부산청	423
김택범	서울청	133
김택수	남양주서	221
김택우	정읍서	383
김택우	제주서	467
김택주	금감원	83
김택창	서산서	324
김판신	부산청	423
김판준	국세청	100
김평강	조세재정	495
김평섭	서울청	143
김평섭	부산청	425
김평식	조세재정	495
김평호	동작서	168
김평화	목포서	364
김평화	제주서	467
김푸른	국세청	103
김푸름	서울청	132
김푸름	남대문서	161
김풍겸	동래서	436
김필곤	해운대서	447
김필선	감사원	382
김필순	부산청	424
김필식	양산서	458
김필용	은평서	195
김필한	조세심판	493
김하강	안산서	236
김하나	서인천서	276
김하나	김천서	409
김하늘	서울청	147
김하늘	구리서	216
김하니	구미서	216
김하림	서울청	146
김하림	남양주서	247
김하성	인천청	271
김하수	경산서	403
김하얀	고양서	283
김하연	반포서	172
김하연	은평서	195
김하연	서현이현	7
김하영	남대구서	392
김하영	지방재정	490
김하영	조세재정	495
김하영	예일세무	40
김하원	광명서	285
김하은	성동서	181
김하은	성동서	262
김하중	서울청	141
김학규	부천서	293
김학규	서울세관	473
김학규	서울세관	473
김학규	서울세관	475
김학문	금감원	85
김학민	광주청	351
김학선	국세청	106
김학선	국세청	107
김학송	중부청	208
김학수	순천서	367
김학수	전주서	381
김학수	서현이현	6
김학연	성현회계	13
김학연	중랑서	200
김학욱	동래서	439
김학주	김앤장	45
김학주	삼정회계	22
김학진	국세청	238
김학진	서대전서	316
김학결	조세재정	494
김한경	서울청	134
김한경	지방재정	490
김한규	동작서	169
김한근	성동서	181
김한기	속초서	256
김한기	딜로이트	16
김한나	부평서	295
김한림	순천서	367
김한민	세종서	327
김한범	영주서	417
김한별	부천서	293
김한상	남양주서	221
김한석	국세청	113
김한석	동래서	434
김한선	중부청	213
김한성	강남서	149
김한솔	계양서	281
김한솔	북전주서	376
김한솔	제주서	466
김한수	남양주서	221
김한슬	영등포서	190
김한신	동래서	435
김한오	관악서	154
김한올	김포서	286
김한울	파주서	300
김한일	용산서	193
김한종	제천서	340
김한준	법무광장	46
김한진	수원서	230
김한진	인천청	268
김한진	관세청	470
김한필	강서서	153
김한필	기재부	68
김항년	기재부	74
김항로	서울청	129
김항임	부산청	424
김항중	연수서	296
김해강	익산서	379
김해경	용인서	243
김해년	영월서	258
김해림	강남서	148
김해마중	김앤장	45
김해서	동안양서	225
김해영	서울청	138
김해영	동래서	432
김해옥	분당서	227
김해옥	대구청	387
김해은	성북서	183
김해운	동래서	435
김해인	서울청	132
김해진	양천서	186
김해진	동화성서	248
김해철	법무광장	47
김햇살	중부청	207
김햇살	원주서	260
김행곤	남원서	374
김행복	성북서	182
김행순	잠실서	196
김행	통영서	464
김향미	중부청	206
김향숙	성북서	182
김향숙	부평서	295
김향일	국세청	117
김향천	인천청	270
김향희	북대구서	396
김헌국	서초서	178
김헌각	부산청	427
김헌우	경기광주	235
김헌우	인천세관	477
김혁	인천세관	477
김혁	인천세관	479
김혁동	대구청	388
김혁주	태평양	50
김혁준	대구청	389
김혁희	조세심판	492
김현	관악서	154
김현	익산서	379
김현	국세청	100
김현경	삼성서	174
김현경	송파서	184
김현경	시흥서	233
김현경	평택서	246
김현경	인천청	271
김현경	지방재정	491
김현곤	기재부	72
김현곤	기재부	73
김현곤	서초서	179
김현구	관세청	471
김현근	반포서	172
김현도	창원서	463
김현두	국세청	114
김현두	남대구서	393
김현만	삼정회계	23
김현미	동래서	435
김현미	중부청	210
김현미	화성서	250
김현미	동래서	432

김현민	성동서	181	김현주	서울청	130	김형섭	동래서	440	김혜숙	동고양서	289	김홍석	부산청	427
김현민	중부서	203	김현주	강남서	149	김형수	서울청	144	김혜연	은평서	195	김홍섭	기재부	69
김현민	동안양서	224	김현주	도봉서	164	김형수	강릉서	253	김혜연	인천청	271	김홍수	양산서	458
김현민	김포서	286	김현주	중부청	208	김형수	부산청	425	김혜연	부천서	292	김홍식	금융위	79
김현민	제주서	467	김현주	중부청	212	김형숙	나주서	363	김혜영	강서서	153	김홍식	부천서	293
김현배	동래서	440	김현주	광주청	351	김형순	금감원	88	김혜영	마포서	177	김홍영	의정부서	298
김현배	고시회	32	김현주	전주서	380	김형식	서인천서	277	김혜영	서대문서	177	김홍용	국세청	117
김현범	동래서	432	김현주	구미서	406	김형연	서광주서	360	김혜영	성동서	181	김홍주	예일세무	40
김현보	역삼서	188	김현주	안동서	412	김형우	강남서	148	김혜영	성북서	182	김홍태	서대구서	398
김현서	분당서	227	김현주	부산청	423	김형우	법무지평	49	김혜영	구리서	217	김홍현	삼일회계	20
김현서	파주서	301	김현주	마산서	456	김형욱	기재부	59	김혜영	남동서	274	김화경	광주청	351
김현석	국세청	110	김현주	고시회	32	김형욱	금감원	88	김혜영	광주청	349	김화도	남대문서	161
김현석	경기광주	234	김현준	영등포서	191	김형욱	서울청	142	김혜영	남대구서	392	김화선	동래서	438
김현석	부산세관	482	김현준	종로서	198	김형욱	춘천서	263	김혜영	영덕서	414	김화숙	서울청	126
김현석	법무바른	1	김현준	안산서	237	김형욱	서대구서	399	김혜영	부산청	424	김화숙	역삼서	189
김현선	서울청	126	김현준	동고양서	289	김형원	금감원	85	김혜영	동래서	434	김화영	광주청	350
김현선	관악서	154	김현준	수영서	444	김형원	법무세종	48	김혜영	통영서	465	김화영	해남서	370
김현선	역삼서	188	김현준	김해서	454	김형은	기재부	65	김혜영	강동서	151	김화영	진주서	461
김현섭	경주서	405	김현준	고시회	32	김형익	제주서	467	김혜원	종로서	198	김화완	영월서	259
김현성	삼척서	254	김현중	서대전서	317	김형일	강서서	153	김혜원	중부서	206	김화윤	기재부	70
김현성	광주청	353	김현지	국세청	116	김형일	서울청	126	김혜원	영등포서	338	김화은	서초서	178
김현성	북광주서	359	김현지	서울청	131	김형종	김해서	455	김혜원	여수서	369	김화정	인천청	268
김현성	부산청	422	김현지	중부서	202	김형주	강동서	150	김혜원	창원서	463	김화준	서울청	142
김현수	기재부	62	김현지	분당서	226	김형주	광주청	351	김혜윤	인천청	269	김화진	마산서	456
김현수	상공회의	95	김현지	안산서	237	김형준	서울청	63	김혜은	인천청	270	김환국	정읍서	383
김현수	성동서	181	김현지	군산서	373	김형준	강서서	152	김혜은	연수서	296	김환규	국세청	116
김현수	남대구서	393	김현진	서울청	135	김형준	시흥서	233	김혜은	군산서	373	김환석	구로서	156
김현수	수성서	401	김현진	강동서	150	김형준	이천서	244	김혜은	해운대서	446	김환성	군산서	373
김현수	진주서	460	김현진	잠실서	197	김형준	원주서	260	김혜인	역삼서	189	김환주	금감원	83
김현수	예일회계	26	김현진	동안양서	224	김형진	관악서	155	김혜인	강릉서	252	김환중	통영서	464
김현수	삼덕회계	18	김현진	수원서	230	김형진	부산청	429	김혜인	북전주서	377	김환희	용인서	242
김현숙	서울청	127	김현진	인천서	279	김형진	동래서	434	김혜정	국세청	101	김환희	기흥서	218
김현숙	노원서	162	김현진	북광주서	359	김형철	포천서	302	김혜정	국세상담	120	김황경	의정부서	298
김현숙	역삼서	174	김현진	나주서	363	김형태	서울청	129	김혜정	강서서	153	김황경	동청주서	337
김현숙	북대전서	314	김현진	여수서	368	김형태	강남서	146	김혜정	마포서	170	김회광	군산서	373
김현숙	충주서	345	김현진	정읍서	382	김형태	서대문서	176	김혜정	마포서	171	김회연	부천서	293
김현숙	서대구서	398	김현진	포항서	419	김형후	은평서	195	김혜정	성동서	181	김회정	창원서	463
김현숙	경주서	404	김현진	부산청	423	김형훈	기재부	72	김혜정	송파서	185	김회창	나주서	362
김현숙	동래서	435	김현진	울산서	450	김형훈	법무세종	48	김혜정	경기광주	235	김효경	국세교육	123
김현숙	조세재정	495	김현진	예일세무	40	김형훈	부산청	425	김혜정	연수서	297	김효경	남대구서	392
김현순	기재부	66	김현철	법무세종	48	김혜경	서울청	129	김혜정	서광주서	360	김효근	보령서	322
김현승	국세청	101	김현철	감사원	56	김혜경	중부서	202	김혜정	경주서	404	김효근	남원서	374
김현승	이천서	244	김현철	서울청	147	김혜경	기흥서	218	김혜정	경주서	404	김효근	조세심판	493
김현아	남대문서	160	김현철	기흥서	218	김혜경	평택서	247	김혜정	기재부	65	김효림	종로서	199
김현아	서대문서	176	김현철	성남서	229	김혜경	서대전서	316	김혜진	국세청	104	김효림	조세재정	494
김현아	천안서	332	김현철	동고양서	288	김혜경	순천서	366	김혜진	노원서	162	김효미	성남서	228
김현아	해운대서	448	김현철	광산서	355	김혜경	대구청	387	김혜진	양천서	186	김효민	해운대서	448
김현아	조세재정	495	김현철	해남서	370	김혜경	북대구서	397	김혜진	수원서	231	김효삼	대구청	387
김현열	진주서	460	김현철	동래서	434	김혜경	수영서	444	김혜진	경기광주	234	김효상	도봉서	164
김현옥	서초서	179	김현철	진주서	461	김혜란	영등포서	190	김혜진	강릉서	253	김효상	동작서	168
김현옥	남원서	375	김현태	관악서	154	김혜란	광주서	352	김혜진	인천서	273	김효상	구리서	216
김현우	서울청	144	김현태	대전청	306	김혜란	신한관세	43	김혜진	계양서	281	김효선	충주서	344
김현우	남대문서	160	김현하	국세청	103	김혜랑	강동서	150	김혜진	대구청	387	김효선	성동서	181
김현우	은평서	194	김현호	서울청	126	김혜령	중부청	212	김혜진	서대구서	399	김효성	반포서	173
김현우	종로서	198	김현호	중부서	210	김혜령	중부청	215	김혜진	부산청	423	김효수	북광주서	359
김현웅	국세청	116	김현호	상주서	410	김혜령	서인천서	276	김혜진	동래서	438	김효숙	시흥서	232
김현웅	대전청	306	김현후	기재부	70	김혜리	서울청	133	김혜진	제주서	467	김효숙	동래서	432
김현일	기흥서	218	김현희	국세상담	120	김혜리	강남서	139	김혜현	성동서	181	김효영	동안양서	224
김현일	김포서	287	김현희	송파서	184	김혜리	동래서	437	김호경	홍성서	335	김효호	서인천서	276
김현일	예일회계	26	김현희	은평서	194	김혜린	기재부	76	김호근	남대구서	393	김효인	남대구서	392
김현재	서울청	133	김현희	북대구서	396	김혜린	남동서	275	김호근	남양주서	220	김효일	중부청	211
김현정	서광주서	360	김현걸	부산청	422	김혜린	창원서	463	김호근	국세교육	122	김효경	기재부	71
김현정	서울청	129	김현곤	삼정회계	22	김혜림	남대구서	392	김호복	강동서	151	김효정	구로서	157
김현정	서울청	142	김형구	기재부	68	김혜림	안동서	413	김호서	마포서	170	김효정	금천서	159
김현정	구로서	156	김형국	서광주서	360	김혜림	영주서	417	김호석	상공회의	95	김효정	남대문서	160
김현정	구로서	157	김형국	포항서	419	김혜림	제주서	466	김호승	수성서	400	김효정	역삼서	188
김현정	남대문서	160	김형규	경기광주	235	김혜미	서울청	141	김호승	동래서	437	김효정	강릉서	253
김현정	동대문서	166	김형기	동작서	169	김혜미	역삼서	189	김호업	세무하나	39	김효정	인천청	272
김현정	반포서	172	김형기	예산서	330	김혜미	공주서	319	김호영	서울청	132	김효정	아산서	328
김현정	반포서	173	김형남	서현이현	7	김혜미	지방재정	490	김호영	구리서	216	김효정	여수서	368
김현정	성동서	180	김형두	창원서	463	김혜민	용산서	193	김호일	지방재정	491	김효정	지방재정	490
김현정	동안양서	224	김형래	노원서	163	김혜민	북광주서	358	김호정	서울청	211	김효주	지방재정	490
김현정	안양서	240	김형래	잠실서	197	김혜빈	기재부	61	김호준	서울청	145	김효진	국세청	103
김현정	용인서	242	김형래	서울청	429	김혜빈	강남서	148	김호진	송파서	185	김효진	남대문서	160
김현정	강릉서	252	김형만	익산서	379	김혜빈	송파서	185	김호찬	영월서	259	김효진	동작서	169
김현정	김포서	286	김형묵	성동서	181	김혜빈	종로서	198	김호현	동래서	432	김효진	양천서	186
김현정	서광주서	360	김형민	화성서	250	김혜빈	남동서	275	김홍경	연수서	296	김효진	중부서	203
김현정	순천서	366	김형봉	마산서	457	김혜빈	통영서	465	김홍경	남대구서	394	김효진	동수원서	223
김현정	북대구서	397	김형석	남부천서	290	김혜선	금감원	82	김홍균	중부서	215	김효진	남동서	274
김현정	동래서	440	김형석	서울청	140	김혜성	성동서	181	김홍근	대전청	307	김효진	인천서	279
김현정	수영서	445	김형선	강서서	153	김혜성	남동서	274	김홍기	부산청	426	김효진	울산서	451
김현정	창원서	462	김형선	안양서	240	김혜수	역삼서	188	김홍남	중부서	208	김효진	통영서	465
김현정	관세청	470	김형섭	서울청	145	김혜수	의정부서	299	김홍란	대전청	307	김효희	금감원	89
김현종	대전청	309	김형섭	부산청	427	김혜숙	동대문서	166	김홍래	잠실서	196	김효희	광산서	354
김현종	논산서	320										김홍렬	반포서	173	김후영	동래서	438

이름	소속	번호
김훈	광주청	353
김훈	부산세관	482
김훈구	성동서	181
김훈기	중부청	207
김훈수	보령서	322
김훈중	예일세무	40
김훈태	분당서	226
김휘민	구미서	406
김휘영	영등포서	190
김휘태	인천서	278
김흥곤	노원서	163
김흥주	서울세관	474
김희겸	국세청	115
김희경	서울청	140
김희경	반포서	173
김희경	남부서	291
김희경	부산청	424
김희관	해남서	370
김희권	대구세관	486
김희대	국세청	114
김희락	구로서	157
김희란	아산서	329
김희련	김해서	455
김희리	관세청	470
김희문	마산서	456
김희봉	북광주서	359
김희석	청주서	357
김희선	국세교육	122
김희선	서초서	178
김희선	성북서	183
김희선	중랑서	200
김희선	중부청	209
김희선	의정부서	299
김희선	동래서	435
김희수	부천서	292
김희숙	강남서	149
김희숙	중부청	215
김희숙	광주청	349
김희숙	전주서	380
김희애	서울청	132
김희애	울산서	451
김희연	삼성서	175
김희연	양천서	187
김희연	남대구서	392
김희영	금감원	88
김희영	동고양서	288
김희영	포천서	302
김희영	대전청	309
김희원	동청주서	337
김희윤	송파서	185
김희은	동안양서	225
김희재	기재부	67
김희재	국세청	103
김희재	강릉서	253
김희정	성북서	102
김희정	강동서	151
김희정	동대문서	166
김희정	서울청	172
김희정	잠실서	196
김희정	잠실서	197
김희정	동고양서	289
김희정	의정부서	299
김희정	목포서	364
김희정	경주서	405
김희정	김해서	454
김희주	의정부서	298
김희준	기재부	68
김희준	양천서	144
김희준	마산서	456
김희중	기재부	64
김희중	중기회	97
김희중	서울청	126
김희지	관악서	155
김희진	성북서	144
김희진	서대문서	177
김희진	인천청	269
김희진	청주서	282
김희진	광주서	357
김희창	인천서	278
김희창	충주서	344
김희창	순천서	367
김희철	김앤장	45
김희철	고시회	32
김희철	기재부	66
김희태	북대전서	315
김희태	익산서	379
김희화	중부청	208
김희환	남부천서	291
깅영남	반포서	172

ㄴ

이름	소속	번호
나경미	세종서	326
나경아	서울청	134
나경영	서대문서	177
나경태	안양서	241
나경훈	의정부서	299
나교석	서대문서	176
나기석	동화성서	248
나기홍	지방재정	490
나길제	연수서	297
나단비	해운대서	446
나덕호	동안양서	225
나동욱	동안양서	224
나동일	국세청	113
나두영	부산세관	483
나명균	국세청	105
나명호	서울청	141
나미선	광산서	355
나민수	서울청	128
나민지	부평서	295
나병진	지방재정	490
나상고	기재부	67
나상률	기재부	75
나상일	경주서	404
나석환	삼정회계	22
나선영	광주서	357
나선일	의정부서	299
나선호	의정부서	298
나성빈	관악서	154
나세준	금감원	82
나소영	목포서	364
나송현	중부청	208
나승도	삼일회계	20
나승운	국세청	104
나승창	광주청	353
나양선	북광주서	359
나영미	은평서	194
나영수	경기광주	234
나영주	동작서	168
나예영	삼성서	174
나용선	국세상담	121
나용호	청주서	342
나우영	중부서	202
나유림	김포서	286
나유민	광산서	354
나유빈	안산서	237
나유수	제천서	341
나유진	청주서	343
나윤미	순천서	366
나윤수	안양서	241
나윤정	기재부	69
나은경	강동서	150
나은주	청주서	343
나인애	반포서	172
나인엽	광주청	350
나정주	마포서	170
나정학	중랑서	201
나정현	동청주서	336
나정희	영동서	339
나종선	서광주서	360
나종현	동작서	168
나주범	기재부	72
나주범	기재부	73
나지윤	경주서	404
나진순	서울청	132
나진주	전주서	380
나진희	서울청	126
나진희	나주서	363
나진희	조세재정	496
나찬영	남대문서	160
나찬주	인천청	268
나채용	재정회계	29
나철호	부평서	294
나태운	강남서	148
나한태	서광주서	360
나향미	북광주서	358
나혁균	인천청	268
나현숙	수성서	400
나형배	순천서	367
나형욱	안산서	236
나형채	서광주서	360
나혜경	목포서	365
나혜영	안산서	237
나혜진	영동서	339
나환영	구리서	216
나희선	강서서	153
나희선	중부청	210
나희영	용산서	192
남가영	감사원	56
남건욱	지방재정	490
남경민	홍천서	264
남경일	종로서	198
남경자	양천서	187
남경호	부산청	427
남경희	시흥서	232
남경희	동화성서	249
남관길	동래서	440
남관덕	남동서	274
남광우	보령서	322
남궁민	국세청	110
남궁서정	서울청	135
남궁재욱	종로서	198
남궁준	경기광주	235
남궁화순	정읍서	383
남권효	파주서	301
남권효	해운대서	449
남근	성동서	181
남기범	기재부	65
남기범	천안서	333
남기선	수원서	230
남기연	영등포서	190
남기은	인천서	279
남기은	남부천서	290
남기인	기재부	64
남기인	인천청	268
남기정	광주서	356
남기태	충주서	209
남기현	중부청	208
남기형	강서서	152
남기홍	영월서	258
남기훈	고양서	282
남기훈	서울청	135
남기훈	도봉서	165
남다미	성성서	228
남덕현	북광주서	359
남덕희	평택서	246
남도경	인천청	269
남도영	용인서	243
남도욱	광산서	355
남동규	더택스	36
남동균	천안서	332
남동수	인천세관	478
남동오	기재부	65
남동우	대구청	391
남동현	마산서	456
남동훈	서울청	147
남만우	잠실서	196
남명균	마포서	171
남명기	중부서	207
남명수	대전청	311
남무정	국세청	115
남미라	은평서	194
남미정	수원서	222
남민기	국세청	112
남보라	동청주서	336
남보영	고양서	283
남봉근	국세청	102
남상균	국세청	115
남상준	중부청	210
남상진	순천서	366
남상헌	대구청	388
남상욱	국세청	103
남상호	수성서	400
남상훈	여수서	368
남석주	김포서	286
남선애	수원서	218
남성윤	양천서	187
남성훈	서울세관	473
남성훈	서울세관	473
남성훈	서울세관	474
남소연	광주세관	487
남송이	마포서	171
남송기	마산서	456
남수경	기재부	63
남수빈	동래서	432
남수주	성동서	180
남수진	강동서	150
남수진	수성서	251
남수환	감사원	56
남숙경	안양서	241
남순오	기재부	60
남승규	서울청	133
남승오	조세재정	496
남승호	나주서	362
남승호	반포서	173
남아주	서울청	146
남애숙	북광주서	358
남연경	삼척서	254
남연주	김해서	455
남연화	조세심판	492
남영민	금감원	82
남영안	대구청	388
남영우	평택서	247
남영우	청주서	282
남영철	서울청	128
남영호	구미서	406
남예나	거창서	453
남예원	남동서	274
남예진	구리서	217
남옥희	포항서	418
남왕주	광산서	354
남용우	중부청	211
남용훈	EY한영	14
남용희	노원서	163
남우점	감사원	57
남우창	국세청	103
남원우	기재부	61
남유승	중부청	213
남유진	국세청	112
남유현	용인서	243
남윤수	부산청	427
남윤수	서울청	143
남윤정	강서서	153
남윤현	이천서	245
남윤현	남동서	275
남은선	계양서	280
남은빈	논산서	321
남은영	송파서	185
남은영	인천청	269
남인제	해운대서	448
남일현	인천청	272
남자세	광주청	353
남장우	강동서	150
남전우	강서서	152
남정구	구미서	414
남정민	구미서	406
남정식	부천서	293
남정임	춘천서	262
남정태	동대문서	166
남정화	양천서	187
남중화	수성서	400
남지연	서울청	130
남지원	기재부	64
남지운	경기광주	234
남지선	동고양서	288
남지연	조세재정	496
남지형	기재부	61
남창형	부산청	423
남창훈	국세청	105
남창훈	부산세관	482
남창호	상주서	410
남칠형	성동서	180
남태숙	분당서	226
남택숙	김앤장	45
남택진	예산서	330
남학진	미래회계	17
남학철	인천청	458
남해샘	기재부	61
남해용	안동서	413
남현두	김포서	244
남현승	서울청	126
남현우	청주서	342
남현정	기흥서	219
남현주	부천서	292
남현철	인천서	278
남형석	삼일회계	20
남형주	고양서	283
남혜경	동청주서	337
남혜윤	국세청	101
남혜진	성북서	182
남혜규	춘천서	262
남호성	서울청	141
남호진	반포서	173
남호철	영등포서	191
남화영	은평서	195
남효우	신한관세	43
남효미	이천서	244
남효주	안동서	412
남훈현	이천서	244
남희옥	포항서	419
노강래	홍천서	265
노강원	잠실서	196
노건호	노건호	343
노걸현	조세재정	496
노경민	동작서	169
노경민	원주서	261
노경수	서울청	138
노경아	중부서	202
노경환	부산세관	482
노계연	서울청	142
노광래	지방재정	491
노광은	중부청	206
노광환	포천서	303
노규현	동고양서	288
노근석	수영서	442
노근홍	서울세관	474
노기숙	국세상담	120
노기우	아산서	328
노기항	도봉서	165
노기훈	의정부서	298
노남규	인천청	272
노남종	해남서	371
노도영	군산서	372
노동균	광주청	350
노동셀	세무청	102
노동승	영등포서	191
노동영	동대구서	395
노동욱	해운대서	449
노동호	북전주서	376
노명진	북전주서	376
노명현	평택서	247
노명희	강남서	148
노미경	광주청	350
노미란	양천서	186
노미선	강남서	148
노미해	창원서	463
노미현	양산서	458
노민경	서광주서	361
노민옥	울산서	451
노병우	금천서	158
노상우	인천청	271
노석봉	삼성서	174
노성구	강동서	151
노성수	기재부	63
노성은	광주청	353
노성태	동화성서	248
노세영	인천청	271
노세현	금정서	430
노수연	조세재정	494
노수연	동대구서	166
노수정	서울청	136
노수진	동화성서	248
노수진	성남서	229
노수창	이천서	244
노안성	순천서	366
노승규	순천서	367
노승미	성남서	228
노승옥	용산서	192
노승환	거창서	453
노시걸	종로서	199
노시얼	관세청	470
노시열	순천서	367
노시인	안양서	241
노신남	경기광주	235
노아령	인천청	271
노아영	동작서	168
노아영	용산서	193
노아영	동래서	440

이름	소속	번호
문보경	동청주서	336
문보라	광산서	354
문삼식	인천청	268
문상균	대전청	311
문상석	금감원	87
문상은	기재부	72
문상철	서울청	143
문상혁	마포서	170
문상호	기재부	75
문상호	관세청	471
문서림	대전서	312
문서윤	제주서	466
문서유	동고양서	288
문석빈	도봉서	164
문석준	국세청	115
문선기	금감원	85
문선영	은평서	195
문선우	국세청	112
문선희	창원서	250
문선희	창원서	462
문성배	동래서	438
문성빈	천안서	333
문성연	포항서	419
문성원	양천서	186
문성윤	강서서	153
문성은	포천서	302
문성진	서울청	126
문성철	동래서	433
문성호	기재부	65
문성호	국세청	114
문성환	인천세관	478
문성훈	지방재정	490
문성희	기재부	72
문세련	부평서	294
문세련	중부청	207
문소웅	국세청	109
문소원	금정서	430
문소진	영등포서	191
문수미	광산서	354
문수영	조세심판	492
문숙미	창원서	463
문숙자	국세청	104
문숙현	서울청	129
문순철	의정부서	299
문승구	부산청	424
문승덕	중부청	212
문승민	서울청	137
문승식	해남서	370
문승준	마산서	457
문승현	서울청	127
문승현	서대문서	177
문시현	성남서	228
문아연	강서서	152
문아현	서울서	451
문양수	금감원	83
문여리	남대문서	160
문영건	서울서	218
문영권	나주서	362
문영규	서광주서	360
문영미	남부천서	291
문영수	제주서	466
문영순	제주서	466
문영은	동대문서	167
문영임	대전청	307
문영준	군산서	373
문영현	국세청	111
문영희	기재부	73
문예서	성동서	180
문예슬	서울서	159
문예회	울산서	451
문용식	관악서	154
문용수	강서서	152
문원수	동래서	436
문윤정	중랑서	200
문윤진	광주청	352
문은성	광주청	353
문은수	군산서	373
문은진	역삼서	189
문은진	서울세관	297
문은하	동안양서	225
문은희	군산서	372
문을열	서울세관	474
문인섭	연수서	297
문재창	은평서	194
문재희	금감원	86
문재희	은평서	195
문전안	구리서	216
문정민	익산서	378
문정민	송파서	185
문정오	중랑서	200
문정우	서울청	137
문정우	조세심판	492
문정현	노원서	162
문정현	금정서	430
문정호	금감원	89
문정희	강동서	150
문종구	부평서	294
문종희	서울청	142
문주경	국세상담	120
문주란	역삼서	188
문주연	광주청	349
문주희	동고양서	289
문준검	구로서	156
문준규	서광주서	361
문준웅	국세주류	118
문지만	국세청	115
문지선	중부청	209
문지영	서울청	142
문지영	파주서	301
문지영	대전서	312
문지영	조세재정	496
문지원	충주서	344
문지원	목포서	365
문지윤	상주서	411
문지은	화성서	250
문지혁	서울청	126
문지현	파주서	301
문지현	영주서	416
문지혜	국세청	107
문지홍	북전주서	377
문진혁	대전서	312
문진희	대구청	388
문진희	김포서	286
문진희	파주서	300
문찬식	대전서	313
문찬영	전주서	380
문찬우	대전청	308
문찬웅	서인천서	277
문창자	북대구서	397
문창오	동안양서	224
문창오	조세재정	496
문창전	동수원서	223
문창환	종로서	199
문창환	평택서	247
문채류	청주서	342
문철주	동대문서	167
문철홍	중기회	97
문태범	동안산서	239
문태정	국세청	116
문태홍	용산서	193
문하나	용인서	243
문하윤	동래서	436
문한별	국세청	112
문한솔	순천서	367
문해수	남원서	375
문행용	부산세관	482
문혁완	기재부	72
문현경	안산서	236
문현경	이천서	244
문현국	제주서	466
문형민	서울청	128
문형민	서울청	146
문형빈	광주청	351
문형일	종로서	198
문형일	서대전서	316
문형진	목포서	364
문혜경	국세청	114
문혜령	중부청	208
문혜령	경주서	405
문혜리	김해서	455
문혜림	국세청	101
문혜미	안양서	241
문혜원	영등포서	190
문혜정	제주서	466
문호승	강동서	150
문호영	대전서	312
문호영	구미서	406
문홍규	서울청	145
문홍배	광주청	352
문홍섭	해운대서	447
문홍승	여수서	368
문효상	대구청	386
문효호	부산세관	482
문희원	기재부	70
문희원	수원서	231
문희원	군산서	372
문희제	화성서	250
문희진	부산청	425
민갑승	대구청	390
민경률	조세재정	496
민경삼	부평서	295
민경상	잠실서	197
민경상	김앤장	45
민경석	용인서	243
민경석	조세재정	495
민경욱	광주서	357
민경욱	인천세관	478
민경원	김포서	286
민경영	동작서	168
민경준	남부천서	290
민경진	화성서	250
민경진	수영서	442
민경찬	법무바른	1
민경하	강남서	149
민경화	중부서	203
민경훈	반포서	172
민경훈	전주서	380
민경희	서울청	132
민규홍	용인서	242
민규홍	원주서	261
민규홍	양산서	458
민근예	서울청	136
민기원	송파서	185
민다연	기재부	62
민덕기	수원서	231
민동준	광주청	350
민동휘	금감원	92
민백기	남양주서	220
민병기	양산서	459
민병려	진주서	461
민병웅	해운대서	448
민병현	서울청	129
민상원	울산서	451
민선희	부천서	292
민성기	송파서	184
민성림	평택서	247
민소윤	인천서	279
민수진	동고양서	289
민수호	홍성서	335
민순기	삼성서	366
민승기	잠실서	196
민승기	김해서	454
민애희	동안성서	248
민양기	대전청	310
민연배	마산서	456
민영규	춘천서	262
민영신	금정서	431
민예지	인천서	278
민옥재	세종서	327
민옥정	화성서	250
민용우	의정부서	299
민우기	삼정회계	23
민우기	삼정회계	23
민우빈	서울청	144
민윤기	딜로이트	16
민윤선	대구청	390
민은연	금감원	91
민재영	동수원서	222
민재영	서대구서	398
민정기	노원서	163
민정기	부산세관	482
민정대	서울청	129
민정은	금천서	159
민정은	시흥서	232
민종권	인천청	272
민종인	인천청	272
민주영	기재부	69
민주원	서울청	132
민주원	서울청	133
민주혁	서울청	134
민준기	나주서	363
민지현	동작서	168
민지혜	구로서	157
민지홍	광주청	349
민진기	도봉서	165
민천일	중부청	208
민철기	구미서	406
민태규	김천서	409
민현석	중부청	215
민현순	서울청	127
민혜민	광주청	352
민혜선	잠실서	196
민혜수	기재부	75
민혜아	서울청	141
민호성	북광주서	358
민호준	반포서	172
민호정	국세청	99
민효정	북전주서	376
민훈기	국세청	100
민희	관세청	471
민희망	서울청	142

ㅂ

이름	소속	번호
박가람	경산서	402
박가영	기재부	67
박가영	익산서	379
박가영	해운대서	446
박가은	종로서	199
박가을	서울청	135
박강수	남양주서	220
박건규	중부서	292
박건대	동래서	432
박건영	부산청	429
박건우	중부청	210
박건웅	강남서	149
박건준	중부청	212
박건태	강남서	149
박건학	김해서	454
박경균	서대전서	317
박경련	서울청	143
박경남	경주서	404
박경단	광주서	357
박경란	강남서	149
박경란	동고양서	288
박경란	북광주서	359
박경련	금천서	158
박경록	국세청	112
박경미	삼성서	175
박경미	춘천서	262
박경미	대구청	387
박경민	구리서	217
박경민	수원서	230
박경석	부산청	424
박경선	동래서	435
박경수	감사원	56
박경수	잠실서	197
박경수	중부청	213
박경수	정읍서	382
박경수	정읍서	383
박경숙	동래서	432
박경숙	동래서	439
박경숙	지방재정	490
박경아	남양주서	220
박경연	용산서	192
박경오	삼성서	175
박경옥	수원서	231
박경완	부평서	294
박경완	삼도회계	19
박경은	서인천서	277
박경은	서울청	132
박경일	평택서	246
박경진	화성서	251
박경춘	김천서	408
박경태	국세상담	120
박경태	김천서	409
박경호	북광주서	358
박경호	포항서	418
박경화	강서서	153
박경환	수영서	442
박경환	서대전서	316
박경휘	시흥서	233
박경희	서울청	142
박경희	통영서	464
박계희	반포서	173
박관우	금감원	91
박관준	안산서	237
박관중	평택서	247
박광	금융위	79
박광덕	서울청	126
박광룡	국세청	106
박광석	중부청	211
박광수	인천청	271
박광수	인천청	272
박광수	서산서	325
박광수	삼도회계	19
박광식	중부청	215
박광용	강서서	153
박광우	금감원	92
박광욱	남동서	274
박광전	논산서	320
박광종	서울청	126
박광진	포천서	302
박광천	여수서	369
박광춘	서울청	132
박광태	시흥서	232
박구슬	창원서	462
박구영	삼성서	175
박국진	인천청	270
박국진	인천청	271
박권조	서울청	147
박권진	순천서	367
박귀숙	순천서	366
박귀영	포항서	418
박귀자	광주청	349
박귀화	역삼서	189
박규동	대구청	389
박규미	서울청	133
박규빈	강남서	149
박규빈	광명서	285
박규서	예산서	330
박규선	지방재정	491
박규송	강동서	150
박규원	삼도회계	18
박규진	김천서	408
박규철	북대구서	396
박균득	서울청	138
박근수	성현회계	13
박근식	강서서	153
박근대	동대문서	166
박근열	안동서	412
박근엽	인천청	272
박근엽	종로서	199
박근영	수성서	400
박근용	수원서	231
박근운	삼정회계	22
박근우	남대구서	393
박근윤	국세청	114
박근재	금감원	82
박근태	기재부	66
박근형	김포서	286
박근호	북전주서	377
박금규	광주청	349
박금단	이천서	244
박금배	국세청	112
박금세	남대문서	161
박금숙	북대전서	314
박금옥	서울청	133
박금옥	광산서	354
박금지	서초서	179
박금지	신한관세	43
박금찬	성남서	228
박금철	기재부	66
박금철	안산서	237
박금홍	상주서	411
박기룡	인천서	278
박기민	홍성서	334
박기범	양천서	186
박기범	법무세종	48
박기봉	분당서	226
박기식	동래서	435
박기우	포항서	418
박기우	감사원	56
박기운	중부청	213
박기운	삼일회계	20
박기정	중랑서	200
박기정	대전청	306

이름	소속	쪽	이름	소속	쪽	이름	소속	쪽	이름	소속	쪽	이름	소속	쪽
박기탁	구미서	406	박득연	북광주서	359	박미영	인천서	279	박범진	순천서	366	박상언	강릉서	252
박기태	춘천서	263	박란수	용산서	192	박미영	광명서	284	박병곤	인천청	271	박상열	서대구서	398
박기택	동안양서	225	박란영	남원서	374	박미영	의정부서	298	박병관	평택서	247	박상영	기재부	62
박기학	기재부	69	박래웅	평택서	246	박미영	부산청	423	박병관	제주서	467	박상영	인천청	273
박기혁	북광주서	359	박래용	속초서	257	박미영	동래서	438	박병권	북대구서	396	박상옥	대전청	307
박기현	시흥서	232	박래인	삼성서	174	박미영	동래서	441	박병규	진주서	461	박상용	국세상담	120
박기형	EY한영	14	박마래	남대문서	161	박미영	해운대서	449	박병남	중부청	213	박상용	부산청	425
박기호	광주청	353	박만기	중부서	208	박미옥	원주서	261	박병문	동청주서	337	박상우	기재부	77
박기호	남대구서	392	박만기	영덕서	414	박미정	서울청	129	박병민	광명서	285	박상우	분당서	226
박기호	김천서	409	박만길	서울청	147	박미정	동작서	168	박병민	북광주서	359	박상우	안양서	240
박기홍	나주서	362	박만욱	남대구서	393	박미정	마포서	171	박병선	기재부	61	박상우	인천청	270
박기환	서초서	179	박만욱	구로서	157	박미정	성동서	181	박병선	동안양서	225	박상우	마산서	456
박길대	경기광주	234	박매라	아산서	328	박미정	삼척서	254	박병수	동청주서	336	박상욱	금감원	81
박길우	국세주류	118	박명라	신한관세	43	박미정	동청주서	337	박병수	충주서	345	박상욱	금감원	90
박길원	세종서	327	박명수	시흥서	232	박미정	동대구서	395	박병연	남양주서	221	박상욱	대전청	309
박길훈	제주서	466	박명수	북대전서	315	박미정	지방재정	490	박병영	서울청	133	박상욱	천안서	333
박나리	영등포서	191	박명식	해남서	371	박미주	강서서	153	박병옥	인천세관	479	박상욱	북대구서	396
박나영	동래서	441	박명아	서인천서	276	박미주	남대구서	392	박병용	광주세관	488	박상원	금감원	82
박나정	세종서	326	박명열	성동서	181	박미진	국세청	103	박병원	지방재정	491	박상원	마포서	170
박나혜	영월서	259	박명우	남대구서	393	박미진	성동서	180	박병일	금감원	85	박상원	인천세관	479
박남규	강서서	153	박명진	성동서	180	박미진	고양서	282	박병일	상공회의	95	박상율	동고양서	288
박남규	삼척서	254	박명철	정읍서	382	박미진	부천서	292	박병일	북광주서	358	박상은	광산서	354
박남기	인천세관	480	박명철	제주서	466	박미진	부평서	295	박병주	국세청	117	박상응	해남서	370
박남숙	화성서	250	박명하	송파서	185	박미진	대전청	309	박병주	평택서	247	박상인	서울청	147
박남주	해남서	370	박명훈	강서서	152	박미진	북대전서	314	박병진	국세청	112	박상일	동안산서	239
박남중	서광주서	360	박명회	강서서	151	박미진	북전주서	376	박병진	분당서	226	박상일	목포서	364
박남진	북대구서	396	박모린	부천서	292	박미현	중부청	210	박병철	양산서	459	박상정	김포서	287
박노성	동래서	441	박모영	김해서	454	박미현	홍성서	335	박병철	부산세관	482	박상종	전주서	380
박노승	고양서	283	박모우	남동서	274	박미혜	화성서	250	박병태	여주서	281	박상주	기흥서	218
박노욱	충주서	345	박무성	영주서	416	박미화	김해서	455	박병철	분당서	226	박상준	금감원	87
박노욱	조세재정	495	박무수	서광주서	361	박미회	부산청	426	박병호	감사원	57	박상준	금감원	88
박노준	노원서	162	박문규	기재부	61	박미희	송파서	184	박병환	안산서	327	박상준	서초서	179
박노진	포항서	419	박문규	양천서	186	박미희	포항서	419	박병환	서광주서	360	박상준	북광주서	359
박노헌	관악서	155	박문상	여수서	369	박민국	광주서	356	박병환	대구청	388	박상준	동래서	437
박노훈	동청주서	337	박문수	관악서	157	박민국	국세교육	123	박병훈	대구청	389	박상준	제주서	466
박다겸	남대구서	392	박문수	금천서	159	박민규	남양주서	220	박병훈	중부청	208	박상준	광주세관	488
박다빈	중부청	210	박문수	청주서	342	박민규	동안산서	239	박보경	국세청	109	박상태	강릉서	252
박다슬	영등포서	191	박문수	안동서	413	박민규	김포서	287	박보경	서울청	139	박상혁	대구청	390
박다영	서인천서	276	박문영	국세청	104	박민기	부산청	423	박보경	남양주서	221	박상현	기재부	70
박다인	경기광주	234	박문주	동래서	435	박민기	부산청	424	박보경	성남서	228	박상현	금감원	86
박다정	동래서	441	박문철	도봉서	164	박민서	서울청	126	박보경	계양서	281	박상현	금감원	92
박달영	서울청	128	박문호	해운대서	448	박민서	포천서	302	박보민	포천서	302	박상현	서울청	133
박대경	국세청	109	박미경	기재부	73	박민선	분당서	226	박보영	중부청	211	박상현	서초서	179
박대광	용산서	193	박미경	기재부	75	박민수	역삼서	189	박보중	동래서	436	박상현	순천서	366
박대순	안산서	237	박미경	국세청	104	박민수	남부천서	290	박보화	송파서	184	박상현	수성서	401
박대영	서울청	127	박미경	중부청	209	박민수	청주서	342	박복심	북광주서	358	박상현	수영서	444
박대은	국세청	114	박미경	의정부서	298	박민아	예산서	330	박복자	남대문서	161	박상훈	서울청	144
박대현	서울청	139	박미경	세종서	327	박민영	동래서	437	박복자	양산서	459	박상훈	양천서	187
박대현	서울청	138	박미경	천안서	332	박민우	금융위	80	박봉근	익산서	378	박상훈	경기광주	234
박대협	계양서	280	박미경	대구청	387	박민우	성동서	181	박봉기	영등포서	191	박상훈	삼정회계	23
박도영	순천서	366	박미나	부평서	295	박민우	성북서	183	박봉선	북광주서	358	박상희	용인서	242
박도은	종로서	199	박미라	시흥서	232	박민우	금정서	430	박봉주	북광주서	359	박상희	강서서	152
박도현	김해서	454	박미라	해운대서	448	박민원	서울청	137	박봉철	서인천서	276	박상희	분당서	227
박도현	조세재정	495	박미라	인천서	278	박민원	해남서	371	박봉철	북광주서	358	박상희	북대전서	314
박동규	금천서	159	박미란	서대전서	316	박민재	강남서	149	박삼용	서광주서	361	박상희	영덕서	415
박동규	대전서	312	박미란	조세심판	492	박민정	마포서	170	박상곤	홍성서	334	박새롬	기재부	71
박동균	경기광주	235	박미란	조세심판	493	박민정	서초서	178	박상규	부산청	423	박새미	삼성서	175
박동균	속초서	257	박미래	인천서	278	박민정	용인서	243	박상국	포항서	418	박새봄	서광주서	360
박동기	동래서	441	박미래	남부천서	291	박민정	동래서	440	박상국	지방재정	491	박새얀	정읍서	382
박동기	한국관세	42	박미리	구리서	217	박민주	기재부	70	박상규	금감원	82	박샛별	영등포서	190
박동민	상공회의	95	박미리	북대전서	315	박민주	관악서	154	박상규	부평서	294	박서빈	남대구서	392
박동민	상공회의	96	박미선	서울청	144	박민주	북대전서	314	박상기	국세청	101	박서연	서울청	142
박동민	용인서	242	박미선	중부청	213	박민주	남원서	374	박상기	국세청	108	박서연	기재부	60
박동수	서울청	132	박미선	용인서	243	박민주	구미서	406	박상기	잠실서	196	박서연	서울청	127
박동수	성북서	182	박미선	인천서	278	박민주	해운대서	448	박상길	송파서	184	박서연	서울청	133
박동열	경산서	402	박미선	광주청	349	박민중	중부서	203	박상길	울산서	451	박서연	수원서	230
박동오	EY한영	14	박미선	남원서	374	박민지	서울청	132	박상도	거창서	453	박서우	동래서	435
박동완	속초서	257	박미선	남대구서	392	박민채	공주서	318	박상돈	서울청	127	박서우	남동서	274
박동우	기재부	61	박미선	금정서	430	박민해	국세청	104	박상만	금감원	86	박서정	서울청	134
박동일	분당서	226	박미성	동안산서	238	박민호	대전서	313	박상미	대전서	179	박서현	서울청	138
박동일	천안서	332	박미소	인천청	271	박민호	서대구서	399	박상미	김해서	454	박서희	서초서	178
박동진	부천서	293	박미숙	국세청	103	박민후	중부서	202	박상민	국세청	115	박서희	서대전서	317
박동진	익산서	379	박미숙	동대문서	167	박민희	기재부	61	박상민	이천서	244	박석규	마산서	456
박동진	동래서	441	박미숙	중부청	209	박민희	양천서	186	박상미	익산서	378	박석민	조세심판	493
박동찬	서울청	126	박미숙	의정부서	298	박민희	남동서	275	박상배	국세주류	118	박석환	광주청	352
박동철	수영서	445	박미숙	동청주서	336	박배근	역삼서	188	박상영	광주청	349	박석환	거창서	453
박동현	동안양서	225	박미숙	김천서	408	박배열	종로서	198	박상별	광명서	285	박석흠	경주서	404
박동호	수성서	400	박미숙	창원서	463	박범규	동작서	168	박상봉	서울청	134	박선경	기재부	69
박동홍	마산서	457	박미애	해남서	370	박범석	서울청	136	박상봉	의정부서	298	박선근	관악서	155
박두순	서울청	137	박미연	서울청	139	박범석	대전청	311	박상선	남양주서	220	박선남	동래서	434
박두용	세종서	327	박미연	구로서	157	박범수	인천청	271	박상선	계양서	280	박선례	양천서	187
박두원	서인천서	277	박미연	부천서	293	박범수	대전청	308	박상선	파주서	301	박선미	아산서	329
박두제	부산청	429	박미연	김해서	454	박범수	영등포서	190	박상순	감사원	56	박선민	북광주서	358
박득란	수원서	230	박미영	성동서	180	박범진	국세청	111	박상아	인천청	272	박선미	구로서	156
박득서	감사원	57	박미영	성동서	181	박범진	삼성서	174	박상언	서초서	179	박선민	북대전서	314

이름	소속	번호	이름	소속	번호	이름	소속	번호	이름	소속	번호	이름	소속	번호
박선범	중부청	214	박성은	성남서	229	박소연	도봉서	165	박수진	동안산서	238	박신애	서울청	146
박선수	고양서	283	박성일	도봉서	164	박소연	성동서	181	박수진	동고양서	288	박신영	국세청	104
박선아	서울청	129	박성일	서대전서	317	박소연	종로서	198	박수진	의정부서	298	박신영	관악서	155
박선애	부산청	424	박성재	북대전서	314	박소연	동수원서	222	박수진	동청주서	337	박신영	의정부서	298
박선양	안산서	236	박성재	예산서	330	박소연	동안양서	224	박수진	해운대서	446	박신영	군산서	372
박선연	동래서	434	박성재	동래서	440	박소연	부평서	294	박수진	제주서	467	박신우	인천서	278
박선열	중부청	207	박성종	군산서	372	박소연	대전서	312	박수진	조세재정	494	박신정	천안서	333
박선영	기재부	66	박성주	기재부	73	박소연	북대전서	315	박수철	대구청	391	박신해	서울청	126
박선영	기재부	72	박성주	북전주서	377	박소연	순천서	367	박수준	남양주서	220	박아름	강서서	153
박선영	국세청	102	박성주	서울세관	474	박소연	조세재정	496	박수태	이천서	244	박아연	서울청	128
박선영	동대문서	167	박성준	기재부	64	박소영	국세청	105	박수현	기재부	64	박안나	강동서	151
박선영	마포서	170	박성준	강서서	153	박소영	강동서	138	박수현	서초서	178	박안젤라	서울청	127
박선영	삼성서	174	박성준	역삼서	189	박소영	영등포서	191	박수현	성북서	182	박야경	서울청	129
박선영	역삼서	189	박성준	중부청	208	박소영	성남서	229	박수현	동수원서	223	박애란	노원서	162
박선영	용산서	192	박성준	창원서	462	박소영	김포서	286	박수현	충주서	345	박애리	영월서	259
박선영	종로서	199	박성준	통영서	465	박소영	보령서	322	박수현	대구청	391	박애슬	서울청	129
박선영	중부청	210	박성준	대현회계	15	박소영	동청주서	337	박수혜	조세심판	493	박애심	의정부서	298
박선영	기흥서	218	박성진	광주청	350	박소영	광산서	354	박수홍	시흥서	233	박애자	서울청	146
박선영	남양주서	220	박성진	동래서	441	박소영	해남서	370	박숙정	국세청	104	박애자	중부서	202
박선영	동수원서	223	박성찬	노원서	163	박소영	남대구서	393	박숙희	수영서	443	박양규	기재부	72
박선영	용인서	242	박성찬	영등포서	191	박소영	동래서	441	박숙희	국세교육	122	박양규	국세청	112
박선영	대전서	312	박성찬	연수서	296	박소윤	경기광주	235	박숙희	강동서	150	박양규	북대구서	397
박선영	청주서	343	박성철	법무지평	49	박소은	구로서	156	박순규	서산서	324	박양숙	구리서	217
박선영	광주청	348	박성탄	역삼서	189	박소정	강남서	149	박순늠	부평서	294	박양운	도봉서	165
박선영	나주서	362	박성태	인천서	268	박소정	대구청	389	박순애	서울청	132	박양희	북대전서	315
박선영	군산서	372	박성하	역삼서	189	박소정	해운대서	447	박순용	기재부	60	박언종	부산세관	482
박선영	동대구서	394	박성학	서울청	137	박소현	기재부	69	박순용	안양서	240	박언준	포항서	418
박선영	부산청	428	박성한	경산서	403	박소현	강동서	151	박순주	서울청	137	박엘리	북대전서	315
박선영	동래서	434	박성한	관악서	154	박소현	중랑서	200	박순주	북대구서	396	박여경	기재부	68
박선영	조세재정	495	박성한	딜로이트	16	박소현	동수원서	222	박순준	중부청	212	박연미	동화성서	249
박선옥	김천서	408	박성한	법무광장	46	박소현	성남서	228	박순찬	동래서	439	박연서	광주청	349
박선옥	지방재정	491	박성혁	김포서	287	박소현	의정부서	298	박순천	영월서	259	박연선	동대문서	166
박선용	의정부서	299	박성현	기재부	60	박소현	광주청	348	박순철	화성서	250	박연숙	이천서	245
박선은	송파서	184	박성현	남대문서	161	박소현	동래서	436	박순출	대구청	391	박연주	국세교육	122
박선임	조세심판	492	박성현	화성서	251	박소혜	계양서	280	박순태	부산세관	482	박연주	반포서	172
박선재	지방재정	491	박성현	창원서	462	박소희	남대문서	160	박순희	관악서	154	박연주	삼성서	175
박선주	반포서	173	박성현	신한관세	43	박소희	서대문서	177	박순희	광주청	350	박연주	제주서	467
박선하	동래서	433	박성혜	송파서	185	박소희	인천서	278	박슬기	노원서	162	박연진	남부천서	290
박선혜	대구청	391	박성호	중랑서	201	박소희	전주서	380	박슬기	서대문서	177	박영건	국세청	116
박선호	동래서	434	박성호	인천청	273	박송복	노원서	162	박슬기	남부천서	290	박영곤	부산청	427
박선화	서초서	236	박성호	법무바른	1	박송이	시흥서	232	박슬기	광주서	357	박영규	평택서	247
박선희	국세청	110	박성환	금정서	430	박송이	동고양서	288	박슬기	포항서	418	박영규	금정서	430
박선희	노원서	162	박성환	통영서	464	박수경	국세교육	123	박승권	안전서	332	박영기	김포서	287
박선희	시흥서	232	박성훈	기재부	69	박수경	아산서	328	박승권	충주서	344	박영기	법무광장	47
박선희	고양서	283	박성훈	금감원	88	박수경	수영서	443	박승권	서울청	136	박영길	남부천서	291
박선희	구미서	406	박성훈	중랑서	200	박수경	해운대서	449	박승규	강서서	153	박영도	상공회의	96
박선희	해운대서	448	박성훈	통영서	464	박수미	인천서	279	박승문	강남서	148	박영란	노원서	163
박설화	순천서	367	박성훈	조세재정	494	박수민	기재부	69	박승연	기재부	68	박영래	서울청	129
박설희	광주청	349	박성희	국세상담	120	박수민	진주서	461	박승연	광산서	354	박영민	기재부	64
박성경	천안서	333	박성희	서울청	133	박수민	화성서	250	박승용	북대구서	396	박영민	광명서	284
박성구	계양서	280	박성희	동청주서	336	박수범	포항서	419	박승욱	중부청	209	박영민	익산서	379
박성국	역삼서	188	박성희	해운대서	447	박수복	중부청	206	박승원	금천서	158	박영민	해운대서	446
박성권	기재부	68	박세라	공주서	319	박수빈	수성서	400	박승원	세종서	327	박영민	창원서	462
박성규	창원서	462	박세라	중부청	208	박수빈	양산서	459	박승윤	순천서	367	박영석	정읍서	383
박성근	강남서	148	박세라	남부천서	291	박수빈	고시회	32	박승재	국세청	114	박영선	대전서	312
박성기	서울청	130	박세린	마산서	457	박수찬	북대구서	396	박승종	동래서	441	박영성	태평양	50
박성대	감사원	57	박세민	종로서	199	박수아	세종서	327	박승주	춘천서	262	박영수	인천서	278
박성란	익산서	378	박세민	중부청	213	박수연	강서서	152	박승찬	금정서	431	박영수	광주서	356
박성룡	대전청	309	박세영	연수서	296	박수연	동작서	169	박승철	시흥서	232	박영수	여수서	368
박성만	감사원	56	박세웅	기재부	76	박수연	잠실서	196	박승현	역삼서	189	박영숙	금천서	159
박성무	중부청	211	박세웅	통영서	465	박수연	충주서	345	박승현	대전서	307	박영순	금정서	430
박성미	국세청	104	박세윤	연수서	297	박수연	삼일회계	20	박승현	동대구서	394	박영식	기재부	60
박성민	관악서	155	박세윤	인천세관	480	박수열	안양서	240	박승혜	국세청	108	박영식	서울청	131
박성민	구로서	157	박세인	강동서	150	박수영	기재부	71	박승호	성동서	180	박영실	중부청	209
박성민	부천서	292	박세인	서초서	179	박수영	국세청	115	박승호	금천서	158	박영아	성현회계	13
박성민	부산청	423	박세일	서울청	127	박수영	수영서	443	박승환	기재부	59	박영애	성동서	180
박성민	수영서	442	박세일	김천서	409	박수영	서울세관	474	박승효	기재부	62	박영애	영등포서	191
박성배	중부청	207	박세종	예일세무	40	박수옥	기흥서	219	박승효	강릉서	253	박영언	남대구서	393
박성수	동대문서	166	박세준	해운대서	446	박수용	안산서	237	박승훈	북전주서	376	박영옥	고양서	282
박성수	반포서	172	박세진	노원서	162	박수용	동화성서	248	박승희	동작서	169	박영우	기재부	67
박성수	북전주서	376	박세진	화성서	250	박수인	정읍서	383	박승희	부산청	427	박영우	영덕서	414
박성순	분당서	226	박세진	서대전서	316	박수인	마산서	456	박시연	나주서	362	박영웅	법무광장	46
박성신	서초서	178	박세하	서대문서	176	박수정	파주서	300	박시온	연수서	296	박영웅	중부청	206
박성애	서울청	146	박세현	서대문서	176	박수정	전주서	380	박시아	강남서	149	박영은	성남서	228
박성열	광주청	353	박세환	노원서	162	박수정	대구청	388	박시원	북광주서	359	박영인	시흥서	233
박성용	수원서	231	박세환	대전청	306	박수지	서울청	141	박시준	성북서	182	박영일	서대전서	317
박성용	광주서	356	박세희	남대문서	161	박수지	서초서	178	박시현	남부천서	290	박영임	마포서	170
박성우	국세청	116	박세희	용산서	193	박수지	안산서	236	박시현	북대구서	396	박영임	충주서	345
박성욱	안동서	412	박소미	강남서	149	박수지	동고양서	288	박시현	서대구서	398	박영종	분당서	226
박성원	남양주서	221	박소미	강서서	152	박수지	부천서	292	박시현	해운대서	446	박영주	영등포서	191
박성원	대전서	312	박소미	익산서	378	박수진	기재부	72	박시형	예산서	331	박영주	대전청	310
박성윤	전주서	380	박소미	마포서	171	박수진	기재부	73	박시후	국세청	108	박영주	서대구서	398
박성윤	국세청	103	박소연	강서서	152	박수진	양천서	186	박신아	광주서	356	박영주	지방재정	490
박성은	국세청	104	박소연	강서서	153	박수진	수원서	231	박신아	조세재정	495	박영주	법무지평	49
박성은	분당서	226				박수진	시흥서	232				박영준	서울청	142

성명	소속	페이지
박영진	수원서	231
박영진	인천청	270
박영진	북대구서	397
박영진	수영서	443
박영진	해운대서	446
박영진	지방재정	491
박영철	금정서	430
박영철	동래서	434
박영호	인천청	273
박영호	대구청	389
박영환	수원서	231
박영훈	중기회	97
박영훈	동화성서	248
박영훈	부산청	422
박예규	충주서	344
박예나	기재부	60
박예람	인천청	268
박예림	동작서	168
박예은	고양서	282
박예진	북대구서	396
박옥길	청주서	342
박옥련	동안양서	224
박옥임	국세청	111
박옥주	마포서	170
박옥희	노원서	163
박옥희	마포서	171
박완기	감사원	57
박완식	경기광주	234
박요나	서울청	130
박요안나	아산서	328
박요철	중부청	209
박용관	국세청	116
박용남	마산서	457
박용남	중기회	97
박용문	순천서	366
박용범	강릉서	253
박용병	국세청	103
박용석	동대문서	167
박용선	진주서	460
박용석	해운대서	448
박용업	서초서	178
박용우	금천서	159
박용우	북광주서	359
박용우	포항서	419
박용운	금감원	82
박용운	김포서	287
박용주	파주서	300
박용준	감사원	56
박용진	국세청	108
박용진	서울청	138
박용진	금정서	431
박용태	삼성서	175
박용태	인천청	270
박용택	기재부	65
박용현	분당서	227
박용현	서인천서	276
박용환	기재부	66
박용훈	중부청	210
박용훈	동래서	439
박용희	해남서	370
박용희	진주서	461
박우성	영등포서	191
박우영	남동서	275
박우정	국세청	104
박우현	서울청	135
박욱상	창원서	463
박욱현	동래서	433
박운규	금감원	85
박운영	국세청	112
박웅종	부산청	425
박원경	수원서	230
박원경	동화성서	249
박원규	안양서	240
박원규	이천서	245
박원균	도봉서	165
박원기	속초서	256
박원돈	대구청	391
박원석	경산서	402
박원석	광주청	349
박원열	포항서	419
박원영	강서서	152
박원준	국세상담	121
박원준	서울청	127
박원준	강릉서	252
박원진	예산서	331
박원호	금정서	431
박원희	은평서	194
박유경	통영서	464
박유광	송파서	184
박유나	광주서	357
박유라	남부천서	290
박유라	서광주서	360
박유리	금천서	158
박유리	고시회	32
박유린	동안양서	224
박유미	강서서	152
박유미	마포서	170
박유미	광주서	357
박유미	조세재정	495
박유민	동대구서	395
박유신	시흥서	232
박유열	수성서	401
박유자	청주서	343
박유정	삼성서	174
박유정	동수원서	222
박유진	분당서	226
박유진	순천서	367
박유진	해운대서	447
박유천	평택서	247
박윤경	고양서	282
박윤경	창원서	463
박윤규	전주서	381
박윤배	화성서	251
박윤석	남양주서	220
박윤수	서울청	140
박윤우	기재부	60
박윤정	서울청	138
박윤정	동대구서	395
박윤정	진주서	460
박윤정	서울청	136
박윤지	고양서	283
박윤지	양천서	186
박윤지	조세재정	496
박윤형	대구청	386
박윤환	관악서	154
박윤희	동래서	435
박으뜸	은평서	195
박은경	창원서	462
박은기	기재부	60
박은미	노원서	163
박은미	동수원서	222
박은미	남부천서	291
박은미	부평서	294
박은비	중부청	213
박은비	분당서	227
박은선	서울청	146
박은수	보령서	323
박은숙	중부청	208
박은실	동청주서	336
박은심	기재부	67
박은아	중부청	208
박은영	기재부	63
박은영	서대문서	176
박은영	역삼서	188
박은영	홍성서	335
박은영	광주청	350
박은영	서광주서	360
박은영	서광주서	360
박은영	대구청	386
박은영	동래서	434
박은옥	동대구서	394
박은재	순천서	367
박은정	기재부	71
박은정	노원서	162
박은정	도봉서	164
박은정	삼성서	175
박은정	성북서	182
박은정	동안양서	225
박은정	성남서	229
박은정	수원서	231
박은정	평택서	246
박은정	천안서	333
박은정	청주서	343
박은정	북대구서	396
박은정	조세재정	495
박은주	송파서	185
박은주	양천서	186
박은주	수원서	230
박은주	부산청	422
박은지	성동서	180
박은지	종로서	199
박은지	경기광주	234
박은지	의정부서	299
박은지	관세청	469
박은혜	금감원	82
박은혜	동대문서	167
박은화	노원서	163
박은화	순천서	366
박은희	서울청	127
박은희	마포서	170
박은희	삼성서	175
박은희	동안양서	225
박은희	홍천서	265
박은희	부평서	294
박은희	지방재정	490
박을기	강릉서	253
박이진	광주서	357
박익상	제천서	340
박익성	기재부	61
박인국	구리서	216
박인국	북대전서	314
박인규	서초서	157
박인규	성북서	183
박인배	의정부서	299
박인선	광산서	336
박인수	인천청	268
박인수	천안서	333
박인수	광산서	355
박인숙	익산서	379
박인숙	전주서	380
박인순	지방재정	490
박인순	파주서	301
박인애	마산서	457
박인영	기재부	63
박인제	인천청	272
박인철	안양서	240
박인혁	동래서	436
박인혜	조세심판	493
박인호	국세청	112
박인홍	종로서	199
박인홍	통영서	464
박인환	중랑서	201
박인환	광산서	354
박인환	군산서	373
박인희	중랑서	201
박인희	원주서	261
박일남	반포서	172
박일동	해운대서	449
박일병	국세청	109
박일보	서울세관	474
박일수	인천청	272
박일수	동고양서	288
박일영	기재부	60
박일영	성현회계	13
박일주	동화성서	249
박일찬	속초서	257
박일호	인천서	278
박일호	김해서	455
박일화	이천서	244
박임선	인천청	271
박자영	용산서	193
박자윤	경주서	405
박자호	송파서	184
박자임	대구청	386
박장기	국세주류	118
박장미	대구청	112
박장수	인천서	279
박장훈	부산청	425
박재갑	상주서	411
박재곤	천안서	333
박재광	금천서	158
박재규	대구청	386
박재균	미래회계	17
박재근	상공회의	95
박재근	상공회의	96
박재근	국세청	104
박재민	대현회계	15
박재봉	광주세관	488
박재석	기재부	63
박재성	김앤장	45
박재성	서울청	147
박재성	잠실서	196
박재성	포항서	419
박재숙	동작서	168
박재신	국세청	113
박재억	세무하나	39
박재열	관세청	471
박재영	기재부	60
박재영	금감원	87
박재영	서울청	138
박재영	강동서	150
박재영	성현회계	13
박재영	태평양	50
박재완	통영서	464
박재용	감사원	57
박재우	안산서	237
박재우	동청주서	337
박재욱	부산청	422
박재욱	공주서	318
박재욱	충주서	345
박재원	서울청	141
박재원	서대구서	399
박재윤	분당서	226
박재은	기재부	70
박재정	지방재정	491
박재진	기재부	67
박재진	북대구서	396
박재진	경산서	403
박재찬	김앤장	45
박재철	부산청	426
박재춘	마포서	170
박재춘	금정서	431
박재혁	세종서	326
박재현	기재부	70
박재현	서초서	178
박재현	성동서	180
박재현	춘천서	263
박재형	기재부	66
박재형	국세청	113
박재형	국세청	114
박재형	강동서	150
박재형	대구청	391
박재형	동래서	441
박재호	국세청	110
박재호	기재부	70
박재홍	서대문서	177
박재홍	중부청	213
박재홍	동고양서	288
박재홍	대전서	312
박재홍	마산서	457
박재홍	김앤장	45
박재환	광주청	352
박재훈	동안양서	224
박재흥	금감원	87
박재희	서울청	129
박재희	양산서	459
박점수	포항서	418
박정건	서울청	127
박정곤	도봉서	165
박정국	해남서	370
박정권	서울청	127
박정기	성동서	181
박정기	더택스	36
박정길	남대구서	392
박정길	수성서	400
박정남	국세청	103
박정란	국세상담	120
박정례	서울청	138
박정례	포천서	303
박정미	국세청	115
박정미	강남서	149
박정미	기재부	66
박정민	강남서	149
박정민	관악서	155
박정민	구로서	156
박정민	반포서	173
박정민	용산서	192
박정민	은평서	194
박정민	중부청	215
박정민	성남서	228
박정민	수원서	230
박정민	서산서	325
박정민	조세심판	493
박정민	삼정회계	24
박정배	부천서	293
박정상	기재부	71
박정선	삼일회계	21
박정섭	삼성서	175
박정성	동대구서	395
박정수	속초서	257
박정수	대전서	312
박정수	수성서	400
박정수	동래서	432
박정숙	잠실서	197
박정숙	북전주서	377
박정숙	상주서	411
박정순	서울청	133
박정순	구로서	156
박정순	영등포서	190
박정순	해남서	370
박정식	광산서	354
박정신	동래서	440
박정아	삼성서	175
박정아	광주청	351
박정안	삼성서	174
박정애	정읍서	382
박정언	서울청	142
박정연	반포서	172
박정연	양천서	186
박정연	청주서	342
박정열	국세청	100
박정오	제주서	467
박정완	고양서	283
박정완	기흥서	219
박정용	북대구서	397
박정우	국세교육	123
박정우	서대문서	176
박정욱	동화성서	248
박정욱	남원서	374
박정운	수영서	444
박정원	부평서	294
박정윤	인천청	278
박정윤	기재부	63
박정은	금감원	91
박정은	강동서	151
박정은	마포서	171
박정은	인천청	271
박정은	해운대서	448
박정은	해운대서	449
박정의	부산청	422
박정이	울산서	450
박정인	국세상담	121
박정일	북광주서	359
박정일	김앤장	45
박정임	서울청	139
박정임	구로서	156
박정재	북전주서	377
박정주	기재부	67
박정준	경기광주	235
박정준	인천청	273
박정진	연수서	296
박정철	감사원	57
박정태	동래서	441
박정하	부산청	422
박정한	동작서	169
박정해	대구세관	486
박정해	기재부	71
박정현	서대문서	176
박정현	역삼서	188
박정현	구리서	217
박정현	화성서	251
박정현	김포서	286
박정현	서대구서	399
박정현	동래서	440
박정현	울산서	450
박정혜	시흥서	232
박정혜	의정부서	298
박정호	서울청	127
박정호	고양서	282
박정호	금정서	430
박정화	서울청	139
박정화	성동서	180
박정화	대구청	389
박정화	김해서	454
박정화	제주서	466
박정환	기재부	70
박정환	여수서	369
박정환	북대구서	396
박정훈	금융위	78
박정훈	용인서	242
박정훈	조세재정	496
박정흠	조세재정	495
박정희	강동서	150

이름	소속	쪽	이름	소속	쪽	이름	소속	쪽	이름	소속	쪽	이름	소속	쪽
박준석	원주서	260	박현석	기재부	76	박혜림	아산서	329	박희정	강서서	152	배동노	영주서	416
박준성	동화성서	248	박현석	천안서	332	박혜미	금천서	158	박희정	서대전서	317	배동혁	노원서	162
박춘자	공주서	318	박현선	서울청	147	박혜빈	삼성서	175	박희종	동래서	432	배동희	인천청	271
박춘호	조세심판	492	박현섭	금감원	86	박혜선	국세상담	121	박희주	지방재정	490	배리라	북대구서	397
박충열	안양서	240	박현수	국세청	111	박혜선	남동서	275	박희주	서현이현	7	배명선	파주서	301
박충현	금감원	85	박현수	국세청	113	박혜숙	삼성서	174	박희진	영등포서	191	배명우	국세청	100
박치원	강서서	153	박현수	노원서	163	박혜숙	양천서	187	박희진	용산서	192	배명한	김해서	454
박치현	은평서	195	박현수	중부청	209	박혜숙	홍성서	335	박희진	동래서	436	배문경	서울청	129
박치호	부산청	427	박현수	안양서	241	박혜숙	조세심판	493	박희찬	제주서	466	배문수	대전청	307
박철군	기재부	63	박현수	전주서	381	박혜영	평택서	246	박희창	이천서	244	배미경	서울청	127
박태구	서초서	179	박현숙	서울청	129	박혜영	동대구서	395	반미경	잠실서	196	배미애	부산청	424
박태구	논산서	320	박현숙	노원서	162	박혜옥	동대문서	167	반병권	제천서	341	배미영	김해서	454
박태성	동래서	437	박현순	해운대서	448	박혜원	동래서	440	반승민	경기광주	234	배미영	고시회	32
박태신	익산서	379	박현승	국세청	100	박혜원	조세재정	494	반승희	마포서	170	배미일	강동서	151
박태완	인천청	270	박현아	영등포서	190	박혜인	금천서	159	반아성	서대구서	399	배미현	기재부	65
박태완	북전주서	377	박현애	기재부	62	박혜인	남양주서	221	반장윤	군산서	372	배민경	대구청	391
박태원	기재부	64	박현영	서울청	131	박혜인	인천서	279	반재욱	김포서	287	배민예	광주청	349
박태원	수영서	445	박현옥	동안산서	239	박혜정	서대문서	176	반재현	대구세관	486	배민우	도봉서	165
박태윤	동수원서	222	박현옥	조세재정	496	박혜정	삼성서	188	반재훈	국세청	107	배민정	노원서	162
박태의	조세심판	492	박현우	기재부	60	박혜정	영월서	258	반정원	남동서	275	배민정	수성서	400
박태정	대전청	308	박현우	중부청	206	박혜지	울산서	450	반종복	부천서	292	배병석	구리서	216
박태준	목포서	364	박현우	서인천서	277	박혜진	서울청	144	반옥훈	기흥서	218	배병현	조세심판	493
박태준	김해서	455	박현우	지방재정	491	박혜진	구로서	157	방경석	북대전서	314	배삼동	해남서	370
박태진	영월서	258	박현자	영등포서	190	박혜진	동작서	169	방경섭	성남서	228	배상록	관악서	154
박태진	삼일회계	20	박현정	강남서	148	박혜진	반포서	173	방기선	북전주서	377	배상용	김포서	287
박태호	성동서	180	박현정	동작서	169	박혜진	성동서	181	방기선	기재부	59	배상남	성남서	229
박태훈	국세청	105	박현정	반포서	173	박혜진	분당서	226	방기선	기재부	60	배상철	용산서	192
박태훈	파주서	301	박현정	중부청	207	박혜진	동화성서	248	방기선	기재부	61	배서현	울산서	451
박태훈	나주서	362	박현정	성남서	228	박혜진	강릉서	252	방대성	관세청	470	배석관	안동서	412
박태훈	동래서	441	박현정	인천서	279	박혜진	대전청	310	방래혁	지방재정	490	배석준	관악서	155
박판식	동대구서	394	박현정	대전서	312	박호갑	창원서	463	방문율	성북서	183	배선경	창원서	463
박평식	강서서	153	박현정	동청주서	336	박호빈	서인천서	276	방미경	남동서	275	배선미	남동서	435
박푸른	송파서	184	박현정	충주서	345	박호용	거창서	453	방미경	부천서	293	배선미	김해서	454
박필규	포항서	419	박현정	남대구서	392	박호일	삼성서	174	방미숙	중부청	207	배설희	춘천서	263
박필근	동래서	435	박현정	금정서	430	박홍균	동화성서	248	방미주	대구서	397	배성수	인천청	271
박필종	김앤장	45	박현정	지방재정	490	박홍균	송파서	184	방민식	남양주서	221	배성심	인천청	273
박하나	기재부	69	박현종	수원서	230	박홍균	해남서	371	방민식	조세재정	496	배성연	서울청	129
박하나	부산청	423	박현주	국세청	104	박홍기	대전청	308	방민주	이천서	244	배성용	동래서	439
박하니	중부청	211	박현주	서울청	135	박홍립	국세교육	122	방서주	남부천서	290	배성윤	군산서	372
박하니	노원서	162	박현주	반포서	173	박홍범	광주청	348	방선아	구리서	217	배성진	포천서	303
박하니	동래서	440	박현주	원주서	260	박홍일	군산서	399	방선아	국세청	110	배성현	기재부	70
박하란	중부서	202	박현주	동대구서	394	박홍일	북광주서	359	방선우	동작서	168	배성혜	인천청	272
박하송	성동서	181	박현주	동래서	438	박홍자	동안양서	225	방성자	인천서	273	배성호	양천서	186
박하연	조세재정	494	박현주	동래서	439	박홍제	김해서	455	방성훈	대구청	373	배세령	대구청	387
박하연	김포서	286	박현준	서초서	178	박화경	동래서	435	방솔비	은평서	194	배세영	반포서	173
박하영	동래서	438	박현준	중부청	212	박화선	중기회	97	방수민	천안서	332	배소연	통영서	465
박하훈	동화성서	248	박현준	서광주서	360	박화순	진주서	460	방아현	대구서	343	배소영	북대구서	396
박학일	공주서	319	박현진	동래서	441	박화영	조세재정	496	방양석	광산서	354	배수	세무하나	39
박한빛	종로서	199	박현진	중부서	202	박환택	서현이현	7	방영화	북광주서	359	배수영	안양서	241
박한상	성북서	182	박현진	북전주서	376	박환형	수성서	400	방예진	광산서	193	배수일	서울청	147
박한석	대전청	306	박현철	서대문서	176	박회경	포천서	302	방용욱	춘천서	263	배수지	남양주서	221
박한수	보령서	322	박현하	대구청	388	박회숙	중부청	208	방원석	강서서	153	배수현	구로서	156
박한승	관악서	154	박현혜	구로서	156	박효건	중부청	209	방유미	서대문서	177	배수진	남대구서	392
박한열	부천서	292	박현화	목포서	364	박효선	부산청	302	방유진	부산서	425	배수진	동래서	440
박한준	조세재정	495	박현회	청주서	342	박효숙	송파서	184	방윤희	인천서	270	배숙희	여수서	368
박한중	남부천서	291	박형규	시흥서	232	박효신	강동서	150	방은미	화성서	251	배순출	서울청	130
박한힘	기재부	64	박형근	금감원	88	박효배	남동서	274	방은승	남동서	198	배승연	양산서	459
박항신	금감원	89	박형근	중부청	212	박효정	북전주서	376	방재필	서산서	324	배시환	경산서	402
박해경	마산서	456	박형민	기재부	75	박효준	동작서	168	방정기	의정부서	298	배영섭	국세청	110
박해란	지방재정	490	박형민	국세청	111	박효진	종로서	199	방정웅	광주청	352	배영애	부산청	427
박해란	동안산서	239	박형민	인천서	272	박효진	익산서	378	방준석	충주서	345	배영옥	구미서	407
박해리	남부천서	291	박형민	광주청	349	박효진	창원서	463	방지선	충주서	345	배영은	진주서	460
박해선	서광주서	361	박형배	서울청	147	박후진	광주청	350	방찬식	삼도회계	19	배영식	역삼서	189
박해영	부산청	424	박형선	송파서	185	박훈미	안산서	236	방춘보	기재부	64	배영태	전주서	381
박해영	부산청	425	박형우	금천서	159	박훈수	안산서	236	방치권	안양서	241	배영태	동래서	433
박해원	잠실서	197	박형우	동대구서	395	박홍배	의정부서	299	방해존	북광주서	358	배영호	부산청	424
박해정	남대구서	393	박형우	중부청	208	박홍수	김해서	454	방현석	강남서	149	배영환	서대구서	398
박해준	대구세관	486	박형주	춘천서	263	박희경	삼성서	174	방현정	서광주서	360	배옥현	금천서	158
박행옥	부산청	425	박형주	금감원	89	박희경	중부청	209	방영석	삼성서	175	배용현	수영서	443
박행진	여수서	369	박형준	인천서	278	박희경	중부청	212	방혜경	반포서	172	배우철	북대구서	394
박향기	국세청	102	박형준	고양서	282	박희근	역삼서	189	방혜선	고양서	283	배욱환	고양서	282
박향미	서울청	137	박형진	북광주서	358	박희달	서울서	126	배건한	대구청	391	배웅준	안동서	412
박향숙	광주청	349	박형진	포천서	303	박희도	노원서	162	배경순	서대구서	398	배원기	예일회계	26
박향엽	목포서	364	박형철	춘천서	263	박희령	동래서	437	배경자	기재부	61	배원준	중부청	215
박헌	관세청	470	박형호	영등포서	191	박희상	양천서	187	배경은	인천청	269	배유리	대구청	390
박헌숙	수영서	442	박형호	동래서	434	박희선	국세상담	121	배경직	서울서	144	배윤정	인천청	269
박헌욱	서울세관	474	박형희	광주서	357	박희수	은평서	195	배경희	천안서	333	배윤제	포항서	418
박현경	서울청	129	박혜강	기재부	65	박희수	조세심판	493	배광한	마산서	457	배윤진	안양서	240
박현경	의정부서	299	박혜경	성북서	182	박희숙	마산서	456	배국호	서울세관	475	배은경	중부서	203
박현경	동대구서	394	박혜경	동안양서	224	박희술	동래서	439	배기득	김해서	455	배은경	대전청	309
박현경	창원서	462	박혜경	평택서	247	박희영	중부청	209	배기연	군산서	372	배은경	구미서	406
박현구	부천서	292	박혜경	천안서	332	박희영	서대구서	399	배기윤	김해서	455	배은상	인천서	278
박현명	동수원서	222	박혜경	수성서	401	박희윤	태평양	50	배다래	동래서	434	배은선	광주청	349
박현배	보령서	323	박혜경	부산청	426	박희자	서울청	138	배달환	부산청	424	배은아	서울청	135
박현서	고양서	282	박혜근	용산서	192	박희정	서울청	130	배대근	북대구서	397	배은주	중랑서	200

이름	소속	페이지
서계영	국세상담	120
서계주	대구청	387
서광기	순천서	366
서광렬	동고양서	289
서광옥	동작서	168
서광원	삼성서	174
서국환	세무삼릉	37
서귀자	수영서	442
서근석	서광주서	360
서금석	중랑서	200
서금주	진주서	460
서기석	울산서	451
서기열	마포서	171
서기열	인천청	268
서기영	시흥서	233
서기원	국세청	117
서기원	부산청	426
서기정	창원서	462
서나윤	북대전서	314
서남이	동작서	169
서나나	조세재정	496
서대성	공주서	319
서대영	수성서	401
서덕성	용인서	242
서덕수	양산서	459
서덕호	상공회의	96
서돈영	국세상담	120
서동건	성현회계	13
서동경	시흥서	232
서동규	조세재정	495
서동근	북대전서	314
서동민	국세청	100
서동선	용인서	243
서동연	조세재정	494
서동옥	구리서	217
서동우	송파서	184
서동욱	남부천서	290
서동정	순천서	366
서동진	기재부	73
서동진	북전주서	377
서동천	부천서	292
서동현	목포서	364
서동화	서대전서	316
서두환	시흥서	232
서래훈	구리서	216
서명국	인천청	272
서명권	익산서	378
서명남	중부서	203
서명선	기재부	77
서명수	금감원	83
서명숙	남대구서	393
서명옥	아산서	329
서명자	국세청	111
서명자	지방재정	490
서명준	수영서	443
서명진	서울청	137
서명진	도봉서	164
서명진	동래서	439
서문경	인천서	278
서문교	서울청	140
서문석	대전청	309
서문영	인천서	278
서문지영	서울청	135
서미경	동수원서	222
서미네	국세청	108
서미래	영등포서	191
서미리	양천서	186
서미선	서초서	178
서미선	동래서	434
서미숙	중부청	208
서미순	순천서	367
서미연	국세청	104
서미영	강서서	153
서미영	동래서	432
서미영	동래서	455
서미정	북대구서	397
서민경	동청주서	337
서민진	마산서	457
서민덕	논산서	321
서민성	국세청	105
서민수	서울청	132
서민수	대구서	395
서민수	딜로이트	16
서민아	기재부	69
서민우	강남서	149
서민자	서울청	138
서민재	진주서	461
서민정	중랑서	201
서민지	인천서	278
서민철	국세상담	120
서민하	서광주서	360
서민혜	김해서	455
서범석	서울청	134
서범석	광주서	356
서병관	기재부	72
서병희	목포서	364
서보경	북전주서	376
서보림	국세청	115
서보미	동작서	168
서보연	부산청	425
서봉규	김앤장	45
서봉수	예일세무	40
서봉우	성동서	180
서빛나	동래서	127
서삼미	광주서	356
서상범	대구청	389
서상순	대구청	387
서상율	마산서	456
서석제	기재부	61
서석준	EY한영	14
서석천	파주서	301
서석태	김천서	408
서석현	남동서	274
서성덕	김해서	454
서성철	화성서	250
서성현	국세청	104
서소담	대구청	388
서솔지	동래서	432
서수아	이천서	244
서수정	통영서	465
서수현	남대문서	160
서수현	금정서	431
서순기	순천서	366
서순연	해운대서	447
서승경	구리서	216
서승숙	서울청	129
서승원	서울청	146
서승원	용산서	192
서승원	태평양	50
서승의	동청주서	336
서승현	삼성서	174
서승현	대구세관	486
서승혜	강서서	153
서승화	안양서	241
서승희	부산청	427
서신자	기재부	67
서아름	의정부서	299
서여진	양천서	187
서연정	삼일회계	20
서연주	대전서	313
서연지	안산서	237
서연진	국세주류	118
서영교	경산서	403
서영국	수성서	400
서영미	서울청	126
서영빈	조세재정	496
서영상	잠실서	197
서영수	기재부	64
서영순	강남서	148
서영우	광주청	351
서영일	금감원	82
서영일	서울청	131
서영조	북광주서	358
서영준	국세청	115
서영지	대구청	387
서영진	신한관세	43
서영현	수원서	230
서영호	마산서	456
서예림	서울청	147
서예예	원주서	260
서예주	창원서	463
서예진	관악서	154
서옥기	여수서	368
서옥배	보령서	322
서왕장	지방재정	490
서용범	삼일회계	21
서용석	부산청	261
서용오	통영서	465
서용준	영등포서	191
서용준	경산서	403
서용택	서울세관	473
서용택	서울세관	473
서용하	서울세관	475
서용하	대전청	311
서용현	은평서	194
서용훈	안양서	241
서우석	광산서	354
서우형	영덕서	414
서운용	양천서	186
서원상	시흥서	232
서원식	국세청	115
서원임	서울청	140
서원식	서인천서	276
서원주	국세청	111
서원준	분당서	226
서위숙	부평서	295
서유미	서울청	142
서유빈	국세청	114
서유식	안산서	236
서유식	지방재정	491
서유진	남동서	274
서유진	김해서	454
서유진	삼정회계	23
서유진	삼정회계	23
서유희	동래서	434
서윤경	마산서	456
서윤석	경기광주	235
서윤식	울산서	192
서윤정	기재부	61
서윤주	도봉서	164
서윤호	예일세무	40
서윤희	동안양서	224
서은미	남부천서	290
서은애	성남서	229
서은영	영월서	259
서은우	청주서	342
서은우	포항서	418
서은원	서울청	142
서은주	은평서	195
서은주	조세심판	493
서은지	서인천서	277
서은지	광산서	355
서은철	서울청	127
서은파	용산서	193
서은혜	기재부	62
서은혜	대구청	386
서은혜	부산청	426
서은혜	조세재정	496
서은호	동대구서	395
서의성	강릉서	252
서이현	구미서	406
서익준	서울청	130
서인기	중랑서	201
서인숙	도봉서	165
서인창	동화성서	248
서인영	남대구서	392
서자영	동래서	434
서자원	창원서	463
서장은	북대구서	397
서재균	인천청	429
서재기	역삼서	188
서재영	삼도회계	19
서재완	금감원	82
서재완	관세청	470
서재운	성동서	181
서재윤	중기회	97
서재은	금정서	431
서재익	예일세무	40
서재필	영등포서	191
서재필	마산서	456
서재훈	김앤장	45
서정곤	기재부	71
서정규	국세청	101
서정균	부산서	426
서정년	인천세관	480
서정보	금감원	84
서정석	삼성서	174
서정숙	나주서	362
서정아	금융위	99
서정연	성동서	180
서정용	신한관세	43
서정용	신한관세	43
서정우	서울청	138
서정우	구리서	216
서정우	구미서	407
서정운	진주서	461
서정원	세종서	326
서정원	충주서	345
서정은	구로서	157
서정은	대전청	307
서정은	대구청	388
서정이	성북서	182
서정주	지방재정	490
서정학	거창서	452
서정훈	시흥서	232
서정훈	지방재정	490
서정희	국세교육	122
서종율	부산청	429
서종아	노원서	163
서주영	동래서	439
서주영	조세재정	494
서주원	기재부	62
서주원	수영서	444
서주현	남동서	274
서준석	국세청	117
서준영	동래서	439
서준영	김해서	455
서지민	남양주서	220
서지민	용인서	242
서지상	강릉서	252
서지연	기재부	66
서지연	남양주서	220
서지영	국세청	104
서지영	서울청	128
서지용	조세심판	493
서지원	서울청	132
서지원	동래서	440
서지원	예일세무	40
서지원	반포서	173
서지현	기재부	67
서지현	수성서	400
서지형	인천서	279
서지훈	대구청	390
서지훈	안동서	412
서지희	인천청	270
서진혜	연수서	296
서진호	기재부	61
서진호	반포서	172
서창대	금감원	83
서창덕	인천청	268
서창영	금감원	91
서창완	홍성서	335
서창우	김앤장	45
서철호	국세청	116
서철홍	상공회의	96
서충석	부산청	422
서태웅	시흥서	232
서하슬	마포서	170
서하준	중부서	202
서혁진	성북서	182
서혁경	제주서	466
서현석	부평서	294
서현영	동화성서	248
서현재	금감원	87
서현주	부산청	422
서현준	중부청	211
서현지	성동서	181
서현지	서대구서	398
서현희	인천청	271
서형렬	서울청	130
서형민	중부청	208
서형선	진주서	461
서형숙	통영서	464
서혜경	기재부	65
서혜경	동대구서	395
서혜란	강남서	149
서혜수	평택서	246
서혜숙	충주서	344
서혜영	기재부	68
서혜진	세종서	326
서호성	통영서	464
서호성	지방재정	491
서홍석	이천서	245
서화영	동래서	432
서효영	남양주서	220
서효우	원주서	260
서효정	구로서	156
서효진	부산청	429
서흥원	계양서	281
서희진	조세재정	494
석귀희	영주서	417
석대겸	진주서	460
석민구	제주서	467
석산호	김포서	286
석상훈	기재부	72
석수현	수성서	401
석승운	서초서	179
석영일	용인서	243
석용길	서대구서	399
석용훈	시흥서	232
석원영	대전청	308
석이선	부산청	424
석작수	중부청	207
석재승	금감원	83
석종국	대구청	387
석지영	서울청	142
석지원	기재부	67
석지원	송파서	185
석지혜	광주청	350
석진백	동래서	435
석진안	경주서	404
석진영	국세청	109
석창휴	인천세관	478
석혜숙	천안서	333
석혜연	제주서	466
석혜조	서울청	145
석호정	구리서	217
석희정	지방재정	491
선경미	광주청	353
선경숙	광산서	355
선경식	김포서	287
선규식	남원서	374
선기영	성남서	229
선명우	대전서	306
선민규	삼일회계	21
선민준	중부청	209
선병오	삼일회계	20
선봉관	김해서	454
선봉래	인천청	268
선석현	강동서	150
선수아	용인서	242
선승규	광주세관	488
선승만	이천서	244
선양기	광산서	354
선연자	해운대서	448
선영일	금감원	92
선우영진	용인서	242
선유정	남동서	274
선은미	동래서	440
선의현	대전청	306
선임연	조세재정	494
선종국	김포서	287
선지혜	강남서	149
선창규	파주서	300
선현우	고양서	282
선현렬	분당서	227
선혜경	조세재정	496
선화영	화성서	251
선희숙	광주청	353
선희양	광주청	352
설관수	국세주류	118
설도운	부산청	424
설미숙	양천서	186
설미현	서울청	145
설별환	김포서	286
설수미	중부청	208
설승환	익산서	379
설연태	목포서	364
설인수	김앤장	45
설재혁	북대구서	396
설재형	서울청	147
설정란	서초서	179
설종훈	역삼서	188
설진우	경주서	404
설진원	전주서	380
설창환	지방재정	491
설환우	인천청	273
섭지수	동고양서	289
성가현	영등포서	190
성경옥	금천서	158
성경진	서울청	142
성고운	지방재정	491
성광민	화성서	251
성기동	중기회	97

이름	소속	번호
성기동	노원서	162
성기영	마포서	171
성기오	홍성서	334
성기웅	기재부	65
성기원	남양주서	220
성기일	동래서	433
성기창	중기회	97
성낙진	대구청	391
성노주	세무하나	39
성다진	김포서	286
성대경	은평서	195
성대경	동래서	433
성도현	서대구서	399
성동연	광주서	356
성명재	광주청	351
성문성	해운대서	446
성미경	전주서	381
성민규	은평서	194
성민주	동래서	441
성민지	서대구서	398
성민혁	기재부	67
성백경	동청주서	336
성병규	부산청	427
성병모	중부청	206
성보경	청주서	342
성봉준	동래서	439
성봉진	의정부서	298
성상현	인천청	273
성수미	동수원서	222
성수연	강남서	148
성승용	국세청	104
성시우	구로서	157
성시현	예일세무	40
성아영	국세청	108
성연일	성동서	180
성영순	구미서	406
성완유	대전서	313
성용욱	관세청	470
성용준	금감원	91
성우진	서대문서	176
성원용	안동서	412
성유미	평택서	247
성유빈	경기광주	235
성유진	국세청	100
성은경	용인서	242
성은숙	대전청	309
성은아	경산서	403
성은정	안산서	237
성이택	국세청	112
성인섭	김해서	455
성인영	기재부	65
성인용	기재부	64
성재경	이천서	244
성재영	인천청	273
성정은	김포서	287
성정현	진주서	460
성종만	인천청	270
성주경	국세청	102
성주석	조세재정	496
성주호	국세청	100
성주희	수성서	400
성준범	경산서	403
성준희	송파서	184
성지연	역삼서	188
성지은	수원서	231
성지혜	마산서	456
성지환	대전청	309
성진규	기재부	67
성진수	서대구서	174
성진혁	청주서	342
성창경	북대전서	314
성창마	서대전서	317
성창석	삼일회계	20
성창화	시흥서	233
성창훈	기재부	69
성태곤	서울세관	473
성태곤	서울세관	474
성태선	금정서	430
성한기	대구청	391
성해리	남부천서	290
성현식	서울세관	474
성현성	안동서	412
성현영	수영서	443
성현일	제천서	340
성현일	조세심판	492
성현주	국세청	100
성현진	서인천서	277
성현진	포항서	418
성혜경	송파서	184
성혜리	해운대서	446
성혜전	서북서	183
성혜정	서울청	129
성혜진	국세청	108
성호경	보령서	323
성호승	조세심판	493
성희찬	마산서	457
소규철	시흥서	232
소기형	동화성서	249
소미현	수원서	230
소병권	세종서	327
소병욱	조세재정	496
소병인	익산서	378
소병혁	예산서	331
소병화	기재부	75
소본영	광명서	285
소서희	인천서	278
소수현	수원서	231
소수현	전주서	381
소연경	성남서	250
소영석	영등포서	190
소유섭	안양서	240
소윤섭	군산서	372
소재성	청주서	343
소재준	동안양서	225
소종태	중부서	203
소주현	삼일회계	20
소준영	조세재정	495
소충섭	대구청	386
소태섭	익산서	378
소현철	경산서	403
손가영	상주서	411
손가희	동작서	169
손경근	광주서	356
손경미	평택서	247
손경선	강서서	153
손경수	서대구서	398
손경숙	북대전서	314
손경화	북대전서	314
손경진	서울청	132
손광민	목포서	365
손광섭	대구문서	167
손권호	아산서	328
손규리	충주서	344
손근면	포항서	419
손기만	국세청	101
손기봉	서대문서	177
손기숙	금감원	87
손기혜	성동서	181
손길진	은평서	194
손다영	부산청	426
손다희	포천서	302
손대균	조세심판	492
손동민	대구청	387
손동석	기재부	69
손동신	감사원	57
손동우	포천서	302
손동주	동래서	434
손동준	지방재정	490
손동주	조세재정	496
손동진	김천서	408
손동칠	김포서	286
손명수	성남서	195
손명숙	부산청	424
손명주	수성서	401
손명희	성동서	366
손문갑	인천세관	479
손미경	대구서	387
손미량	영등포서	191
손미경	국세청	113
손미숙	동래서	435
손미석	기흥서	218
손민선	강동서	150
손민영	천안서	332
손민정	해운대서	449
손민자	안동서	154
손민정	서울청	127
손민정	동래서	435
손민정	동래서	435
손민지	남대구서	392
손민호	기재부	63
손병석	용산서	192
손병수	중부서	202
손병양	국세교육	123
손병열	창원서	463
손병준	법무광장	46
손병중	강릉서	252
손병환	부산청	427
손보경	부산청	429
손봉현	서초서	178
손삼락	포항서	418
손삼락	법무바른	1
손삼석	나주서	362
손상경	관악서	154
손상익	역삼서	189
손상필	해남서	370
손상현	국세교육	122
손석민	부산청	429
손석임	국세청	103
손석주	부산청	427
손석호	이천서	245
손석호	서인천서	276
손선미	성동서	180
손선미	광주서	356
손선수	이천서	245
손선아	잠실서	196
손선영	기재부	61
손선영	안양서	240
손선화	송파서	185
손선희	동래서	434
손성곤	신한관세	43
손성국	마포서	171
손성락	거창서	453
손성수	의정부서	298
손성수	관세청	470
손성웅	울산서	450
손성엽	중기회	97
손성은	금융위	80
손성임	삼성서	175
손성자	부산청	429
손성주	창원서	462
손성탁	국세청	113
손성택	순천서	366
손세규	수성서	401
손세민	순천서	366
손세영	군산서	373
손세종	중부청	206
손세희	마포서	171
손소희	동대구서	394
손수아	김포서	286
손수아	순천서	367
손수정	금천서	158
손승현	전주서	380
손승모	마포서	171
손승재	광산서	354
손승진	서울청	142
손승희	중랑서	201
손승희	동고양서	289
손신혜	대전청	310
손신혜	북대구서	397
손아름	기재부	63
손아현	성동서	180
손안상	전주서	381
손연숙	수영서	442
손영대	반포서	173
손영대	동안양서	225
손영란	서울청	147
손영미	경기광주	235
손영미	김해서	455
손영이	서초서	178
손영주	세종서	326
손영진	충주서	345
손영채	금융위	79
손영환	서울세관	473
손영환	서울세관	473
손영환	서울세관	475
손예정	남대구서	392
손오석	광주청	349
손옥주	서울청	130
손완수	동래서	435
손요나	인천세관	480
손용석	지방재정	490
손우성	기재부	64
손우승	지방재정	490
손원영	남양주서	220
손원우	반포서	173
손유경	동래서	436
손유진	성북서	182
손윤섭	국세교육	122
손은숙	대구청	387
손은숙	진주서	461
손은경	지방재정	490
손은식	경산서	402
손은채	예산서	331
손은태	서대문서	176
손은하	분당서	226
손은희	동래서	440
손의철	연수서	297
손이슬	울산서	451
손인수	금감원	90
손인호	금감원	91
손재락	국세청	100
손재명	광주청	352
손재원	원주서	260
손재하	강남서	149
손재형	기재부	77
손정아	서울청	132
손정완	북대구서	397
손정우	서울청	128
손정인	북광주서	358
손정현	군산서	372
손정화	충주서	345
손정희	금정서	431
손정훈	대구청	391
손정희	성동서	180
손종대	경기광주	234
손종욱	인천청	271
손종욱	국세청	114
손종현	전주서	381
손종희	서대문서	176
손주연	기재부	71
손주영	파주서	301
손주주	양천서	186
손준성	금천서	158
손준표	북대구서	396
손준혁	국세청	117
손준호	북대구서	397
손증렬	영주서	417
손지선	삼성서	185
손지아	중부청	207
손지원	이천서	244
손지혁	울산서	450
손진락	통영서	465
손진욱	서울청	143
손진이	천안서	332
손진호	수영서	442
손찬희	제주서	466
손창수	남부천서	291
손창호	국세청	107
손창환	태평양	50
손채령	부산청	425
손채은	수영서	442
손채희	서대구서	398
손충식	광주청	348
손태빈	조세심판	492
손태원	동안산서	238
손태우	경산서	403
손태욱	영등포서	191
손태욱	포항서	419
손택영	안산서	237
손한준	국세청	109
손해리	수원서	231
손해수	동래서	434
손해원	성동서	181
손해진	진주서	460
손현경	의정부서	298
손현국	부평서	294
손현석	기재부	74
손현숙	관악서	154
손현지	잠실서	196
손현정	서대전서	316
손현정	해남서	371
손현주	북전주서	377
손현숙	남동서	274
손현진	인천서	279
손현태	남원서	375
손형미	평택서	246
손형주	전주서	380
손혜림	서울청	147
손혜은	평택서	246
손혜정	삼성서	174
손혜진	평택서	246
손호근	삼덕회계	18
손호익	수영서	444
손홍필	종로서	198
손화승	천안서	333
손효빈	포항서	418
손효정	국세상담	121
손효현	국세청	104
손희경	부산청	429
손희원	금감원	91
손희정	중부청	209
송경덕	안산서	237
송경령	고양서	282
송경아	금천서	159
송경용	금감원	85
송경원	성동서	180
송경주	지방재정	491
송경진	청주서	343
송경호	조세재정	495
송경호	조세재정	496
송고운	성동서	180
송광선	서울청	126
송광조	법무세종	48
송광영	성현회계	9
송권호	국세교육	122
송기삼	경주서	404
송기상	기재부	66
송기선	파주서	300
송기순	동화성서	248
송기영	조세심판	492
송기원	평택서	247
송기원	부천서	293
송기익	북대구서	397
송기홍	진주서	461
송기화	서울청	126
송나연	포천서	302
송남영	조세재정	495
송남용	영등포서	191
송다성	김해서	454
송다영	광산서	354
송다솜	서울청	127
송대근	국세상담	121
송대섭	삼성서	174
송대섭	창원서	462
송도관	서초서	178
송도영	성동서	180
송동규	인천청	269
송동훈	조세심판	492
송망수	광산서	354
송명림	삼성서	175
송명진	고양서	282
송명철	포항서	419
송미나	용산서	192
송미나	예산서	330
송미소	광주청	349
송미연	수원서	231
송미연	창원서	462
송미정	부산청	424
송미칠	광명서	284
송미국	동래서	434
송민규	금감원	81
송민규	금감원	89
송민석	경기광주	234
송민섭	분당서	226
송민수	마포서	171
송민숙	중부청	214
송민영	서초서	179
송민우	동청주서	337
송민익	기재부	76
송민정	통영서	465
송민준	경산서	402
송민철	동안양서	225
송바우	국세청	101
송바우	국세청	102
송방의	광주청	353
송병섭	강서서	153
송병욱	금감원	91
송병호	서울청	147
송병희	성동서	180
송보경	동래서	432
송보라	인천청	269

528

이름	소속	번호
신상은	서울청	133
신상철	더택스	36
신상현	보령서	322
신상홍	중기회	97
신상훈	감사원	56
신상훈	대전청	311
신상희	영월서	259
신석균	은평서	194
신석주	남대구서	392
신선미	대전청	288
신선미	수영서	444
신선주	고양서	282
신선혜	남대구서	393
신선희	대전청	307
신성규	연수서	296
신성근	서울청	128
신성봉	양천서	187
신성용	대구청	389
신성용	김해서	455
신성원	통영서	464
신성일	동래서	439
신성철	강동서	150
신성호	홍성서	335
신성환	포천서	303
신세연	광주서	357
신세용	서울청	135
신소연	안동서	412
신소은	지방재정	491
신소희	성남서	229
신솔지	정읍서	382
신수경	동수원서	222
신수남	서대전서	316
신수령	중부청	208
신수미	부산청	426
신수미	조세재정	496
신수민	동작서	168
신수범	파주서	300
신수빈	도봉서	164
신수용	기재부	73
신수정	분당서	226
신수정	여수서	369
신수진	분당서	227
신수창	광명서	284
신숙경	서울세관	474
신숙희	반포서	172
신숙희	대전청	310
신순영	홍성서	334
신승수	속초서	256
신승애	강남서	148
신승연	성동서	181
신승우	서인천서	276
신승우	동청주서	336
신승일	삼일회계	21
신승진	동고양서	288
신승철	삼일회계	21
신승태	진주서	460
신승헌	기재부	70
신승현	구리서	216
신승호	인천세관	479
신승환	영동서	339
신승환	금정서	430
신승훈	시흥서	232
신승훈	영월서	258
신승훈	광산서	355
신시영	세종서	326
신아름	동화성서	249
신아영	동작서	168
신언수	대구청	387
신연순	동청주서	337
신여경	시흥서	232
신연숙	대구청	388
신연순	부평서	294
신연정	부산청	427
신연주	서울청	135
신연희	남동서	274
신연주	논산서	320
신연준	수원서	231
신연희	서인천서	276
신열석	대전청	309
신영남	광주청	352
신영남	조세심판	492
신영남	조세심판	493
신영두	안양서	241
신영림	안산서	236
신영민	이천서	245
신영섭	영등포서	191
신영수	시흥서	232
신영순	마포서	170
신영승	삼척서	254
신영심	영등포서	190
신영아	광주서	356
신영웅	서울청	127
신영일	감사원	56
신영재	남대구서	392
신영주	부천서	293
신영주	북광주서	358
신영준	서울청	137
신영준	수성서	401
신영진	노원서	163
신영철	남양주서	221
신영철	조세재정	494
신영호	수원서	231
신영화	시흥서	232
신영화	제주서	466
신영희	은평서	195
신예람	북대구서	397
신예민	성동서	180
신예슬	삼척서	254
신예월	영주서	280
신예진	여수서	368
신예진	부산청	422
신옥미	구로서	157
신옥희	수성서	401
신요한	중부청	207
신용대	북대구서	446
신용도	울산서	451
신용범	서울청	135
신용석	동작서	169
신용석	남대구서	392
신용섭	김포서	286
신용순	기재부	61
신용직	영동서	339
신용하	동래서	439
신용현	통영서	465
신용호	광주청	348
신우교	동대문서	166
신우열	천안서	333
신우영	북광주서	358
신우웅	원주서	260
신원경	해운대서	446
신원섭	안동서	413
신원식	동작서	169
신원영	강릉서	252
신원정	북대전서	314
신원철	원주서	261
신유경	충주서	345
신유경	반포서	172
신유나	남동서	274
신유동	영등포서	190
신유라	동수원서	223
신유라	중부청	213
신유미	기흥서	218
신유진	송파서	185
신유진	상주서	410
신유진	창원서	462
신유하	동안산서	239
신유환	영주서	416
신유환	영주서	417
신유희	수원서	230
신윤경	강남서	148
신윤섭	삼일회계	20
신윤숙	수성서	401
신윤정	기재부	70
신윤철	예일세무	40
신은경	서울청	126
신은수	동작서	168
신은숙	양산서	458
신은우	국세상담	120
신은정	시흥서	233
신은정	북대구서	395
신은주	서인천서	276
신은지	천안서	332
신은주	파주서	300
신은화	목포서	364
신을기	관세청	471
신이길	강남서	148
신익철	서대구서	398
신인식	기재부	76
신장규	EY한영	14
신장수	금융위	80
신재봉	서울청	145
신재원	기재부	73
신재원	진주서	461
신재은	대구청	387
신재준	성현회계	13
신재평	파주서	301
신재형	관세청	471
신재화	춘천서	263
신정곤	부산청	423
신정무	중부청	215
신정미	춘천서	263
신정민	조세심판	492
신정석	서대구서	399
신정수	동고양서	288
신정숙	서울청	141
신정아	용인서	243
신정아	제주서	466
신정연	북대구서	396
신정용	광주청	351
신정원	기재부	70
신정현	중랑서	200
신정화	예일세무	40
신정환	도봉서	164
신정환	시흥서	233
신정훈	국세청	109
신정훈	중부청	210
신종수	동안산서	239
신종식	나주서	363
신종영	서초서	178
신종철	삼덕회계	18
신종호	신한관세	43
신주령	국세청	107
신주영	동대문서	166
신주영	구미서	406
신주원	수영서	442
신주천	동대문서	166
신준규	구리서	216
신준기	남양주서	220
신준기	진주서	461
신준철	강동서	150
신준호	기재부	71
신준호	부천서	292
신중화	기재부	59
신중현	국세청	107
신중훈	김포서	287
신지명	북대전서	314
신지선	평택서	246
신지성	잠실서	197
신지수	계양서	281
신지수	익산서	378
신지숙	북부서	182
신지애	동대구서	394
신지연	구로서	156
신지연	동작서	169
신지연	역삼서	188
신지연	구리서	216
신지연	동수원서	222
신지연	서대구서	399
신지영	국세청	105
신지우	서울청	135
신지은	동고양서	288
신지은	남부천서	290
신지혜	강남서	148
신지혜	시흥서	232
신지혜	금정서	430
신지호	기재부	64
신지환	부천서	292
신지현	안양서	240
신지훈	서현이현	7
신진기	분당서	227
신진균	잠실서	197
신진섭	강릉서	253
신진연	남대구서	393
신진우	충주서	345
신진우	남대구서	393
신진욱	기재부	62
신진일	인천세관	477
신진일	인천세관	480
신진주	지방재정	490
신진창	용인서	80
신찬호	여수서	369
신창범	지방재정	491
신창영	인천청	273
신창현	금감원	84
신창환	딜로이트	16
신창환	딜로이트	16
신창환	딜로이트	16
신창훈	국세청	101
신채영	마포서	170
신채영	인천청	270
신채용	기재부	72
신철영	서울청	143
신철주	안산서	237
신초일	나주서	363
신치원	의정부서	298
신태섭	기재부	67
신하나금	동래서	438
신한철	대현회계	15
신해수	이촌회계	28
신향식	서울청	147
신현경	종로서	198
신현구	기재부	61
신현국	국세교육	122
신현근	마산서	457
신현근	종로서	198
신현삼	잠실서	197
신현서	대전서	313
신현서	서울청	135
신현승	감사원	56
신현영	송파서	184
신현원	동래서	432
신현원	남부천서	291
신현일	중부청	212
신현준	김포서	287
신현중	국세청	113
신현정	대현회계	15
신현진	남동서	274
신현창	삼일회계	20
신현철	동대문서	167
신형원	청주서	342
신형진	기재부	70
신혜란	부평서	295
신혜미	분당서	226
신혜선	아산서	328
신혜숙	서울청	140
신혜애	아산서	328
신혜정	평택서	246
신혜주	고양서	282
신혜주	김해서	455
신혜철	기재부	70
신호균	이천서	245
신호빈	동고양서	289
신호석	서현이현	7
신호석	서현이현	7
신호철	동래서	439
신홍영	서초서	179
신화섭	파주서	301
신효건	중부청	208
신효경	인천관세	478
신효상	연수서	296
신희라	인천청	273
신희명	서울청	146
신희웅	국세청	102
신희철	국세청	103
신희철	국세청	104
심가현	지방재정	491
심경섭	서울청	194
심경연	도봉서	165
심경자	기재부	70
심경희	기재부	73
심경희	부천서	293
심규민	화성서	250
심규연	종로서	198
심규진	기재부	69
심규찬	태평양	50
심규현	지방재정	491
심기보	연수서	296
심기현	인천세관	480
심단비	남양주서	220
심란주	국세상담	120
심명진	광산서	354
심미경	기재부	60
심미경	전주서	381
심미현	이천서	245
심민경	서울청	134
심민기	울산서	451
심민정	동작서	168
심민정	중부청	210
심민정	동래서	438
심민준	기재부	68
심백교	조세재정	495
심상동	정읍서	382
심상미	서울청	147
심상수	대구세관	486
심상욱	중기회	97
심상욱	지방재정	491
심상운	구미서	407
심상원	목포서	364
심새별	성남서	228
심서현	금정서	431
심선미	구로서	156
심선화	분당서	227
심선희	경기광주	235
심성연	순천서	366
심성환	순천서	366
심소영	파주서	300
심수경	동화성서	249
심수빈	구로서	157
심수빈	반포서	173
심수아	삼일회계	20
심수연	은평서	194
심수빈	김포서	286
심수한	서울청	143
심수현	기재부	62
심수현	영월서	258
심수희	조세재정	496
심순보	마산서	456
심승미	기재부	67
심아미	역삼서	189
심연수	마포서	170
심연재	마산서	457
심연택	동대문서	167
심영일	은평서	195
심영주	해운대서	448
심영찬	논산서	320
심영창	춘천서	262
심예절	잠실서	197
심완수	기흥서	218
심용주	서대전서	317
심용훈	용인서	242
심우돈	강동서	151
심우돈	조세심판	492
심우용	부산서	426
심우진	기재부	60
심우택	이천서	245
심우홍	원주서	260
심욱기	중부청	210
심욱기	중부청	211
심유정	기재부	61
심윤미	금천서	159
심윤보	영등포서	190
심윤상	김앤장	45
심윤성	국세청	113
심윤정	역삼서	188
심은경	해운대서	446
심은섭	금감원	83
심은정	국세상담	120
심은진	국세청	107
심자민	김포서	287
심재걸	서울청	140
심재경	조세재정	496
심재광	서울청	132
심재도	서울청	126
심재옥	익산서	378
심재용	고시회	32
심재인	광주서	357
심재일	김해서	455
심재일	파주서	300
심재진	대전청	308
심재진	법무광장	47
심재현	남양주서	220
심재현	대구세관	485
심재현	대구세관	485
심재호	대구세관	486
심재호	금감원	83
심재호	남양주서	220
심재훈	국세청	113
심재희	대구청	389
심정규	서울청	126
심정규	국세청	112
심정미	부산청	423

이름	소속	번호	이름	소속	번호	이름	소속	번호	이름	소속	번호	이름	소속	번호
심정민	기재부	67	안덕수	서울청	130	안수경	영주서	416	안재영	기재부	66	안진영	나주서	362
심정보	서울청	133	안덕수	서울청	131	안수림	국세청	103	안재완	기재부	74	안진용	구미서	407
심정보	해운대서	447	안덕수	서울청	132	안수만	부산청	423	안재원	부산청	425	안진우	경주서	404
심정석	은평서	195	안도형	국세청	104	안수민	기재부	75	안재진	대전청	308	안진환	서울청	146
심정식	서울청	133	안동민	고양서	283	안수민	서울청	143	안재필	동래서	439	안진희	남대구서	392
심정연	용산서	193	안동상	북대구서	397	안수민	평택서	247	안재혁	파주서	300	안창모	잠실서	197
심정은	서울청	130	안동섭	반포서	172	안수민	남동서	274	안재혁	김앤장	45	안창모	기재부	64
심정희	해운대서	447	안동섭	서초서	179	안수빈	파주서	301	안재현	성북서	183	안창현	부산청	422
심종기	홍천서	265	안동숙	서울청	139	안수아	국세청	115	안재현	경기광주	234	안창희	동화성서	248
심종보	북광주서	359	안래본	국세청	103	안수안	북대전서	315	안재현	창원서	463	안초희	경주서	405
심종숙	양천서	187	안만식	서현이현	7	안수연	국세청	108	안재형	광주청	353	안춘자	북전주서	376
심주영	국세청	102	안명환	지방재정	490	안수용	충주서	344	안재홍	파주서	300	안치영	남원서	375
심주용	인천청	268	안모세	노원서	163	안수정	삼성서	175	안재훈	영주서	416	안태균	남대서	275
심주호	노원서	162	안문철	성남서	229	안수정	잠실서	197	안재희	송파서	184	안태길	삼척서	254
심준보	국세청	101	안미경	중부청	208	안수지	서울청	300	안정미	잠실서	196	안태동	파주서	301
심준석	충주서	345	안미경	서대구서	398	안수진	구미서	406	안정민	서울청	141	안태명	국세청	102
심지섭	서울청	126	안미라	강남서	148	안수진	마산서	457	안정민	용인서	242	안태수	성동서	180
심지숙	남대문서	161	안미분	충주서	345	안수현	동화성서	248	안정섭	금정서	430	안태승	금감원	83
심지애	기재부	69	안미선	영등포서	191	안순주	중부청	208	안정섭	강동서	151	안태영	통영서	464
심지영	광명서	284	안미영	서울청	137	안순호	삼성서	174	안정수	서대문서	176	안태유	예산서	331
심지은	강남서	148	안미영	파주서	300	안슬이	남동서	274	안정심	광주청	349	안태일	서울청	127
심지은	용산서	193	안미진	동작서	168	안승근	금감원	88	안정원	화성서	250	안태일	용인서	242
심지현	구리서	217	안미진	동작서	169	안승연	천안서	332	안정은	중랑서	200	안태훈	국세청	109
심진영	청주서	342	안민숙	여수서	368	안승우	국세청	104	안정호	남양주서	221	안해송	노원서	163
심진용	김천서	159	안민영	삼성서	250	안승진	성동서	181	안정환	남대구서	392	안해석	삼척서	255
심진홍	지방재정	491	안민지	국세청	100	안승진	예일세무	40	안정희	강서서	152	안해찬	남대구서	392
심창수	지방재정	490	안민희	인천청	270	안승현	마포서	171	안정희	양산서	458	안현수	구리서	217
심창현	서울청	145	안병남	금감원	83	안승현	강릉서	252	안제희	논산서	321	안현보	중부청	210
심창훈	동래서	439	안병만	동래서	435	안승현	수영서	445	안종규	마산서	457	안현정	대전서	313
심철구	지방재정	490	안병수	대구청	388	안승화	서울청	142	안종근	부평서	294	안현준	국세상담	120
심태석	동래서	433	안병옥	평택서	164	안승훈	창원서	463	안종은	춘천서	262	안형민	국세청	115
심태완	조세재정	495	안병용	평택서	247	안신영	서울청	140	안종정	삼덕회계	18	안형선	인천서	278
심한보	고양서	282	안병욱	딜로이트	16	안애선	연수서	296	안종호	금감원	88	안형수	인천청	270
심현석	광주청	69	안병윤	부산세관	483	안양이	홍천서	265	안종호	동작서	169	안형숙	북전주서	376
심현우	기재부	68	안병일	서울청	138	안양후	울산서	450	안주영	서울청	134	안형식	대전서	312
심현이	북대전서	315	안병준	감사원	57	안언형	동래서	439	안주영	관악서	155	안형자	기재부	73
심현정	남대문서	160	안병철	국세청	110	안연숙	삼성서	143	안주환	기재부	70	안형준	세무하나	39
심현주	남부천서	291	안병태	부평서	295	안연찬	강서서	152	안주훈	국세청	111	안형진	서울청	134
심현희	노원서	162	안병현	서울청	137	안영길	동대구서	395	안주희	파주서	301	안형태	북전주서	376
심형섭	서인천서	276	안복수	삼성서	175	안영백	금감원	92	안주희	동청주서	336	안혜령	동래서	438
심형섭	삼덕회계	18	안상숙	조세재정	494	안영서	동래서	438	안준	서울세관	475	안혜숙	삼성서	174
심혜경	국세상담	120	안상숙	조세재정	495	안영선	영등포서	190	안준건	동래서	441	안혜영	서울청	129
심혜원	충주서	345	안상순	영등포서	191	안영수	삼덕회계	18	안준석	기재부	63	안혜영	부산청	422
심혜정	충주서	345	안상언	동래서	438	안영순	서울청	240	안준수	역삼서	188	안혜원	파주서	300
심혜진	전주서	380	안상영	강릉서	252	안영신	기재부	69	안준식	김해서	455	안혜	국세청	104
심홍채	남동서	274	안상욱	구로서	156	안영준	양천서	186	안준연	중기원	97	안혜정	국세청	109
심효선	지방재정	490	안상욱	광주세관	488	안영준	해운대서	449	안준영	기재부	65	안혜정	남대문서	166
심효진	반포서	172	안상원	국세청	104	안영채	서울청	135	안준현	서대구서	398	안혜정	해남서	371
심희선	남대문서	161	안상재	양산서	458	안영환	기재부	71	안중관	조세심판	493	안혜진	서인천서	277
심희열	구로서	156	안상진	국세청	108	안영훈	기재부	66	안중영	시흥서	233	안혜진	동고양서	289
심희정	수영서	443	안상춘	서현이현	7	안영희	대전서	312	안중호	서울청	134	안호정	광주청	348
심희정	부산세관	481	안상현	대전서	311	안예지	상주서	411	안중호	반포서	173	안호진	예산서	331
심희준	중부청	210	안상현	구로서	157	안예지	제주서	467	안지민	영동서	339	안홍갑	포천서	302
			안새롬	조세재정	495	안요산	목포서	365	안지민	서대구서	399	안효진	상주서	411
○			안서윤	포항서	419	안용수	남양주서	221	안지선	계양서	280	안효진	용산서	193
			안서진	아산서	328	안우형	진주서	387	안지섭	순천서	367	안희석	반포서	172
			안선미	김포서	287	안원기	진주서	460	안지애	기재부	77	안희임	성동서	180
안가혜	성동서	181	안선일	대전서	306	안유미	화성서	250	안지연	대전청	307	안희준	기재부	59
안건희	기재부	68	안선표	정읍서	383	안유정	목포서	365	안지연	북대구서	397	양가은	강릉서	252
안경민	국세청	111	안성경	인천청	269	안유진	용인서	242	안지연	통영서	464	양강진	파주서	300
안경우	기재부	72	안성국	광명서	284	안유현	서울청	127	안지영	국세청	105	양경렬	서인천서	276
안경우	부천서	292	안성덕	수성서	400	안유희	서울청	129	안지영	남양주서	221	양경애	부천서	292
안경화	성북서	183	안성민	양천서	187	안윤미	고양서	282	안지영	수원서	230	양경영	강서서	152
안광선	기재부	64	안성빈	도봉서	164	안윤선	조세재정	496	안지영	대전청	306	양고운	기재부	63
안광승	감사원	57	안성엽	대구청	388	안윤섭	북전주서	376	안지윤	서울청	302	양광식	국세청	114
안광용	감사원	56	안성우	서대문서	176	안윤정	강릉서	252	안지윤	중부청	215	양광호	북전주서	376
안광인	청주서	217	안성준	잠실서	197	안윤혜	강릉서	252	안지은	경기광주	234	양구철	중부청	213
안광혁	원주서	260	안성진	강서서	152	안은경	북대전서	314	안지은	김포서	286	양국현	서울청	147
안광훈	감사원	57	안성진	관악서	154	안은선	북대전서	314	안지은	포천서	302	양규복	울산서	450
안국찬	고양서	282	안성호	서울청	126	안은미	해운대서	448	안지현	수원서	230	양규범	김앤장	45
안규민	수성서	400	안성호	안산서	237	안은정	서울청	136	안지현	울산서	451	양근성	잠실서	197
안규상	송파서	185	안성희	서울청	144	안은정	대전청	273	안지혜	서울청	144	양금영	중부청	211
안근옥	기재부	71	안세연	연수서	297	안은주	해운대서	448	안지혜	강서서	152	양기석	EY한영	180
안기용	기재부	74	안세희	부산청	427	안은지	서대전서	316	안지혜	부천서	292	양기정	성동서	180
안기웅	남원서	374	안소라	강남서	149	안은향	대전청	307	안지훈	중부청	213	양기태	춘천서	262
안기호	충주서	344	안소연	삼성서	174	안응석	삼척서	255	안진경	영등포서	191	양기혁	금정서	430
안남진	충주서	345	안소연	광산서	354	안의진	동수원서	223	안진경	원주서	260	양기현	서울청	133
안다경	종로서	198	안소영	은평서	194	안의님	광주청	351	안진모	송파서	185	양기화	부산청	423
안대근	서대구서	398	안소영	중랑서	201	안인기	원주서	261	안진성	삼성서	174	양길호	금정서	354
안대엽	삼성서	175	안소지	서울청	127	안인엽	구로서	157	안진수	국세청	115	양나연	서초서	179
안대엽	중부청	212	안소현	기재부	70	안일교	국세청	104	안진아	서울청	128	양다연	조세재정	496
안대철	거창서	453	안소현	동안양서	224	안자영	북광주서	358	안진아	서울청	127	양다은	남원서	374
안대호	동래서	434	안소형	영덕서	414	안장열	분당서	226	안진영	포천서	303	양다희	국세청	103
						안재근	남대구서	393	안진영	천안서	333	양다희	경기광주	235
						안재문	서대전서	316				양덕열	성남서	229

이름	소속	번호	이름	소속	번호	이름	소속	번호	이름	소속	번호	이름	소속	번호
양동구	국세교육	122	양승준	인천세관	480	양종열	중부서	203	양희연	대전청	308	엄태준	울산서	450
양동구	구리서	217	양승진	기재부	77	양종원	마산서	457	양희윤	동청주서	336	엄태진	서대전서	317
양동규	서울청	144	양승철	금정서	430	양종혁	대전청	309	양희재	국세상담	121	엄하얀	광산서	354
양동규	성남서	228	양승철	세무하나	39	양종훈	중부청	211	양희정	잠실서	197	엄하은	도봉서	164
양동길	성남서	228	양승혁	관세청	470	양주원	안양서	241	양희정	의정부서	299	엄형태	남대문서	161
양동석	관악서	155	양승혜	천안서	187	양주희	경기광주	234	양희정	경산서	402	엄호만	북광주서	358
양동욱	대전청	308	양승훈	인천청	273	양준권	은평서	194	어경윤	천안서	333	엄황용	청주서	342
양동준	성동서	180	양시범	중부서	214	양준모	삼척서	254	어기선	강남서	148	엄희지	창원서	463
양동혁	송파서	184	양시석	광주서	356	양준복	익산서	379	어명진	잠실서	196	엄희진	부천서	292
양동혁	광산서	355	양시준	시흥서	233	양준석	동안산서	238	어수임	남대문서	160	여경규	구로서	157
양동현	예산서	330	양심영	서대문서	177	양준호	북대구서	397	어영준	안산서	237	여경숙	서울청	129
양동훈	국세청	104	양아라	국세청	181	양중구	지방재정	491	어우주	기재부	74	여동구	경산서	402
양동훈	국세청	116	양아름	군산서	372	양지상	마포서	170	어윤제	분당서	226	여동준	김앤장	45
양동훈	국세청	117	양연화	서울청	132	양지선	부평서	294	어윤필	김해서	455	여리화	진주서	461
양동희	국세상담	120	양연화	서울청	145	양지연	전주서	381	어이늘	원주서	260	여명철	진주서	460
양두열	부산세관	482	양영경	국세교육	123	양지영	금감원	82	어장규	서초서	178	여미라	대전청	308
양두호	금감원	89	양영규	남부천서	291	양지영	조세재정	494	어재경	영등포서	191	여민호	서울청	147
양명수	삼도회계	19	양영동	은평서	194	양지영	포천서	302	어정아	서대문서	176	여세영	영덕서	415
양명숙	송파서	184	양영선	울산서	450	양지윤	기재부	72	어지환	기재부	69	여수민	금정서	431
양명지	은평서	194	양영진	국세청	115	양지윤	인천청	271	어태룡	인천세관	479	여승구	부천서	292
양명희	북광주서	359	양영진	광주서	221	양지현	성남서	229	엄경애	대구청	388	여원선	용인서	242
양문석	남대문서	446	양영진	대전서	311	양지현	대전서	312	엄기동	해운대서	449	여윤수	북대전서	315
양문욱	포천서	302	양영철	중랑서	200	양지호	EY한영	14	엄기범	동대구서	395	여은수	동작서	169
양미경	영등포서	190	양영혁	제주서	466	양진석	남양주서	220	엄기봉	청주서	343	여의구	연수서	297
양미덕	서울청	132	양영훈	익산서	378	양진철	관세청	471	엄기황	국세청	115	여인순	대전청	311
양미란	동수원서	222	양영희	삼성서	174	양진혁	국세교육	122	엄남식	시흥서	233	여인훈	서울청	134
양미례	남대구서	392	양예람	용인서	243	양진호	금감원	85	엄명주	서울청	129	여정민	진주서	461
양미선	국세청	111	양예주	경주서	404	양진호	광주청	353	엄미라	동래서	436	여정재	영등포서	191
양미선	서울청	136	양예진	창원서	463	양찬영	영등포서	190	엄병섭	김해서	454	여정주	서울청	135
양미선	관악서	155	양옥서	동작서	168	양찬회	중기회	97	엄봉준	영월서	259	여정현	수성서	400
양미숙	노원서	163	양옥석	중기회	97	양창현	북광주서	358	엄상섭	법무지평	49	여제현	서대구서	399
양미영	남대문서	160	양옥진	은평서	195	양창석	강서서	152	엄상우	성동서	180	여종구	부평서	295
양민정	중랑서	200	양옥철	광주서	356	양창호	세종서	327	엄상원	동래서	438	여종엽	송파서	185
양병구	감사원	57	양용산	대전청	309	양천일	북전주서	377	엄상혁	국세청	116	여주연	강서서	153
양병문	북대전서	314	양용석	국세상담	121	양철민	수영서	445	엄새안	해운대서	448	여주희	서대문서	177
양병열	경산서	403	양용선	중부청	213	양철민	남원서	374	엄석찬	광주서	357	여중구	북대전서	314
양병택	광주세관	488	양용환	국세청	115	양철승	대구청	391	엄선호	중부청	212	여지수	평택서	246
양병규	동래서	432	양용환	남원서	374	양철원	강남서	148	엄세열	지방재정	490	여지은	부산청	427
양상민	반포서	172	양용희	광주청	351	양태식	서울청	128	엄세영	영주서	416	여지현	고양서	282
양상율	역삼서	189	양원석	성북서	183	양태영	기재부	77	엄세진	성북서	182	여진동	동안산서	238
양상원	세종서	327	양원혁	제주서	467	양태용	여수서	368	엄소정	서대전서	316	여진서	서울청	147
양서안	서대구서	398	양월숙	수원서	230	양태용	강릉서	252	엄수민	서대구서	398	여진혁	중부청	214
양서영	기재부	62	양유나	포항서	419	양태호	동고양서	289	엄수민	해운대서	449	여창숙	동대구서	394
양서영	김해서	454	양유미	청주서	342	양필수	지방재정	490	엄슬희	서대구서	398	여태승	감사원	57
양서용	동안산서	239	양유형	금감원	85	양필희	경산서	403	엄승욱	기재부	64	여태환	서울청	144
양서진	용인서	242	양윤경	금감원	81	양한섭	관악청	354	엄애화	수영서	445	여현정	인천청	272
양석모	지방재정	491	양윤모	관악서	155	양한별	북광주서	358	엄영희	남동서	274	여호종	금천서	158
양석범	목포서	365	양윤숙	순천서	367	양한철	잠실서	196	엄영석	남양주서	220	여호철	서울청	139
양석재	서울청	134	양윤숙	고양서	282	양해만	제천서	341	엄영욱	서울청	129	여환준	인천세관	478
양석재	제주서	466	양은경	강동서	150	양해숙	서대전서	316	엄영진	성동서	181	여효정	서울청	144
양선미	대전청	307	양은정	마포서	171	양해준	양천서	186	엄영희	영등포서	191	여효정	울산서	451
양선숙	서대전서	316	양은주	광주서	356	양해환	금감원	84	엄유섭	북대구서	396	연경태	대전청	310
양선욱	서울청	127	양은주	조세재정	496	양행훈	나주서	362	엄유환	보령서	322	연규천	수원서	231
양성봉	중부청	206	양오지	양산서	458	양향원	익산서	378	엄은주	영월서	258	연근영	이천서	244
양성욱	중부청	211	양을수	광주세관	487	양향임	포천서	303	엄의성	부평서	295	연덕현	동작서	169
양성철	기재부	72	양을수	광주세관	488	양현	서울세관	474	엄익호	종로서	198	연명희	평택서	247
양성철	인천청	272	양이곤	동고양서	288	양현국	금감원	92	엄인성	부산청	426	연상훈	경산서	403
양성철	연수서	296	양이지	중부청	207	양현근	김해서	455	엄인영	평택서	247	연성준	구로서	156
양성철	전주서	380	양인병	삼일회계	20	양현모	평택서	247	엄인찬	중부청	210	연송이	안양서	241
양성현	태평양	50	양인애	동래서	436	양현숙	서울청	138	엄일선	서울청	126	연수민	대전청	307
양성훈	지방재정	491	양인영	서울청	138	양현식	인천청	271	엄일용	금감원	85	연영민	기재부	64
양세영	구미서	406	양인환	도봉서	164	양현아	남대문서	160	엄일해	인천청	273	연정현	계양서	280
양세희	예산서	330	양일환	송파서	185	양현우	강동서	150	엄장원	인천서	278	연제민	국세청	101
양소라	논산서	321	양재영	금천서	158	양현정	기재부	67	엄재희	아산서	328	연제석	천안서	333
양소라	동래서	434	양재영	마산서	457	양현정	수영서	444	엄정상	서울청	127	연제열	동화성서	248
양소영	잠실서	196	양재우	남동서	274	양현석	역삼서	188	엄정은	포항서	419	연지연	영등포서	190
양소영	동안양서	225	양재중	중랑서	201	양현진	서광주서	360	엄정임	국세청	107	연태석	제천서	340
양송이	서울청	132	양재호	포천서	302	양현진	대전서	361	엄제현	울산서	451	연혜정	기재부	72
양송이	남동서	274	양재훈	북광주서	358	양현진	지방재정	490	엄종덕	춘천서	263	염가연	성남서	228
양수미	성남서	228	양재옥	동안양서	224	양현황	광주서	356	엄주원	남양주서	220	염경윤	기재부	62
양수연	금정서	431	양전옥	공주서	318	양혜선	기재부	68	엄존호	포항서	418	염경진	의정부서	298
양숙진	인천청	269	양정미	인천서	278	양혜선	성동서	181	엄준희	서울청	135	염관진	화성서	251
양순관	경주서	405	양정숙	정읍서	383	양혜성	광주서	357	엄지명	해운대서	447	염귀남	서울청	139
양순석	인천청	273	양정영	서인천서	276	양혜진	대구청	387	엄지원	기재부	71	염나래	동청주서	336
양순영	강남서	148	양정일	해운대서	446	양호정	김해서	454	엄지원	김해서	455	염대성	남원서	374
양순필	기재부	77	양정주	안양서	240	양홍건	은평서	195	엄지은	세종서	326	염래경	광주서	356
양순희	삼성서	174	양정화	서대문서	176	양홍철	인천청	270	엄지환	수영서	442	염문환	대전청	307
양술	광주세관	488	양정화	경주서	404	양환준	대전서	356	엄지히	중부청	210	염미숙	천안서	333
양승규	안양서	240	양정희	나주서	363	양회수	홍성서	334	엄진숙	예산서	330	염미정	서초서	178
양승민	기흥서	218	양정희	북전주서	377	양회종	해운대서	446	엄채연	대전청	309	염보규	기재부	74
양승민	수영서	442	양제문	제주서	466	양효진	울산서	450	엄청분	남동서	275	염보라	조세재정	495
양승용	예일세무	40	양종렬	중부청	206	양효국	반포서	173	엄태선	국세청	116	염보름	익산서	379
양승우	경기광주	234	양종명	기흥서	218	양희상	성북서	182	엄태성	북대전서	314	염보미	광주서	357
양승정	광주청	351	양종선	관악서	155	양희석	서인천서	277	엄태영	동수원서	223	염보희	서울청	133
양승종	김앤장	45				양희승	도봉서	165	엄태자	중부서	202	염삼열	여수서	368

이름	소속	번호
염상미	삼성서	174
염선경	성남서	229
염성희	서울청	126
염세환	서울청	142
염수진	삼척서	255
염승열	광주세관	487
염승열	광주세관	487
염승열	광주세관	488
염승화	기재부	73
염시웅	국세교육	122
염예나	강동서	151
염왕기	해운대서	447
염유섭	남동서	275
염인균	마산서	457
염정식	중부청	210
염주선	국세청	103
염준호	국세청	104
염지영	광주청	348
염지훈	강남서	148
염진옥	성북서	182
염철민	기재부	70
염철웅	인천서	279
염태섭	예산서	331
염현경	EY한영	14
염현주	광주청	349
염훈선	역삼서	189
예동희	경주서	404
예병찬	지방재정	490
예상국	남동서	275
예상우	성현회계	13
예성미	부산청	424
예성민	동안산서	238
예성진	서대구서	398
예정육	동대문서	167
예종욱	동래서	435
예찬순	성동서	180
오가영	조세재정	496
오가원	북광주서	359
오가은	남대구서	392
오강재	삼성서	175
오건우	아산서	329
오경미	평택서	247
오경민	중랑서	200
오경선	경기광주	235
오경선	인천서	279
오경애	해운대서	169
오경언	해운대서	448
오경자	양천서	186
오경태	광주청	348
오경택	동수원서	222
오경택	인천청	268
오경훈	광명서	285
오경훈	국세상담	121
오고은	파주서	301
오관수	금감원	86
오관택	의정부서	298
오광석	동청주서	336
오광선	성동서	181
오광철	부천서	293
오광현	중부청	215
오규열	경주서	404
오규용	국세청	110
오규원	삼척서	255
오규진	해운대서	447
오규철	국세청	109
오규태	신한관세	43
오근님	북광주서	358
오금선	북광주서	359
오금탁	목포서	365
오기남	기재부	73
오기범	정읍서	382
오기일	중부청	210
오기철	김포서	287
오길재	광주청	349
오길춘	전주서	380
오나현	동화성서	249
오남교	삼일회계	20
오남임	서초서	178
오다은	기재부	61
오다혜	서울청	127
오대규	용인서	242
오대근	조세심판	492
오대석	통영서	465
오대성	서울청	126
오대창	영등포서	191
오대철	도봉서	165
오덕희	관악서	154
오도열	서울청	128
오도영	기재부	66
오도영	인천세관	479
오도훈	동작서	168
오동구	포천서	302
오동균	금감원	90
오동문	강동서	151
오동석	노원서	163
오동석	수원서	231
오동현	경기광주	235
오동화	정읍서	383
오두현	기재부	75
오두환	군산서	373
오로라	북광주서	358
오로지	연수서	296
오만석	북대구서	396
오명식	광주세관	487
오명식	광주세관	487
오명식	광주세관	488
오명준	서울청	132
오명진	인천청	272
오문수	영동서	339
오문탁	국세청	103
오미경	익산서	378
오미순	중부청	210
오미영	익산서	61
오미영	기재부	62
오미영	대전서	312
오미정	인천서	279
오미진	제주서	466
오미화	기재부	65
오민경	대전청	310
오민서	예일세무	40
오민석	양천서	187
오민선	중부청	212
오민수	광주서	357
오민숙	성동서	181
오민철	포천서	303
오배석	서울청	127
오백진	영동서	338
오병걸	경기광주	235
오병관	평택서	247
오병태	동고양서	288
오병환	진주서	461
오상범	삼정회계	23
오상범	삼정회계	23
오상식	기재부	65
오상우	기재부	75
오상욱	중부청	209
오상원	광주청	353
오상은	제천서	340
오상준	파주서	301
오상택	수원서	231
오상철	서울청	144
오상훈	광주청	349
오상훈	서울세관	473
오상훈	서울세관	473
오상훈	서울세관	474
오상휴	국세청	102
오서영	마포서	170
오서주	서초서	179
오서진	아산서	328
오선경	수원서	231
오선주	북광주서	358
오선지	서울청	127
오선희	관악서	154
오성실	해남서	370
오성진	기재부	77
오성철	서울청	147
오성태	기재부	66
오성택	안양서	240
오성택	마포서	171
오세덕	동청주서	337
오세두	부산청	422
오세민	동고양서	288
오세민	청주서	342
오세민	대구청	389
오세민	조세심판	492
오세열	대전서	312
오세윤	대전청	310
오세은	창원서	462
오세정	서울청	132
오세정	부산청	422
오세종	양천서	186
오세찬	서울청	145
오세천	금감원	89
오세철	순천서	367
오세혁	서울청	145
오세현	인천세관	477
오세현	인천세관	477
오소라	이천서	245
오소연	조세재정	495
오소은	포천서	302
오송민	충주서	345
오쇄행	성현회계	13
오수경	제주서	466
오수미	중부청	212
오수빈	서울청	269
오수빈	북대전서	314
오수연	국세주류	118
오수연	구로서	156
오수연	중부청	208
오수연	논산서	321
오수정	광산서	241
오수정	조세재정	495
오수진	국세상담	121
오수진	잠실서	197
오수진	인천서	278
오수진	대전청	308
오수진	대전청	311
오수현	연수서	297
오순학	부산세관	483
오슬기	동안양서	225
오승미	광산서	494
오승배	의정부서	298
오승상	기재부	71
오승섭	광산서	354
오승섭	국세상담	121
오승연	성동서	181
오승연	안산서	236
오승준	삼성서	174
오승진	천안서	332
오승찬	중부청	212
오승철	국세청	114
오승필	고양서	282
오승화	삼성서	439
오승호	대전청	309
오승훈	청주서	343
오승훈	동대구서	395
오승희	천안서	332
오시형	김해서	454
오시원	구로서	157
오신영	익산서	378
오신형	고양서	282
오아람	중부청	210
오아름	송파서	184
오아름	지방재정	490
오애란	동래서	439
오양금	보령서	322
오연관	삼일회계	20
오연균	서대전서	316
오연우	분당서	226
오연정	진주서	461
오연호	서울청	127
오영국	진주서	461
오영동	동래서	434
오영빈	남대구서	392
오영우	국세청	116
오영은	익산서	379
오영은	노원서	163
오영주	금천서	158
오영주	동래서	434
오영주	서현이현	7
오영진	인천세관	479
오영철	동안산서	238
오영훈	기재부	71
오예정	조세재정	496
오용규	예일세무	40
오용락	대전서	312
오용호	여수서	368
오우진	성북서	182
오우철	금감원	86
오원균	국세청	117
오원정	속초서	256
오원화	대전청	310
오유나	중부청	208
오유리	의정부서	299
오유미	인천서	279
오유빈	서울청	132
오유석	국세교육	122
오유진	전주서	381
오유진	성현회계	13
오윤경	경기광주	235
오윤라	김포서	286
오윤미	조세재정	496
오윤섭	감사원	56
오윤정	해남서	371
오윤화	서울청	128
오은경	서울청	127
오은경	종로서	198
오은경	중부청	215
오은경	동래서	432
오은미	EY한영	14
오은비	구미서	407
오은숙	동고양서	288
오은영	전주서	380
오은주	서울청	147
오은주	해남서	371
오은주	창원서	463
오은지	마포서	171
오은혜	조세재정	495
오은희	동작서	168
오은희	구리서	216
오은희	계양서	280
오익수	동래서	436
오인석	조세심판	492
오인철	순천서	366
오인택	화성서	251
오인화	서인천서	275
오임순	서대문서	177
오자은	북광주서	359
오잔디	강남서	149
오재경	국세청	100
오재경	연수서	297
오재구	서천이현	6
오재길	서대구서	399
오재란	목포서	364
오재열	동수원서	222
오재우	기재부	69
오재헌	서울청	128
오재헌	국세청	111
오재홍	충주서	345
오재환	구미서	406
오정근	금감원	89
오정림	기재부	76
오정민	서울청	136
오정민	창원서	462
오정선	북대전서	314
오정식	포천서	303
오정윤	기재부	74
오정은	부천서	292
오정일	연수서	296
오정임	부산청	425
오정탁	서대구서	317
오정현	동안양서	224
오정환	강동서	151
오정훈	포항서	418
오조섭	영주서	417
오종권	나주서	362
오종수	북광주서	359
오종식	북광주서	358
오종진	삼일회계	21
오종현	조세재정	494
오종호	서광주서	361
오종화	딜로이트	16
오주경	수성서	401
오주영	국세상담	121
오주영	강남서	148
오주영	동래서	432
오주원	송파서	185
오주하	금정서	431
오주학	부천서	293
오주해	분당서	226
오주희	중랑서	200
오주희	경주서	405
오준석	삼도회계	19
오준영	부평서	295
오준오	경주서	405
오지섭	제주서	466
오지연	기재부	62
오지연	고양서	283
오지연	동래서	435
오지연	조세재정	494
오지윤	청주서	343
오지윤	수영서	442
오지은	동대문서	166
오지절	서울청	126
오지현	동수원서	223
오지현	용인서	243
오지현	동래서	433
오지혜	금정서	430
오지훈	종로서	199
오지훈	더택스	36
오진명	광산서	355
오진선	기흥서	218
오진성	아산서	328
오진수	양산서	459
오진숙	중부청	208
오진용	제천서	340
오진욱	강서서	231
오진택	남부천서	291
오진훈	법무광장	46
오창곤	제주서	466
오창기	서울청	137
오창욱	반포서	173
오창옥	여수서	368
오창주	서울청	143
오철민	동청주서	337
오철민	관악서	154
오청은	국세청	103
오초롱	동래서	441
오춘식	대구청	390
오춘택	목포서	365
오충건	금감원	82
오충용	세무하나	39
오태진	서울청	126
오태진	서천이현	276
오푸른	양천서	186
오하경	잠실서	196
오하라	대전서	313
오한솔	광주청	353
오한영	기재부	63
오항우	기흥서	219
오해정	마포서	170
오향아	동대구서	394
오혁	법무광장	47
오혁기	금정서	431
오혁정	기재부	65
오현경	의정부서	299
오현미	강남서	355
오현민	청주서	342
오현빈	조세재정	494
오현석	강남서	149
오현석	영동서	339
오현섭	양천서	186
오현수	남양주서	221
오현숙	분당서	226
오현식	강동서	151
오현아	김해서	454
오현정	국세청	112
오현정	서울청	142
오현정	동화성서	248
오현주	강남서	149
오현주	은평서	194
오현준	수원서	231
오현준	노원서	163
오현지	파주서	300
오현직	안동서	413
오현진	관세청	471
오현창	정읍서	382
오형석	기재부	76
오형진	서울청	127
오혜경	북광주서	358
오혜란	은평서	194
오혜림	지방재정	491
오혜미	화성서	251
오혜선	용산서	193
오혜선	반포서	173
오혜실	강서서	152
오혜정	삼일회계	20
오호석	김천서	408
오호선	국세청	114
오호선	국세청	115
오호선	국세청	116
오홍희	노원서	162

이름	소속	번호
오화섭	국세청	100
오화세	금융위	79
오홍수	국세청	103
오희정	대전청	308
오희준	서울서	145
옥상하	마산서	456
옥석봉	국세상담	121
옥수빈	동래서	435
옥수진	북대구서	397
옥영주	성동서	180
옥정훈	서울청	141
옥지연	기재부	65
옥지웅	청주서	342
옥진경	서대전서	317
옥창의	서울청	142
옥채순	통영서	464
옥혁규	은평서	194
온상준	반포서	173
왕성국	대전청	311
왕수현	천안서	333
왕승현	조세재정	496
왕윤미	서울청	136
왕지영	청주서	342
왕지은	노원서	163
왕준근	중부청	212
왕태선	김포서	287
왕한길	서현이현	7
왕훈희	서울청	181
용수화	영등포서	190
용승환	성북서	182
용진숙	서인천서	277
용혜인	기재부	67
용환희	중부청	209
우가람	마포서	170
우경화	동래서	439
우근영	분당서	227
우근중	청주서	343
우나경	국세교육	122
우남구	국세상담	120
우덕규	서울청	130
우도훈	법무세종	48
우동연	기재부	69
우동욱	광주세관	487
우동욱	광주세관	487
우동욱	광주세관	488
우동규	관악서	439
우동호	감사원	56
우동희	진주서	460
우동훈	안양서	240
우명주	경산서	402
우문연	원주서	261
우미라	구로서	156
우미라	부산청	425
우병옥	포항서	418
우병희	대구청	390
우병철	중부청	210
우병호	서대구서	399
우보람	동안산서	238
우상국	상주서	410
우상훈	구미서	406
우성광	성동서	181
우성락	양산서	458
우성식	동화성서	249
우성현	부산서	424
우세진	평택서	246
우세훈	해운대서	448
우세훈	해운대서	449
우수정	중부청	282
우수희	삼척서	254
우승수	딜로이트	16
우승엽	EY한영	14
우승철	중랑서	201
우승하	대구청	387
우승헌	예일세무	40
우승형	포항서	418
우신동	세무하나	39
우신애	역삼서	188
우연희	국세청	102
우영만	목포서	365
우영재	대구청	386
우영진	마산서	456
우영철	예일세무	40
우용민	상주서	410
우운하	영주서	416
우원준	평택서	246
우원훈	잠실서	196
우윤중	부산청	429
우은주	홍성서	335
우은혜	인천청	271
우을숙	동래서	433
우인식	동고양서	288
우인영	해운대서	449
우인철	거창서	453
우인호	포항서	418
우재경	마산서	457
우재만	나주서	362
우재은	천안서	332
우재진	창원서	463
우정민	금감원	91
우정순	울산서	450
우정현	경기광주	235
우정영	강서서	152
우정호	안동서	412
우정화	성동서	181
우정희	국세상담	121
우제경	경주서	404
우제국	관세청	469
우제선	국세청	109
우종훈	서대문서	112
우주연	화성서	251
우주원	잠실서	197
우준식	서울청	129
우지수	기흥서	218
우지영	남양주서	220
우지완	기재부	63
우지은	조세재정	495
우지혜	국세청	104
우진용	영월서	259
우진하	연수서	296
우창성	삼척서	254
우창영	천안서	333
우창완	국세청	116
우창용	국세교육	122
우창제	서대전서	317
우창화	동래서	439
우철윤	인천청	272
우태희	상공회의	95
우필구	대한회의	15
우한솔	평택서	247
우해나	중부청	214
우해영	기재부	67
우해영	기재부	68
우현희	한국관세	42
우현석	도봉서	164
우현승	성동서	180
우현신	구미서	406
우현하	창원서	463
우형기	부천서	292
우형래	영등포서	191
우형수	경주서	404
우희정	시흥서	233
우희정	양천서	417
우희준	금정서	431
원가영	인천서	279
원계연	분당서	226
원광호	대전서	313
원규호	고양서	283
원대연	삼성서	175
원대한	대전청	306
원두진	여수서	368
원범석	인천서	279
원병덕	서울청	127
원봉희	기재부	64
원상호	노원서	162
원선재	기재부	189
원설희	동화성서	248
원성택	동래서	432
원순영	천안서	332
원시열	중부서	202
원유미	강서서	153
원유아	서울청	140
원은미	용인서	243
원정보	남대구서	393
원정윤	강동서	150
원정일	중랑서	200
원정재	이천서	245
원정희	법무광장	46
원종민	동화성서	248
원종일	서울청	134
원종학	조세재정	495
원종혁	기재부	68
원종호	김포서	287
원종화	수성서	401
원종훈	의정부서	299
원지혜	서울청	139
원진희	중부청	214
원진희	원주서	261
원창수	신한관세	43
원한규	남대문서	161
원현수	삼성서	175
원호선	동안양서	225
원효정	경기광주	235
원희정	기흥서	218
위경환	서울청	147
위광환	광주서	356
위다연	구로서	157
위민국	서울청	143
위부일	동래서	432
위성호	평택서	247
위승희	마포서	171
위용	성동서	181
위웅복	감사원	56
위장훈	평택서	247
위주안	서울청	129
위지혜	광주청	350
위지혜	수영서	445
위찬필	국세청	113
위충기	금감원	83
위태홍	대전서	312
위현후	안양서	241
위형원	지방재정	490
유가람	강릉서	253
유가현	대전청	311
유가현	이천서	245
유강훈	강서서	153
유경근	국세청	116
유경란	김앤장	45
유경룡	아산서	329
유경선	딜로이트	16
유경숙	기재부	63
유경숙	종로서	199
유경열	천안서	332
유경원	기재부	70
유경원	서울청	132
유경원	인천청	268
유경은	반포서	172
유경진	구리서	217
유경화	기재부	69
유경훈	중부청	210
유경희	대전서	312
유관식	나주서	362
유관호	아산서	329
유광근	남부천서	290
유광선	춘천서	262
유광호	나주서	363
유귀안	조세재정	496
유극종	도봉서	164
유근만	동작서	168
유근순	익산서	379
유근정	기재부	67
유근조	강동서	150
유금숙	인천서	279
유기무	역삼서	188
유기선	서울청	143
유기성	동화성서	249
유길웅	고양서	282
유나연	천안서	333
유남렬	서인천서	276
유다빈	기재부	68
유다연	평택서	246
유다영	기재부	60
유다영	의정부서	298
유다정	금천서	159
유다형	동청주서	336
유달근	평택서	246
유대현	인천청	271
유더미	이천서	244
유도권	창원서	463
유동균	서울청	147
유동석	의정부서	299
유동석	기재부	73
유동석	성동서	180
유동열	춘천서	263
유동완	국세상담	121
유동욱	감사원	56
유동재	서인천서	276
유동준	강서서	152
유동준	울산서	450
유동철	중랑서	200
유동훈	기재부	65
유두헌	영등포서	191
유래연	파주서	301
유로아	송파서	184
유리나	기재부	60
유만수	국세청	100
유명신	금감원	83
유명재	부산세관	482
유명한	시흥서	232
유명훈	국세청	100
유문희	울산서	432
유미경	기재부	61
유미경	성동서	180
유미나	삼성서	175
유미나	남대구서	393
유미라	잠실서	196
유미선	동작서	168
유미선	평택서	247
유미선	강릉서	253
유미성	마포서	170
유미숙	서산서	325
유미숙	예산서	330
유미연	중랑서	285
유미영	중부청	206
유민설	계양서	280
유민수	성현회계	13
유민자	수영서	443
유민정	서울청	147
유민정	진주서	461
유민호	국세청	112
유민희	용산서	193
유민희	목포서	365
유범상	국세청	328
유병길	동래서	434
유병모	대구청	388
유병희	대전청	309
유병선	중부청	214
유병성	동대구서	395
유병성	삼성서	193
유병욱	성남서	229
유병임	서울청	129
유병창	영등포서	191
유병철	서울청	127
유병호	감사원	55
유병호	삼척서	56
유병호	충주서	344
유보아	서대구서	398
유봉석	삼척서	255
유상범	금감원	83
유상선	부산청	429
유상욱	서울청	133
유상원	천안서	367
유상윤	서울청	129
유상호	국세청	115
유상화	중부청	210
유상화	남양주서	221
유상화	법무바른	1
유석모	대전서	309
유석찬	기재부	61
유석호	금감원	87
유선아	아산서	60
유선애	구로서	156
유선영	중랑서	200
유선영	남동서	274
유선우	제천서	340
유선정	연수서	297
유선진	삼성서	188
유선화	성북서	182
유선희	기재부	67
유선희	세종서	327
유선희	상주서	410
유성두	중랑서	200
유성만	포항서	419
유성안	국세청	105
유성안	중부서	202
유성엽	서울청	147
유성영	양천서	187
유성운	아산서	329
유성은	안양서	241
유성주	수원서	231
유성진	해남서	370
유성춘	영주서	416
유성훈	인천청	272
유성희	동작서	168
유세곤	세종서	327
유세명	동래서	433
유세용	정읍서	382
유세은	김천서	408
유세종	용산서	192
유소연	수원서	230
유소열	성동서	180
유소영	기재부	67
유소정	강서서	153
유소정	분당서	227
유소진	관악서	155
유소현	양천서	155
유소희	경기광주	235
유송화	창원서	462
유수경	도봉서	165
유수권	삼성서	174
유수연	지방재정	490
유수재	고양서	283
유수정	국세청	103
유수정	삼성서	175
유수지	천안서	333
유수향	대전청	307
유수현	서대구서	399
유수호	해남서	370
유수호	부산청	423
유순복	강서서	153
유순희	종로서	198
유순희	서인천서	277
유승규	마포서	171
유승명	부산청	428
유승아	청주서	343
유승연	동안양서	224
유승우	기재부	66
유승우	중부청	215
유승원	서대전서	317
유승종	노원서	162
유승주	부산청	427
유승천	중부청	214
유승철	해남서	370
유승현	포항서	418
유승현	중부청	214
유승현	인천서	278
유승현	조세재정	496
유승환	원주서	260
유승희	삼성서	174
유승희	관세청	471
유승희	삼정회계	24
유시은	수원서	231
유신아	동안양서	225
유신혜	강남서	149
유아람	도봉서	164
유양연	성남서	228
유어진	성남서	441
유연숙	동래서	324
유연우	서산서	324
유연정	기재부	71
유연진	서울청	127
유연찬	예일세무	40
유연혁	한국관세	42
유업	삼일회계	21
유영	감사원	57
유영	수원서	222
유영근	경기광주	234
유영근	순천서	367
유영복	청주서	342
유영숙	동고양서	288
유영숙	구미서	406
유영욱	서울청	136
유영준	역삼서	188
유영진	동래서	439
유영철	서울청	142
유예림	기재부	73
유예림	국세청	103
유예림	강서서	153
유옥근	거창서	452
유요덕	전주서	381
유용근	서울청	147

이름	소속	번호
유용환	동작서	169
유원숙	홍천서	264
유원재	마포서	171
유원형	중부서	203
유윤희	구리서	217
유은경	기재부	72
유은미	도봉서	164
유은빈	기재부	61
유은선	김포서	287
유은숙	강남서	148
유은애	북전주서	377
유은영	아산서	329
유은주	국세청	102
유은주	서울청	130
유은주	관악서	155
유은주	안양서	240
유은주	동고양서	288
유은지	반포서	173
유은진	성동서	181
유은혜	논산서	321
유은희	반포서	172
유의상	서인천서	277
유이슬	기재부	66
유이슬	잠실서	196
유인선	성남서	228
유인성	용산서	193
유인숙	국세상담	120
유인숙	대전청	306
유인식	이천서	245
유인혜	서울청	136
유인호	홍천서	264
유일찬	대전청	311
유자연	광주서	357
유장혁	송파서	184
유장현	북대전서	314
유장현	세종서	327
유재곤	남원서	375
유재남	아산서	329
유재룡	군산서	373
유재민	지방재정	490
유재민	조세재정	494
유재복	중부청	210
유재상	성남서	228
유재석	삼성서	174
유재식	계양서	280
유재연	서울청	135
유재웅	국세상담	120
유재원	종로서	199
유재원	시흥서	233
유재순	포천서	302
유재준	인천청	268
유재준	인천청	269
유재준	인천청	270
유재학	동래서	440
유재현	경주서	404
유재훈	금융위	79
유정곤	딜로이트	16
유정림	삼성서	175
유정미	기재부	74
유정미	서울청	131
유정선	기흥서	218
유정식	고양서	282
유정아	기재부	73
유정아	인천서	278
유정우	마산서	456
유정욱	해운대서	446
유정은	마포서	170
유정은	안양서	240
유정은	노원서	163
유정호	법무광장	46
유정호	삼정회계	22
유정화	송파서	171
유정화	송파서	185
유정환	인천세관	480
유정훈	성동서	181
유정훈	연수서	297
유정훈	EY한영	14
유정희	서울청	142
유정희	중부청	207
유제석	익산서	379
유제언	안산서	236
유제연	중부청	207
유종선	광주청	348
유종일	서울청	127
유종현	국세상담	120
유종호	양산서	459
유종휘	기재부	61
유주미	마포서	357
유주민	마포서	171
유주상	서대전서	316
유주연	국세청	111
유주희	도봉서	165
유주희	용산서	192
유주희	중부청	208
유준상	김포서	287
유준영	서울청	126
유준오	조세재정	496
유준호	반포서	172
유준희	이안세무	41
유지선	서울청	132
유지선	반포서	173
유지숙	서초서	179
유지영	남대문서	161
유지영	노원서	162
유지원	남양주서	220
유지은	서울청	137
유지향	마산서	457
유지현	연수서	296
유지현	동청주서	336
유지현	부산청	423
유지혜	기재부	61
유지혜	동래서	440
유지호	화성서	251
유지화	여수서	368
유지환	성남서	228
유지영	성남서	192
유지희	아산서	329
유진목	기재부	72
유진선	기흥서	218
유진선	광주청	348
유진아	구로서	156
유진아	시흥서	233
유진영	남부천서	290
유진옥	은평서	194
유진우	영월서	258
유진우	포천서	302
유진재	강동서	150
유진하	부천서	293
유진호	중기청	97
유진호	국세청	105
유진호	창원서	463
유진호	서울청	127
유진희	구리서	216
유진희	포천서	303
유진희	해운대서	448
유창민	동래서	433
유창민	금감원	91
유창민	대구청	389
유창성	서울청	133
유창수	고양서	282
유창인	양천서	68
유창진	중부청	209
유철동	남대구서	392
유철	서대구서	398
유철형	분당서	227
유철형	태평양	50
유춘선	광주청	352
유치현	포천서	434
유탁균	포천서	302
유태수	인천세관	477
유태수	인천세관	477
유태수	인천세관	480
유태우	반포서	172
유태웅	북대전서	315
유태정	정읍서	383
유태준	서울청	147
유태호	경기광주	235
유판종	광주청	351
유하선	대전청	311
유하수	서울청	146
유하영	예일세무	40
유학승	강서서	152
유한순	삼성서	175
유한웅	서울청	147
유한진	서울청	126
유항수	광주청	348
유행철	군산서	372
유향란	강서서	152
유헌석	경주서	404
유현경	동안양서	224
유현상	화성서	251
유현석	부천서	292
유현수	인천청	270
유현숙	구미서	407
유현순	익산서	378
유현식	삼성서	175
유현아	도봉서	164
유현인	수영서	442
유현정	성동서	181
유현정	중부청	213
유현정	춘천서	262
유현종	북대구서	397
유현종	부산세관	483
유현주	부천서	292
유현진	포천서	303
유현희	서인천서	276
유형근	목포서	364
유형대	서울청	133
유형래	삼성서	159
유형선	기재부	73
유형주	금감원	89
유형진	중부청	211
유형철	기재부	71
유형철	기재부	72
유혜경	국세청	102
유혜란	금천서	159
유혜리	용인서	243
유혜미	종로서	198
유혜민	대전청	307
유혜영	시흥서	232
유혜영	기재부	69
유혜정	경기광주	235
유혜지	역삼서	188
유혜지	안동서	412
유호경	강남서	149
유호영	국세상담	120
유호정	춘천서	262
유홍선	평택서	246
유홍선	평택서	246
유홍재	중부청	208
유홍주	부산청	423
유화윤	금정서	430
유화정	서인천서	276
유환윤	평택서	246
유환문	관악서	155
유환성	노원서	162
유환석	금감원	81
유환일	고양서	282
유효정	조세재정	496
유효진	동래서	439
유후양	종로서	198
유훈주	정읍서	382
유훈희	기흥서	219
유휘곤	금산서	192
유희경	광주청	348
유희근	광주청	349
유희근	인천서	278
유희민	서초서	178
유희봉	서인천서	276
유희상	감사원	55
유희정	서울청	142
유희준	금감원	88
유희준	서울청	137
유희진	해운대서	448
유희태	경기광주	235
육규일	국세청	105
육근영	동대문서	166
육동선	산청서	133
육송희	노원서	163
육영란	서울청	129
육영찬	서대전서	316
육재화	서산서	325
육정섭	대전청	310
육현수	기재부	74
육혜연	경기광주	235
윤가영	강남서	149
윤간오	창원서	462
윤강로	남대구서	392
윤경	영월서	258
윤경림	서울청	209
윤경옥	양천서	187
윤경주	인천청	273
윤경출	동래서	440
윤경현	중부청	207
윤경현	진주서	460
윤경호	광주청	352
윤경희	구리서	216
윤경희	서울청	128
윤경희	서울청	135
윤경희	순천서	366
윤공자	종로서	198
윤광섭	중부청	206
윤광철	수영서	443
윤광현	서울청	133
윤국욱	은평서	194
윤권욱	광명서	284
윤규섭	삼일회계	21
윤근희	대구청	388
윤근희	조세심판	493
윤금남	동래서	440
윤기덕	강남서	148
윤기섭	잠실서	196
윤기성	중랑서	201
윤기숙	역삼서	189
윤기섭	화성서	250
윤기찬	국세청	104
윤기철	서울청	129
윤기철	역삼서	236
윤기한	남대구서	392
윤길배	성현회계	13
윤길성	광주청	351
윤나래	기흥서	218
윤나영	해운대서	446
윤난영	청주서	342
윤난희	부평서	294
윤남숙	기재부	59
윤남식	동래서	433
윤노영	해운대서	446
윤다솜	조세재정	496
윤다영	인천청	272
윤다희	순천서	366
윤단비	남대문서	160
윤달영	부산청	423
윤대호	중부청	209
윤덕원	통영서	465
윤덕진	금감원	91
윤덕희	김해서	454
윤도란	중부청	215
윤동규	국세청	107
윤동규	홍천서	265
윤동규	논산서	320
윤동석	국세세관	480
윤동석	서울청	134
윤동수	국세청	114
윤동주	관세청	470
윤동진	금감원	85
윤동춘	성현회계	13
윤동현	성북서	183
윤동형	기재부	64
윤동환	중부청	206
윤동훈	강서서	153
윤만성	잠실서	197
윤만식	국세상담	120
윤만식	강남서	149
윤명길	서울청	126
윤명로	이천서	245
윤명준	서울청	146
윤명현	북대전서	315
윤명호	관악서	155
윤명희	대전청	307
윤문구	이안세무	41
윤문수	영동서	339
윤문원	대전청	307
윤미경	국세청	117
윤미경	강서서	153
윤미경	경기광주	235
윤미경	서인천서	276
윤미나	종로서	199
윤미라	서인천서	276
윤미성	강남서	148
윤미숙	성북서	183
윤미순	지방재정	491
윤미영	서대문서	177
윤미영	동수원서	222
윤미옥	광산서	354
윤미은	구미서	407
윤미자	서울청	135
윤미정	성남서	229
윤미현	통영서	465
윤미희	삼성서	174
윤민경	성남서	228
윤민경	강릉서	253
윤민수	종로서	199
윤민숙	광산서	354
윤민아	서울청	126
윤민오	서초서	179
윤민정	은평서	195
윤민지	국세청	103
윤민희	해운대서	449
윤범심	기재부	72
윤범일	서울청	130
윤병준	광주청	348
윤병진	파주서	300
윤병현	성남서	228
윤보람	분당서	227
윤보배	동청주서	337
윤보영	역삼서	189
윤봉원	마산서	457
윤봉한	동래서	439
윤상건	서대문서	176
윤상동	아산서	328
윤상동	해운대서	447
윤상락	원주서	260
윤상목	화성서	251
윤상병	국세청	109
윤상섭	국세청	100
윤상아	수성서	400
윤상옥	역삼서	189
윤상욱	서울청	127
윤상준	논산서	320
윤상탁	예산서	331
윤상필	동래서	438
윤상호	대전서	313
윤상환	경주서	405
윤새롬	동고양서	288
윤샛별	안양서	240
윤서영	성북서	183
윤서울	구로서	156
윤서진	역삼서	188
윤석규	기재부	73
윤석길	북광주서	359
윤석미	수영서	443
윤석배	동수원서	223
윤석욱	중부청	208
윤석신	북전주서	376
윤석중	해운대서	447
윤석중	대전청	307
윤석천	남대구서	393
윤석태	국세상담	121
윤석환	조세심판	493
윤선기	동대문서	166
윤선덕	서울세관	473
윤선덕	서울세관	473
윤선덕	서울세관	474
윤선민	송파서	184
윤선수	춘천서	262
윤선영	삼성서	142
윤선영	파주서	301
윤선용	동작서	168
윤선익	서초서	179
윤선중	딜로이트	16
윤선태	울산서	451
윤선화	강남서	149
윤선호	서대문서	177
윤선희	포천서	303
윤설진	서울청	147
윤성경	기재부	66
윤성귀	고양서	283
윤성규	예산서	330
윤성두	북광주서	359
윤성민	국세청	104
윤성민	노원서	162
윤성식	안산서	237
윤성아	안산서	402
윤성양	광명서	284
윤성열	역삼서	189
윤성욱	경산서	403
윤성조	김해서	455
윤성진	강서서	152
윤성준	정읍서	382
윤성중	서울청	143
윤성태	인천청	273

이름	소속	쪽
윤성혜	진주서	460
윤성호	국세청	111
윤성옥	조세재정	496
윤성환	수영서	445
윤성훈	중랑서	200
윤성훈	양산서	458
윤세영	금감원	84
윤세진	종로서	198
윤소영	기재부	64
윤소영	국세청	103
윤소영	강남서	149
윤소영	조세재정	494
윤소월	서울청	127
윤소윤	강남서	148
윤소윤	용산서	193
윤소현	시흥서	233
윤소희	서울청	131
윤송희	동안산서	238
윤수빈	노원서	163
윤수연	북광주서	359
윤수열	양천서	186
윤수정	고시회	32
윤수향	성북서	183
윤수현	기재부	64
윤수환	대전청	309
윤수훈	영등포서	190
윤숙영	서산서	324
윤숙희	기재부	61
윤순녀	동대문서	166
윤순상	서울청	142
윤순영	대전청	308
윤순옥	은평서	194
윤슬기	서울청	128
윤승갑	논산서	321
윤승미	국세청	114
윤승철	광주청	352
윤승출	대전청	309
윤승출	대전청	310
윤승희	조세심판	493
윤신애	잠실서	197
윤아름	수원서	230
윤애림	인천청	268
윤애진	기재부	61
윤양호	연수서	297
윤여관	광주청	349
윤여룡	세종서	326
윤여준	동고양서	288
윤여진	서울청	144
윤여진	조세재정	496
윤여찬	광주서	360
윤연갑	통영서	464
윤연심	아산서	328
윤연원	조세심판	492
윤연자	광주서	356
윤연주	성남서	228
윤영광	중부청	213
윤영규	동작서	168
윤영근	부산청	427
윤영길	서울청	137
윤영랑	중랑서	201
윤영민	중랑서	200
윤영배	서울세관	473
윤영배	서울세관	473
윤영배	서울세관	475
윤영상	중부청	213
윤영석	광주청	347
윤영석	광주청	348
윤영선	법무광장	46
윤영섭	김포서	287
윤영섭	연수서	296
윤영수	기재부	74
윤영수	통영서	465
윤영숙	도봉서	164
윤영순	서울청	129
윤영순	송파서	185
윤영순	시흥서	232
윤영식	성북서	183
윤영우	국세청	114
윤영우	화성서	251
윤영운	시흥서	232
윤영원	남원서	374
윤영일	평택서	246
윤영자	울산서	450
윤영재	천안서	332
윤영준	기재부	71
윤영준	금감원	90
윤영진	대전서	313
윤영진	경기광주	234
윤영진	부산청	426
윤영진	부산세관	483
윤영택	동안양서	224
윤영현	천안서	333
윤영호	도봉서	165
윤영훈	삼성서	175
윤영훈	조세재정	496
윤옥진	북대전서	314
윤용구	서대문서	176
윤용준	삼정회계	23
윤용호	중부청	214
윤용환	북대전서	315
윤용희	국세청	116
윤우찬	서초서	178
윤웅희	구미서	407
윤원정	북대구서	396
윤위상	중기회	97
윤유라	김포서	287
윤유선	순천서	367
윤윤숙	안산서	236
윤윤식	국세교육	123
윤윤오	경산서	403
윤은미	송파서	184
윤은미	동화성서	249
윤은미	광주서	352
윤은미	김해서	454
윤은숙	노원서	163
윤은지	국세청	100
윤은지	서초서	179
윤은택	대전청	307
윤인경	중부청	208
윤인대	기재부	67
윤인자	금감원	83
윤인철	부산세관	482
윤일식	북대구서	397
윤일주	화성서	250
윤자영	서울청	193
윤장영	서울청	130
윤장원	마포서	170
윤장현	중부청	212
윤재갑	수원서	222
윤재길	이천서	244
윤재두	잠실서	197
윤재련	대전청	309
윤재복	마산서	456
윤재연	대구청	386
윤재웅	중부청	211
윤재원	남동서	274
윤재원	인천청	268
윤재현	파주서	300
윤재현	잠실서	197
윤점희	서인천서	277
윤정미	강서서	152
윤정미	창원서	462
윤정민	기재부	72
윤정민	용산서	192
윤정민	잠실서	197
윤정선	동청주서	337
윤정숙	마포서	170
윤정식	금감원	87
윤정식	기재부	76
윤정아	김해서	454
윤정욱	인천서	279
윤정원	부산서	429
윤정은	영등포서	190
윤정익	광주청	351
윤정인	기재부	61
윤정임	이천서	245
윤정재	잠실서	196
윤정주	기재부	64
윤정필	여수서	368
윤정현	송파서	184
윤정현	고양서	283
윤정현	광주서	360
윤정화	금천서	159
윤정환	경기광주	235
윤정훈	김해서	455
윤정희	동수원서	222
윤제현	해운대서	446
윤조아	광주서	356
윤종건	서울청	126
윤종근	동안양서	224
윤종상	종로서	199
윤종식	울산서	451
윤종율	중부청	213
윤종현	서울청	141
윤종현	경기광주	235
윤종현	구미서	407
윤종호	여수서	368
윤종훈	경산서	403
윤주련	울산서	450
윤주민	울산서	450
윤주영	구로서	156
윤주영	은평서	194
윤주영	기흥서	218
윤주영	인천서	279
윤주호	국세청	116
윤주휘	화성서	250
윤주희	기흥서	218
윤준식	서울청	129
윤준영	북광주서	359
윤준영	분당서	226
윤준필	더택스	36
윤준호	중부청	207
윤준호	안산서	237
윤준호	동안양서	224
윤중해	진주서	461
윤중호	남대구서	392
윤지미	성북서	182
윤지수	동작서	169
윤지수	의정부서	299
윤지수	영덕서	415
윤지연	수성서	401
윤지연	부산청	429
윤지연	국세청	108
윤지영	강남서	148
윤지영	동안양서	224
윤지영	동래서	434
윤지영	통영서	465
윤지영	고시회	32
윤지예	용인서	243
윤지원	기재부	65
윤지원	금천서	159
윤지원	송파서	184
윤지윤	은평서	194
윤지은	안산서	237
윤지현	서초서	179
윤지현	잠실서	197
윤지현	서인천서	276
윤지현	부평서	295
윤지현	포천서	302
윤지현	정읍서	383
윤지현	국세청	104
윤지혜	금감원	89
윤지혜	강동서	151
윤지혜	성동서	181
윤지환	국세청	117
윤지희	인천서	278
윤지희	공주서	318
윤진고	중랑서	200
윤진규	법무세종	48
윤진명	마산서	457
윤진아	지방재정	491
윤진우	삼성서	174
윤진일	중부청	209
윤진모	금감원	82
윤진희	강서서	152
윤차용	성동서	180
윤찬균	평택서	246
윤찬섭	지방재정	490
윤창식	시흥서	232
윤창용	종로서	199
윤창인	국세청	104
윤창중	동래서	432
윤채린	광산서	355
윤철	상공회의	96
윤철민	잠실서	196
윤철수	한국관세	42
윤철원	홍성서	334
윤청연	용산서	193
윤청운	서울세관	474
윤총명	구로서	157
윤춘미	논산서	321
윤태경	분당서	227
윤태경	대전청	307
윤태식	관세청	469
윤태식	관세청	470
윤태영	남대구서	392
윤태영	창원서	462
윤태영	예일회계	26
윤태욱	서대전서	316
윤태우	울산서	451
윤태인	김포서	287
윤태표	삼성서	137
윤태현	국세청	103
윤태호	기재부	76
윤태호	마포서	170
윤태희	상주서	410
윤판호	남대구서	393
윤하영	서초서	286
윤하정	삼척서	254
윤학섭	삼정회계	22
윤한희	수원서	231
윤한슬	북광주서	359
윤한철	춘천서	263
윤한표	나주서	362
윤한필	창원서	462
윤해욱	부산세관	483
윤해진	해남서	370
윤혁진	안동서	413
윤현경	구로서	157
윤현경	동화성서	248
윤현경	동고양서	288
윤현곤	기재부	67
윤현구	국세청	104
윤현규	기재부	76
윤현미	금천서	158
윤현미	잠실서	196
윤현식	신한관세	43
윤현숙	서울청	127
윤현숙	동청주서	336
윤현식	국세청	114
윤현식	해운대서	447
윤현아	수영서	444
윤현웅	목포서	365
윤현정	고양서	283
윤현주	구로서	157
윤현찬	예일회계	26
윤현화	창원서	462
윤형길	광주청	350
윤형석	서울청	132
윤형식	김포서	286
윤형준	금감원	90
윤혜경	울산서	450
윤혜경	분당서	203
윤혜미	인천서	279
윤혜민	국세청	110
윤혜수	은평서	194
윤혜숙	구로서	157
윤혜순	조세재정	495
윤혜영	서초서	286
윤혜원	경기광주	235
윤혜정	구리서	217
윤혜정	울산서	450
윤혜진	중부청	208
윤호연	중부청	209
윤호영	동래서	435
윤호현	수성서	401
윤홍규	부산청	425
윤홍기	기재부	65
윤홍덕	대전청	307
윤홍분	삼성서	174
윤효준	분당서	226
윤훈주	평택서	382
윤희겸	광주청	348
윤희경	성남서	229
윤희경	평택서	246
윤희경	광주청	349
윤희관	남대문서	160
윤희미	남양주서	220
윤희문	지방재정	491
윤희민	대전청	310
윤희범	경주서	404
윤희상	이천서	244
윤희선	동고양서	289
윤희수	광명서	285
윤희연	감사원	56
윤희영	중부서	202
윤희원	역삼서	188
윤희정	송파서	184
윤희진	남대구서	393
윤희철	서산서	325
윤희철	동화성서	249
은경례	대구청	390
은경남	동래서	439
은성도	동안양서	224
은종온	경주서	404
은지현	잠실서	196
은진용	역삼서	188
은하얀	강남서	148
은희도	순천서	367
은희훈	조세심판	493
음지영	북광주서	359
음홍식	역삼서	188
이가연	서초서	179
이가연	대전청	308
이가영	동래서	434
이가원	종로서	199
이가원	경기광주	235
이가희	대전청	308
이가희	대전청	311
이갑수	부산세관	482
이강경	송파서	185
이강구	서초서	178
이강무	동화성서	249
이강민	상공회의	95
이강산	강남서	148
이강석	기흥서	218
이강석	기흥서	219
이강석	남대구서	392
이강식	부산청	430
이강신	조세재정	496
이강연	서울청	129
이강연	조세재정	495
이강영	광주청	349
이강우	김해서	454
이강욱	국세청	106
이강원	충주서	344
이강윤	금천서	159
이강일	서울청	127
이강일	고양서	282
이강혁	파주서	300
이강현	국세청	104
이강현	동래서	432
이강훈	구미서	406
이강희	경기광주	235
이건기	역삼서	188
이건도	서울청	142
이건빈	부천서	292
이건석	분당서	227
이건술	은평서	195
이건옥	포항서	418
이건우	청주서	343
이건위	기재부	62
이건일	서초서	178
이건일	원주서	260
이건주	광주청	348
이건준	제주서	467
이건필	금감원	86
이건호	성북서	183
이건호	광산서	354
이건호	법무광장	46
이건홍	논산서	321
이경구	진주서	460
이경권	동고양서	289
이경근	이안세무	41
이경노	아산서	328
이경란	성남서	228
이경록	인천서	279
이경모	연수서	297
이경미	동작서	169
이경미	마산서	457
이경민	관악서	155
이경민	성동서	180
이경민	수원서	230
이경민	대구청	388
이경민	김해서	454
이경분	서울청	129
이경빈	고양서	282
이경상	제주서	466
이경석	강동서	150
이경석	인천청	271
이경선	서울청	136
이경선	광명서	285
이경선	북대전서	315

이름	서	번호
이경선	익산서	378
이경섭	전주서	381
이경수	강동서	150
이경수	반포서	172
이경수	중부청	208
이경수	부천서	293
이경숙	기재부	60
이경숙	국세청	112
이경숙	구로서	157
이경숙	중부청	209
이경숙	북대전서	314
이경숙	북대전서	315
이경숙	천안서	333
이경숙	대구청	387
이경숙	구미서	407
이경순	대전청	311
이경순	동청주서	337
이경순	북대구서	396
이경순	해운대서	448
이경식	금감원	81
이경식	금감원	87
이경식	분당서	227
이경심	중부청	214
이경아	기재부	74
이경아	서울청	135
이경아	예산서	331
이경아	대구청	391
이경애	동대문서	166
이경애	용산서	192
이경열	중부청	208
이경열	대전청	305
이경열	대전청	306
이경영	조세재정	496
이경옥	마포서	170
이경옥	동대구서	395
이경옥	서대구서	399
이경욱	대전청	307
이경원	충주서	344
이경은	역삼서	189
이경이	기흥서	219
이경임	잠실서	196
이경자	삼성서	174
이경자	원주서	260
이경자	대전서	313
이경주	양천서	186
이경준	수성서	400
이경진	군산서	373
이경진	수영서	445
이경철	영덕서	415
이경철	성현회계	13
이경표	남대문서	160
이경하	영등포서	190
이경하	지방재정	491
이경한	수원서	230
이경향	수성서	400
이경헌	마포서	171
이경현	역삼서	189
이경현	속초서	257
이경혜	인천서	279
이경호	성동서	181
이경호	동청주서	336
이경화	기재부	69
이경화	남원서	375
이경환	국세청	112
이경환	안산서	236
이경환	광산서	355
이경훈	동래서	435
이경희	기재부	73
이경희	서울청	129
이경희	금천서	158
이경희	평택서	246
이경희	나주서	362
이경희	남대구서	392
이경희	동래서	436
이경희	마산서	456
이경희	미래회계	17
이계봉	제주서	466
이계숙	안산서	236
이계승	도봉서	164
이계승	은평서	194
이계호	서울청	139
이계홍	아산서	329
이계훈	수영서	445
이고운	송파서	185
이고운	동수원서	222
이고훈	서초서	179
이공후	천안서	332
이관노	국세청	107
이관범	삼정회계	22
이관석	지방재정	491
이관수	감사원	57
이관수	보령서	322
이관수	보령서	323
이관순	세종서	326
이관열	구리서	216
이관재	인천서	278
이관호	서현이현	7
이관희	동안양서	225
이광	부평서	294
이광무	북대구서	396
이광민	동대구서	394
이광선	북전주서	377
이광섭	국세청	100
이광섭	금정서	431
이광성	삼성서	175
이광수	기재부	69
이광수	삼성서	175
이광순	남대문서	160
이광식	남부천서	291
이광연	서울청	133
이광영	익산서	379
이광영	지방재정	490
이광오	상주서	410
이광영	김포서	286
이광용	영덕서	415
이광우	관세청	470
이광은	용산서	192
이광의	국세청	110
이광일	지방재정	490
이광자	대전청	306
이광재	관악서	155
이광재	경주서	404
이광정	영덕서	415
이광준	대현회계	15
이광렬	화성서	251
이광태	기재부	63
이광호	충주서	344
이광환	인천청	271
이광환	기재부	61
이광희	이천서	244
이광희	고양서	283
이광희	남대구서	392
이구현	동래서	439
이국근	서울청	137
이국회	기재부	66
이권명	익산서	379
이권승	서울청	132
이권식	서울청	136
이권형	서울청	130
이권호	국세교육	122
이권홍	금감원	84
이권호	고양서	282
이귀병	송파서	184
이귀영	종로서	198
이규림	서산서	324
이규본	관세청	471
이규석	남대문서	161
이규석	연수서	296
이규석	의정부서	299
이규선	평택서	246
이규섭	세무하나	39
이규성	상공회의	96
이규성	통영서	464
이규수	국세교육	122
이규열	인천청	269
이규영	통영서	464
이규완	시흥서	232
이규완	서대전서	317
이규원	역삼서	188
이규은	성동서	180
이규의	인천청	272
이규종	인천청	268
이규진	국세청	115
이규철	마포서	170
이규태	동작서	169
이규태	서대구서	399
이규혁	관악서	155
이규형	마포서	170
이규형	성동서	181
이규형	부산청	428
이규호	남부천서	291
이규호	경주서	404
이규호	거창서	453
이규호	김앤장	45
이규환	국세청	116
이규활	포항서	418
이근수	논산서	321
이근아	반포서	172
이근아	동대구서	395
이근엽	성현회계	13
이근영	서울세관	474
이근우	서울청	128
이근우	진주서	460
이근우	삼정회계	22
이근송	서울청	142
이근원	청주서	343
이근호	인천청	273
이근호	포천서	303
이근호	경주서	405
이근환	동래서	436
이근후	관세청	470
이근희	고양서	283
이금대	양산서	458
이금동	이천서	245
이금란	관세청	154
이금미	도봉서	164
이금석	기재부	63
이금숙	용산서	192
이금순	북대구서	397
이금연	속초서	257
이금옥	마포서	171
이금조	삼성서	174
이금희	김포서	287
이기각	국세청	103
이기덕	국세청	115
이기돈	국세청	101
이기동	대구청	390
이기동	안동서	413
이기련	인천청	270
이기민	종로서	69
이기병	인천청	269
이기복	삼일회계	21
이기복	삼일회계	21
이기섭	구리서	217
이기수	인천청	270
이기수	대전서	312
이기수	EY한영	14
이기숙	서울청	146
이기순	종로서	199
이기순	보령서	322
이기순	목포서	365
이기언	용인서	242
이기입	대전청	308
이기연	남대구서	392
이기영	기재부	64
이기영	구로서	157
이기영	창원서	462
이기영	지방재정	491
이기용	해운대서	448
이기원	군산서	372
이기원	군산서	373
이기원	서현이현	7
이기정	파주서	301
이기정	해운대서	448
이기주	국세청	105
이기주	마포서	134
이기중	중기회	97
이기철	파주서	301
이기천	종로서	198
이기혁	중부청	207
이기현	구로서	157
이기현	경기광주	235
이기현	서현이현	7
이기활	충주서	345
이기훈	종로서	356
이기훈	안동서	412
이길녀	안산서	236
이길석	경주서	404
이길성	금감원	86
이길용	안산서	236
이길재	양산서	458
이길채	노원서	162
이길형	해운대서	446
이길호	경기광주	235
이나경	은평서	194
이나경	경주서	404
이나래	송파서	185
이나래	기흥서	218
이나래	EY한영	14
이나미	예산서	331
이나연	기재부	68
이나연	수원서	231
이나영	영등포서	190
이나영	북대구서	397
이나영	부산청	425
이나원	기재부	63
이나현	동대구서	394
이나현	조세재정	494
이나홈	동안양서	224
이낙영	안산서	237
이난영	송파서	185
이난영	잠실서	196
이난희	서울청	139
이난희	파주서	300
이남경	서울청	129
이남경	화성서	250
이남곤	중부청	213
이남구	감사원	55
이남기	영등포서	191
이남길	동안양서	224
이남범	마산서	456
이남주	부천서	292
이남주	조세재정	495
이남주	법무세종	48
이남진	중부청	206
이남형	금천서	159
이남호	삼척서	254
이남호	부산청	426
이남희	기재부	74
이남희	목포서	364
이내길	영주서	416
이노을	안산서	236
이녹영	삼정회계	18
이다경	영등포서	191
이다경	종로서	198
이다민	광명서	284
이다빈	예산서	331
이다솜	분당서	226
이다솜	해운대서	448
이다연	예산서	331
이다영	국세청	115
이다영	양천서	187
이다영	인천청	269
이다영	광주서	356
이다영	조세재정	494
이다예	마포서	170
이다예	나주서	363
이다운	안산서	236
이다운	용인서	243
이다원	서대전서	317
이다은	기흥서	218
이다은	포천서	302
이다인	양산서	459
이다일	지방재정	491
이다현	군산서	372
이다혜	용산서	193
이다혜	인천청	273
이다혜	포천서	302
이다혜	남원서	374
이다훈	구로서	156
이단비	충주서	345
이대건	서울청	131
이대구	제주서	466
이대권	기재부	72
이대균	진주서	461
이대근	반포서	173
이대근	서대문서	177
이대식	서울청	144
이대연	아산서	328
이대웅	남양주서	220
이대일	광명서	285
이대정	성동서	180
이대헌	북대구서	396
이대현	창원서	462
이대호	동대구서	394
이대훈	수원서	230
이대훈	경기광주	234
이대희	기재부	68
이대희	용인서	243
이대희	서대전서	316
이대희	안동서	413
이덕원	남대구서	393
이덕재	EY한영	14
이덕종	삼척서	254
이덕주	대전청	308
이덕형	공주서	318
이덕화	서울청	147
이도경	서울청	147
이도경	잠실서	196
이도경	의정부서	298
이도경	대구청	388
이도경	부산청	429
이도연	해운대서	447
이도영	동화성서	248
이도영	동대구서	394
이도원	지방재정	491
이도윤	중기회	97
이도헌	국세상담	120
이도헌	수원서	222
이도현	기흥서	218
이도현	동대구서	394
이도현	서대구서	398
이도현	영덕서	415
이도형	계양서	281
이도희	기재부	61
이도희	동고양서	289
이돈변	인천세관	480
이돌신	북대전서	314
이동건	노원서	163
이동건	지방재정	490
이동경	종로서	198
이동곤	중랑서	201
이동곤	대구청	388
이동관	용인서	242
이동광	연수서	297
이동구	남양주서	221
이동구	대전청	306
이동규	감사원	57
이동규	금감원	87
이동규	국세상담	120
이동규	노원서	163
이동규	충주서	344
이동규	북전주서	376
이동규	동대구서	392
이동규	부산청	427
이동규	마산서	457
이동근	대구청	387
이동근	파주서	300
이동근	서대전서	317
이동기	대전청	311
이동남	강남서	148
이동락	남동서	275
이동명	동대구서	395
이동목	동래서	435
이동민	북대구서	397
이동민	서대구서	398
이동민	동래서	432
이동백	서울청	128
이동범	영덕서	414
이동복	삼일회계	20
이동석	기재부	66
이동석	남동서	275
이동선	이안세무	41
이동섭	충주서	345
이동수	기재부	73
이동수	성동서	181
이동수	안산서	237
이동수	광주세관	488
이동열	영등포서	190
이동열	삼일회계	20
이동엽	금융위	80
이동엽	동화성서	249
이동엽	광산서	354
이동영	금감원	88
이동영	전주서	380
이동우	종로서	199
이동우	경주서	405
이동우	안동서	412
이동욱	금융위	79
이동욱	국세청	110
이동욱	충주서	345
이동욱	포항서	418
이동욱	포항서	419
이동욱	부산청	423
이동운	서울청	142

이름	소속	번호	이름	소속	번호	이름	소속	번호	이름	소속	번호	이름	소속	번호	이름	소속	번호
이동운	서울청	143	이명선	서초서	178	이미애	안동서	412	이민철	중부청	213	이보라	진주서	460	이상걸	국세청	114
이동운	서울청	144	이명섭	종로서	198	이미애	동래서	436	이민철	인천서	278	이보람	정읍서	382	이상경	북대구서	397
이동운	성현회계	13	이명수	금천서	158	이미연	동안양서	225	이민표	예산서	330	이보람	지방재정	491	이상곤	계양서	280
이동윤	창원서	463	이명수	경기광주	234	이미연	안산서	236	이민해	구미서	406	이보배	기재부	77	이상곤	김해서	454
이동은	분당서	227	이명수	남대구서	392	이미연	동래서	432	이민호	기재부	63	이보배	강동서	150	이상국	중부청	207
이동인	지방재정	490	이명순	금융위	78	이미영	서울청	138	이민호	금감원	86	이보배	도봉서	165	이상규	기재부	71
이동일	국세청	105	이명식	세무하나	39	이미영	노원서	162	이민호	홍성서	334	이보배	해남서	370	이상규	수원서	230
이동일	은평서	195	이명용	동래서	440	이미영	송파서	185	이민호	익산서	379	이보배	예일세무	40	이상규	구미서	406
이동주	송파서	185	이명욱	강서서	153	이미영	인천청	273	이민후	인천청	293	이보영	기재부	68	이상근	해운대서	447
이동주	목포서	364	이명욱	성남서	228	이미영	대전청	307	이민희	삼성서	175	이보영	전주서	380	이상근	동청주서	336
이동준	청주서	342	이명원	반포서	173	이미영	서대구서	399	이민희	중부청	212	이보영	영덕서	415	이상기	성동서	181
이동준	남대구서	392	이명원	세무하나	39	이미영	동래서	439	이민희	시흥서	232	이보은	부산청	427	이상기	법무광장	46
이동준	부산청	424	이명인	조세재정	496	이미임	영등포서	191	이민희	광명서	284	이보인	기재부	70	이상길	서울청	144
이동진	서울청	147	이명재	삼성서	175	이미자	기재부	64	이민희	여수서	369	이보화	조세재정	495	이상길	광명서	285
이동진	정읍서	383	이명주	광명서	285	이미자	나주서	363	이민희	울산서	451	이복남	남양주서	220	이상길	삼정회계	22
이동진	거창서	452	이명주	대구청	388	이미자	안동서	412	이민희	조세심판	493	이복원	기재부	74	이상길	삼정회계	23
이동찬	동고양서	288	이명준	북전주서	377	이미정	마포서	170	이방우	금감원	82	이복자	서울청	129	이상덕	서울청	139
이동찬	대구청	390	이명준	기재부	64	이미정	서초서	178	이방원	서울청	144	이복재	부산청	424	이상덕	이천서	244
이동찬	대구청	391	이명진	기재부	71	이미정	종로서	199	이배상	해운대서	447	이복현	금감원	81	이상덕	금정서	431
이동철	동래서	434	이명진	용산서	193	이미정	분당서	226	이배인	서울청	132	이복현	금감원	82	이상나	동래서	434
이동춘	금감원	89	이명하	수원서	231	이미정	보령서	323	이백용	삼성서	354	이복희	중부청	208	이상도	삼일회계	20
이동출	서울청	134	이명하	청주서	343	이미정	제천서	340	이백준	경주서	404	이봉근	국세청	117	이상락	북전주서	377
이동하	서대구서	398	이명한	영동서	338	이미주	서대전서	316	이범규	노원서	163	이봉기	동래서	432	이상락	김포서	287
이동하	지방재정	490	이명해	보령서	322	이미주	부산서	425	이범락	상주서	410	이봉남	마포서	170	이상락	구미서	406
이동한	서울청	127	이명행	포천서	302	이미지	동화성서	249	이범석	서울청	134	이봉림	동안양서	224	이상록	지방재정	491
이동혁	부산청	422	이명호	동래서	440	이미진	서초서	179	이범수	동화성서	249	이봉숙	도봉서	164	이상린	성현회계	13
이동혁	조세심판	493	이명훈	인천서	279	이미진	용산서	192	이범수	지방재정	491	이봉숙	중부청	215	이상명	동래서	432
이동현	서울청	100	이명희	서울청	137	이미진	동안양서	224	이범안	역삼서	188	이봉열	서울청	139	이상목	잠실서	197
이동현	역삼서	188	이명희	서울청	146	이미진	인천청	271	이범재	한국관세	42	이봉철	마산서	456	이상무	국세교육	122
이동현	남양주서	220	이명희	구로서	157	이미진	남동서	275	이범주	중부청	211	이봉현	대전서	313	이상무	삼정회계	22
이동현	광주청	350	이명희	역삼서	188	이미진	예산서	330	이범주	안산서	236	이봉형	경기광주	234	이상무	삼정회계	23
이동현	관세청	470	이명희	포천서	302	이미향	동래서	432	이범준	서울청	141	이봉화	창원서	462	이상묵	서울청	127
이동형	동래서	433	이명희	북대구서	397	이미현	감사원	55	이범철	대구청	391	이봉희	강동서	150	이상묵	부산청	427
이동형	동래서	433	이모성	예산서	330	이미현	송파서	168	이범한	기재부	75	이부경	창원서	462	이상묵	김앤장	45
이동호	중부청	214	이묘금	해운대서	446	이미현	동수원서	222	이법진	서울청	132	이부창	동작서	168	이상문	동작서	169
이동호	북대구서	396	이묘진	삼성서	175	이미현	보령서	322	이병곤	서대문서	176	이부형	제주서	466	이상미	동대문서	166
이동화	인천세관	480	이묘환	양천서	187	이미현	조세재정	494	이병국	마산서	456	이빛나	분당서	226	이상미	역삼서	189
이동환	서대전서	316	이무열	금감원	91	이미혜	기재부	66	이병권	홍성서	334	이사영	전주서	380	이상미	중부서	203
이동환	동래서	432	이무황	아산서	328	이미화	중랑서	201	이병규	춘천서	263	이삼기	동안양서	225	이상미	고양서	282
이동훈	기재부	70	이무황	국세청	104	이미희	경기광주	234	이병기	삼덕회계	18	이삼만	감사원	57	이상미	마산서	457
이동훈	기재부	73	이문석	제천서	340	이미희	북대전서	314	이병길	성동서	181	이삼섭	동안양서	225	이상민	기재부	70
이동훈	금감원	84	이문수	동대문서	166	이미희	진주서	460	이병노	인천청	271	이상건	경주서	404	이상민	기재부	75
이동훈	노원서	162	이문영	의정부서	298	이민경	서울청	127	이병노	김포서	286						
이동훈	중부청	212	이문원	국세청	113	이민경	은평서	194	이병도	양천서	186						
이동훈	인천청	273	이문원	중부청	208	이민경	아산서	328	이병두	구로서	156						
이동훈	김포서	287	이문태	대구청	386	이민규	금감원	83	이병만	구로서	156						
이동훈	광산서	354	이문한	안동서	412	이민규	안산서	203	이병만	김천서	158						
이동훈	부산청	427	이문형	춘천서	262	이민규	시흥서	233	이병수	반포서	173						
이동훈	거창서	452	이문호	동래서	435	이민규	김포서	287	이병숙	진주서	460						
이동훈	김해서	455	이문환	은평서	195	이민규	천안서	333	이병영	수성서	401						
이동훈	부산세관	483	이문희	용인서	242	이민근	서울세관	473	이병옥	보령서	322						
이동훈	지방재정	491	이문희	용인서	243	이민근	서울세관	473	이병옥	안양서	240						
이동훈	세무하나	39	이미경	서울청	129	이민근	서울세관	474	이병용	남부천서	291						
이동휘	기재부	64	이미경	서울청	131	이민선	중부청	208	이병용	청주서	343						
이동희	서울청	137	이미경	동작서	169	이민수	중부청	208	이병용	부산세관	483						
이동희	서울청	142	이미경	성동서	181	이민수	금정서	430	이병욱	구미서	406						
이동희	수성서	400	이미경	인천서	270	이민순	서초서	178	이병욱	구미서	406						
이동희	포항서	419	이미경	계양서	280	이민아	고양서	283	이병인	계양서	281						
이동희	진주서	461	이미경	천안서	333	이민아	지방재정	491	이병재	인산서	373						
이두원	국세청	114	이미경	금정서	430	이민영	관악서	155	이병주	국세청	102						
이두원	국세교육	123	이미경	수영서	443	이민영	군산서	372	이병주	서울청	133						
이두호	동안산서	238	이미나	수원서	230	이민영	동래서	432	이병주	강남서	148						
이두호	북전주서	376	이미남	남대구서	392	이민옥	삼성서	175	이병주	중랑서	201						
이득규	파주서	300	이미녀	노원서	162	이민우	경기광주	234	이병주	수성서	400						
이득수	부산세관	482	이미라	서울청	135	이민우	남대구서	392	이병준	금천서	158						
이란희	동화성서	248	이미라	관악서	155	이민우	부산청	429	이병준	마산서	456						
이래경	서울청	141	이미란	고양서	282	이민우	마산서	456	이병준	용인서	243						
이래하	국세상담	121	이미령	잠실서	197	이민욱	성북서	183	이병주	송파서	185						
이령조	시흥서	233	이미림	구리서	216	이민재	성현회계	13	이병희	경주서	404						
이로아	광주서	356	이미선	반포서	172	이민정	기재부	72	이병철	북대전서	315						
이루리	고양서	283	이미선	영등포서	191	이민정	남대문서	160	이병철	마산서	457						
이류가	서울청	126	이미선	시흥서	233	이민정	영등포서	190	이병탁	대구청	387						
이륜경	서초서	179	이미선	서대전서	316	이민정	남동서	275	이병택	부산청	425						
이만구	기재부	66	이미선	전주서	380	이민정	동고양서	289	이병하	법무광장	47						
이만식	동안산서	248	이미선	서대구서	399	이민정	동래서	439	이병현	서울청	138						
이만호	국세청	112	이미선	통영서	465	이민주	영월서	259	이병호	관세청	470						
이명건	국세청	116	이미소	도봉서	165	이민주	동래서	433	이병훈	거창서	453						
이명구	은평서	195	이미숙	기재부	65	이민지	서울청	133	이병희	동안양서	225						
이명구	조세심판	493	이미숙	국세청	116	이민지	부평서	295	이병희	경주서	404						
이명규	금감원	83	이미숙	삼성서	175	이민지	연수서	296	이보라	국세청	117						
이명기	반포서	173	이미숙	잠실서	196	이민지	파주서	301	이보라	서울청	141						
이명례	국세상담	121	이미숙	대구청	388	이민지	동청주서	336	이보라	용인서	173						
이명문	영등포서	191	이미숙	수영서	442	이민지	서대구서	398	이보라	용인서	242						
이명석	북대전서	314	이미애	서울청	146	이민철	잠실서	196	이보라	김포서	286						
이명선	기재부	68	이미애	인천청	273				이보라	영동서	339						
									이보라	북대구서	397						

이름	소속	번호	이름	소속	번호	이름	소속	번호	이름	소속	번호	이름	소속	번호
이상민	금감원	87	이상헌	김해서	455	이선미	반포서	173	이성애	용산서	193	이세주	관악서	154
이상민	국세청	116	이상혁	감사원	57	이선미	부평서	295	이성엽	서인천서	276	이세진	서울청	138
이상민	동작서	168	이상혁	진주서	460	이선미	천안서	332	이성엽	포항서	419	이세진	성북서	183
이상민	중랑서	200	이상현	강동서	151	이선미	경산서	402	이성영	서산서	325	이세진	은평서	194
이상민	중부청	208	이상현	용인서	243	이선민	강서서	153	이성옥	강동서	151	이세풍	기재부	77
이상민	남양주서	221	이상현	춘천서	263	이선민	잠실서	197	이성용	광주서	357	이세풍	서울청	126
이상민	인천청	271	이상현	연수서	296	이선민	광주청	351	이성우	상공회의	96	이세협	중부청	207
이상민	상주서	411	이상현	부산청	424	이선아	강서서	152	이성우	상공회의	96	이세호	제천서	341
이상민	마산서	457	이상현	동래서	437	이선아	강서서	152	이성욱	금감원	83	이세호	동래서	432
이상배	중기회	97	이상현	마산서	457	이선아	동작서	169	이성욱	국세청	102	이세환	기재부	65
이상범	동안산서	238	이상협	기재부	66	이선아	서초서	179	이성욱	송파서	185	이세환	원주서	260
이상봉	대전청	308	이상협	구미서	406	이선아	서인천서	277	이성욱	삼정회계	23	이세훈	금융위	78
이상봉	충주서	344	이상호	서울청	127	이선아	인천서	278	이성욱	삼정회계	23	이세훈	김해서	454
이상분	북대구서	396	이상호	대구청	386	이선아	고양서	282	이성웅	김해서	454	이세희	예일세무	40
이상석	동청주서	336	이상호	창원서	462	이선애	북대구서	397	이성원	기재부	63	이소라	속초서	256
이상선	의정부서	298	이상호	통영서	464	이선영	강남서	148	이성원	기재부	65	이소면	인천세관	477
이상수	국세청	104	이상홍	기재부	67	이선영	동작서	169	이성원	고양서	283	이소면	인천세관	477
이상수	국세청	111	이상화	종로서	198	이선영	마포서	171	이성원	중부서	203	이소면	인천세관	478
이상수	인천청	268	이상훈	기재부	64	이선영	영등포서	190	이성은	북전주서	377	이소민	강동서	150
이상수	전주서	381	이상훈	서울청	135	이선영	잠실서	196	이성은	해운대서	448	이소애	부산청	422
이상수	서울세관	473	이상훈	강동서	150	이선영	대전청	307	이성인	의정부서	298	이소연	성남서	229
이상수	서울세관	473	이상훈	동작서	169	이선영	세종서	327	이성일	서울청	140	이소연	안산서	237
이상수	서울세관	475	이상훈	동안양서	224	이선영	대구청	386	이성재	서울청	138	이소연	연수서	296
이상수	예일세무	40	이상훈	홍천서	264	이선영	서대구서	398	이성재	중부청	211	이소연	서광주서	360
이상숙	강동서	150	이상훈	북대전서	314	이선영	세무하나	39	이성재	부산청	427	이소연	동대구서	394
이상순	익산서	379	이상훈	목포서	365	이선옥	중부청	212	이성재	부산청	429	이소영	기재부	61
이상신	상공회의	96	이상훈	남대구서	392	이선우	남대문서	161	이성재	딜로이트	16	이소영	서초서	179
이상아	기재부	72	이상훈	포항서	418	이선우	고양서	283	이성종	삼척서	254	이소영	중부청	213
이상아	금감원	84	이상훈	부산청	426	이선우	보령서	322	이성주	대전청	311	이소영	동안산서	238
이상언	서울청	140	이상훈	금정서	431	이선우	해운대서	449	이성준	서울청	132	이소영	남부천서	290
이상언	수영서	445	이상훈	동래서	439	이선우	양천서	187	이성준	역삼서	188	이소영	부평서	294
이상열	서대문서	177	이상훈	해운대서	447	이선육	상주서	410	이성준	공주서	319	이소영	대구청	386
이상영	중부청	213	이상희	경기광주	235	이선의	서울서	131	이성준	익산서	378	이소영	해운대서	446
이상영	경기광주	234	이상희	인천서	278	이선이	남대구서	393	이성준	동래서	438	이소영	해운대서	448
이상왕	계양서	281	이상희	대구청	386	이선자	금정서	430	이성진	금감원	87	이소원	국세청	104
이상요	서산서	324	이샘나	기재부	71	이선재	남대문서	160	이성진	남대문서	161	이소원	동화성서	248
이상용	경기광주	235	이서구	국세청	104	이선재	예일세무	40	이성진	역삼서	188	이소은	전주서	381
이상용	남부천서	290	이서연	용산서	193	이선정	서울청	129	이성진	기흥서	218	이소은	마산서	457
이상용	세종서	327	이서연	부천서	292	이선정	김천서	408	이성진	나주서	363	이소정	동대문서	167
이상우	평택서	247	이서영	강남서	148	이선주	국세상담	120	이성창	순천서	366	이소정	성동서	181
이상우	김앤장	45	이서영	송파서	184	이선주	구로서	157	이성창	김앤장	16	이소정	남동서	275
이상욱	서대문서	176	이서원	중랑서	201	이선주	종로서	199	이성태	삼정회계	22	이소정	광명서	285
이상욱	동안양서	225	이서원	광명서	285	이선주	예일세무	40	이성태	삼정회계	24	이소정	동래서	434
이상욱	홍성서	334	이서재	익산서	379	이선진	금감원	91	이성택	기재부	73	이소진	국세상담	120
이상욱	충주서	344	이서정	광산서	354	이선진	서울청	144	이성필	서울청	135	이소진	중부서	202
이상욱	대구청	388	이서진	북전주서	376	이선철	해운대서	447	이성한	기재부	73	이소현	동대문서	167
이상욱	해운대서	449	이서하	안양서	241	이선태	홍성서	334	이성한	영덕서	414	이소현	안동서	412
이상욱	관세청	470	이서행	노원서	163	이선하	서울청	135	이성현	성동서	180	이솔아	강서서	152
이상운	대전청	308	이서현	강동서	150	이선행	인천청	273	이성현	조세재정	494	이솔아	금천서	158
이상원	서울청	129	이서현	구로서	156	이선호	구미서	406	이성혜	도봉서	165	이솔지	수원서	230
이상원	대구청	391	이서형	양천서	186	이선호	금정서	431	이성혜	동작서	168	이송미	천안서	332
이상윤	기재부	69	이서호	고양서	282	이선화	보령서	322	이성호	금감원	92	이송연	서광주서	361
이상윤	경기광주	234	이서희	송파서	184	이선화	해운대서	449	이성호	국세청	104	이송이	인천서	245
이상윤	이천서	245	이석규	서초서	179	이선훈	세무하나	39	이성호	분당서	227	이송이	인천청	270
이상율	조세심판	492	이석규	딜로이트	16	이선희	남대구서	392	이성호	안양서	241	이송하	의정부서	298
이상은	안양서	241	이석기	서산서	324	이설아	의정부서	298	이성호	예산서	330	이송향	동작서	168
이상익	잠실서	197	이석동	양천서	187	이설가	아산서	328	이성호	천안서	332	이송훈	역삼서	189
이상일	화성서	250	이석란	금융위	80	이성경	강서서	152	이성호	여수서	368	이송희	춘천서	262
이상재	국세청	116	이석린	관세청	470	이성국	기재부	70	이성환	서울청	137	이송희	서광주서	361
이상재	아산서	328	이석봉	서울청	136	이성규	마포서	171	이성환	대구청	388	이수경	영등포서	191
이상조	도봉서	164	이석봉	역삼서	188	이성규	서울서	193	이성환	수성서	400	이수경	동고양서	288
이상조	김해서	454	이석영	역삼서	188	이성규	진주서	460	이성환	구미서	407	이수경	서대구서	398
이상준	상공회의	95	이석원	계양서	280	이성근	중랑서	200	이성규	진주서	460	이수경	수영서	442
이상준	국세청	105	이석원	대전서	312	이성근	광주서	351	이성훈	중부서	203	이수경	수영서	444
이상준	광주청	348	이석원	조세심판	493	이성글	종로서	108	이성훈	중부청	208	이수경	법무바른	1
이상준	광산서	355	이석임	이천서	245	이성기	영동서	339	이성훈	이천서	244	이수길	창원서	462
이상준	동래서	435	이석재	강동서	150	이성도	북대전서	314	이성훈	남부천서	290	이수덕	서인천서	276
이상직	중부서	202	이석재	영동서	339	이성묵	목포서	364	이성훈	대구청	388	이수라	서광주서	360
이상진	금감원	90	이석정	고시회	32	이성묵	광산서	355	이성훈	창원서	463	이수락	금천서	158
이상진	국세상담	120	이석주	금감원	90	이성민	기재부	64	이성희	기재부	60	이수란	금천서	159
이상진	서초서	178	이석준	삼성서	174	이성민	서울청	135	이성희	금감원	86	이수련	강서서	152
이상진	남양주서	220	이석증	부산청	423	이성민	송파서	184	이성희	노원서	163	이수미	국세청	104
이상진	제주서	467	이석진	대구청	388	이성민	기흥서	218	이성희	삼척서	254	이수미	국세청	115
이상진	관세청	471	이석한	기재부	60	이성민	대전청	306	이세나	국세청	104	이수미	논산서	320
이상철	순천서	367	이석화	성남서	228	이성민	광주청	350	이세라	순천서	366	이수미	김천서	408
이상표	수영서	444	이선경	북전주서	377	이성민	해운대서	449	이세란	남양주서	220	이수미	양산서	458
이상필	서대문서	177	이선경	지방재정	490	이성복	종로서	199	이세리	익산서	378	이수민	국세청	113
이상하	반포서	173	이선교	북대전서	314	이성복	김포서	287	이세미	기재부	71	이수민	서울청	126
이상학	충주서	344	이선구	중부서	203	이성삼	홍천서	265	이세미	삼성서	175	이수민	서울청	230
이상헌	기재부	64	이선규	부산청	428	이성수	금천서	159	이세미	조세재정	495	이수민	포천서	303
이상헌	금감원	88	이선기	연수서	297	이성수	춘천서	262	이세민	서울청	127	이수민	북대전서	315
이상헌	상공회의	95	이선림	대전청	307	이성식	전주서	381	이세연	서울청	145	이수복	제주서	467
이상헌	서울청	143	이선림	전주서	380	이성실	순천서	367	이세연	시흥서	233	이수복	전주서	380
이상헌	강서서	153	이선미	국세상담	120	이성애	도봉서	165	이세열	법무광장	47	이수비	청주서	342
이상헌	구미서	407	이선미	동작서	169				이세인	반포서	172	이수빈	중부청	213
									이세정	동대문서	167			

이름	기관	번호	이름	기관	번호	이름	기관	번호	이름	기관	번호	이름	기관	번호
이수빈	기흥서	218	이순복	중부청	211	이승재	예일회계	26	이신영	서울청	141	이영민	인천서	279
이수빈	성남서	228	이순아	안산서	236	이승종	홍천서	264	이신정	강릉서	253	이영민	나주서	362
이수빈	안산서	237	이순엽	서울청	136	이승주	국세상담	120	이신정	영동서	339	이영민	전주서	381
이수빈	원주서	260	이순영	서초서	178	이승주	노원서	162	이신혜	서대문서	177	이영민	지방재정	490
이수빈	동청주서	336	이순영	서대전서	316	이승주	동래서	435	이신호	딜로이트	16	이영빈	반포서	172
이수빈	나주서	363	이순영	동래서	438	이승준	기재부	69	이신화	송파서	184	이영석	서울청	135
이수빈	수영서	445	이순옥	춘천서	263	이승준	서울청	126	이신화	용인서	243	이영석	종로서	199
이수아	부천서	292	이순임	남대구서	393	이승준	강서서	152	이아라	북광주서	358	이영석	분당서	226
이수안	성북서	182	이순정	영월서	258	이승준	광산서	355	이아름	국세청	100	이영선	기재부	73
이수연	감사원	56	이순주	경기광주	234	이승준	해남서	370	이아름	금천서	158	이영선	서울청	147
이수연	국세청	104	이순철	중부청	213	이승준	수성서	400	이아름	안산서	237	이영선	인천청	268
이수연	서울청	133	이순향	조세재정	495	이승준	동래서	438	이아름	부평서	295	이영수	삼성서	174
이수연	서울청	145	이순화	서울청	129	이승준	미래회계	17	이아름	조세재정	495	이영수	영등포서	191
이수연	도봉서	165	이순희	영등포서	190	이승진	부산청	425	이아림	서광주서	361	이영수	남부천서	291
이수연	삼성서	174	이슬기	강동서	150	이승진	해운대서	449	이아미	인천청	271	이영수	영주서	416
이수연	중부서	212	이슬기	강서서	153	이승진	인천청	271	이아연	남동서	275	이영수	마산서	456
이수연	시흥서	232	이슬기	송파서	185	이승찬	공주서	319	이아영	인천서	279	이영숙	기재부	60
이수연	동화성서	248	이슬기	동고양서	288	이승찬	동청주서	336	이안나	서울청	146	이영숙	기재부	73
이수연	대전서	313	이슬기	조세재정	494	이승철	국세청	117	이안섭	남대구서	392	이영숙	인천청	268
이수연	보령서	322	이슬린	서울청	137	이승철	노원서	162	이안수	대전청	309	이영숙	인천서	278
이수연	서광주서	361	이슬비	구로서	156	이승택	대전서	313	이안희	북대전서	314	이영순	동안양서	225
이수연	순천서	367	이슬비	중부청	213	이승택	남대구서	395	이안희	서대전서	316	이영순	공주서	318
이수연	남원서	375	이슬비	인천청	271	이승필	성북서	182	이애경	삼성서	175	이영순	아산서	328
이수연	해운대서	446	이슬비	광명서	284	이승필	관세청	471	이애란	서울청	126	이영신	국세청	103
이수연	조세재정	495	이슬이	평택서	247	이승하	감사원	138	이애리	노원서	162	이영신	부산청	423
이수영	금융위	80	이슬이	수영서	442	이승하	전주서	380	이양래	동수원서	224	이영신	삼일회계	20
이수영	동안양서	224	이승걸	대구청	391	이승학	성동서	180	이양로	천안서	332	이영아	안양서	240
이수영	세종서	327	이승괄	역삼서	188	이승항	기재부	67	이양우	삼성서	136	이영애	남대구서	392
이수영	충주서	345	이승규	중부청	208	이승현	강서서	152	이양원	순천서	367	이영옥	국세상담	120
이수영	대구청	391	이승규	마산서	456	이승현	구로서	157	이양호	동청주서	337	이영옥	서울청	142
이수용	화성서	250	이승균	동청주서	337	이승현	도봉서	164	이언양	용산서	192	이영옥	인천청	268
이수용	동래서	432	이승근	해남서	370	이승현	남양주서	221	이언종	마포서	171	이영옥	동래서	433
이수원	금천서	159	이승기	서산서	325	이승현	광주청	351	이여경	고양서	283	이영옥	수영서	443
이수원	동래서	439	이승도	기재부	64	이승현	상주서	410	이여울	동안산서	239	이영우	서울청	142
이수은	인천서	245	이승래	부천서	292	이승형	진주서	282	이여울	동대문서	166	이영우	동작서	169
이수인	금감원	83	이승렬	경주서	404	이승혜	구리서	217	이여진	강동서	151	이영우	경산서	402
이수인	노원서	162	이승록	통영서	464	이승호	서울청	139	이연경	성동서	180	이영욱	영등포서	190
이수인	잠실서	197	이승리	고양서	283	이승호	삼성서	175	이연경	서인천서	277	이영욱	고양서	283
이수임	울산서	450	이승명	대구청	388	이승호	성북서	183	이연경	북대구서	396	이영웅	감사원	57
이수정	서울청	142	이승모	영덕서	414	이승호	종로서	199	이연미	서울청	129	이영은	동수원서	222
이수정	서울청	145	이승미	중부청	207	이승호	기흥서	219	이연서	남동서	274	이영은	동안양서	224
이수정	구로서	157	이승민	기재부	73	이승호	남동서	275	이연석	중부청	207	이영은	광주청	351
이수정	금천서	158	이승민	기재부	74	이승호	조세심판	492	이연선	기재부	69	이영인	삼도회계	19
이수정	서초서	203	이승민	금감원	82	이승환	국세청	103	이연선	중부청	206	이영일	동래서	434
이수정	부평서	294	이승민	노원서	162	이승환	남양주서	221	이연수	인천청	268	이영임	기재부	64
이수정	구미서	407	이승민	역삼서	189	이승환	인천청	273	이연숙	남대구서	392	이영재	서인천서	277
이수정	동래서	434	이승민	동래서	448	이승환	서인천서	277	이연숙	동래서	435	이영재	북대전서	315
이수지	기재부	61	이승민	세무하나	39	이승환	아산서	328	이연실	구로서	156	이영재	북대구서	397
이수지	동작서	169	이승배	동화성서	249	이승환	광주청	349	이연우	금천서	159	이영재	부산청	427
이수지	동수원서	222	이승범	구리서	216	이승환	서대구서	398	이연정	성북서	182	이영재	동래서	433
이수진	반포서	172	이승수	중부청	215	이승환	서대구서	399	이연주	원주서	260	이영재	양산서	458
이수진	성동서	180	이승수	부산청	425	이승환	제주서	466	이연주	김포서	286	이영정	국세청	105
이수진	용산서	192	이승수	부산청	426	이승훈	금감원	90	이연주	충주서	344	이영조	경산서	402
이수진	성남서	229	이승수	부산청	427	이승훈	국세청	109	이연지	서울청	131	이영주	기재부	62
이수진	인천청	268	이승신	서울청	129	이승훈	서울청	134	이연지	중부청	214	이영주	기재부	63
이수진	계양서	281	이승아	안산서	236	이승훈	강서서	153	이연진	수성서	400	이영주	서울청	126
이수진	천안서	333	이승아	부천서	293	이승훈	삼성서	175	이연호	국세청	105	이영주	서울청	130
이수진	청주청	343	이승아	경산서	402	이승훈	영등포서	191	이연호	관악서	154	이영주	반포서	172
이수진	청주청	353	이승연	기재부	61	이승훈	은평서	194	이연화	중부청	211	이영주	서초서	179
이수진	북광주서	358	이승연	역삼서	189	이승훈	성남서	229	이연희	홍성서	335	이영주	중부청	207
이수창	지방재정	491	이승연	잠실서	196	이승훈	광주청	353	이연희	정읍서	382	이영주	서산서	324
이수창	해남서	370	이승연	관세청	471	이승훈	북광주서	358	이염휘	한국관세	42	이영주	홍성서	335
이수철	반포서	172	이승연	경산서	402	이승훈	군산서	372	이영광	기재부	66	이영주	대구청	391
이수택	기재부	69	이승엽	구미서	406	이승훈	익산서	378	이영구	대전청	307	이영주	안동서	412
이수현	역삼서	188	이승엽	지방재정	491	이승훈	대구청	386	이영권	남동서	274	이영준	대전청	306
이수현	고양서	283	이승완	광주청	352	이승훈	수영서	444	이영규	제천서	340	이영직	감사원	56
이수현	군산서	373	이승우	전주서	381	이승훈	울산서	450	이영근	수영서	443	이영직	충주서	344
이수현	북전주서	376	이승우	금감원	82	이승훈	조세심판	492	이영기	금감원	83	이영진	서울청	144
이수현	예일회계	26	이승원	인천청	273	이승휘	서대구서	399	이영길	부천서	293	이영진	구로서	156
이수형	서울청	130	이승원	기재부	71	이승희	잠실서	197	이영도	인천청	273	이영진	중부서	203
이수형	중부청	207	이승원	기재부	72	이승희	성남서	229	이영동	서울세관	474	이영진	인천청	271
이수호	기재부	71	이승원	금감원	84	이승희	광주청	349	이영락	서인천서	277	이영진	김해서	454
이수호	지방재정	490	이승은	국세청	109	이승희	동래서	440	이영란	동래서	434	이영찬	예산서	330
이수화	마포서	170	이승은	국세청	100	이승희	인천세관	478	이영례	계양서	281	이영채	종로서	199
이숙경	기재부	65	이승은	남대구서	392	이승희	조세심판	493	이영로	금감원	90	이영철	동대구서	394
이숙경	정읍서	383	이승은	북대구서	396	이시연	중부청	214	이영롱	남부천서	290	이영철	동대구서	394
이숙영	서울청	127	이승은	구미서	407	이시연	영등포서	191	이영미	기재부	64	이영철	중부청	214
이숙정	수원서	230	이승익	포항서	418	이시은	순천서	366	이영미	국세청	103	이영태	동수원서	222
이숙희	대전서	312	이승일	서울청	141	이시형	경주서	405	이영미	강동서	150	이영태	남원서	374
이순기	아주서	411	이승일	전주서	381	이시호	수영서	442	이영미	경기광주	234	이영태	수영서	445
이순길	천안서	333	이승재	경기광주	234	이시화	국세청	103	이영미	영월서	259	이영호	강서서	152
이순모	서인천서	276	이승재	동고양서	288	이신규	남부천서	291	이영미	진주서	461	이영호	구로서	157
이순민	여수서	368	이승재	충주서	344	이신숙	인천청	273	이영미	조세재정	495	이영호	중부청	206
			이승재	정읍서	382	이신애	동래서	433	이영민	노원서	162	이영호	서대전서	316
			이승재	포항서	419	이신열	공주서	318				이영호	보령서	323

이름	소속	번호	이름	소속	번호	이름	소속	번호	이름	소속	번호	이름	소속	번호
이인권	통영서	464	이재석	마포서	171	이재혁	중부청	207	이정숙	서대문서	176	이정화	조세심판	493
이인규	금감원	92	이재석	해운대서	447	이재혁	안양서	240	이정숙	동래서	432	이정환	세무삼릉	37
이인근	서산서	325	이재선	한국관세	42	이재혁	대구청	389	이정숙	김해서	455	이정환	기재부	70
이인기	서산서	324	이재선	조세재정	494	이재혁	삼일회계	21	이정순	국세청	113	이정환	동안산서	239
이인기	예일세무	40	이재성	국세청	105	이재현	기재부	70	이정순	은평서	195	이정환	대전서	313
이인기	예일세무	197	이재성	서울청	134	이재현	중부청	214	이정순	구미서	406	이정환	서광주서	361
이인선	서울청	135	이재성	서울청	146	이재현	화성서	250	이정식	강릉서	253	이정효	세무하나	39
이인섭	서울청	144	이재성	강남서	149	이재현	청주서	343	이정아	국세청	111	이정훈	금감원	82
이인수	상주서	410	이재성	평택서	246	이재현	구미서	407	이정아	서울청	112	이정훈	국세청	113
이인수	법무광장	46	이재성	세종서	326	이재호	서울청	132	이정아	국세청	114	이정훈	동작서	168
이인숙	서울청	130	이재성	천안서	332	이재호	지방재정	490	이정아	아산서	328	이정훈	구리서	216
이인숙	서초서	179	이재성	안동서	412	이재홍	연수서	296	이정애	군산서	373	이정훈	서인천서	276
이인숙	중부청	207	이재성	김해서	455	이재홍	구미서	407	이정애	부산청	424	이정훈	부천서	292
이인숙	동청주서	337	이재성	제주서	466	이재홍	김앤장	45	이정애	해운대서	448	이정훈	대전청	310
이인숙	북광주서	358	이재수	동래서	432	이재홍	이촌회계	28	이정연	기흥서	218	이정훈	동청주서	337
이인심	경기광주	235	이재숙	성북서	183	이재환	포천서	303	이정연	기재부	64	이정훈	해남서	371
이인아	서초서	179	이재숙	영동서	339	이재훈	금감원	89	이정연	서울청	129	이정훈	북대구서	396
이인우	국세교육	122	이재승	북대전서	314	이재훈	금천서	158	이정연	딜로이트	16	이정훈	수영서	445
이인우	남대구서	393	이재식	성남서	228	이재훈	화성서	250	이정옥	성동서	181	이정훈	거창서	452
이인원	포항서	418	이재아	여수서	369	이재훈	광명서	285	이정옥	마산서	457	이정훈	삼일회계	21
이인이	김포서	287	이재연	서울청	145	이재훈	경주서	405	이정용	고양서	283	이정희	강서서	152
이인자	서울청	128	이재연	구로서	157	이재훈	인천세관	478	이정우	천안서	333	이정희	삼성서	174
이인재	영등포서	191	이재연	해운대서	448	이재훈	딜로이트	16	이정우	나주서	362	이정희	종로서	199
이인재	진주서	461	이재열	양천서	187	이재희	화성서	250	이정우	인천세관	479	이정희	중랑서	201
이인하	서울청	144	이재열	논산서	321	이재희	논산서	320	이정우	지방재정	490	이정희	원주서	261
이인하	성북서	182	이재열	금정서	431	이재희	예일세무	40	이정욱	고양서	283	이정희	인천청	270
이인혁	창원서	463	이재열	해운대서	449	이전봉	서울청	143	이정운	대전청	306	이정희	경산서	402
이인형	법무광장	46	이재영	서울청	137	이전승	서초서	460	이정웅	서울청	162	이정희	인천세관	479
이인호	경산서	402	이재영	서울청	146	이점수	용인서	243	이정웅	동래서	441	이제봉	기재부	73
이인희	홍성서	334	이재영	도봉서	164	이점순	마산서	456	이정원	남양주서	221	이제안	서초서	178
이일구	동래서	440	이재영	동안산서	238	이점희	목포서	364	이정원	고양서	283	이제연	금정서	431
이일생	서울청	126	이재영	평택서	246	이정걸	동수원서	223	이정원	세종서	326	이제연	김앤장	45
이일성	서울청	126	이재영	수성서	401	이정걸	울산서	450	이정윤	서울청	140	이제욱	서대구서	398
이일영	중부서	202	이재영	부산청	426	이정걸	제주서	466	이정윤	중부청	211	이제일	은평서	195
이일재	광산서	354	이재영	해운대서	446	이정관	광주청	352	이정윤	성남서	228	이제헌	중부서	202
이일환	인천서	278	이재영	조세재정	495	이정관	김해서	454	이정윤	조세재정	495	이제현	대전청	309
이임순	서울청	145	이재영	예일회계	26	이정구	성남서	228	이정은	서울청	129	이조순	분당서	227
이자연	반포서	172	이재완	기재부	70	이정국	대구청	388	이정은	서울청	144	이존열	도봉서	165
이자열	인천세관	478	이재완	나주서	363	이정규	해운대서	449	이정은	남대문서	161	이종경	동대문서	166
이자영	영월서	258	이재용	기재부	70	이정규	분당서	226	이정은	동대문서	166	이종관	고양서	282
이자원	금정서	430	이재용	고양서	283	이정균	고양서	282	이정은	삼성서	174	이종광	김앤장	45
이장근	서광주서	360	이재우	기재부	64	이정근	충주서	345	이정은	영등포서	191	이종국	김앤장	45
이장로	기재부	67	이재우	기재부	72	이정기	영등포서	191	이정은	중부청	209	이종권	송파서	185
이장영	도봉서	165	이재우	인천청	273	이정기	의정부서	298	이정은	평택서	246	이종기	금감원	92
이장원	광주청	350	이재우	인천청	278	이정기	의정부서	299	이정은	화성서	250	이종기	서인천서	277
이장준	금감원	88	이재우	지방재정	490	이정기	서산서	325	이정은	청주서	342	이종길	홍성서	334
이장환	용인서	243	이재우	딜로이트	16	이정기	EY한영	14	이정은	구미서	406	이종길	홍성서	335
이장환	대구청	388	이재욱	서울청	130	이정길	대전서	313	이정은	수영서	443	이종남	동수원서	222
이장환	수영서	442	이재욱	양천서	187	이정길	정읍서	382	이정은	지방재정	491	이종록	삼성서	175
이장훈	금감원	87	이재욱	안산서	237	이정길	대구청	388	이정은	조세재정	495	이종룡	중부서	203
이장훈	도봉서	164	이재욱	예산서	330	이정노	용산서	192	이정인	세종서	326	이종률	제주서	467
이장희	금감원	86	이재욱	포항서	419	이정노	남대구서	392	이정인	조세재정	495	이종만	지방재정	490
이재갑	순천서	367	이재웅	창원서	463	이정두	금감원	83	이정일	서울청	142	이종민	김해서	455
이재강	공주서	318	이재원	기재부	62	이정례	진주서	460	이정임	남양주서	220	이종명	상공회의	95
이재경	삼성서	174	이재원	중기회	97	이정로	동작서	168	이정임	대전청	310	이종명	상공회의	95
이재경	수성서	400	이재원	도봉서	165	이정룡	논산서	321	이정자	국세교육	123	이종명	중기회	97
이재곤	동화성서	249	이재원	마포서	171	이정림	강서서	153	이정주	국세청	100	이종명	김앤장	45
이재관	수원서	231	이재원	분당서	226	이정만	금감원	85	이정주	은평서	195	이종민	기재부	67
이재관	마산서	457	이재원	청주서	343	이정묵	국세청	104	이정철	여수서	368	이종민	성동서	180
이재국	조세재정	495	이재원	순천서	367	이정문	김포서	287	이정태	포천서	303	이종민	춘천서	263
이재균	의정부서	298	이재원	영덕서	414	이정미	국세상담	120	이정표	반포서	173	이종민	광명서	284
이재균	조세심판	492	이재원	동래서	434	이정미	서울청	135	이정표	분당서	227	이종민	영덕서	414
이재근	서울서	126	이재원	조세재정	495	이정미	동화성서	248	이정필	금정서	431	이종배	수영서	443
이재남	시흥서	232	이재은	국세청	108	이정미	대전청	307	이정학	도봉서	164	이종복	서초서	179
이재남	광주청	353	이재일	화성서	250	이정미	조세재정	496	이정학	기재부	65	이종복	안산서	237
이재덕	서현이현	6	이재일	은평서	194	이정민	국세청	105	이정학	서초서	178	이종석	홍천서	264
이재락	수성서	401	이재준	대전서	312	이정민	국세청	107	이정한	의정부서	298	이종섭	남부천서	290
이재룡	경기광주	234	이재준	남양주서	220	이정민	삼성서	175	이정현	서울청	126	이종성	기재부	61
이재만	경기광주	235	이재준	수원서	231	이정민	성북서	183	이정현	역삼서	188	이종성	서초서	179
이재면	기재부	62	이재진	성북서	182	이정민	영등포서	190	이정현	고양서	283	이종수	기재부	63
이재명	대전청	309	이재진	세종서	326	이정민	중부청	206	이정현	의정부서	298	이종숙	서대구서	398
이재명	홍성서	334	이재진	동래서	438	이정민	김포서	287	이정현	동래서	436	이종순	강동서	150
이재민	용인서	242	이재철	기재부	65	이정민	의정부서	298	이정형	남양주서	221	이종신	대전청	310
이재민	연수서	297	이재철	삼성서	175	이정민	광주청	348	이정호	관산서	354	이종영	국세청	105
이재민	파주서	300	이재철	동화성서	249	이정민	울산서	451	이정호	익산서	378	이종영	화성서	250
이재민	예일회계	26	이재철	수영서	445	이정범	원주서	261	이정호	대구청	389	이종오	금감원	85
이재범	국세청	108	이재춘	서인천서	424	이정복	북광주서	358	이정호	안산서	240	이종완	홍천서	265
이재복	서울청	144	이재택	연수서	297	이정상	부평서	294	이정호	법무바른	1	이종우	서울청	146
이재복	수성서	400	이재하	동작서	169	이정선	대전청	308	이정화	국세청	102	이종우	동화성서	249
이재봉	동청주서	336	이재학	기재부	73	이정선	북대전서	315	이정화	강남서	148	이종우	동래서	438
이재빈	동화성서	248	이재향	삼성서	174	이정선	서대구서	398	이정화	마포서	170	이종우	관세청	469
이재상	강서서	153	이재헌	기재부	67	이정섭	세무삼릉	37	이정화	김포서	287	이종운	인천서	278
이재상	안양서	240	이재혁	반포서	173	이정수	동안양서	225	이정화	광주청	350	이종욱	관세청	470
이재석	기재부	74	이재혁	잠실서	196	이정수	남원서	374	이정화	부산청	428	이종운	군산서	373
이재석	금감원	82				이정숙	서울청	126				이종원	진주서	460

이름	소속	번호	이름	소속	번호	이름	소속	번호	이름	소속	번호	이름	소속	번호
이종윤	파주서	301	이주한	조세심판	493	이지민	국세청	108	이지은	영등포서	191	이진숙	국세청	112
이종인	서현이현	7	이주현	금감원	87	이지민	서울청	129	이지은	용산서	192	이진숙	연수서	296
이종준	국세교육	123	이주현	서울청	127	이지민	서울청	144	이지은	잠실서	196	이진순	영등포서	190
이종진	금감원	85	이주현	서초서	179	이지민	대구청	390	이지은	잠실서	197	이진승	기재부	64
이종찬	부천서	292	이주현	분당서	226	이지민	수영서	443	이지은	삼척서	255	이진실	성동서	181
이종철	평택서	247	이주현	시흥서	232	이지민	제주서	467	이지은	의정부서	298	이진아	금감원	85
이종철	조세심판	493	이주현	북광주서	358	이지상	국세청	105	이지은	북대전서	314	이진아	강남서	149
이종탁	세무원원	38	이주현	포항서	418	이지석	제주서	467	이지은	천안서	333	이진아	양천서	187
이종태	북대전서	315	이주현	수영서	444	이지선	국세청	102	이지은	남대구서	393	이진아	인천청	268
이종필	순천서	366	이주현	김해서	455	이지선	서울청	128	이지은	부산서	426	이진열	감사원	56
이종필	대구세관	485	이주협	용산서	193	이지선	남대문서	161	이지은	해운대서	446	이진영	서울청	127
이종필	대구세관	486	이주형	금감원	188	이지선	잠실서	196	이지은	제주서	466	이진영	서울청	128
이종하	경기광주	235	이주형	시흥서	232	이지선	인천청	271	이지응	구로서	156	이진영	분당서	226
이종학	광산서	354	이주형	동청주서	336	이지수	국세상담	120	이지하	서대구서	399	이진영	원주서	261
이종혁	기재부	72	이주형	제천서	341	이지수	서울청	142	이지하	부산청	422	이진영	인천서	278
이종혁	대전서	312	이주형	북전주서	376	이지수	구로서	157	이지헌	국세청	104	이진영	동래서	439
이종현	강서	152	이주형	경주서	404	이지수	성남서	228	이지헌	서울청	135	이진용	한국관세	42
이종현	서인천서	277	이주형	김천서	408	이지수	성남서	229	이지헌	순천서	366	이진우	금감원	88
이종현	파주서	300	이주호	기재부	73	이지수	안양서	241	이지헌	서울청	134	이진우	강서	159
이종현	북전주서	376	이주환	남동서	275	이지수	동래서	432	이지현	강남서	148	이진우	동대문서	167
이종현	수성서	401	이주환	인천서	278	이지수	창원서	462	이지현	관악서	155	이진우	인천청	271
이종현	경산서	402	이주환	포항서	418	이지숙	김앤장	45	이지현	노원서	162	이진우	김포서	286
이종현	김해서	454	이주환	예일세무	40	이지숙	서울청	143	이지현	역삼서	188	이진우	순천서	367
이종형	삼일회계	20	이주희	구로서	156	이지숙	강동서	151	이지현	동안양서	224	이진욱	대구청	390
이종호	기재부	61	이주희	서북서	183	이지숙	화성서	251	이지현	시흥서	232	이진욱	강서	400
이종호	홍천서	264	이주희	영등포서	190	이지숙	인천청	270	이지현	동화성서	248	이진욱	삼정회계	23
이종호	대전청	310	이주희	중부청	213	이지숙	홍성서	334	이지현	김포서	286	이진재	용산서	192
이종호	군산서	372	이주희	남동서	292	이지안	남동서	275	이지현	광산서	354	이진재	광주청	348
이종호	부산청	425	이주희	포천서	303	이지안	수성서	400	이지현	안동서	412	이진주	강서서	152
이종호	서울세관	474	이준건	북대구서	397	이지연	감사원	57	이지현	창원서	462	이진주	영등포서	191
이종호	한국관세	42	이준교	금감원	91	이지연	국세청	112	이지형	서울청	127	이진주	춘천서	262
이종훈	영월서	258	이준규	삼성서	175	이지연	강남서	148	이지형	대현회계	15	이진주	보령서	323
이종훈	인천서	278	이준길	동래서	434	이지연	동대문서	166	이지혜	기재부	74	이진주	진주서	460
이종훈	포항서	419	이준년	서인천서	277	이지연	역삼서	189	이지혜	기재부	75	이진태	금감원	87
이종휘	남대구서	393	이준목	서대전서	316	이지연	구리서	217	이지혜	서울청	143	이진택	광주청	352
이종희	기재부	67	이준무	중부청	210	이지연	동안양서	224	이지혜	강서서	153	이진하	반포서	173
이종희	청주서	342	이준배	서울청	147	이지연	안양서	240	이지혜	반포서	173	이진혁	대전청	308
이주경	서초서	179	이준범	기재부	70	이지연	용인서	243	이지혜	평택서	246	이진호	서울청	141
이주경	중부서	202	이준서	금융위	78	이지연	남동서	274	이지혜	원주서	261	이진호	중부서	202
이주경	부산청	425	이준서	인천서	245	이지연	광산서	354	이지혜	지방재정	491	이진호	마산서	456
이주경	조세재정	496	이준석	국세청	100	이지연	정읍서	382	이지혜	조세재정	496	이진홍	남대서	437
이주미	중부청	214	이준석	북대전서	314	이지연	북대구서	396	이지호	기재부	67	이진화	송파서	185
이주미	수원서	230	이준석	영주서	416	이지연	수영서	442	이지호	서울청	138	이진화	부산청	427
이주석	서울청	135	이준성	기재부	70	이지연	조세심판	492	이지호	송파서	185	이진환	광주서	356
이주석	수성서	401	이준성	중부청	206	이지영	국세청	111	이지호	영동서	338	이진환	부산청	425
이주석	통영서	465	이준성	조세재정	494	이지영	서울청	126	이지환	제주서	467	이진희	국세청	102
이주선	금천서	158	이준수	금감원	81	이지영	서울청	131	이지환	영등포서	190	이진희	남양주서	220
이주선	서초서	179	이준수	금감원	85	이지영	서울청	140	이지훈	남동서	275	이진희	용인서	242
이주성	부천서	293	이준수	수성서	400	이지영	마포서	170	이지훈	조세심판	492	이진희	홍성서	334
이주성	영동서	338	이준아	관세체	469	이지영	송파서	185	이지희	국세청	100	이진희	해운대서	448
이주안	남대구서	392	이준영	국세청	100	이지영	양천서	186	이지희	용산서	192	이찬석	성동서	180
이주안	인천세관	477	이준영	기흥서	218	이지영	용산서	193	이지희	중랑서	200	이찬석	국세청	100
이주연	국세청	117	이준영	서울청	241	이지영	삼척서	255	이지희	수영서	442	이찬송	춘천서	263
이주연	강서서	153	이준영	동고양서	289	이지영	동고양서	288	이진	예일세무	40	이찬우	부천서	293
이주연	노원서	162	이준용	중부청	207	이지영	파주서	300	이진경	기재부	67	이찬우	금감원	81
이주연	중부청	208	이준우	성남서	228	이지영	광산서	355	이진경	성동서	181	이찬우	금감원	82
이주연	구리서	217	이준우	남부천서	290	이지영	대구청	387	이진경	계양서	281	이찬우	김천서	408
이주연	동안양서	224	이준우	부산청	422	이지영	구미서	406	이진경	부산청	423	이찬웅	법무바른	1
이주연	서대전서	316	이준우	지방재정	491	이지영	금정서	431	이진경	부산청	424	이찬주	반포서	172
이주연	부산청	424	이준익	대구청	388	이지영	김해서	454	이진경	진주서	461	이찬주	중랑서	201
이주엽	양산서	459	이준재	감사원	55	이지우	기재부	70	이진경	지방재정	491	이찬주	청주서	343
이주영	기재부	68	이준재	감사원	56	이지우	강남서	149	이진관	조세재정	496	이찬희	서울청	135
이주영	금감원	88	이준탁	대전청	307	이지우	기흥서	218	이진구	서초서	178	이찬희	서초서	279
이주영	성동서	181	이준표	강남서	149	이지웅	감사원	56	이진규	잠실서	196	이창건	도봉서	165
이주영	용산서	192	이준학	경기광주	235	이지원	기재부	65	이진규	구리서	216	이창구	영주서	416
이주영	잠실서	196	이준혁	국세청	102	이지원	금감원	82	이진규	서대구서	399	이창권	수영서	339
이주영	중부서	202	이준혁	강남서	149	이지원	성동서	180	이진균	서초서	178	이창규	금감원	82
이주영	동안양서	224	이준혁	대전서	313	이지원	영등포서	191	이진동	성동서	180	이창규	울산서	450
이주영	인천청	270	이준혁	동래서	432	이지원	용산서	193	이진명	경기광주	234	이창규	목포서	365
이주영	대전청	309	이준현	국세청	105	이지원	은평서	195	이진문	중랑서	201	이창근	북대구서	396
이주영	부산청	422	이준형	인천청	273	이지원	기흥서	218	이진서	평택서	246	이창근	서현이현	7
이주용	부평서	295	이준호	서울청	126	이지원	평택서	247	이진석	금감원	81	이창근	서초서	179
이주우	제주서	467	이준호	남동서	274	이지원	파주서	300	이진석	금감원	83	이창남	양천서	187
이주원	서울청	141	이준호	지방재정	490	이지유	울산서	451	이진석	아산서	328	이창남	의정부서	298
이주윤	기재부	61	이준홍	광명서	285	이지윤	역삼서	188	이진선	기재부	63	이창렬	부산청	427
이주은	인천청	269	이준희	국세청	116	이지윤	잠실서	196	이진선	인천청	273	이창림	제주서	466
이주은	부천서	292	이준희	성동서	181	이지윤	경기광주	235	이진선	제주서	467	이창민	금천서	158
이주은	정읍서	383	이준희	남동서	274	이지윤	보령서	323	이진섭	김해서	455	이창민	종로서	198
이주일	동수원서	222	이준희	거창서	452	이지율	서초서	178	이진수	금융위	80	이창민	분당서	226
이주한	서울청	137	이중구	대구청	389	이지은	기재부	67	이진수	서울청	136	이창석	서울청	141
이주한	강서서	152	이중승	동대문서	167	이지은	기재부	68	이진수	고양서	283	이창석	세무하나	39
이주한	김포서	286	이중재	잠실서	196	이지은	기재부	73	이진수	대전청	309	이창수	중부청	208
이주한	대전청	311	이중한	이천서	244	이지은	국세청	114	이진수	공주서	319	이창수	동안양서	224
이주한	서대전서	316	이중현	삼일회계	20	이지은	동작서	168	이진수	청주서	343	이창수	수원서	231
			이중호	마산서	456	이지은	삼성서	175	이진수	해운대서	449	이창수	대전청	309

이름	소속	번호
이창수	포항서	418
이창식	고시회	32
이창언	제주서	467
이창열	중부청	211
이창오	삼성서	175
이창우	역삼서	189
이창우	서인천서	277
이창우	남대구서	392
이창욱	연수서	104
이창욱	제주서	466
이창운	금감원	83
이창원	연수서	297
이창인	국세청	104
이창일	양산서	458
이창일	지방재정	491
이창주	광주청	352
이창주	통영서	464
이창준	서울청	140
이창준	서울청	146
이창준	익산서	379
이창준	대구세관	486
이창진	분당서	227
이창학	인천청	271
이창한	서대문서	177
이창한	경기광주	234
이창한	김천서	408
이창현	남대문서	161
이창현	인천청	270
이창현	순천서	367
이창형	기재부	69
이창형	상공회의	96
이창호	강남서	148
이창호	춘천서	262
이창호	양산서	458
이창호	조세재정	496
이창홍	예산서	331
이창환	제주서	466
이창훈	국세청	113
이창훈	역삼서	188
이창훈	화성서	251
이창훈	순천서	367
이창훈	해운대서	449
이창훈	삼정회계	23
이창훈	삼정회계	23
이창훈	법무세종	48
이창흠	노원서	162
이창희	기재부	73
이창희	중기회	97
이창희	경기광주	234
이창희	인천청	273
이창희	창원서	462
이창희	인천세관	478
이채곤	영등포서	191
이채광	지방재정	491
이채린	국세청	110
이채민	서대전서	317
이채민	청주서	343
이채민	포항서	418
이채아	도봉서	165
이채영	마포서	171
이채영	기재부	74
이채원	영등포서	190
이채원	남대구서	393
이채윤	대전청	307
이채윤	대구청	389
이채은	양산서	458
이채은	양산서	458
이채현	인천서	279
이채현	광주서	351
이채호	동래서	439
이철	용산서	192
이철경	마산서	456
이철규	기재부	75
이철민	중부청	206
이철민	동래서	441
이철수	강동서	151
이철수	제주서	466
이철승	나주서	362
이철승	진주서	461
이철옥	부산세관	482
이철용	국세상담	121
이철우	기재부	77
이철우	동화성서	249
이철우	남동서	274
이철우	대전청	310
이철우	세무하나	39
이철원	중부청	208
이철원	이천서	244
이철재	서울청	144
이철재	관세청	470
이철주	제천서	341
이철진	금감원	85
이철형	춘천서	263
이철형	동고양서	288
이철호	북전주서	376
이철호	동래서	439
이철환	수원서	231
이철효	예산서	330
이철훈	관세청	470
이청림	동래서	437
이초록	삼성서	175
이초롱	시흥서	233
이춘근	관악서	154
이춘복	동대구서	394
이춘식	동대문서	167
이춘우	경주서	404
이춘하	삼성서	175
이춘형	남원서	375
이춘호	춘천서	262
이춘호	동청주서	336
이충구	국세청	100
이충근	대전서	312
이충길	지방재정	490
이충섭	금천서	159
이충오	서울청	132
이충원	송파서	185
이충원	인천서	279
이충인	평택서	246
이충형	포항서	418
이충호	대구청	389
이치권	중부청	214
이치욱	남대구서	393
이치웅	동화성서	249
이치원	국세청	114
이탁수	삼성서	174
이탁신	여수서	369
이탁희	동래서	434
이태경	기재부	70
이태경	서울청	139
이태경	성북서	183
이태경	예일회계	26
이태곤	연수서	297
이태균	중부청	208
이태기	금감원	84
이태상	김포서	286
이태순	대현회계	15
이태연	금천서	159
이태연	국세청	114
이태엽	광명서	284
이태욱	조세재정	496
이태욱	국세청	105
이태윤	강동서	150
이태윤	기재부	70
이태진	광주서	357
이태진	해운대서	448
이태한	인천청	272
이태한	강남서	149
이태형	동래서	438
이태호	금감원	87
이태호	수영서	442
이태호	해운대서	448
이태호	양산서	459
이태환	역삼서	189
이태훈	국세청	101
이태훈	국세청	105
이태훈	광주서	357
이태훈	지방재정	490
이태희	중기회	97
이태희	대전청	309
이태희	대구청	388
이택근	동래서	436
이택근	서산서	324
이택민	용인서	242
이택수	인천청	270
이택호	원주서	261
이평년	양천서	187
이평재	경기광주	234
이평재	김앤장	45
이평호	송파서	185
이평희	청주서	343
이푸르미	시흥서	233
이푸름	수성서	400
이풍훈	국세청	105
이필규	동안산서	239
이필용	광주청	348
이하경	인천서	278
이하경	천안서	332
이하경	동래서	432
이하나	영등포서	191
이하나	중부청	207
이하나	중부청	209
이하나	기흥서	219
이하나	홍천서	265
이하림	서인천서	276
이하림	수영서	445
이하승	전주서	380
이하승	광산서	355
이하은	북전주서	376
이하준	기재부	74
이하철	대구청	386
이하현	광주청	353
이학련	공주서	318
이학보	부산세관	483
이학승	중부청	213
이학승	전주서	380
이한결	기재부	64
이한기	대전청	310
이한나	중부서	202
이한나	천안서	333
이한나	동청주서	336
이한나	딜로이트	16
이한배울	삼성서	175
이한빈	부산청	424
이한상	서울청	146
이한샘	남대구서	393
이한선	광주세관	488
이한선	이촌회계	28
이한설	동수원서	222
이한성	대전청	306
이한솔	안산서	237
이한솔	부산청	425
이한승	성동서	181
이한승	대전서	313
이한이	여수서	368
이한일	익산서	379
이한임	국세청	104
이한준	부산청	425
이한택	파주서	300
이한희	시흥서	232
이해나	기흥서	218
이해남	용인서	242
이해미	송파서	185
이해봉	수성서	400
이해섭	삼성서	175
이해섭	역삼서	189
이해성	양천서	186
이해옥	고양서	283
이해운	강남서	149
이해웅	통영서	464
이해은	부산청	425
이해인	기재부	68
이해인	기재부	73
이해인	국세청	111
이해인	서울청	131
이해자	동화성서	248
이해정	영등포서	190
이해진	국세청	104
이해진	중부청	208
이해진	경산서	403
이해창	지방재정	490
이행정	금감원	87
이향석	포항서	419
이향섭	경기광주	235
이향옥	대구청	390
이향은	분당서	226
이향주	서울청	133
이향화	광주청	349
이헌배	상공회의	96
이헌석	중부청	206
이헌식	성남서	229
이헌종	파주서	300
이헌진	천안서	332
이혁섭	부산청	429
이혁재	인천서	278
이혁재	광주청	353
이현규	중부청	210
이현규	인천청	267
이현규	인천청	268
이현규	동고양서	289
이현균	이천서	244
이현기	익산서	378
이현기	금정서	430
이현덕	금감원	87
이현도	국세청	102
이현도	김해서	455
이현동	부산청	423
이현문	중부청	206
이현문	원주서	260
이현미	삼성서	174
이현민	인천청	269
이현민	김포서	286
이현민	울산서	451
이현범	인천청	271
이현상	대전청	306
이현상	대전청	309
이현석	금감원	82
이현석	서대문서	177
이현석	부평서	295
이현석	서현이현	7
이현선	강릉서	253
이현선	남동서	274
이현성	동작서	169
이현성	서울청	142
이현수	대구청	390
이현수	경산서	403
이현숙	강릉서	253
이현순	서울청	129
이현순	노원서	162
이현승	속초서	256
이현승	동래서	432
이현승	성현회계	13
이현실	김해서	455
이현아	서울청	147
이현아	동대문서	166
이현아	양천서	186
이현아	의정부서	298
이현아	통영서	464
이현애	남동서	275
이현영	서대문서	177
이현영	서초서	179
이현영	대구청	388
이현우	조세재정	494
이현우	국세청	104
이현우	서울청	135
이현우	성북서	182
이현우	진주서	460
이현우	창원서	463
이현우	조세심판	493
이현욱	강서서	152
이현이	중부청	208
이현익	동화성서	248
이현재	대전서	313
이현재	동래서	434
이현재	수영서	444
이현정	국세상담	120
이현정	서울청	134
이현정	성북서	182
이현정	시흥서	232
이현정	경기광주	234
이현정	용인서	243
이현정	동화성서	249
이현정	춘천서	262
이현정	대전서	380
이현정	남대구서	393
이현정	동대구서	395
이현정	김해서	454
이현정	김해서	455
이현정	지방재정	490
이현종	용인서	392
이현종	지방재정	491
이현종	삼일회계	20
이현주	기재부	73
이현주	기재부	74
이현주	서울청	133
이현주	반포서	173
이현주	삼성서	174
이현주	잠실서	196
이현주	중부청	212
이현주	성남서	229
이현주	경기광주	234
이현주	안산서	236
이현주	이천서	244
이현주	광명서	284
이현주	동고양서	289
이현주	동청주서	336
이현주	익산서	378
이현주	전주서	380
이현주	통영서	464
이현주	부산세관	483
이현준	기재부	70
이현준	국세청	103
이현준	기흥서	218
이현준	분당서	227
이현준	경기광주	234
이현준	인천청	269
이현지	기재부	70
이현지	기재부	71
이현지	반포서	172
이현지	성북서	182
이현지	성북서	183
이현지	영등포서	190
이현지	수원서	230
이현지	익산서	378
이현지	구미서	406
이현지	동래서	433
이현지	국세청	102
이현진	분당서	227
이현진	경기광주	235
이현진	안양서	240
이현진	용인서	242
이현진	대전청	311
이현진	금정서	431
이현진	김해서	454
이현진	양산서	459
이현찬	천안서	333
이현채	남부천서	290
이현철	동고양서	289
이현태	기재부	61
이현혜	중부청	211
이현혜	시흥서	232
이현화	국세청	103
이현화	용산서	193
이현화	김포서	287
이현희	영등포서	190
이현희	서인천서	276
이현희	부산청	427
이현희	마산서	456
이형경	기재부	74
이형구	국세상담	121
이형권	강서서	152
이형근	원주서	261
이형근	해운대서	449
이형민	조세재정	494
이형배	국세청	101
이형석	금감원	89
이형석	춘천서	262
이형석	수영서	445
이형석	조세재정	495
이형섭	마포서	170
이형섭	대전청	306
이형우	대구청	386
이형욱	수성서	400
이형원	국세청	105
이형원	광명서	284
이형일	기재부	60
이형주	금융위	80
이형준	경주서	405
이형진	인천서	244
이형훈	북대전서	314
이혜경	김포서	286
이혜경	연수서	296
이혜경	세종서	327
이혜경	광주청	349
이혜경	서광주서	360
이혜경	수성서	400
이혜경	동래서	440
이혜경	창원서	463
이혜규	동안양서	224
이혜란	경주서	404
이혜란	부산청	424
이혜련	고양서	282

이름	소속	번호	이름	소속	번호	이름	소속	번호	이름	소속	번호	이름	소속	번호
이혜령	동래서	441	이홍욱	강동서	150	이희준	금감원	86	임동구	김앤장	45	임성아	제주서	466
이혜령	김해서	454	이홍조	국세청	104	이희진	영등포서	190	임동섭	대전청	309	임성애	송파서	185
이혜리	서대문서	176	이홍환	경주서	404	이희진	순천서	367	임동영	영등포서	191	임성연	동수원서	222
이혜리	용인서	243	이화령	지방재정	491	이희진	마산서	457	임동옥	기재부	68	임성영	삼성서	175
이혜린	서울청	145	이화명	국세청	100	이희창	중부서	203	임동욱	국세청	104	임성옥	충주서	345
이혜린	마포서	170	이화석	마산서	456	이희태	삼성서	175	임동욱	금정서	431	임성찬	서초서	179
이혜림	기재부	66	이화선	은평서	194	이희한	기재부	74	임동욱	광주세관	488	임성혁	원주서	260
이혜림	중부청	210	이화섭	광주서	356	이희현	중부서	203	임동혁	감사원	56	임성훈	대구청	390
이혜림	양산서	459	이화영	관악서	154	이희환	강동서	150	임동호	기재부	62	임세실	용인서	242
이혜림	지방재정	490	이화영	통영서	464	인경훈	동안양서	224	임득균	부산청	428	임세창	성동서	181
이혜미	고양서	283	이화용	북대전서	315	인길성	제천서	340	임명규	국세청	115	임세혁	인천청	272
이혜미	동래서	439	이화용	홍성서	335	인길성	동안산서	238	임명숙	부천서	293	임세희	논산서	321
이혜민	강서서	152	이화자	대전청	307	인병춘	법무광장	47	임무일	삼척서	255	임소미	전주서	381
이혜민	역삼서	188	이화진	성동서	180	인소영	원주서	261	임문숙	성동서	180	임소연	종로서	198
이혜민	분당서	227	이화진	서대전서	317	인순영	성북서	182	임미라	서울청	129	임소연	남양주서	220
이혜민	수원서	230	이환구	법무광장	47	인애선	동수원서	223	임미란	광주서	351	임소영	구로서	157
이혜민	북대전서	314	이환권	금감원	92	인영수	딜로이트	16	임미선	마포서	170	임소영	의정부서	298
이혜선	성동서	180	이환선	진주서	460	인윤희	성동서	180	임미선	성동서	424	임소영	조세재정	495
이혜선	잠실서	197	이환성	서광주서	360	인정덕	강동서	150	임미송	동안양서	225	임소현	광주서	318
이혜선	인천청	271	이환수	분당서	226	인찬용	중부서	212	임미숙	속초서	257	임소희	전주서	380
이혜수	구로서	156	이환운	남양주서	221	인한용	경기광주	235	임미영	남대문서	160	임송대	김앤장	45
이혜승	영등포서	191	이환응	조세재정	495	임강빈	기재부	74	임미영	동대문서	167	임신안	천안서	332
이혜연	서울청	147	이환희	서초서	178	임강욱	서울청	145	임미정	국세청	104	임수경	광주청	348
이혜연	천안서	333	이효경	중부청	208	임강혁	북광주서	358	임미화	조세재정	496	임수경	북대구서	397
이혜영	서울청	132	이효선	광산서	354	임거성	창원서	127	임미희	광주서	356	임수기	양천서	187
이혜영	남양주서	220	이효선	정읍서	383	임건아	화성서	251	임민경	중부청	209	임수미	북광주서	359
이혜영	서인천서	276	이효영	창원서	462	임경남	동대문서	167	임민지	기재부	70	임수민	강남서	149
이혜영	동고양서	289	이효정	국세교육	147	임경미	성동서	138	임민철	기재부	72	임수민	대전청	308
이혜영	남대구서	393	이효정	성북서	183	임경미	성북서	182	임병국	남양주서	220	임수봉	순천서	367
이혜옥	고양서	283	이효정	종로서	199	임경민	중기회	97	임병섭	창원서	463	임수빈	서울청	147
이혜은	국세청	100	이효정	파주서	301	임경석	고양서	282	임병수	동작서	169	임수연	서울청	144
이혜인	기재부	73	이효주	잠실서	196	임경선	광주서	356	임병일	노원서	162	임수연	마포서	171
이혜인	기재부	75	이효진	서울청	126	임경섭	도봉서	165	임병일	평택서	246	임수정	국세청	99
이혜인	서울청	147	이효진	은평서	194	임경수	이천서	245	임병철	남대구서	392	임수정	동화성서	249
이혜인	용산서	192	이효진	포천서	303	임경수	천안서	332	임병훈	국세청	114	임수정	충주서	345
이혜인	화성서	250	이효진	청주서	343	임경순	논산서	320	임병훈	제주서	467	임수정	창원서	463
이혜전	영등포서	191	이효진	수성서	400	임경순	인천서	278	임보라	서울청	147	임수정	통영서	465
이혜정	기재부	61	이효진	동래서	432	임경주	부산청	425	임보라	동청주서	337	임수진	강서서	153
이혜정	기재부	72	이효진	동래서	436	임경준	북대전서	136	임보람	마포서	171	임수진	동대문서	166
이혜정	창원서	462	이효진	지방재정	490	임경태	성북서	182	임보영	감사원	57	임수진	양천서	186
이혜정	통영서	464	이효철	국세상담	120	임경택	부산청	429	임보현	중부서	202	임수진	김포서	286
이혜지	동고양서	289	이효현	금정서	431	임경표	제주서	466	임봉근	감사원	57	임수혁	법무광장	46
이혜진	서울청	133	이후건	중랑서	200	임경환	북대전서	324	임봉숙	용산서	193	임수현	국세청	103
이혜진	역삼서	189	이후돈	춘천서	262	임경환	광주청	350	임부선	구리서	216	임수현	중부청	211
이혜진	충주서	345	이후림	송파서	185	임경희	포항서	419	임부은	부산청	425	임수현	서대구서	398
이호	남양주서	220	이훈	금감원	83	임고은	기재부	77	임빛나	춘천서	262	임수현	통영서	465
이호	인천서	270	이훈기	경기광주	234	임관수	포천서	302	임상구	의정부서	298	임숙자	중부서	203
이호경	강남서	149	이훈용	기재부	60	임광빈	인천서	278	임상균	기재부	64	임순종	부천서	292
이호관	동수원서	222	이훈재	서울세관	474	임광섭	파주서	301	임상민	통영서	464	임순하	동고양서	288
이호광	평택서	246	이훈희	대구청	389	임광열	남양주서	221	임상미	조세재정	496	임슬기	북대전서	315
이호길	서울청	130	이훈희	동래서	439	임광준	목포서	364	임상민	국세청	103	임슬기	동청주서	336
이호남	순천청	366	이휘승	인천서	278	임광혁	상주서	410	임상민	대전서	306	임승명	강서서	153
이호상	부산청	422	이휘현	종로서	198	임광훈	삼성서	175	임상조	마산서	457	임승민	중부청	211
이호석	광주청	350	이휴련	청주서	342	임교진	동화성서	249	임상진	국세청	113	임승섭	중부청	207
이호석	딜로이트	16	이흥열	한국관세	42	임국빈	북대전서	314	임상진	남대구서	161	임승수	중부청	208
이호성	삼성서	174	이희걸	구미서	406	임국훈	국세청	103	임상진	서대구서	398	임승용	평택서	246
이호성	동래서	439	이희경	기재부	61	임권순	금감원	87	임상헌	국세청	102	임승원	평택서	247
이호수	중부서	212	이희경	관악서	154	임권택	인천서	279	임상현	감사원	57	임승윤	지방재정	491
이호승	부산주류	118	이희경	조세재정	494	임규빈	김해서	455	임상현	기재부	63	임승주	감사원	56
이호승	서광주서	360	이희라	강동서	150	임규성	금천서	158	임상현	수영서	444	임승철	금융위	79
이호연	서울청	136	이희령	서울청	127	임근재	국세청	104	임상현	수영서	445	임승하	서초서	178
이호열	반포서	172	이희령	동래서	434	임근재	서울청	137	임상현	창원서	462	임승혁	예일회계	26
이호열	대구청	388	이희범	기재부	62	임금자	은평서	194	임상훈	중부청	208	임승원	예일세무	40
이호영	대전서	312	이희범	국세청	112	임기근	기재부	64	임새봄	청주서	342	임시원	대구청	387
이호영	동래서	436	이희범	서울청	147	임기문	남부천서	291	임샘터	국세청	144	임시형	남양주서	221
이호용	양천서	187	이희복	조세심판	492	임기양	서울청	126	임석규	남대문서	161	임식섭	국세청	106
이호은	서울청	137	이희석	동안산서	239	임기준	전주서	381	임석민	동대문서	166	임신욱	시흥서	232
이호인	안동서	412	이희선	조세재정	494	임기형	국세청	104	임석봉	용산서	192	임신희	서울청	136
이호정	김포서	286	이희성	금감원	86	임길묵	국세청	113	임석호	남동서	275	임아련	북전주서	377
이호제	서대전서	316	이희수	조세재정	495	임길수	영등포서	190	임석준	수원서	231	임아름	중랑서	201
이호준	강동서	151	이희숙	강동서	150	임길호	국세세관	474	임석영	국세교육	123	임아사	용인서	243
이호준	김포서	287	이희열	동대문서	167	임나경	부산청	424	임석호	인천청	273	임안나	북대전서	314
이호준	삼정회계	22	이희열	관악서	154	임나영	울산서	450	임선기	동래서	441	임애리	중부청	213
이호중	서대전서	317	이희영	동대문서	166	임남옥	목포서	364	임선미	광주청	351	임양건	포천서	302
이호찬	지방재정	491	이희영	동고양서	288	임다림	충주서	345	임선영	국세청	106	임양류	김앤장	45
이호창	기흥서	219	이희영	남대구서	393	임다혜	서울청	127	임선영	서대전서	316	임양미	수원서	230
이호철	여수서	369	이희옥	김천서	408	임달순	조세서	338	임선옥	인천서	203	임양주	익산서	379
이호태	법무광장	47	이희윤	제주서	467	임담윤	반포서	172	임선하	서대전서	316	임여경	국세청	103
이호필	국세청	110	이희정	분당서	226	임대규	조세심판	492	임선희	기재부	74	임여울	강동서	151
이홍구	중부청	208	이희정	안양서	241	임대근	강서서	250	임선희	동작서	168	임연빈	조세재정	495
이홍규	대구청	390	이희정	김포서	287	임대승	태평양	50	임성미	김해서	454	임연하	금감원	85
이홍범	조세재정	495	이희정	동래서	434	임덕수	인천청	269	임성민	순천서	367	임영교	화성서	250
이홍석	기재부	71	이희정	해운대서	449	임도성	기재부	63	임성범	지방재정	490	임영미	대전청	310
이홍숙	동작서	169	이희종	서대전서	316	임도훈	거창서	452	임성빈	금감원	92	임영상	기재부	68
이홍순	대전서	313	이희준	금감원	81							임영선	종로서	198

성명	소속	쪽	성명	소속	쪽	성명	소속	쪽
임영수	송파서	185	임정미	역삼서	188	임진묵	삼척서	254
임영수	제천서	340	임정미	광주청	352	임진상	기재부	64
임영신	서울청	128	임정민	나주서	362	임진아	남원서	375
임영신	서울청	129	임정석	서울청	139	임진연	동고양서	288
임영아	서울청	144	임정섭	부산청	429	임진영	남대문서	161
임영욱	성현회계	13	임정숙	기재부	65	임진영	의정부서	298
임영운	서울청	134	임정숙	관악서	155	임진옥	홍성서	334
임영주	기재부	73	임정연	기재부	76	임진옥	서울청	127
임영주	중기회	97	임정연	세종서	326	임진옥	고양서	282
임영희	울산서	451	임정은	중부청	212	임진정	광주청	348
임예인	영주서	416	임정일	서울청	142	임진정	광주청	349
임예지	잠실서	196	임정진	해운대서	447	임진주	강서서	152
임옥경	강남서	149	임정혁	용인서	243	임진혁	인천서	279
임옥규	국세청	115	임정혁	조세재정	496	임진호	서울청	140
임온순	동안양서	224	임정혜	대전청	309	임진홍	기재부	71
임완수	경주서	404	임정호	서울청	129	임진화	관악서	155
임완진	익산서	379	임정환	춘천서	262	임진환	안동서	413
임완진	동래서	441	임정환	부산청	422	임찬우	감사원	55
임용걸	남대문서	166	임정훈	국세상담	120	임찬혁	마포서	170
임용견	인천세관	479	임정훈	포항서	419	임찬휘	보령서	322
임용규	거창서	452	임정훈	울산서	450	임창관	목포서	365
임용주	남동서	274	임정희	구로서	156	임창규	서울청	127
임용택	김앤장	45	임정희	반포서	173	임창범	서울청	133
임우영	안양서	241	임종권	금감원	85	임창빈	의정부서	299
임우철	수영서	442	임종권	조세재정	496	임창섭	서울청	126
임우현	중부청	212	임종근	수영서	444	임창섭	부산청	426
임원아	중부청	206	임종덕	대구세관	486	임창수	서산서	324
임원주	성북서	183	임종민	산서	189	임창수	남대구서	393
임원희	진주서	461	임종민	부산세관	482	임창수	창원서	463
임유란	논산서	320	임종수	서울청	126	임창현	원주서	260
임유리	평택서	246	임종순	동안양서	224	임채두	부천서	293
임유리	예산서	331	임종안	광산서	355	임채두	노원서	163
임유선	포항서	419	임종우	서인천서	276	임채문	원주서	261
임유순	기재부	61	임종우	조세재정	495	임채수	가현택스	132
임유정	서울청	147	임종진	서울청	134	임채수	가현택스	143
임유진	영등포서	191	임종찬	부산서	424	임채수	가현택스	197
임유진	동안산서	238	임종찬	북대전서	314	임채영	북광주서	358
임유화	계양서	280	임종철	대구청	390	임채영	노원서	437
임윤영	동래서	435	임종철	영주서	416	임채일	금정서	430
임윤정	동래서	440	임종필	서초서	462	임채준	국세청	104
임윤정	조세심판	492	임종헌	서초서	179	임채현	수성서	401
임윤택	중랑서	200	임종혁	동청주서	337	임채홍	대구청	386
임은란	기재부	69	임종호	국세청	103	임철	상공회의	95
임은미	영등포서	190	임종화	수성서	400	임철우	중부청	103
임은미	동래서	434	임종훈	보령서	322	임철준	성현회계	13
임은식	인천청	272	임종훈	해운대서	448	임철진	광주청	349
임은영	예산서	279	임종희	영등포서	191	임청호	춘천서	263
임은주	도봉서	164	임주경	울산서	450	임청호	중기회	97
임은형	양천서	186	임주리	광주청	351	임충현	상공회의	96
임은화	마포서	170	임주영	양산서	459	임치성	경기광주	235
임의순	가천서	159	임주현	기재부	60	임치수	대구청	387
임인섭	통영서	465	임주현	시흥서	232	임치영	광주서	356
임인수	금감원	89	임주환	동대구서	394	임칠성	포천서	302
임인수	부산청	428	임준빈	중부청	203	임태수	진주서	461
임인재	종로서	198	임준일	인천청	271	임태순	부산청	424
임인정	서울청	132	임중균	서대구서	399	임태암	금천서	158
임인택	홍성서	334	임지광	성남서	228	임태일	서울청	142
임인택	충주서	344	임지남	서울청	180	임태호	동작서	168
임인혁	동화성서	249	임지민	동대문서	166	임태호	인천서	268
임인혜	서인천서	276	임지수	항서	418	임하경	잠실서	196
임일훈	서울청	130	임지숙	성북서	183	임하나	수영서	444
임자혁	인천서	278	임지순	천안서	332	임한경	경산서	402
임잔디	금감원	83	임지아	국세청	103	임한섭	영등포서	190
임장섭	중부청	213	임지영	서울청	132	임한솔	수원서	230
임재규	평택서	246	임지영	서초서	179	임한솔	정읍서	383
임재돈	예산서	331	임지원	포항서	418	임한연	공주서	308
임재동	금감원	82	임지은	동안양서	224	임해리	공주서	319
임재미	중부청	214	임지은	세종서	327	임해숙	남동서	274
임재석	인천청	268	임지은	경주서	404	임행완	서울청	147
임재성	북전주서	376	임지은	김해서	455	임향숙	여수서	369
임재승	중부청	214	임지혁	김포서	286	임향원	수성서	400
임재용	흥천서	264	임지현	삼성서	174	임향자	중부청	210
임재은	의정부서	299	임지현	용산서	193	임헌정	기재부	72
임재주	국세교육	123	임지현	동래서	434	임헌진	충주서	345
임재철	아산서	329	임지형	서울청	128	임현구	중랑서	200
임재학	북대구서	397	임지혜	동작서	168	임현석	남양주서	220
임재혁	경기광주	235	임지혜	구리서	216	임현석	서울청	138
임재현	서울청	126	임지혜	대전서	313	임현수	충주서	345
임재현	삼덕회계	18	임지훈	대전청	308	임현수	이촌회계	28
임재홍	조세재정	495	임지훈	아산서	328	임현영	중랑서	201
임정경	분당서	226	임지훈	전주서	380	임현웅	관세청	471
임정관	대구청	386	임지흠	기재부	70	임현정	성동서	180
임정근	국세청	100	임진규	영동서	338	임현정	부천서	293
임정근	서울청	126				임현정	조세재정	495
임정미	국세청	117				임현주	중부청	211

성명	소속	쪽	성명	소속	쪽
임현진	서초서	179	장남운	EY한영	14
임현진	창원서	462	장노기	금정서	431
임현철	대전청	307	장다혜	김해서	455
임현철	인천세관	480	장대식	수원서	231
임현택	순천서	366	장대완	서울청	147
임형걸	국세교육	123	장덕구	대전청	310
임형빈	보령서	322	장덕진	관악서	155
임형수	마포서	170	장덕진	거창서	453
임형수	파주서	300	장덕희	부산청	422
임형수	조세재정	496	장동규	순천서	366
임형용	북전주서	376	장동규	구로서	157
임형우	고양서	282	장동인	서초서	178
임형은	서울청	328	장동훈	서울청	139
임형조	금감원	87	장동환	충주서	345
임형철	서초서	178	장동훈	영등포서	191
임형태	서울청	137	장두수	경주서	404
임혜경	동래서	433	장두연	중랑서	200
임혜란	중부청	213	장두진	부산청	422
임혜령	성동서	138	장명기	지방재정	490
임혜연	성동서	181	장명섭	시흥서	232
임혜연	화성서	250	장명수	창원서	463
임혜영	서울청	209	장명숙	영등포서	190
임혜정	금정서	430	장명화	안동서	412
임혜진	반포서	173	장명훈	청주서	342
임호진	서울청	127	장문경	동안양서	224
임홍남	딜로이트	16	장문경	지방재정	491
임홍래	조세재정	496	장문경	중부청	208
임홍석	성동서	180	장문수	조세재정	495
임홍철	서초서	179	장문수	동청주서	337
임화춘	국세청	102	장미랑	광주서	356
임활규	인천세관	479	장미숙	서울청	127
임효선	서울청	131	장미숙	서울청	126
임효선	영등포서	190	장미영	세종서	326
임효신	남대구서	393	장미영	북전주서	376
임효정	강서서	152	장미자	군산서	372
임홍식	광명서	285	장미진	이천서	245
임희건	노원서	163	장미진	해운대서	448
임희경	중부청	206	장미형	김포서	287
임희수	고시회	32	장민경	중랑서	200
임희영	조세재정	496	장민근	삼성서	174
임희운	성동서	181	장민기	경기광주	235
임희원	양천서	187	장민석	나주서	362
임희인	남대구서	393	장민수	홍천서	265
임희정	구로서	156	장민우	노원서	162
임희정	중부청	213	장민재	중부청	211
임희주	국세청	102	장민철	구리서	216
임희택	창원서	463	장민혜	조세재정	495

ㅈ

성명	소속	쪽	성명	소속	쪽
장강혁	지방재정	490	장민환	천안서	332
장건수	서울청	146	장백용	창원서	462
장건식	송파서	184	장병국	서울청	131
장건후	의정부서	299	장병석	포천서	303
장경숙	동대구서	394	장병채	서울청	147
장경승	기재부	76	장병호	서대구서	398
장경일	안양서	240	장병호	구미서	407
장경일	중부청	206	장보영	기재부	68
장경주	서대문서	177	장보원	고시회	32
장경필	기재부	89	장보현	기재부	72
장경필	금감원	103	장상록	딜로이트	16
장경호	부산세관	482	장상우	동청주서	337
장경호	속초서	257	장상엽	해운대서	446
장경희	동화성서	248	장서라	국세청	108
장경희	경산서	403	장서영	강동서	151
장광석	국세청	103	장서영	노원서	162
장광식	영월서	259	장서윤	가천서	159
장광웅	국세상담	120	장서현	구로서	157
장광택	울산서	450	장석미	마포서	170
장교은	경산서	403	장석만	중부청	206
장권철	국세청	116	장석문	부산청	423
장규복	서대문서	176	장석아	아산서	329
장근철	남대구서	392	장석오	국세청	104
장금희	경기광주	235	장석일	금감원	81
장기승	서인천서	276	장석일	금감원	89
장기영	북광주서	358	장석준	중부청	207
장기영	서울청	145	장석진	중부청	211
장기원	대전청	311	장석현	서산서	324
장기현	경산서	365	장석현	동대구서	395
장낙원	조세재정	495	장선미	남양주서	220
장난주	감사원	57	장선영	서인천서	277
장남식	부천서	292	장선영	김포서	286
			장선우	금정서	431
			장선정	인천청	272
			장선희	강남서	148
			장선희	광명서	284
			장선희	상주서	410
			장설희	동고양서	288

이름	소속	쪽	이름	소속	쪽	이름	소속	쪽	이름	소속	쪽	이름	소속	쪽
장성근	동래서	441	장영진	국세주류	118	장재수	서울청	142	장필효	서인천서	276	장희철	서울청	136
장성근	양산서	458	장영진	남대문서	160	장재영	중부서	202	장하연	군산서	372	재정국	기재부	72
장성기	국세청	107	장영철	전주서	380	장재영	중부청	210	장한별	서울청	134	재정국	서울청	73
장성두	태평양	50	장영태	국세상담	120	장재영	광명서	284	장한슬	서대구서	399	전가람	경기광주	235
장성미	충주서	344	장영호	해운대서	449	장재영	여수서	368	장한울	충주서	345	전갑수	경주서	404
장성봉	북대전서	314	장영환	로서	157	장재웅	기재부	63	장항철	금감원	90	전갑종	서현이현	7
장성옥	금감원	83	장예원	남동서	274	장재웅	연수서	297	장해미	양산서	458	전강식	국세청	106
장성우	국세청	105	장완재	전주서	381	장재원	구로서	156	장해성	서울청	142	전강희	동안양서	224
장성우	동대문서	167	장외자	수성서	400	장재필	수영서	444	장해성	원주서	261	전건모	김포서	286
장성우	서초서	178	장용자	중부청	208	장재형	김천서	408	장해순	중부청	213	전경란	양천서	186
장성욱	동래서	439	장용준	군산서	373	장재호	금천서	158	장해영	기재부	64	전경선	동수원서	222
장성재	남원서	375	장용호	인천세관	478	장재훈	금감원	87	장해준	익산서	379	전경선	조세심판	493
장성주	구미서	407	장우석	의정부서	298	장재훈	은평서	194	장혁민	영주서	417	전경숙	금정서	431
장성필	광주청	351	장우영	천안서	333	장재희	원주서	261	장혁배	성남서	229	전경옥	강남서	148
장성하	국세청	108	장우인	경기광주	235	장정수	구리서	216	장현국	지방재정	491	전경환	성동서	180
장성환	중부청	211	장우정	국세청	108	장정순	조세재정	494	장현기	안산서	236	전광준	서초서	179
장세연	천안서	332	장우현	조세재정	495	장정엽	인천청	271	장현기	영주서	416	전광열	기재부	60
장세원	속초서	257	장운정	조세재정	495	장정욱	의정부서	298	장현미	서대구서	398	전광석	중부서	203
장세창	인천세관	478	장웅요	관세청	471	장정영	남양주서	220	장현석	지방재정	490	전광호	기재부	65
장세철	울산서	451	장원국	서대구서	399	장정윤	조세재정	496	장현성	구로서	157	전광호	청주서	343
장세황	포항서	418	장원대	부산청	425	장정은	서초서	179	장현수	화성서	250	전국화	울산서	450
장소연	안산서	237	장원미	마포서	171	장정현	김포서	286	장현수	남부천서	291	전국휘	안양서	240
장소연	EY한영	14	장원석	인천청	273	장정혜	남대구서	392	장현수	세종서	326	전기석	중부청	212
장소영	서울청	142	장원석	조세재정	496	장정훈	금감원	88	장현숙	북전주서	376	전기승	국세교육	122
장소영	기흥서	218	장원식	국세청	103	장제멍	파주서	301	장현우	동대구서	394	전기희	서대문서	176
장소영	남부천서	290	장원식	서울청	144	장조희	중랑서	201	장현우	북전주서	376	전다솜	국세청	117
장소영	제주서	466	장원일	국세청	108	장종철	동대구서	394	장현정	대구청	387	전다영	구리서	216
장송연	동래서	435	장원주	로서	157	장종희	화성서	250	장현호	중부청	214	전다인	파주서	300
장수안	서울청	126	장원창	국세교육	122	장종희	부산세관	482	장현주	영주서	417	전대섭	용산서	192
장수연	광주청	348	장유나	서대구서	398	장주열	고양서	282	장현준	안양서	240	전대진	삼척서	254
장수연	북대구서	397	장유나	남대구서	446	장주영	동래서	438	장현준	삼일회계	20	전동근	국세청	115
장수연	수영서	442	장유민	경산서	403	장주현	서울청	136	장현중	기재부	72	전동길	국세청	104
장수연	김해서	455	장유석	기재부	73	장주환	동래서	434	장현진	서울청	135	전동철	중부청	215
장수영	인천서	269	장유용	광주세관	488	장주환	감사원	56	장현진	국세청	263	전동표	기재부	61
장수원	영등포서	191	장유정	동수원서	223	장준미	국세청	110	장현진	양산서	458	전동근	익산서	378
장수은	기재부	75	장유정	연수서	297	장준엽	전주서	381	장현하	아산서	328	전동호	서울청	127
장수정	중부청	208	장유정	지방재정	490	장준영	기재부	62	장형규	서울청	141	전명진	대전청	308
장수정	동대구서	394	장유진	원주서	261	장준영	동래서	438	장형석	지방재정	491	전명환	성현회계	13
장수진	남양주서	221	장유진	동고양서	288	장준용	대전청	310	장형순	구미서	406	전무열	신한관세	43
장수현	서울청	138	장유진	동래서	433	장준원	영등포서	191	장형욱	해남서	371	전미래	삼성서	174
장수현	동작서	168	장유진	해운대서	448	장준찬	국세청	114	장형원	기재부	295	전미선	순천서	366
장수환	국세청	113	장유진	지방재정	490	장준혁	기재부	71	장형재	서광주서	360	전미애	인천서	272
장수희	북광주서	358	장윤석	대전청	308	장준원	포항서	418	장혜경	강동서	150	전미영	고양서	282
장수희	정읍서	383	장윤정	기재부	61	장준호	기재부	65	장혜경	동대문서	167	전미자	남대구서	393
장순남	법무광장	47	장윤정	수영서	442	장준희	조세재정	495	장혜린	대전서	313	전민아	강서서	152
장순임	수원서	231	장윤정	조세재정	496	장지민	북광주서	358	장혜린	동청주서	336	전민정	서울청	130
장슬기	시흥서	233	장윤지	부평서	294	장지선	순천서	366	장혜림	평택서	246	전민정	청주서	343
장슬미	목포서	365	장윤화	진주서	460	장지영	동작서	169	장혜미	서울청	146	전민지	삼성서	174
장슬빈	인천서	278	장윤희	서울청	128	장지영	동래서	432	장혜미	관악서	155	전범준	청주서	342
장승대	기재부	72	장은경	남부천서	290	장지우	송파서	185	장혜미	지방재정	490	전범철	중부청	211
장승연	광명서	285	장은경	대구청	386	장지원	서광주서	361	장혜선	기재부	68	전병건	인천세관	478
장승연	태평양	50	장은경	부산청	424	장지원	조세재정	496	장혜영	서울청	128	전병도	동래서	434
장승원	파주서	301	장은석	로서	104	장지윤	영등포서	191	장혜원	동래서	463	전병두	은평서	194
장승일	진주서	461	장은수	국세청	109	장지은	서울청	135	장혜인	의정부서	298	전병목	조세재정	494
장승희	중부청	206	장은수	서울세관	474	장지은	분당서	226	장혜주	수원서	230	전병오	포천서	302
장승희	신한관세	43	장은심	관세청	248	장지혜	서울청	136	장혜지	반포서	172	전병옥	기흥서	218
장승희	신한관세	471	장은영	구로서	157	장지혜	지방재정	491	장혜지	이천서	244	전병일	수영서	445
장시열	기재부	69	장은영	포항서	418	장지환	평택서	246	장혜진	구리서	217	전병준	동래서	434
장시원	의정부서	299	장은영	진주서	460	장지훈	김해서	454	장혜진	김해서	454	전병진	강동서	151
장시원	광주청	353	장은영	지방재정	490	장지훈	삼정회계	22	장호강	이안세무	41	전병천	서울청	132
장시원	경산서	403	장은용	인천서	279	장진범	동대문서	167	장호우	경산서	402	전병철	기흥서	218
장시찬	대전청	310	장은정	구로서	156	장진아	김포서	287	장호윤	동화성서	249	전보원	대전청	306
장신기	광주청	351	장은정	동대문서	167	장진영	도봉서	164	장호윤	삼척서	254	전보원	의정부서	298
장신기	광주청	352	장은주	천안서	333	장진영	안동서	412	장호정	북대구서	396	전보철	동작서	168
장아론	조세재정	494	장은희	대구청	387	장진욱	남대구서	392	장호철	울산서	451	전복진	순천서	366
장아론	조세재정	496	장의순	기재부	70	장진현	파주서	300	장홍정	동래서	439	전봄내	양산서	458
장아름미	서울청	142	장이삭	국세청	103	장진혁	나주서	362	장회정	해운대서	447	전봉민	동래서	433
장엄지	의정부서	298	장이지	관서	154	장진희	강동서	151	장효경	남대구서	393	전봉준	중부청	210
장연경	포천서	302	장익성	중부청	209	장찬순	홍성서	334	장효숙	조세심판	492	전봉철	익산서	378
장연근	삼성서	175	장익준	제주서	466	장찬용	강남서	149	장효순	기재부	74	전상규	국세청	103
장연숙	중부청	215	장인섭	중부청	214	장창걸	남대구서	393	장효영	동래서	435	전상련	북대구서	396
장연수	서대구서	399	장인수	동대문서	167	장창렬	국세청	104	장효은	기재부	71	전상배	아산서	328
장연주	양천서	186	장인숙	서울청	129	장창복	역삼서	189	장훈	청주서	342	전상원	성현회계	13
장연택	중부청	215	장인숙	부산청	424	장창하	국세청	115	장훈희	김포서	286	전상현	영주서	416
장연호	법무광장	46	장인영	서울청	146	장창호	금감원	88	장흥진	신한관세	43	전상현	도봉서	164
장연화	부평서	294	장인영	동안양서	225	장창호	수성서	400	장희라	동래서	439	전상호	파주서	301
장영관	삼성서	174	장인영	성남서	229	장창환	서울청	129	장희석	한국세관	42	전상숙	안산서	236
장영림	삼성서	174	장인영	기재부	64	장철성	금천서	158	장희숙	강동서	151	전상훈	동안산서	238
장영민	인천세관	474	장일영	금천서	159	장철연	종로서	198	장희숙	동고양서	289	전샛별	강동서	151
장영석	대전청	307	장일웅	고양서	282	장철현	김천서	409	장희원	서울청	127	전선역	서울청	147
장영섭	법무광장	47	장일현	국세청	111	장철호	시흥서	232	장희정	동작서	168	전선화	서울청	139
장영수	광주청	351	장재림	서울청	126	장준호	인천세관	479	장희정	동작서	169	전선희	화성서	250
장영심	금감원	88	장재민	중부청	212	장태복	서울청	143	장희정	종로서	199			
장영일	중부청	214	장재선	동래서	434	장태성	중부청	210	장희정	서대구서	398			
장영주	전주서	381				장태희	조세심판	492	장희진	안산서	237	전성곤	울산서	451

Column 1

이름	소속	쪽
전성민	기재부	60
전성수	강서서	152
전성우	김천서	408
전성익	조세심판	492
전성준	기재부	68
전성준	청주서	343
전성준	광산서	354
전성헌	기재부	74
전성화	부산청	426
전성훈	노원서	162
전세림	인천청	273
전세연	충주서	345
전세영	분당서	226
전세정	국세상담	120
전세현	금정서	430
전소연	국세청	103
전소원	서대구서	398
전소윤	서인천서	276
전소현	원주서	260
전소희	중부청	210
전소희	동청주서	336
전수만	삼척서	254
전수미	동래서	440
전수연	강남서	148
전수연	이천서	245
전수영	정읍서	383
전수정	기재부	61
전수진	국세청	108
전수진	동대구서	394
전수한	금융위	80
전수현	군산서	373
전순호	성동서	181
전승록	해운대서	449
전승조	남대구서	392
전승진	조세재정	496
전승현	동고양서	288
전승현	서울청	140
전승현	남동서	275
전승훈	용산서	192
전시영	충주서	345
전신희	용인서	242
전아라	서울청	133
전애진	국세청	115
전양호	구미서	406
전연주	성동서	180
전연진	조세심판	492
전영균	반포서	173
전영래	법무세종	48
전영무	부평서	295
전영수	금정서	430
전영심	강남서	451
전영우	동래서	437
전영욱	동래서	438
전영운	용산서	159
전영의	서울청	130
전영일	서울청	243
전영준	분당서	227
전영창	세무하나	39
전영철	진주서	461
전영출	인천청	273
전영현	대구서	391
전영호	국세청	104
전영호	동대구서	395
전영훈	춘천서	262
전예원	조세재정	495
전예슨	인천청	268
전예제	지방재정	491
전예지	기재부	75
전예진	남동서	274
전옥선	대전청	306
전왕기	서울청	126
전요섭	금융위	79
전요찬	군산서	372
전용수	서울청	137
전용원	동대문서	167
전용준	울산서	451
전용진	마산서	457
전용찬	금천서	159
전용현	북광주서	358
전용훈	동안양서	225
전우승	감사원	57
전우식	성북서	182
전우식	서인천서	276
전우정	영주서	417
전우찬	구로서	157

Column 2

이름	소속	쪽
전원석	국세청	104
전원실	시흥서	232
전원엽	삼일회계	20
전원진	남부천서	291
전유광	서인천서	277
전유나	마포서	171
전유라	송파서	184
전유리	삼성서	175
전유림	국세청	103
전유민	종로서	199
전유석	기재부	65
전유영	인천청	269
전유완	남부천서	290
전유진	전주서	380
전유진	예일세무	40
전윤석	마포서	171
전윤아	구리서	217
전윤지	동래서	432
전윤현	포항서	419
전윤희	예산서	330
전은미	서대구서	398
전은상	관악서	155
전은상	서광주서	360
전은선	파주서	301
전은영	중부청	207
전은정	안산서	237
전은주	금융위	79
전은지	노원서	162
전은혜	서대구서	398
전이나	군산서	373
전익선	국세청	112
전익성	상주서	411
전익표	안산서	236
전인경	서울청	127
전인복	북대구서	314
전인석	동래서	438
전인식	상공회의	95
전인지	이천서	244
전인향	서초서	179
전일권	국세청	102
전일앙	국세청	115
전재달	부산청	423
전재령	영동서	338
전재형	용인서	243
전정영	국세청	112
전정은	군산서	372
전정호	중부청	209
전정훈	노원서	163
전제간	삼성서	175
전제범	지방재정	490
전종경	동대구서	395
전종근	성동서	181
전종길	지방재정	491
전종승	노원서	163
전종선	송파서	185
전종원	통영서	465
전종태	광주청	350
전종태	김해서	455
전종현	기재부	71
전종희	창원서	462
전종희	국세청	100
전주석	인천청	271
전주완	포천서	302
전주현	서울청	128
전주화	북전주서	377
전주희	영등포서	191
전준고	기재부	64
전준영	기재부	75
전준일	역삼서	189
전준호	혜천서	271
전준희	국세청	110
전중원	세종서	326
전지민	서울청	138
전지민	창원서	463
전지선	수원서	231
전지선	광산서	354
전지양	지방재정	490
전지연	강남서	148
전지연	인천서	279
전지영	기재부	61
전지영	포천서	302
전지원	서대구서	399
전지원	부산청	424
전지원	구로서	156
전지원	마포서	171

Column 3

이름	소속	쪽
전지은	청주서	343
전지현	국세청	112
전지현	남동서	274
전지현	대전청	306
전지현	대전서	312
전지현	부산청	427
전진무	안산서	237
전진수	노원서	163
전진아	성동서	181
전진우	중부청	215
전진철	해남서	370
전진하	부산청	422
전진호	송파서	185
전찬범	동대구서	394
전찬익	기재부	72
전창석	정읍서	383
전창선	마산서	457
전창우	인천서	279
전창훈	북대구서	397
전채환	분당서	226
전충선	국세청	114
전태규	서영서	280
전태병	강남서	149
전태영	서울청	129
전태영	관악서	155
전태현	나주서	362
전태호	서광주서	360
전태호	울산서	445
전태회	거창서	453
전태훈	국세청	106
전하나	해운대서	447
전하돈	중부청	212
전하윤	동래서	435
전학심	남부천서	290
전한식	잠실서	197
전한일	김앤장	45
전해일	기재부	62
전해철	북광주서	359
전현명	수영서	445
전현민	서인천서	277
전현숙	제천서	340
전현아	북대구서	314
전현우	서울청	131
전현우	양천서	186
전현정	서울청	140
전현정	인천서	279
전현정	대전서	312
전현정	대구서	387
전현주	동수원서	336
전현주	울산서	451
전현진	남대구서	392
전현진	서대구서	398
전현혜	국세청	112
전형구	지방재정	491
전형민	강남서	148
전형용	기재부	70
전형정	평택서	246
전형정	조세재정	496
전형철	감사원	56
전혜숙	중기회	97
전혜영	서울청	145
전혜영	용인서	243
전혜영	평택서	247
전혜영	대전서	307
전혜영	동고양서	288
전혜영	동대문서	167
전혜정	인천청	270
전혜진	정읍서	382
전혜진	대구청	388
전호남	예산서	330
전호연	대전청	311
전호영	용산서	192
전호종	영덕서	415
전홍규	기재부	67
전홍균	금감원	83
전홍근	파주서	301
전홍미	창원서	463
전홍석	북광주서	358
전효선	기재부	63
전후영	국세상담	120
전훈희	잠실서	197
전희경	잠실서	197
전희규	금융위	79

Column 4

이름	소속	쪽
전희석	대전청	311
전희원	동래서	439
정가영	김해서	454
정가희	동안양서	225
정강미	중랑서	200
정강영	시흥서	233
정거성	서초서	178
정건제	서울청	142
정건철	광주서	356
정건화	동래서	436
정경남	대구청	391
정경돈	부평서	295
정경란	중부청	194
정경미	서대구서	398
정경미	구미서	407
정경미	부산청	425
정경민	화성서	251
정경민	동래서	435
정경숙	강서서	152
정경숙	구미서	164
정경순	조세재정	494
정경식	여수서	369
정경식	구미서	406
정경옥	잠실서	197
정경은	중기회	97
정경인	동안산서	238
정경일	광주청	349
정경일	수성서	401
정경임	울산서	450
정경종	광주청	352
정경주	수영서	445
정경진	강서서	152
정경진	삼척서	254
정경철	중부청	214
정경택	노원서	162
정경화	중부청	212
정경화	평택서	246
정경화	조세재정	494
정경희	남대구서	393
정계승	논산서	321
정관성	금감원	90
정관섭	서울청	156
정광륜	서울청	132
정광조	기재부	71
정광준	강동서	150
정광진	김앤장	45
정광춘	인천세관	477
정광춘	인천세관	477
정광춘	인천세관	480
정광현	화성서	250
정광호	서울청	317
정교민	강동서	151
정교진	인천세관	479
정교필	구로서	156
정구선	관세청	470
정구현	서산서	324
정구휘	인천서	271
정국교	중부청	214
정국일	고양서	283
정권술	창원서	462
정규남	수원서	230
정규명	서울청	145
정규민	대전서	313
정규삼	기재부	63
정규삼	대구청	390
정규식	국세청	115
정규진	부산청	428
정규호	영덕서	414
정균호	전주서	381
정근선	북대전서	314
정근우	구로서	156
정근욱	인천서	278
정금미	반포서	173
정금미	대전서	312
정기선	동작서	168
정기선	반포서	172
정기선	인천청	272
정기섭	인천세관	477
정기섭	인천세관	477
정기섭	인천세관	480
정기숙	국세청	104
정기열	계양서	280
정기원	국세청	117
정기은	목포서	365
정기종	광주서	356

Column 5

이름	소속	쪽
정기주	서인천서	277
정기중	광산서	355
정기태	국세청	100
정기호	동수원서	222
정기환	국세청	102
정길채	기재부	73
정길호	광산서	355
정나영	강릉서	252
정낙열	삼일회계	21
정난영	구로서	156
정남숙	의정부서	299
정남희	기재부	72
정년숙	국세청	109
정녕현	북대구서	396
정다겸	국세청	115
정다솔	안양서	241
정다영	동작서	169
정다영	성동서	180
정다운	기재부	71
정다운	화성서	251
정다운	부평서	295
정다운	대구청	390
정다운	마산서	456
정다운	조세재정	494
정다운	조세재정	495
정다윗	해운대서	447
정다은	구리서	216
정다은	평택서	247
정다은	남동서	274
정다은	김포서	287
정다이	삼성서	174
정다혜	파주서	301
정다희	광주청	353
정대교	김해서	455
정대길	삼정회계	22
정대석	대구청	386
정대섭	경산서	402
정대수	용산서	193
정대혁	양천서	186
정대혁	서울청	141
정대화	수영서	442
정대환	중부청	212
정대희	마산서	456
정덕균	광주서	356
정덕주	국세상담	120
정도식	부산청	422
정도연	남동서	274
정도영	강남서	148
정도영	김해서	455
정도희	서울청	135
정동기	동수원서	222
정동엽	충주서	344
정동영	기재부	73
정동욱	관악서	154
정동욱	인천청	273
정동재	국세청	116
정동주	부산청	425
정동준	중부청	214
정동진	예일회계	26
정동철	경주서	404
정동혁	국세청	112
정동현	기재부	67
정동현	기재부	77
정동화	지방재정	491
정동환	국세상담	120
정동환	서울청	126
정두레	동화성서	249
정두식	예일세무	40
정류빈	고양서	283
정리나	북광주서	359
정맑음	포천서	302
정맹헌	수원서	231
정명교	서초서	178
정명균	서현이현	7
정명근	목포서	364
정명수	기재부	64
정명수	전주서	380
정명숙	국세청	104
정명숙	충주서	344
정명숙	나주서	362
정명순	동수원서	223
정명운	서광주서	361
정명주	성동서	180
정명지	기재부	73
정명하	공주서	318

이름	소속	쪽
정명환	동래서	432
정명훈	강동서	151
정명희	대구청	387
정무현	대전청	311
정무수	해운대서	449
정문승	속초서	257
정문제	서대구서	399
정문현	파주서	301
정문희	양천서	187
정미경	서울청	127
정미경	관악서	154
정미경	송파서	185
정미경	잠실서	196
정미경	인천청	270
정미경	의정부서	298
정미금	서대구서	398
정미라	고양서	282
정미라	광산서	354
정미란	국세청	116
정미란	서울청	136
정미래	서초서	179
정미리	부산청	423
정미선	금감원	86
정미선	용산서	192
정미선	광주서	357
정미선	나주서	363
정미선	해남서	370
정미선	양산서	458
정미애	동화성서	249
정미연	목포서	364
정미연	구미서	407
정미연	동래서	438
정미영	서울청	134
정미영	성동서	180
정미영	은평서	194
정미영	인천청	270
정미영	북대전서	315
정미영	북광주서	358
정미원	관악서	155
정미진	중부청	208
정미진	광주청	349
정미향	광주서	356
정미현	세종서	327
정미현	영동서	339
정미현	동래서	438
정미화	마포서	170
정미화	제천서	340
정미희	영등포서	191
정민경	동래서	441
정민국	서울청	136
정민기	기재부	65
정민기	국세청	114
정민기	은평서	194
정민석	관악서	154
정민석	동래서	439
정민섭	역삼서	189
정민수	삼일회계	20
정민순	남대문서	161
정민아	남대구서	393
정민영	공주서	319
정민영	동래서	434
정민우	마포서	170
정민재	시흥서	232
정민종	기재부	68
정민주	관악서	154
정민주	구미서	407
정민철	기재부	64
정민철	서대문서	176
정민혜	인천서	271
정민호	동대문서	167
정민호	성동서	181
정민화	서울청	127
정방현	금천서	158
정범식	상공회의	95
정범식	상공회의	96
정범관	군산서	373
정병록	국세주류	118
정병문	김앤장	45
정병숙	연수서	297
정병식	기재부	69
정병식	기재부	70
정병완	기재부	72
정병주	북광주서	359
정병진	분당서	226
정병진	지방재정	491
정병창	시흥서	232
정병철	해남서	371
정병호	국세청	103
정병호	춘천서	262
정보겸	해운대서	448
정보경	서울청	127
정보경	서초서	178
정보경	북대전서	314
정보근	기재부	76
정보근	서울청	131
정보기	서대문서	177
정보길	남동서	274
정보람	반포서	173
정보령	서울청	141
정보름	조세재정	495
정보빈	천안서	332
정보현	광산서	354
정복순	삼일회계	20
정봉균	중부청	208
정봉수	서울청	132
정봉수	강릉서	253
정봉훈	반포서	172
정부교	송파서	184
정부섭	마산서	456
정부용	용산서	192
정부원	양산서	458
정사랑	기재부	64
정삼근	남부천서	290
정삼근	파주서	301
정삼기	조세재정	495
정상남	서대전서	316
정상덕	강남서	148
정상민	국세청	116
정상민	서울청	140
정상봉	부산청	422
정상수	영동서	339
정상술	노원서	162
정상아	용인서	242
정상열	중랑서	200
정상오	중부청	213
정상우	감사원	55
정상원	영등포서	190
정상원	북청주서	337
정상진	남동서	274
정상천	보령서	323
정상현	원주서	261
정상화	삼성서	175
정상훈	해운대서	447
정새아	군산서	373
정서빈	부천서	292
정서영	강남서	148
정서규	도봉서	165
정석용	이촌회계	28
정석우	부산서	425
정석진	조세재정	494
정석철	구미서	406
정석현	용인서	242
정석호	김천서	408
정석환	춘천서	262
정석훈	서울청	142
정석훈	동대문서	167
정석훈	잠실서	196
정선경	해운대서	446
정선균	국세청	102
정선두	부산청	425
정선례	김포서	286
정선아	인천청	270
정선아	춘천서	347
정선영	영등포서	191
정선영	인천청	268
정선옥	광주청	349
정선이	경기광주	234
정선인	금융위	79
정선재	기재부	129
정선재	인천청	268
정선태	서광주서	361
정선현	중부청	208
정선호	이촌회계	28
정선흥	삼일회계	20
정선희	대구청	387
정설아	기재부	450
정성곤	화성서	250
정성관	영동서	338
정성구	기재부	71
정성만	부산청	429
정성모	대전청	309
정성문	충주서	345
정성문	광주서	357
정성민	서울청	128
정성민	김천서	408
정성수	광산서	355
정성영	서울청	128
정성오	북광주서	358
정성용	수영서	443
정성우	중부청	206
정성욱	창원서	463
정성욱	금정서	431
정성욱	통영서	464
정성원	기재부	61
정성원	진주서	460
정성윤	포항서	418
정성윤	김해서	455
정성은	송파서	185
정성은	동화성서	249
정성은	인천청	269
정성은	대구세관	485
정성의	해남서	370
정성익	남부천서	290
정성일	연수서	297
정성일	순천서	367
정성주	삼척서	255
정성주	동래서	441
정성진	대전청	311
정성한	서울청	134
정성호	성북서	182
정성호	중부청	212
정성호	대구청	386
정성호	창원서	462
정성화	동래서	441
정성훈	국세교육	123
정성훈	북청주서	336
정성훈	부산청	426
정성훈	울산서	450
정성훈	마산서	457
정세경	동고양서	289
정세나	은평서	194
정세나	제주서	467
정세미	평택서	246
정세미	광산서	354
정세미	동래서	436
정세연	중부서	202
정세영	강남서	149
정세윤	서울청	147
정세훈	나주서	363
정세희	경주서	405
정소라	세종서	327
정소라	천안서	332
정소연	남대문서	160
정소연	인천서	278
정소연	의정부서	299
정소영	기재부	76
정소영	서울청	147
정소영	강남서	149
정소영	강서서	152
정소영	광주청	351
정소영	해남서	371
정소영	경산서	403
정소영	통영서	464
정소라	역삼서	188
정소윤	금정서	430
정소정	동고양서	288
정소현	삼정회계	24
정수경	국세청	109
정수길	춘천서	262
정수명	전주서	380
정수미	강동서	151
정수빈	북대구서	396
정수연	양천서	187
정수연	서대전서	316
정수연	서대구서	399
정수영	부산청	427
정수영	종로서	198
정수영	동래서	438
정수영	진주서	460
정수영	서울청	142
정수인	역삼서	189
정수인	동래서	439
정수일	용인서	243
정수자	서광주서	361
정수지	잠실서	197
정수진	서울청	132
정수진	서울청	143
정수진	서인천서	276
정수진	광명서	284
정수진	광산서	355
정수진	부산서	424
정수진	마산서	457
정수현	동안양서	224
정수현	광주청	348
정수현	구미서	406
정수호	대구청	388
정수환	창원서	462
정수희	해운대서	448
정숙경	북광주서	358
정숙자	북전주서	376
정숙의	인천청	270
정숙희	동래서	436
정순남	동안양서	224
정순도	잠실서	143
정순범	중부청	213
정순삼	강동서	150
정순애	금정서	430
정순아	양천서	187
정순욱	해운대서	449
정순임	서울청	140
정순재	서대구서	399
정슬기	춘천서	262
정슬기	양산서	458
정슬아	잠실서	227
정승갑	강남서	148
정승기	평택서	246
정승기	인천청	272
정승렬	동대문서	167
정승복	국세상담	120
정승식	잠실서	196
정승용	평택서	246
정승우	대구청	387
정승우	부산청	427
정승원	해운대서	449
정승재	서산서	324
정승철	부천서	293
정승태	국세청	112
정승태	용산서	192
정승태	대전청	308
정승호	서초서	178
정승환	서울청	145
정승환	광주세관	487
정승환	광주세관	488
정승훈	남부천서	291
정승희	영등포서	191
정시영	서현이현	7
정시온	송파서	184
정시온	순천서	367
정신영	수원서	223
정쌍화	서대구서	398
정아람	서울청	137
정안석	영등포서	191
정애라	중부청	211
정애리	북전주서	376
정애영	동작서	169
정애진	서울청	142
정양기	지방재정	491
정양희	지방재정	490
정에녹	나주서	362
정여원	중부서	203
정여진	기재부	59
정연경	삼정회계	24
정연경	동청주서	337
정연교	광주세관	488
정연아	전주서	460
정연득	용인서	242
정연상	감사원	57
정연숙	성북서	182
정연선	광명서	285
정연섭	서인천서	277
정연옥	부산세관	482
정연옥	포항서	418
정연옥	통영서	464
정연웅	서울청	127
정연재	수영서	445
정연주	종로서	199
정연주	구리서	216
정연주	인천청	272
정연주	인천청	273
정연철	고양서	282
정연호	국세청	100
정연훈	경주서	404
정영곤	순천서	366
정영규	영등포서	191
정영달	서울청	147
정영락	금감원	84
정영록	해운대서	449
정영무	부평서	295
정영미	구리서	216
정영민	법무세종	48
정영배	부산청	426
정영석	상공회의	96
정영석	경기광주	235
정영석	대전서	313
정영석	딜로이트	16
정영선	국세청	110
정영숙	광주청	349
정영순	국세청	106
정영순	천안서	332
정영식	서울청	147
정영욱	중부청	209
정영운	국세교육	122
정영웅	북대전서	315
정영일	서대구서	399
정영주	서대구서	399
정영주	구로서	157
정영진	동대구서	394
정영진	대구세관	486
정영진	한국관세	42
정영채	감사원	57
정영천	광산서	355
정영철	충주서	345
정영현	경기광주	235
정영현	북광주서	359
정영혜	서울청	145
정영화	영등포서	191
정영화	영등포서	191
정영화	포천서	303
정영화	한국관세	42
정영훈	분당서	227
정영훈	춘천서	263
정영희	서울청	127
정영희	수원서	231
정영희	금정서	430
정예린	서울청	137
정예슬	북광주서	358
정예슬	조세재정	496
정예원	구리서	217
정예은	평택서	247
정예지	성남서	229
정예지	서대전서	317
정오영	광산서	354
정오현	중랑서	200
정옥상	마산서	456
정옥진	정읍서	382
정완기	목포서	364
정완수	송파서	184
정완준	기재부	70
정용걸	금감원	86
정용구	영주서	417
정용국	국세청	102
정용대	서울청	127
정용석	금감원	88
정용석	인천서	279
정용석	동고양서	288
정용선	평택서	246
정용섭	서초서	464
정용수	서울청	132
정용수	성남서	228
정용승	서울청	140
정용오	서울청	147
정용주	군산서	373
정용협	예산서	331
정용환	대구세관	486
정우도	국세청	113
정우선	김천서	158
정우선	전주서	381
정우영	해운대서	446
정우일	정읍서	382
정우진	정읍서	383
정우철	목포서	365
정우현	금감원	83

이름	소속	번호	이름	소속	번호	이름	소속	번호	이름	소속	번호	이름	소속	번호
정우현	제주서	466	정은정	종로서	199	정재임	국세상담	121	정지나	중부청	208	정진환	서울청	129
정운숙	성북서	183	정은정	인천청	273	정재조	제주서	467	정지명	고양서	282	정진희	국세청	113
정운월	상주서	410	정은정	동래서	432	정재철	수영서	442	정지문	노원서	163	정진희	동안양서	224
정운형	강서서	152	정은주	기재부	69	정재필	딜로이트	16	정지석	국세청	114	정진희	대전청	309
정웅교	중부청	214	정은주	기재부	72	정재하	인천세관	480	정지선	국세청	112	정찬구	기재부	70
정원대	동래서	434	정은주	국세청	116	정재현	서대구서	399	정지선	북대전서	314	정찬상	서울청	147
정원미	동래서	437	정은주	포천서	302	정재현	울산서	450	정지수	시흥서	232	정찬상	여수서	369
정원석	부산청	426	정은주	대구청	388	정재호	성북서	182	정지수	동안산서	238	정찬영	조세재정	496
정원영	노원서	163	정은지	동안양서	224	정재호	수성서	401	정지숙	평택서	246	정찬우	순천서	367
정원영	마포서	171	정은진	수성서	401	정재호	수영서	442	정지숙	미래회계	17	정찬일	광주서	356
정원준	충주서	345	정은채	의정부서	298	정재호	조세재정	494	정지양	국세청	102	정찬조	순천서	367
정원호	삼성서	175	정은하	금천서	159	정재효	부산청	424	정지연	고양서	283	정찬조	서울청	138
정월선	창원서	463	정은해	종로서	199	정재훈	국세청	105	정지연	의정부서	299	정찬호	남대구서	
정월옥	성동서	180	정은해	이천서	245	정재훈	국세청	116	정지열	반포서	172	정찬호	법무바른	1
정유경	조세재정	496	정은희	중기회	97	정재훈	화성서	251	정지영	기재부	67	정창국	마산서	457
정유근	지방재정	491	정은희	수영서	443	정재훈	서광주서	360	정지영	국세청	103	정창근	반포서	173
정유나	대구청	386	정을영	동안양서	224	정재훈	법무광장	46	정지영	양천서	187	정창근	분당서	226
정유리	기재부	74	정의극	영월서	189	정재희	동래서	179	정지영	용인서	242	정창근	대구청	387
정유리	서울서	144	정의남	동래서	258	정재희	역삼서	188	정지영	김포서	287	정창기	지방재정	490
정유리	북대전서	315	정의론	기재부	67	정정민	국세청	117	정지영	예산서	331	정창성	동래서	440
정유미	서울청	140	정의범	노원서	163	정정애	해운대서	446	정지영	EY한영	14	정창수	강릉서	253
정유빈	포천서	302	정의성	속초서	257	정정자	마포서	170	정지예	강남서	149	정창우	동래서	127
정유성	국세청	114	정의숙	원주서	260	정정제	삼성서	175	정지용	용산서	192	정창우	수영서	442
정유영	부산청	422	정의웅	진주서	461	정정하	포항서	419	정지용	안양서	240	정창재	부산청	425
정유영	마산서	456	정의재	남래청	131	정정회	조세심판	493	정지용	기재부	62	정창후	동래서	436
정유원	기재부	63	정의종	감사원	56	정정훈	기재부	61	정지운	부평서	294	정창훈	대전서	313
정유정	기재부	67	정의주	도봉서	164	정정훈	강남서	148	정지운	여수서	368	정채규	광주서	356
정유정	남대문서	161	정의치	부산청	424	정정희	부산청	424	정지운	남대문서	161	정채환	기재부	76
정유정	연수서	296	정의진	국세청	103	정제용	금감원	91	정지원	영주서	416	정철	인천서	279
정유진	구로서	157	정의철	서초서	179	정제준	마포서	170	정지원	관세청	471	정철교	기재부	73
정유진	서초서	178	정의열	경산서	403	정종국	서울청	147	정지원	서인천서	276	정철규	동래서	439
정유진	중부서	203	정의준	국세청	100	정종권	경산서	403	정지윤	김포서	287	정철기	광주청	348
정유진	수원서	230	정이천	남대구서	393	정종대	동래서	435	정지윤	조세재정	496	정철우	서울청	147
정유진	시흥서	233	정인경	수원서	231	정종대	순천서	366	정지은	성동서	181	정철우	대구서	385
정유진	안양서	241	정인교	중기회	97	정종룡	아산서	328	정지은	순천서	366	정철우	대구청	386
정유진	청주서	342	정인교	평택서	247	정종만	삼일회계	20	정지인	국세청	113	정철화	부평서	294
정유진	서광주서	360	정인구	김해서	455	정종오	광명서	285	정지헌	안산서	236	정청운	북광주서	358
정유진	해운대서	447	정인선	서울청	128	정종우	서인천서	276	정지헌	북대구서	397	정초지	남원서	374
정유진	해운대서	448	정인선	반포서	172	정종욱	국세상담	120	정지현	종로서	199	정춘영	동래서	432
정유진	진주서	460	정인선	파주서	301	정종원	중부청	213	정지현	용인서	242	정치권	중부청	214
정유진	지방재정	490	정인성	세무삼륭	37	정종원	분당서	227	정지현	동래서	439	정치중	서울청	147
정유천	지방재정	491	정인수	역삼서	188	정종은	순천서	366	정지현	김해서	455	정치헌	연수서	297
정유철	경주서	405	정인숙	대전청	307	정종천	남대서	275	정지혜	노원서	163	정태경	서울청	127
정윤경	부평서	294	정인식	EY한영	14	정종철	국세청	116	정지혜	익산서	378	정태경	중부청	214
정윤기	동수원서	222	정인아	서대문서	176	정종필	나주서	363	정지홍	기흥서	218	정태민	김포서	286
정윤길	중부청	213	정인아	서대문서	176	정종헌	강동서	151	정지환	중부청	210	정태상	성동서	180
정윤모	중기회	97	정인애	청주서	342	정종호	광주서	356	정지환	수성서	401	정태식	분당서	226
정윤미	서울청	142	정인영	아산서	328	정주관	북대전서	314	정지훈	송파서	184	정태욱	국세청	103
정윤석	중부청	211	정인영	딜로이트	16	정주리	이천서	245	정지훈	인천청	268	정태욱	해운대서	446
정윤성	중부서	213	정인월	양천서	186	정주리	목포서	364	정직한	분당서	226	정태윤	경기광주	235
정윤성	서울세관	473	정인철	해운대서	448	정주연	국세청	114	정진걸	국세청	116	정태윤	천안서	333
정윤성	서울세관	473	정인태	국세교육	122	정주영	서울청	131	정진곤	딜로이트	16	정태호	광주청	351
정윤성	서울세관	475	정인텔	동래서	439	정주영	서울청	136	정진방	용인서	242	정태호	서초서	178
정윤정	기재부	60	정인현	북대구서	396	정주영	강남서	149	정진범	서울청	130	정태환	거창서	453
정윤정	시흥서	233	정인형	천안서	332	정주영	강서서	152	정진성	대전서	159	정택주	분당서	227
정윤정	대전청	307	정인환	여수서	368	정주영	서초서	179	정진성	대전청	309	정택준	평택서	247
정윤주	대전청	261	정인회	동대구서	394	정주영	포항서	418	정진숙	감사원	56	정판근	대전서	313
정윤철	동고양서	289	정인회	성북서	182	정주은	금감원	89	정진아	광주청	353	정판경	익산서	378
정윤철	경주서	405	정일상	서광주서	361	정주은	국세청	189	정진영	서울청	128	정필섭	광주청	349
정윤호	세무하나	39	정일식	종로서	199	정주현	기재부	64	정진영	서울청	129	정필영	대전청	311
정윤홍	기재부	63	정일영	중랑서	200	정주현	도봉서	164	정진영	서울청	145	정필운	구리서	216
정윤희	중부청	208	정일영	EY한영	14	정주현	국세청	104	정진용	법무세종	48	정하경	서울세관	474
정윤희	경기광주	234	정자단	성동서	181	정주희	서울청	145	정진용	제주서	467	정하나	수원서	231
정은경	조세재정	494	정장호	광주청	351	정주희	은평서	194	정진욱	기재부	71	정하나	강릉서	252
정은미	수원서	231	정재경	천안서	333	정주희	남양주서	221	정진욱	서울청	132	정하늘	서울청	135
정은미	진주서	460	정재근	원주서	261	정주희	북광주서	359	정진욱	부산청	428	정하덕	기흥서	219
정은선	강남서	149	정재기	남대구서	393	정주희	해운대서	449	정진웅	조세심판	492	정하석	기재부	62
정은선	강동서	150	정재남	세종서	326	정준갑	순천서	366	정진웅	서대구서	398	정하선	양산서	459
정은성	목포서	435	정재민	거창서	453	정준규	진주서	461	정진원	국세청	112	정하영	도봉서	164
정은솔	중부청	213	정재상	중부서	206	정준기	국세청	113	정진원	중부청	215	정하용	기재부	77
정은수	남대문서	161	정재성	기재부	63	정준모	서울청	147	정진주	서울청	136	정하정	진주서	460
정은수	안양서	241	정재수	국세청	112	정준모	마산서	456	정진주	동래서	433	정학관	광주서	356
정은순	안양서	240	정재수	국세청	113	정준영	성동서	180	정진택	성동서	181	정학기	남대구서	392
정은아	구로서	157	정재승	금감원	90	정준영	평택서	246	정진택	세무하나	39	정학수	서울세관	473
정은아	분당서	227	정재열	딜로이트	16	정준용	금정서	431	정진학	국세청	110	정학수	서울세관	473
정은아	서인천서	276	정재영	강남서	149	정준채	성동서	180	정진혁	국세청	100	정학수	서울세관	475
정은아	동청주서	336	정재영	역삼서	188	정준호	서울청	128	정진혁	서울청	134	정학순	서울청	130
정은연	북광주서	358	정재영	홍천서	265	정준호	강남서	129	정진형	동안양서	224	정학식	국세청	104
정은영	목포서	364	정재용	김포서	286	정준호	마포서	170	정진호	공주서	319	정한길	군산서	373
정은영	부산청	429	정재욱	김포서	286	정준희	동청주서	336	정진호	해운대서	446	정한나	화성서	250
정은이	반포서	172	정재원	북광주서	358	정중승	북대구서	397	정진호	광주세관	488	정한신	동작서	168
정은이	김해서	455	정재원	조세재정	494	정중원	반포서	172	정진화	익산서	379	정한영	천안서	333
정은재	경기광주	234	정재윤	중부청	212	정중현	김천서	408				정한욱	잠실서	197
정은정	금감원	82	정재윤	홍천서	265	정중호	서울청	128				정한진	도봉서	164
정은정	국세청	103	정재일	강남서	149							정해동	국세청	115

정해란	용인서	243	정혜영	서울청	129	정희석	포항서	419	조기문	기재부	64	조민제	경주서	405
정해란	의정부서	298	정혜영	구로서	156	정희석	삼도회계	19	조기정	전주서	380	조민지	마포서	170
정해룡	양산서	459	정혜영	잠실서	197	정희선	성동서	180	조길현	남대문서	160	조민현	중랑서	200
정해빈	조세심판	492	정혜영	중부청	212	정희선	김해서	455	조길현	익산서	378	조민호	인천청	272
정해식	광명서	285	정혜원	삼성서	175	정희섭	서울청	147	조나래	남양주서	221	조민희	분당서	226
정해식	통영서	465	정혜원	성북서	183	정희섭	광주청	350	조남건	서울청	135	조민희	수영서	445
정해연	국세상담	120	정혜원	중부서	202	정희수	부천서	292	조남경	금감원	91	조범래	강동서	150
정해영	부산청	425	정혜원	경산서	403	정희숙	서대문서	176	조남규	남대구서	393	조범제	경주서	405
정해원	노원서	162	정혜원	부산청	423	정희숙	통영서	464	조남명	남부천서	290	조병규	기재부	66
정해인	인천청	273	정혜윤	서대문서	177	정희연	서대문서	176	조남웅	동작서	337	조병길	충주서	345
정해주	기재부	77	정혜윤	서초서	179	정희연	성동서	180	조남철	동작서	168	조병녕	제주서	466
정해진	서울청	147	정혜인	부평서	294	정희원	구로서	156	조남철	포천서	418	조병덕	파주서	301
정해진	상주서	410	정혜정	강남서	148	정희재	노원서	162	조다인	서인천서	276	조병래	포항서	418
정해천	반포서	172	정혜정	서초서	179	정희정	중부청	208	조다현	종로서	198	조병만	양천서	187
정헌미	서울청	134	정혜정	동수원서	222	정희정	구리서	216	조다혜	포천서	303	조병민	국세청	109
정헌호	동래서	434	정혜정	화성서	250	정희정	충주서	344	조대규	계양서	280	조병섭	시흥서	232
정혁철	안동서	412	정혜지	동작서	168	정희종	금정서	431	조대서	북대전서	314	조병성	동작서	168
정현규	서인천서	276	정혜진	기재부	72	정희진	기재부	70	조대연	국세청	102	조병옥	평택서	247
정현규	서대구서	398	정혜진	서울청	142	정희진	노원서	202	조대현	서울청	139	조병주	국세청	105
정현대	인천청	272	정혜진	서산서	325	정희진	중부청	207	조대현	동작서	169	조병준	부천서	292
정현덕	중부청	213	정혜진	광주서	356	정희진	중부청	208	조대훈	남수원서	222	조병철	국세상담	121
정현명	김천서	408	정혜진	포항서	419	정희재	기재부	65	조덕성	남부천서	222	조병호	예일세무	40
정현모	북대구서	397	정혜진	조세재정	496	제갈융	노원서	162	조동관	세무하나	39	조병환	창원서	463
정현미	여수서	369	정혜화	광주서	356	제갈형	김해서	454	조동석	중기회	97	조복환	보령서	322
정현민	안양서	240	정호근	춘천서	263	제갈희진	서울청	135	조동신	도봉서	165	조상래	해운대서	447
정현민	대구청	387	정호남	인천세관	478	제민지	동래서	439	조동표	동대문서	166	조상미	삼척서	254
정현빈	분당서	226	정호선	수성서	401	제범모	양산서	458	조동혁	서울청	126	조상미	전주서	380
정현석	조세재정	496	정호성	동화성서	249	제병민	인천청	273	조라경	경산서	402	조상옥	광주청	350
정현수	종로서	199	정호성	부천서	292	제상훈	부산청	422	조래성	남대구서	392	조상우	기재부	64
정현수	중부청	208	정호식	구리서	217	제영광	한국관세	42	조만호	광주서	356	조상운	울산서	450
정현숙	서울청	127	정호연	광산서	355	제우성	중랑서	200	조만희	기재부	62	조상진	해남서	370
정현숙	도봉서	165	정호영	구로서	156	제은아	역삼서	188	조명관	북광주서	358	조상현	국세청	105
정현숙	삼성서	175	정호영	인천서	279	제일한	부산청	424	조명기	노원서	162	조상현	용산서	192
정현옥	광주청	348	정호영	광산서	354	제재호	해운대서	448	조명상	영등포서	190	조상현	삼정회계	23
정현아	부산청	427	정호용	동대구서	395	제정임	동래서	438	조명상	대전서	313	조상욱	지방재정	491
정현우	양천서	186	정호원	동래서	439	제현종	역삼서	188	조명석	대구청	387	조상훈	국세청	105
정현우	동래서	432	정호진	기재부	62	제홍주	부산청	423	조명순	대전청	308	조상희	이천서	244
정현위	성남서	229	정호진	동래서	441	조가람	부천서	293	조명신	중부청	213	조서연	동작서	168
정현정	성동서	181	정호철	반포서	173	조가영	동안양서	225	조명완	국세청	107	조서영	분당서	226
정현정	경기광주	234	정호태	수성서	401	조가영	고양서	282	조명연	아산서	329	조서권	금천서	158
정현정	용인서	242	정호형	역삼서	189	조가윤	남양주서	358	조명희	상공회의	96	조서권	해운대서	449
정현정	연수서	296	정홍도	국세교육	123	조가을	서초서	179	조명희	부천서	292	조석균	포천서	303
정현정	천안서	332	정홍석	성남서	229	조강래	거창서	453	조무연	태평양	50	조석정	북대전서	315
정현정	경주서	404	정홍선	강릉서	253	조강식	대구세관	486	조문수	금감원	83	조석주	해운대서	449
정현주	서울청	129	정홍주	인천청	271	조강우	평택서	247	조문현	서초서	179	조석훈	감사원	56
정현주	동안양서	225	정화선	강남서	149	조강호	상주서	410	조문희	금융위	79	조석훈	지방재정	490
정현주	수원서	231	정화승	영등포서	190	조강훈	기재부	66	조미겸	동청주서	337	조석후	삼덕회계	18
정현주	부천서	292	정화영	동대문서	166	조강훈	부산청	429	조미경	구미서	406	조선경	광주청	349
정현준	중부청	208	정화국	딜로이트	16	조강희	부평서	294	조미경	진주서	461	조선미	중부청	214
정현준	기흥서	218	정환동	북대구서	396	조강희	대전청	306	조미란	양산서	458	조선영	경기광주	235
정현준	대구청	388	정환석	구미서	406	조건희	남양주서	220	조미성	강서서	153	조선영	대전청	309
정현중	동고양서	288	정환철	파주서	301	조경민	서울청	137	조미애	강남서	454	조선영	부산청	425
정현준	북대구서	396	정희라	대현회계	15	조경민	더택스	36	조미애	파주서	300	조선영	지방재정	490
정현지	중부서	203	정희영	부산청	429	조경배	부산청	428	조미애	김해서	454	조선제	부산청	426
정현지	부평서	295	정희정	원주서	260	조경선	기재부	77	조미연	금융위	79	조선진	송파서	184
정현진	노원서	163	정희창	이천서	245	조경숙	영주서	417	조미영	서울청	147	조선형	기재부	72
정현진	동대문서	167	정희훈	구로서	156	조경숙	성동서	181	조미영	용인서	242	조선희	기재부	70
정현진	성북서	182	정희경	기재부	75	조경윤	해남서	370	조미옥	국세청	103	조선희	동작서	168
정현철	국세청	103	정희민	평택서	247	조경제	전주서	381	조미옥	전주서	380	조선희	용산서	193
정현철	남대문서	166	정효민	기재부	65	조경진	김천서	159	조미정	대구청	387	조성광	강서서	153
정현철	서대문서	177	정효성	부평서	294	조경진	김해서	454	조미주	김해서	455	조성구	춘천서	262
정현태	광산서	354	정효숙	국세청	105	조경태	강서서	152	조미주	서울청	127	조성권	김앤장	45
정현표	화성서	251	정효영	잠실서	196	조경환	남동서	464	조미진	구로서	156	조성규	강남서	148
정현호	금감원	89	정효영	삼성서	175	조경호	남동서	275	조미현	서인천서	276	조성덕	인천청	268
정현호	성동서	180	정효주	동래서	437	조경화	이천서	244	조미화	서대문서	317	조성래	국세청	113
정현호	광주서	349	정효주	수영서	443	조경화	남동서	274	조미희	국세청	106	조성래	대구서	386
정형범	서초서	179	정효준	양천서	186	조경훈	동대구서	395	조미희	김해서	454	조성래	대구청	387
정형석	김포서	286	정효중	평택서	246	조경희	춘천서	262	조민경	국세청	108	조성래	해운대서	448
정형원	중부청	215	정훈	조세재정	494	조계호	춘천서	262	조민경	관악서	154	조성목	영등포서	191
정형주	나주서	362	정훈	삼일회계	20	조계환	예일세무	40	조민경	속초서	257	조성문	마포서	171
정형준	서울청	147	정훈석	EY한영	14	조광덕	순천서	367	조민경	광명서	284	조성문	남양주서	220
정형준		370	정휘섭	중부청	214	조광래	송파서	184	조민경	마산서	456	조성민	금감원	90
정형진	구로서	156	정휘언	북대구서	397	조광래	조세심판	493	조민래	부산청	428	조성민	안동서	413
정형태	광주서	357	정휘영	기재부	61	조광제	이천서	245	조민석	서울청	133	조성빈	천안서	332
정형태	북대구서	397	정훈기	북전주서	376	조광진	국세청	102	조민석	광명서	284	조성수	국세청	105
정형필	서광주서	361	정훈식	서울청	137	조광호	중부서	203	조민성	국세청	111	조성수	분당서	227
정혜경	기재부	77	정흥엽	북전주서	377	조구영	구로서	156	조민성	서울청	129	조성수	해운대서	448
정혜경	성동서	180	정흥자	도봉서	164	조규범	딜로이트	16	조민숙	동대문서	166	조성식	중부서	202
정혜경	남부서	374	정희경	중부청	211	조규봉	순천서	367	조민숙	구로서	156	조성애	서광주서	361
정혜린	연수서	297	정희경	광주청	349	조규산	기재부	71	조민영	국세청	114	조성연	인천서	279
정혜림	관악서	154	정희남	논산서	320	조규상	중부청	207	조민영	용인서	243	조성오	송파서	185
정혜림	안동서	413	정희도	포천서	302	조규창	노원서	163	조민영	인천청	271	조성용	서울청	133
정혜미	송파서	184	정희라	서울청	128	조근비	여수서	369	조민재	역삼서	188	조성용	마포서	171
정혜수	남부천서	291	정희문	제주서	467	조근호	군산서	373	조민정	대전청	306	조성용	부산청	422
정혜아	남부천서	290	정희봉	마산서	456	조금식	화성서	251				조성우	금감원	88
						조금옥	영덕서	414						

이름	소속	쪽	이름	소속	쪽	이름	소속	쪽	이름	소속	쪽	이름	소속	쪽
조성우	국세청	116	조영미	구리서	217	조원희	거창서	452	조재승	양산서	459	조진배	지방재정	490
조성우	익산서	378	조영범	금감원	86	조원희	지방재정	490	조재연	광주서	356	조진숙	서울청	145
조성욱	국세청	104	조영빈	동화성서	249	조위영	서울청	142	조재영	삼성서	142	조진용	국세청	102
조성욱	삼일회계	20	조영상	인천세관	479	조유리	여수서	368	조재영	남대구서	393	조진용	서울세관	475
조성원	송파서	184	조영석	금감원	87	조유영	인천서	278	조재완	국세교육	122	조진형	중기회	97
조성원	용인서	242	조영성	금천서	158	조유영	광주서	357	조재우	지방재정	490	조진희	조세심판	492
조성은	감사원	56	조영수	남양주서	221	조유진	대전서	313	조재웅	부천서	292	조찬우	기재부	67
조성익	감사원	57	조영수	안양서	241	조유흠	서울청	129	조재웅	법무광장	47	조창국	중부청	209
조성익	서울청	134	조영수	통영서	465	조윤경	인천청	272	조재일	기재부	61	조창권	동화성서	249
조성인	중부청	211	조영숙	목포서	364	조윤경	남동서	274	조재일	대구청	389	조창규	용산서	192
조성재	광산서	355	조영숙	북전주서	377	조윤경	서광주서	361	조재천	울산서	451	조창래	동래서	438
조성주	강동서	151	조영순	강동서	151	조윤미	국세상담	120	조재평	성동서	180	조창우	국세청	109
조성준	강동서	151	조영순	고양서	283	조윤방	강릉서	252	조재형	마산서	456	조창인	기재부	71
조성중	기재부	67	조영심	제주서	467	조윤서	동래서	441	조재훈	성북서	182	조창일	안산서	236
조성진	용산서	192	조영우	제천서	341	조윤석	국세청	113	조재훈	구리서	217	조창현	국세청	110
조성찬	성북서	182	조영욱	기재부	73	조윤아	국세청	111	조재희	인천청	272	조창호	삼일회계	20
조성철	성남서	228	조영익	금감원	81	조윤영	분당서	226	조정국	기재부	67	조채연	원주서	261
조성철	더택스	36	조영익	금감원	84	조윤영	인천서	278	조정국	기재부	68	조채영	광명서	284
조성현	기재부	66	조영일	부산청	427	조윤정	감사원	57	조정구	감사원	83	조채영	수영서	444
조성현	마포서	170	조영자	영동서	338	조윤정	서울청	126	조정대	세종서	327	조천령	종로서	198
조성현	군산서	373	조영재	삼일회계	20	조윤주	인천청	272	조정목	부산청	425	조철	금감원	87
조성호	강남서	151	조영종	청주서	343	조윤주	경산서	402	조정미	성남서	182	조철	부산세관	482
조성훈	국세청	100	조영주	서대문서	176	조윤주	통영서	465	조정석	금감원	92	조철호	남대구서	392
조성훈	안양서	240	조영주	용산서	192	조윤호	안양서	241	조정선	창원서	462	조초희	서인천서	276
조성훈	익산서	379	조영주	서대문서	317	조윤호	성남서	228	조정연	원주서	260	조춘	법무세종	48
조성훈	인천청	423	조영준	상공회의	96	조윤호	대구청	387	조정원	삼성서	175	조치상	국세청	110
조세영	수영서	442	조영준	중부청	206	조은기	노원서	162	조정은	서인천서	277	조치형	금감원	83
조세원	남동서	275	조영진	금천서	159	조은덕	서울청	135	조정은	고양서	282	조태복	법무광장	47
조세진	마포서	171	조영진	인천청	271	조은미	경주서	405	조정은	해운대서	447	조태성	부산청	424
조세흠	충주서	344	조영진	의정부서	299	조은비	중부서	202	조정자	인천청	270	조태욱	포천서	303
조세희	천안서	333	조영진	해운대서	446	조은비	화성서	250	조정주	대전청	310	조태준	구로서	157
조소연	구로서	157	조영진	인천세관	479	조은비	북대구서	396	조정진	논산서	321	조태희	기재부	71
조소연	해운대서	448	조영탁	서울청	129	조은빈	중부청	209	조정해	부천서	292	조태희	대전서	313
조소영	춘천서	263	조영탁	동고양서	288	조은빛	남동서	275	조정향	광산서	355	조판규	종로서	199
조소윤	안양서	240	조영태	안양서	412	조은빛	조세재정	495	조정혜	동대구서	394	조하나	반포서	172
조소현	영등포서	191	조영혁	관악서	155	조은상	이천서	244	조정화	서울청	126	조하나	수원서	230
조소현	안산서	237	조영혁	대전청	311	조은서	제천서	340	조정호	인천서	236	조하영	동청주서	336
조소현	동래서	438	조영현	송파서	184	조은선	감사원	55	조정환	삼일회계	20	조학래	해운대서	449
조소희	반포서	172	조영호	양천서	186	조은수	분당서	226	조정효	목포서	365	조학래	태평양	50
조수경	금감원	85	조영호	동고양서	289	조은애	의정부서	298	조정호	남대문서	161	조학준	평택서	247
조수동	동래서	432	조예린	노원서	162	조은애	대전청	310	조정훈	김포서	287	조한경	강남서	148
조수빈	종로서	198	조예림	성북서	183	조은애	서울세관	473	조정훈	수영서	442	조한규	북대전서	315
조수연	중부청	208	조예솔	세무하나	39	조은영	수성서	400	조정훈	관세청	471	조한규	구미서	407
조수영	김포서	286	조예연	강남서	454	조은영	제주서	467	조정희	중부청	208	조한민	고양서	283
조수정	삼성서	174	조예현	영주서	417	조은용	기흥서	219	조종래	감사원	56	조한민	대전서	313
조수진	김천서	408	조예훈	역삼서	188	조은정	동대문서	166	조종수	남동서	275	조한선	금감원	84
조수진	삼정회계	22	조예훈	역삼서	188	조은정	인천청	270	조종식	김포서	287	조한연	국세청	103
조수현	삼성서	175	조완석	진주서	460	조은정	관세청	471	조종연	대전서	312	조한송이	성동서	180
조수현	역삼서	189	조외숙	부산청	424	조은지	국세청	104	조종필	광주청	353	조한식	서초서	178
조숙연	관악서	154	조요한	국세청	113	조은지	역삼서	188	조종하	부산청	227	조한아	종로서	199
조숙연	중부청	214	조용감	기재부	75	조은지	북광주서	359	조종호	제천서	340	조한영	금천서	159
조숙현	해운대서	448	조용균	삼정회계	23	조은하	동래서	438	조주경	서울청	126	조한용	동대문서	166
조순행	영덕서	414	조용길	구미서	407	조은희	서울청	128	조주현	동화성서	248	조한우	화성서	250
조슬기	관악서	154	조용도	조세심판	493	조은희	동대문서	167	조주호	마산서	457	조한정	화성서	250
조승모	도봉서	165	조용래	기재부	62	조은희	역삼서	189	조주환	서울청	142	조한진	관세청	470
조승연	부산청	425	조용문	제주서	466	조은희	은평서	195	조주희	서울청	141	조한철	삼일회계	20
조승연	안산서	239	조용민	조세심판	493	조은희	중부서	203	조주희	강동서	150	조항진	대전청	311
조승현	경주서	405	조용범	기재부	60	조은희	속초서	256	조준구	부천서	292	조해동	고양서	282
조승호	기재부	65	조용석	서울청	127	조은희	김포서	287	조준기	원주서	261	조해영	중랑서	201
조승호	서울청	139	조용석	강남서	142	조은희	지방재정	490	조준서	남대구서	392	조해윤	삼척서	254
조아라	관악서	155	조용수	서울청	145	조익현	동래서	432	조준수	대전서	312	조해윤	속초서	257
조아라	노원서	163	조용식	남동서	275	조인국	동래서	434	조준식	군산서	373	조해일	중부청	210
조아라	서울청	178	조용식	익산서	378	조인순	서대구서	398	조준영	인천청	268	조해정	기흥서	218
조아라	동안양서	224	조용식	지방재정	490	조인영	강서서	152	조준영	정읍서	382	조해정	나주서	362
조아라	분당서	226	조용우	청주서	342	조인옥	동작서	169	조준영	양산서	458	조행순	동수원서	222
조아라	성남서	229	조용재	평택서	246	조인정	서울청	137	조준우	동래서	439	조헌일	강서서	153
조아라	서인천서	276	조용진	중부청	214	조인찬	부평서	295	조준원	상공회의	96	조현경	동청주서	337
조아름	송파서	184	조용진	동안양서	224	조인태	영월서	259	조준철	익산서	378	조현관	인천청	271
조안나	파주서	301	조용택	부산청	426	조인혁	서울청	142	조준호	중기회	97	조현관	법무바른	1
조양선	남부천서	291	조용현	수영서	445	조인희	성현회계	13	조준호	부산서	427	조현구	대전청	307
조언혜	경주서	404	조용호	부천서	292	조인호	남동서	274	조준환	동대구서	394	조현구	부천서	293
조연상	동대문서	167	조용호	김해서	454	조일성	동안양서	224	조중연	기재부	72	조현국	해남서	370
조연숙	대전청	306	조용호	김연장	45	조일수	중랑서	201	조중현	역삼서	189	조현덕	남대구서	392
조연우	남양주서	220	조용희	수영서	443	조일숙	서울청	129	조중현	인천서	278	조현두	기재부	73
조연종	남원서	375	조우숙	강서서	152	조일영	태평양	50	조중현	서인천서	276	조현민	수원서	230
조연주	해운대서	448	조우진	안산서	333	조일제	분당서	227	조지영	국세청	104	조현선	국세청	116
조연주	조세재정	495	조운학	성동서	181	조일훈	중부청	208	조지영	중부서	203	조현성	화성서	251
조연화	부천서	293	조원석	인천청	272	조자현	기재부	63	조지영	전주서	381	조현수	양천서	186
조영경	강릉서	253	조원영	성동서	181	조재규	대전청	310	조지원	고양서	282	조현숙	삼척서	254
조영규	이천서	245	조원영	상주서	410	조재량	남부천서	291	조지현	구리서	216	조현승	양천서	187
조영기	연수서	296	조원영	딜로이트	16	조재범	서울청	135	조지훈	인천청	269	조현아	마포서	171
조영두	광주서	356	조원영	딜로이트	16	조재범	강서서	153	조지훈	천안서	332	조현아	마산서	457
조영란	목포서	364	조원형	구로서	157	조재범	북대구서	396	조지훈	천안서	333	조현옥	세무하나	39
조영래	중부청	211	조원희	중부청	210	조재성	금정서	431	조진동	인천청	269	조현용	진주서	461
조영미	구로서	156				조재성	동래서	441				조현우	원주서	261

이름	소속	쪽
차윤중	구리서	216
차은규	대전서	312
차은영	안산서	237
차은정	노원서	162
차은정	나주서	362
차인혜	계양서	281
차일규	삼일회계	20
차일현	인천서	278
차재익	동대구서	394
차정미	영등포서	190
차정우	제주서	466
차정은	구리서	216
차정환	북대전서	315
차종언	대구청	391
차주황	고시회	32
차준형	남부천서	290
차중협	남대문서	161
차지연	인천청	273
차지연	순천서	367
차지원	세종서	326
차지인	강남서	149
차지해	금천서	158
차지현	동대문서	167
차지훈	국세청	111
차지훈	삼척서	254
차진선	서울청	131
차현근	성동서	180
차혜진	서울청	142
차호현	국세상담	121
차회윤	충주서	345
채가람	지방재정	491
채거환	시흥서	232
채경수	국세상담	121
채규욱	동래서	437
채규일	북전주서	376
채규홍	서울청	136
채남기	북광주서	359
채만식	영주서	416
채명석	순천서	366
채명신	북대구서	397
채명훈	남부천서	291
채문석	노원서	162
채미연	남대구서	393
채미옥	인천청	271
채민재	시흥서	232
채민정	마포서	171
채민호	도봉서	164
채민화	서울청	142
채상윤	동안양서	224
채상조	기흥서	218
채상철	국세청	105
채상희	북대전서	315
채성운	경산서	403
채성호	안산서	237
채성희	기흥서	218
채송화	서인천서	276
채수민	서대문서	177
채수정	기재부	71
채수정	익산서	378
채수필	국세주류	118
채수향	반포서	172
채숙경	나주서	362
채승아	동래서	432
채승완	태평양	50
채승훈	경주서	405
채양숙	국세청	117
채여정	창원서	463
채연기	성북서	182
채연소	이천서	245
채연주	중부서	202
채연학	김포서	287
채연영	동고양서	288
채예지	동고양서	288
채용문	서초서	178
채용찬	종로서	198
채우리	북광주서	358
채원식	파주서	301
채유진	고양서	149
채은정	국세상담	121
채재덕	인천청	270
채정균	인천세관	478
채정석	남양주서	220
채정환	서초서	178
채정훈	홍성서	335
채종일	서울청	128
채종철	성북서	182
채종희	양천서	186
채주희	대구청	386
채준석	북전주서	376
채중석	중부청	210
채지유	송파서	184
채진병	인천서	279
채충모	한국관세	42
채충우	포항서	418
채갑순	양산서	459
채칠용	중부청	214
채한기	부산청	424
채현석	영등포서	191
채혜란	부평서	295
채혜미	연수서	297
채혜인	중부청	210
채혜정	삼성서	174
채호정	동안양서	225
채홍선	충주서	344
채화영	서광주서	360
채희문	부평서	294
채희영	더택스	36
채희원	안양서	241
채희주	성동서	180
채희준	천안서	333
채희정	대한회계	15
책임위	조세재정	494
천경식	광주서	356
천경필	양천서	186
천광진	포천서	302
천근영	국세청	115
천금미	국세청	129
천기문	포항서	418
천만진	중부서	206
천명길	송파서	185
천명선	강서서	152
천명일	국세상담	120
천문희	송파서	185
천미영	연수서	297
천미진	안산서	236
천민근	구미서	406
천미아	진주서	460
천병선	중부청	206
천병희	순천서	367
천상미	서산서	324
천상수	김천서	408
천새봄	용산서	193
천서정	목포서	365
천선경	성남서	228
천세훈	국세상담	121
천소진	청주서	337
천소현	동화성서	248
천수진	인천서	279
천승률	구미서	406
천승호	진주서	460
천승민	진주서	461
천승범	종로서	198
천승현	원주서	260
천영수	용산서	192
천영익	예일세무	40
천영현	역삼서	188
천영환	성동서	180
천용욱	창원서	462
천우남	남원서	374
천원철	금정서	430
천은영	대전청	307
천인호	광명서	284
천재도	인천청	271
천정희	남대구서	392
천주석	국세청	116
천준호	지방재정	490
천지연	기재부	61
천지은	순천서	367
천진영	익산서	379
천진해	국세상담	121
천진호	동화성서	248
천태근	동래서	435
천택순	대구청	387
천해인	서울청	127
천현식	부평서	295
천현창	인천청	273
천혜린	기재부	64
천혜미	중부청	210
천혜미	해운대서	449
천혜빈	서초서	178
천혜영	고시회	32
천혜원	지방재정	490
천혜정	구미서	406
천혜진	수원서	230
천호철	동래서	441
천효순	동래서	440
최가람	서울청	132
최가은	양천서	186
최가인	광주서	356
최갑순	양산서	459
최갑진	서대전서	317
최강석	금감원	82
최강식	부산청	422
최강원	이천서	245
최강인	강남서	149
최강현	국세청	115
최건희	전주서	381
최경남	기재부	61
최경락	이천서	245
최경막	마포서	170
최경미	포항서	419
최경민	조세심판	493
최경배	북전주서	376
최경수	제주서	467
최경아	제천서	341
최경아	포항서	419
최경은	해운대서	448
최경인	서대전서	316
최경준	부평서	295
최경진	동안양서	224
최경철	성동서	180
최경초	수원서	155
최경하	청주서	337
최경호	잠실서	197
최경화	원주서	261
최경화	의정부서	299
최경화	경산서	403
최경희	도봉서	164
최경희	마산서	456
최고든	군산서	373
최고은	관악서	155
최고은	동안산서	239
최고은	해운대서	446
최고진	동래서	432
최관철	금감원	86
최광민	인천청	270
최광백	태평양	50
최광석	안산서	236
최광식	금감원	89
최광식	충주서	344
최광신	역삼서	189
최교학	평택서	247
최국주	딜로이트	16
최권호	광주서	352
최규선	영월서	259
최규식	서초서	179
최규철	기재부	73
최규한	서인천서	277
최근수	국세청	111
최근식	동래서	432
최근식	세무하나	39
최근영	마포서	171
최근영	수원서	230
최근신	수성서	400
최근창	강동서	150
최근형	평택서	246
최근호	국세청	102
최근호	조세재정	496
최금년	대전청	307
최금주	조세재정	496
최금해	서초서	178
최기순	서산서	325
최기영	국세청	117
최기영	성북서	182
최기영	중부청	213
최기영	대구청	391
최기용	대구청	388
최기웅	성북서	182
최기웅	송파서	185
최기원	창원서	462
최기준	수원서	231
최기환	강서서	153
최기환	광산서	354
최길만	파주서	301
최길상	천안서	333
최길섭	반포서	172
최길성	금감원	86
최길숙	서울청	132
최나연	금천서	158
최나영	기재부	72
최나은	기재부	65
최낙훈	여수서	368
최남규	북전주서	376
최남숙	대구청	391
최남오	포항서	75
최남철	동작서	168
최남철	서울청	127
최능하	인천세관	477
최능하	인천세관	478
최다솜	홍성서	335
최다영	기재부	67
최다예	시흥서	233
최다인	고양서	282
최다혜	속초서	283
최다혜	광주서	357
최달영	감사원	57
최대규	신한관세	43
최대라	신한관세	43
최대림	창원서	463
최대선	기재부	65
최대현	금감원	92
최대현	동래서	433
최덕선	강릉서	253
최덕희	기재부	73
최도석	서울청	141
최도영	경산서	403
최돈섭	속초서	256
최돈희	중부청	210
최동기	중부청	210
최동성	동화성서	249
최동석	해운대서	448
최동수	노원서	163
최동영	금감원	82
최동주	용인서	243
최동진	김포서	286
최동찬	김앤장	45
최동찬	대전청	310
최동헌	금감원	82
최동혁	서울청	143
최동혁	서울청	144
최동호	기재부	64
최동훈	공주서	319
최동휘	구리서	216
최동위	동안양서	225
최두환	수영서	444
최락진	중부청	212
최만림	지방재정	490
최만석	부산청	423
최명길	서울청	429
최명상	안산서	237
최명석	인천서	279
최명순	인천청	270
최명식	남대문서	160
최명식	국세청	117
최명준	서울청	146
최명진	중부청	212
최명현	강남서	149
최명화	안산서	237
최명화	동안양서	224
최명훈	통영서	465
최명훈	은평서	194
최문경	강서서	152
최문기	관세청	469
최문기	법무바른	1
최문석	동대문서	166
최문성	기재부	67
최문숙	광주청	350
최문자	북광주서	358
최미경	관악서	155
최미경	마포서	170
최미경	중랑서	201
최미경	중부청	208
최미경	군산서	372
최미경	동래서	441
최미나	북대구서	396
최미녀	수영서	444
최미란	서울청	147
최미란	안양서	240
최미란	전주서	381
최미란	영주서	416
최미리	서울청	128
최미선	서울청	144
최미선	조세재정	495
최미숙	서울청	138
최미숙	강서서	153
최미숙	인천서	279
최미숙	대전청	310
최미순	동작서	168
최미애	포항서	419
최미영	성동서	181
최미영	동안산서	238
최미영	인천청	268
최미영	광산서	354
최미영	조세재정	494
최미영	조세재정	495
최미영	조세재정	496
최미옥	송파서	185
최미옥	구리서	216
최미자	역삼서	189
최미정	중부청	207
최미진	대전서	312
최미진	목포서	364
최미희	인천청	268
최민경	서울청	132
최민경	인천청	273
최민교	기재부	67
최민규	도봉서	164
최민규	광명서	285
최민서	평택서	247
최민석	동작서	169
최민석	경기광주	234
최민석	대구청	386
최민수	역삼서	188
최민식	부산청	429
최민아	상공회의	96
최민애	성남서	228
최민우	서대전서	316
최민정	강서서	152
최민정	서대문서	177
최민정	송파서	184
최민정	대전서	312
최민준	동래서	432
최민지	대전서	312
최민지	지방재정	490
최민혜	동화성서	249
최민희	서울청	144
최방석	정읍서	382
최범식	동대문서	167
최병구	국세청	105
최병구	포항서	418
최병국	마포서	171
최병국	시흥서	233
최병기	예산서	331
최병달	동대구서	394
최병문	포천서	302
최병분	충주서	344
최병석	서울청	140
최병석	강남서	148
최병섭	홍천서	265
최병우	구로서	157
최병웅	부산세관	482
최병웅	순천서	366
최병익	국세교육	123
최병재	인천청	268
최병준	경산서	402
최병훈	부산청	426
최병태	강서서	153
최병하	익산서	378
최병현	신한관세	43
최보라	의정부서	299
최보람	여수서	369
최보경	국세청	117
최보문	서울청	132
최보미	인천서	279
최보영	강서서	152
최보영	분당서	227
최보영	광주청	352
최보윤	파주서	300
최보현	해운대서	448
최보현	서대문서	177
최복기	평택서	246
최봉관	삼덕회계	18
최봉석	기재부	71
최봉수	국세청	105

이름	소속	번호
최봉순	양산서	458
최삼영	중부서	215
최상구	기재부	64
최상권	서현이현	7
최상권	서현이현	7
최상규	구미서	407
최상대	기재부	59
최상대	기재부	61
최상덕	수영서	443
최상두	금감원	82
최상림	구리서	217
최상만	국세청	103
최상미	평택서	247
최상배	인천세관	479
최상복	대구청	387
최상선	천안서	333
최상연	서울청	129
최상연	인천서	278
최상연	서광주서	360
최상영	여수서	368
최상운	중부청	215
최상원	세무삼릉	37
최상임	송파서	184
최상채	중부청	207
최상채	서초서	179
최상혁	관악서	154
최상혁	광주서	356
최상형	논산서	320
최새록	경기광주	235
최서나	서울청	129
최서영	천안서	332
최서우	성동서	180
최서우	창원서	462
최서윤	강동서	150
최서윤	고양서	283
최서윤	진주서	460
최서진	남대문서	161
최서진	북대전서	314
최서진	천안서	332
최서현	세종서	326
최석운	부평서	295
최석종	화성서	250
최선경	수영서	442
최선규	마포서	171
최선균	서울청	126
최선근	수성서	400
최선미	국세청	109
최선미	중부청	211
최선숙	중부서	202
최선우	서울서	139
최선우	통영서	464
최선이	강남서	149
최선재	조세심판	493
최선주	중부서	202
최선주	대구청	387
최선학	서초서	138
최선혜	의정부서	298
최선호	서초서	179
최선호	용산서	193
최선희	서울청	126
최선희	노원서	163
최선희	남대구서	392
최설향	영등포서	191
최설희	안양서	241
최성관	익산서	378
최성규	한국관세	147
최성균	서울청	129
최성도	중부서	213
최성례	동안산서	238
최성미	마포서	171
최성미	서대전서	317
최성민	기재부	72
최성민	안양서	240
최성민	김해서	455
최성배	북광주서	358
최성백	기재부	71
최성순	종로서	199
최성식	한국관세	42
최성실	동대구서	394
최성열	부평서	295
최성영	강동서	68
최성영	기재부	77
최성용	남동서	275
최성욱	의정부서	298
최성은	조세재정	495
최성일	국세청	100
최성일	서울청	127
최성일	기재부	144
최성일	예일세무	40
최성임	해운대서	448
최성준	해운대서	447
최성진	기재부	75
최성찬	제천서	340
최성태	한국관세	42
최성한	충주서	345
최성현	삼척서	254
최성호	금감원	90
최성호	국세청	100
최성호	서울청	128
최성호	대전청	310
최성화	잠실서	196
최성환	광명서	284
최성희	중부청	214
최세라	용산서	192
최세미	성동서	180
최세영	남양주서	220
최세영	부산서	425
최세영	고시회	32
최세운	부천서	293
최세은	시흥서	232
최세진	용산서	192
최세현	전주서	381
최세환	삼정회계	22
최세희	동작서	169
최소라	성동서	181
최소영	잠실서	196
최소영	분당서	227
최소영	평택서	247
최송아	삼성서	175
최송엽	평택서	246
최수경	고양서	282
최수미	국세상담	120
최수민	국세청	111
최수빈	국세청	108
최수빈	서울청	145
최수식	마산서	456
최수연	도봉서	165
최수열	삼도회계	19
최수영	국세청	102
최수인	영등포서	191
최수인	구리서	216
최수정	분당서	227
최수정	수성서	401
최수종	대전서	310
최수지	인천청	273
최수진	동대문서	167
최수진	군산서	373
최수진	김천서	408
최수진	수영서	445
최수현	춘천서	263
최수현	목포서	365
최숙자	부산청	429
최숙자	부산성	427
최숙희	서울청	145
최숙희	용인서	242
최순봉	수영서	442
최순상	양천서	187
최순의	구로서	157
최순희	북전주서	376
최술기	국세청	115
최술기	마포서	171
최술기	강릉서	253
최술기	포천서	303
최술기	예산서	331
최술기	조세재정	496
최숭규	계양서	281
최승덕	거창서	453
최승민	서울청	134
최승복	동안양서	224
최승식	천안서	333
최승영	서울청	143
최승오	서대전서	16
최승우	딜로이트	16
최승일	국세청	105
최승재	북광주서	358
최승철	강릉서	252
최승택	반포서	172
최승필	상주서	410
최승혁	중랑서	201
최승훈	시흥서	233
최승훈	영주서	416
최승훈	진주서	461
최승훈	조세재정	495
최시온	중랑서	200
최시원	조세재정	495
최시원	대전청	311
최시우	서광주서	361
최시훈	기재부	71
최신애	부산청	425
최신호	광주서	356
최아라	남부천서	291
최아라	동래서	433
최아현	역삼서	189
최안나	경기광주	234
최안욱	김해서	455
최애련	부천서	293
최여은	성동서	180
최연경	고양서	283
최연덕	제주서	466
최연수	광주청	353
최연수	관세청	470
최연옥	영동서	338
최연우	원주서	261
최연우	중부청	215
최연재	인천세관	478
최연주	종로서	199
최연주	중부청	206
최연주	부평서	295
최연하	보령서	322
최연빈	남부천서	129
최연희	구로서	156
최연희	남부천서	208
최연희	광주서	356
최연희	북광주서	358
최영근	대전청	308
최영근	전주서	380
최영덕	금감원	84
최영둘	대전서	307
최영락	기재부	73
최영란	조세재정	496
최영미	청주서	343
최영보	성북서	182
최영봉	서울서	138
최영선	부산서	422
최영수	남부천서	290
최영숙	은평서	195
최영숙	아산서	328
최영실	양천서	187
최영아	구로서	157
최영우	국세청	104
최영우	춘천서	263
최영우	삼정회계	24
최영윤	화성서	251
최영윤	구미서	407
최영은	서초서	178
최영은	북대구서	396
최영일	노원서	162
최영일	인천청	273
최영임	이천서	245
최영임	광주청	349
최영임	목포서	365
최영전	기재부	63
최영조	성남서	229
최영주	중부청	207
최영주	광주청	350
최영준	국세상담	121
최영준	동화성서	249
최영준	천안서	332
최영준	조세심판	492
최영준	조세재정	494
최영진	국세청	107
최영진	종로서	199
최영진	기흥서	218
최영철	중부청	208
최영철	청주서	343
최영학	세무서	140
최영현	국세교육	123
최영현	삼성서	174
최영현	영등포서	190
최영호	국세청	100
최영호	국세청	103
최영호	서울청	136
최영호	동작서	168
최영호	수영서	443
최영환	서울청	147
최영환	양천서	186
최영환	분당서	226
최영환	인천서	278
최영환	고시회	32
최영훈	국세청	110
최예나	조세재정	496
최예린	서광주서	361
최예숙	부평서	294
최예은	삼성서	174
최오동	서울청	126
최오미	국세청	103
최옥구	중부청	209
최옥미	부천서	292
최완구	시흥서	233
최완규	춘천서	263
최완규	파주서	301
최요화	인천청	270
최용국	동래서	432
최용규	양천서	187
최용규	잠실서	196
최용민	서초서	179
최용복	제천서	340
최용섭	인천서	279
최용섭	대전청	310
최용섭	대전청	311
최용세	국세청	109
최용호	강서서	153
최용화	수원서	230
최용화	평택서	246
최용훈	부천서	293
최용훈	대구서	391
최용훈	영덕서	414
최용훈	양산서	459
최우녕	김포서	287
최우석	기재부	61
최우석	중부청	213
최우석	삼척서	254
최우성	국세청	113
최우성	화성서	250
최우성	지방재정	490
최우신	삼성서	174
최우영	경기광주	235
최우영	아산서	328
최우영	부산청	423
최우일	강서서	152
최우정	김포서	287
최우진	동청주서	337
최우현	수원서	231
최욱진	안산서	203
최운식	도봉서	164
최운환	서울청	138
최원경	성현회계	13
최원규	광주청	352
최원길	용산서	192
최원모	강남서	149
최원봉	국세청	111
최원석	종로서	199
최원석	김포서	287
최원수	대구청	388
최원정	강동서	150
최원우	해운대서	449
최원익	홍천서	265
최원일	서현이현	7
최원제	포항서	418
최원태	마산서	457
최원택	전주서	381
최원현	북대전서	315
최원화	성동서	180
최원희	도봉서	164
최원희	성북서	182
최유건	동작서	168
최유나	동고양서	123
최유나	서대구서	398
최유리	서대전서	317
최유미	조세심판	492
최유성	김포서	286
최유연	용인서	243
최유영	동안산서	239
최유원	국세교육	123
최유일	경산서	403
최유정	아산서	328
최유진	역삼서	188
최유진	의정부서	298
최유철	남대구서	393
최유철	삼일회계	20
최윤겸	부산청	422
최윤경	서대전서	316
최윤기	성남서	228
최윤미	국세청	117
최윤미	강서서	153
최윤미	남양주서	220
최윤미	조세재정	495
최윤서	잠실서	196
최윤석	남동서	274
최윤선	국세상담	120
최윤선	북대전서	314
최윤선	인천서	460
최윤성	동화성서	248
최윤실	부산청	423
최윤실	수영서	442
최윤아	양산서	459
최윤영	서울청	127
최윤영	남원서	375
최윤영	대구청	388
최윤영	서대구서	399
최윤용	조세재정	494
최윤정	안양서	240
최윤정	남동서	274
최윤정	청주서	342
최윤주	인천청	273
최윤주	서광주서	360
최윤주	중랑서	201
최윤혁	창원서	463
최윤형	경주서	404
최윤호	국세청	103
최윤호	서울청	126
최윤희	동수원서	222
최윤희	기재부	67
최윤희	송파서	184
최은경	기재부	69
최은경	국세청	110
최은경	구로서	157
최은경	서인천서	276
최은경	의정부서	298
최은경	창원서	463
최은경	통영서	464
최은경	이안세무	41
최은락	상공회의	95
최은미	국세상담	120
최은미	동대문서	166
최은미	천안서	333
최은복	의정부서	298
최은선	동안산서	238
최은선	천안서	333
최은선	북대구서	396
최은성	국세청	104
최은수	기흥서	218
최은숙	울산서	450
최은숙	국세청	103
최은숙	서울청	133
최은숙	동안서	412
최은실	금감원	84
최은애	노원서	162
최은애	남대구서	392
최은영	기재부	60
최은영	강서서	152
최은영	삼성서	175
최은영	양천서	186
최은영	중부서	203
최은영	남동서	274
최은영	대구청	387
최은영	수성서	401
최은영	삼정회계	22
최은옥	서인천서	276
최은유	서대문서	177
최은정	삼성서	175
최은정	서초서	178
최은정	잠실서	196
최은정	남부천서	291
최은정	대현회계	15
최은주	서초서	179
최은주	동화성서	248
최은지	금천서	159

이름	소속	쪽	이름	소속	쪽	이름	소속	쪽	이름	소속	쪽	이름	소속	쪽
최은진	인천서	278	최재원	기재부	74	최주희	광명서	284	최찬규	중부청	210	최현영	안산서	237
최은진	남부천서	290	최재은	경산서	402	최준기	마포서	171	최찬민	중부청	212	최현영	북전주서	377
최은진	구미서	406	최재일	익산서	379	최준미	광산서	354	최찬비	지방재정	490	최현이	부산세관	483
최은진	딜로이트	16	최재진	중부청	212	최준성	중부청	211	최찬오	태평양	50	최현옥	강동서	151
최은창	분당서	226	최재천	이천서	245	최준영	역삼서	188	최창경	용산서	193	최현정	서울청	128
최은철	전주서	380	최재철	종로서	199	최준완	동안산서	239	최창무	감사원	57	최현정	중부청	215
최은태	동래서	440	최재해	감사원	55	최준욱	조세재정	495	최창무	광주서	357	최현정	평택서	247
최은하	서울청	130	최재해	감사원	56	최준웅	성북서	182	최창배	수영서	445	최현정	북대전서	314
최은혜	서울청	147	최재혁	감사원	56	최준재	서인천서	277	최창선	기재부	65	최현정	동래서	432
최은혜	대전청	307	최재혁	김포서	286	최준호	기재부	69	최창수	강남서	149	최현정	관세청	470
최은혜	조세재정	494	최재혁	서광주서	360	최준호	영덕서	414	최창순	동대문서	166	최현주	동안양서	225
최은호	대구청	388	최재혁	대구청	386	최준환	동수원서	222	최창열	인천서	278	최현주	대구청	388
최은호	마산서	457	최재혁	수영서	443	최중갑	조세재정	496	최창완	지방재정	491	최현준	감사원	56
최은희	금감원	84	최재현	동작서	169	최중진	원주서	260	최창욱	익산서	379	최현준	동대문서	166
최은희	성동서	181	최재협	대구청	387	최지나	김해서	454	최창원	조세심판	492	최현지	강동서	150
최은희	용인서	242	최재형	삼성서	175	최지민	성동서	180	최창주	강동서	151	최현진	서울청	135
최은희	대전서	312	최재호	수영서	444	최지선	통영서	464	최창중	금감원	89	최현진	정읍서	382
최이선	조세재정	494	최재훈	전주서	380	최지수	용산서	192	최창훈	남동서	275	최현창	부산청	424
최이진	서울청	280	최재훈	제주서	467	최지숙	구미서	406	최창호	잠실서	197	최현택	금정서	430
최이환	군산서	372	최전환	목포서	364	최지안	국세청	116	최창호	해운대서	449	최현희	기재부	66
최익성	감사원	56	최점식	동대구서	394	최지애	기재부	65	최천희	김해서	454	최형균	인천세관	478
최익성	서울청	127	최정규	삼성서	175	최지미	아산서	329	최천식	광주세관	487	최형동	광주서	356
최익수	아산서	328	최정림	성북서	183	최지영	기재부	70	최천식	광주세관	487	최형석	강서서	153
최익영	은평서	194	최정명	연수서	297	최지영	성동서	181	최천식	광주세관	488	최형윤	반포서	172
최인경	화성서	250	최정미	동래서	260	최지영	북대구서	315	최철승	광주청	353	최형준	계양서	280
최인광	순천서	366	최정민	삼성서	174	최지영	남대구서	392	최청림	중부청	214	최형지	춘천서	263
최인규	구로서	156	최정식	양산서	459	최지영	부산청	426	최초로	남대구서	392	최형화	성동서	180
최인규	서울청	132	최정심	삼성서	250	최지영	수영서	443	최춘자	남대구서	392	최혜경	대전서	312
최인규	구리서	216	최정아	구로서	156	최지영	조세재정	496	최충일	경기광주	234	최혜정	북대구서	396
최인규	서울세관	474	최정애	마산서	456	최지우	관악서	154	최충일	아산서	328	최혜련	강서서	152
최인범	중부청	208	최정연	동화성서	248	최지우	동안양서	224	최치권	삼성서	174	최혜리	부산청	425
최인석	관악서	154	최정연	관악서	378	최지우	의정부서	298	최치연	금융위	79	최혜림	구리서	216
최인선	기재부	73	최정열	서울청	140	최지웅	계양서	280	최칠환	양천서	187	최혜미	해운대서	446
최인섭	삼성서	174	최정완	구로서	156	최지원	기재부	71	최칠성	북전주서	377	최혜선	창원서	462
최인수	감사원	57	최정완	김포서	287	최지원	삼성서	175	최태규	국세주류	118	최혜승	경기광주	234
최인순	강남서	148	최정우	송파서	184	최지원	남양주서	221	최태규	송파서	184	최혜영	서대구서	398
최인식	금정서	430	최정욱	광주서	357	최지윤	동래서	438	최태영	울산서	450	최혜옥	삼성서	175
최인실	부산청	429	최정운	감사원	56	최지은	서울청	133	최태영	세무하나	39	최혜원	부천서	293
최인아	노원서	163	최정운	부산청	424	최지은	중부서	202	최태용	서대구서	398	최혜원	의정부서	299
최인아	창원서	463	최정웅	김해서	455	최지은	중부청	213	최태원	상공회의	95	최혜윤	동래서	441
최인애	예산서	330	최정원	강남서	149	최지은	화성서	251	최태전	광주청	349	최혜정	분당서	227
최인영	국세교육	122	최정원	강릉서	252	최지은	논산서	321	최태주	성북서	181	최혜정	포천서	303
최인영	서울청	135	최정윤	강남서	149	최지은	해운대서	446	최태진	삼성서	175	최혜지	예산서	330
최인영	중부청	212	최정은	국세상담	121	최지현	서울청	143	최태현	국세상담	121	최혜진	반포서	173
최인영	창원서	462	최정이	광주청	348	최지현	종로서	198	최태형	중부청	211	최혜진	중부청	212
최인옥	서울청	138	최정인	경기광주	235	최지현	동안산서	238	최태훈	국세청	110	최혜진	화성서	250
최인옥	영동서	339	최정인	삼척서	255	최지현	김포서	286	최파란	인천청	272	최혜진	김포서	286
최인우	대구청	389	최정인	고시회	32	최지현	전주서	380	최판균	금감원	90	최혜진	울산서	451
최인혁	조세재정	494	최정임	성동서	180	최지혜	목포서	365	최필웅	서울청	130	최호림	동작서	169
최인혜	강남서	149	최정주	동래서	439	최지혜	해운대서	446	최하나	구로서	157	최호상	연수서	297
최인호	감사원	83	최정헌	국세청	117	최지훈	기재부	61	최하나	서초서	179	최호성	금정서	430
최인환	동안양서	225	최정현	국세청	108	최지훈	충주서	345	최하나	중부청	208	최호성	예일회계	26
최인효	여수서	369	최정혜	경주서	404	최지희	전주서	381	최하연	금천서	158	최호영	원주서	260
최일동	감사원	57	최정환	금감원	83	최진경	기재부	66	최학규	국세청	104	최호윤	서울청	143
최일암	국세청	99	최정훈	부산청	423	최진경	원주서	261	최학목	성북서	183	최호일	군산서	372
최일환	남동서	274	최정훈	수영서	444	최진관	진주서	461	최학선	수영서	445	최호준	지방재정	491
최임규	동청주서	336	최정희	강남서	148	최진구	법무광장	47	최한근	의정부서	299	최홍신	서울청	137
최임선	수영서	444	최정희	동안산서	238	최진규	기재부	68	최한미	고양서	282	최홍신	군산서	372
최임정	김앤장	45	최제환	울산서	451	최진규	중부청	207	최한솔	경기광주	235	최홍정	중부청	208
최자연	원주서	261	최제혁	나주서	362	최진규	분당서	226	최한진	천안서	333	최화성	상주서	410
최장균	북광주서	359	최종기	대구청	388	최진남	국세청	109	최한호	해운대서	446	최환규	도봉서	164
최장영	부평서	295	최종묵	연수서	296	최진미	서울청	126	최항호	양산서	458	최환석	보령서	322
최재관	서울세관	473	최종민	김해서	129	최진민	부산청	424	최해성	부산청	426	최환석	광주청	348
최재관	서울세관	473	최종민	북광주서	359	최진복	송파서	184	최해수	동래서	440	최회선	삼성서	174
최재관	서울세관	475	최종선	목포서	365	최진석	중부청	209	최해우	대전청	311	최회윤	고양서	282
최재광	기흥서	218	최종수	잠실서	196	최진석	인천청	273	최해원	서울청	132	최효범	예일세무	40
최재광	안동서	412	최종열	도봉서	164	최진숙	국세청	104	최행용	국세청	117	최효선	도봉서	164
최재국	기재부	72	최종욱	계양서	281	최진숙	청주서	342	최향성	성북서	183	최효성	김앤장	45
최재규	서울청	132	최종운	안동서	413	최진숙	부산청	424	최헌순	고양서	283	최효숙	울산서	450
최재규	북전주서	376	최종인	은평서	194	최진숙	창원서	462	최혁진	이천서	244	최효영	동작서	168
최재균	대전서	312	최종천	금감원	86	최진식	성북서	182	최현규	기재부	60	최효영	광주청	353
최재덕	서울청	132	최종태	서울청	147	최진영	금감원	84	최현미	국세청	117	최효임	동작서	169
최재득	반포서	173	최종혁	금감원	81	최진영	국세청	101	최현민	법무지평	49	최효임	경기광주	235
최재림	의정부서	298	최종혁	금감원	89	최진영	종로서	198	최현빈	통영서	464	최효진	강서서	152
최재명	국세청	101	최종혁	이촌회계	28	최진영	울산서	450	최현석	용산서	192	최효진	도봉서	165
최재봉	국세청	107	최종호	수원서	230	최진옥	대전청	306	최현석	중부서	202	최효진	성남서	229
최재봉	국세청	108	최종호	경기광주	234	최진용	국세청	104	최현석	남대구서	392	최훈균	인천세관	479
최재석	딜로이트	16	최종훈	용인서	242	최진욱	인천서	278	최현선	국세청	110	최휘철	충주서	345
최재석	세무삼릉	37	최주광	부평서	294	최진욱	성북서	182	최현숙	동화성서	248	최흥균	경산서	402
최재성	중부청	208	최주연	중랑서	200	최진이	대전서	312	최현숙	부평서	294	최희경	파주서	300
최재영	기재부	67	최주연	양산서	458	최진혁	서울청	132	최현영	동대문서	167	최희경	논산서	320
최재영	구로서	157	최주영	구미서	407	최진현	조세심판	492				최희정	제주서	466
최재영	상주서	410	최주영	해운대서	449	최진호	부산청	424				최희권	세종서	327
최재용	동래서	434	최주영	법무바른	1	최진화	중부청	214				최희숙	김해서	454
최재우	양산서	458	최주현	분당서	227	최차영	성동서	180				최희재	북전주서	376

이름	소속	쪽	이름	소속	쪽	이름	소속	쪽	이름	소속	쪽	이름	소속	쪽
홍덕희	마산서	457	홍세정	수원서	230	홍정의	서울청	130	황기현	금감원	91	황성만	대구청	386
홍동기	논산서	320	홍세진	구로서	156	홍정자	울산서	450	황나래	해운대서	449	황성묵	부평서	295
홍동훈	북대구서	396	홍세희	인천청	271	홍정표	금천서	159	황남돈	대전청	307	황성업	창원서	462
홍두선	기재부	63	홍소영	국세청	105	홍정희	서울청	139	황남욱	대전청	308	황성연	서울청	133
홍두선	기재부	64	홍소영	국세청	111	홍종훈	구로서	156	황다검	종로서	198	황성원	국세상담	121
홍득기	·성현회계	13	홍소정	조세재정	496	홍종훈	남부천서	291	황다빈	동고양서	288	황성윤	부천서	292
홍라겸	안동서	413	홍솔아	안양서	241	홍주연	기재부	65	황다영	동안산서	238	황성일	지방재정	491
홍명자	서울청	132	홍수경	서광주서	360	홍주현	강동서	150	황다혜	포천서	303	황성진	북대구서	396
홍문기	도봉서	164	홍수민	동래서	432	홍주희	기흥서	219	황대근	서초서	179	황성택	마산서	456
홍문선	국세청	113	홍수옥	마포서	170	홍준경	인천청	269	황대림	국세청	109	황성필	중랑서	201
홍문희	기흥서	218	홍수은	제주서	467	홍준기	삼일회계	21	황도곤	삼도세무	133	황성혜	조세심판	492
홍미라	서울청	129	홍수지	의정부서	298	홍준범	동화성서	249	황도곤	삼도세무	135	황성훈	역삼서	189
홍미라	순천서	366	홍수현	서울청	146	홍준영	국세청	111	황도곤	삼도세무	144	황성훈	세무대학	33
홍미숙	동대문서	167	홍순영	서울청	144	홍준영	부천서	293	황도곤	삼도세무	175	황성희	기재부	73
홍미숙	여수서	368	홍순균	북대전서	314	홍준오	인천세관	479	황동수	서울청	147	황성희	수원서	230
홍미영	성북서	182	홍순준	국세주류	118	홍준혁	포항서	418	황동욱	광주청	350	황성희	북대전서	314
홍민기	서울청	133	홍순진	충주서	345	홍지민	안산서	237	황동일	부산청	422	황성희	북대구서	397
홍민기	서울청	136	홍순태	조세심판	493	홍지성	도봉서	164	황동형	수원서	230	황세웅	기흥서	218
홍민영	경주서	405	홍순택	인천서	278	홍지성	서울청	126	황두돈	국세청	110	황소원	서초서	312
홍민옥	조세재정	494	홍순호	성남서	229	홍지성	수영서	442	황득현	해남서	370	황소은	서초서	178
홍민정	마산서	456	홍승균	기재부	70	홍지안	국세청	287	황명희	기재부	60	황수빈	동안양서	224
홍민정	삼정회계	24	홍승모	삼정회계	22	홍지연	국세청	103	황명희	역삼서	189	황수인	김포서	287
홍민정	삼정회계	24	홍승모	삼정회계	24	홍지연	강남서	149	황무근	경산서	402	황수진	서대구서	398
홍민지	부산청	427	홍승범	서울청	133	홍지영	마산서	456	황미경	서울청	129	황숙자	여수서	368
홍민표	부산청	423	홍승영	조세심판	492	홍지우	중부청	214	황미경	양산서	459	황숙현	중랑서	200
홍범교	조세재정	494	홍승영	강릉서	253	홍지은	용인서	242	황미숙	동작서	168	황순관	기재부	66
홍범식	잠실서	197	홍승영	반포서	172	홍지혜	금천서	158	황미연	조세재정	494	황순금	대전서	312
홍병진	조세재정	494	홍승현	동래서	432	홍지혜	서초서	332	황미영	동대문서	166	황순남	서울청	424
홍보경	부천서	293	홍승희	남대문서	161	홍지화	노원서	163	황미영	부천서	292	황순영	중부서	203
홍보희	화성서	250	홍에스더	기재부	71	홍지흔	서울청	145	황미옥	창원서	463	황순영	경산서	402
홍삼기	지방재정	490	홍여주	구로서	157	홍진국	삼성서	136	황미정	상공회의	95	황순우	안동서	412
홍상기	노원서	163	홍연희	기재부	72	홍진기	수원서	231	황미정	진주서	461	황순이	남대문서	160
홍상우	아산서	328	홍영국	서울청	130	홍진섭	금감원	86	황미진	동래서	436	황순지	중부청	213
홍새로미	분당서	226	홍영민	제주서	466	홍진표	서울청	147	황미화	동칭천서	337	황순하	서울청	126
홍서연	동안양서	224	홍영민	서울청	133	홍차령	동대문서	166	황민정	반포서	173	황순호	반포서	173
홍서윤	군산서	373	홍영선	송파서	185	홍창규	남양주서	221	황민주	부산청	424	황순미	성동서	180
홍서준	동고양서	289	홍영숙	국세청	116	홍창기	삼일회계	20	황민철	역삼서	188	황승기	금감원	87
홍서진	조세재정	496	홍영실	중랑서	200	홍창표	대전서	312	황민호	국세청	115	황승진	순천서	366
홍석린	금감원	85	홍영임	동래서	441	홍창호	마포서	171	황민훈	마산서	457	황승현	대전서	313
홍석우	충주서	345	홍영정	강릉서	252	홍창호	영등포서	190	황민희	계양서	280	황시운	남양주서	221
홍석원	부천서	293	홍영준	순천서	367	홍창화	천안서	332	황범석	분당서	227	황신영	중부청	207
홍석의	삼척서	254	홍영준	삼정회계	24	홍철수	수원서	230	황범광	국세청	109	황신원	서초서	179
홍석주	울산서	450	홍영표	광주청	350	홍태선	삼정회계	22	황병권	강서서	152	황신현	서울청	63
홍석찬	기재부	70	홍영호	금감원	84	홍태영	마포서	171	황병규	노원서	163	황아름	서울청	127
홍석헌	부산세관	482	홍영호	인천청	273	홍필성	중부청	209	황병록	대구청	388	황아름	강남서	149
홍선아	서울청	133	홍예령	남동서	274	홍하진	삼정회계	22	황병석	성동서	180	황연주	부천서	293
홍선영	구리서	217	홍완표	서광주서	360	홍학봉	강릉서	252	황병준	군산서	372	황연실	구로서	157
홍성각	대전청	311	홍요셉	강릉서	252	홍해라	광산서	355	황보경	조세재정	495	황연주	용인서	242
홍성걸	인천청	270	홍용길	북광주서	358	홍혁기	서울청	194	황보람	기흥서	218	황연주	북대전서	314
홍성구	관세청	471	홍용석	서울청	134	홍현기	수원서	231	황보승	원주서	261	황연희	서초서	179
홍성권	동안양서	238	홍우환	경기광주	234	홍현문	기재부	65	황보영근	삼척서	255	황영규	서울청	142
홍성권	지방재정	490	홍욱기	성동서	181	홍현승	구로서	156	황보영미	서울청	142	황영규	서울청	63
홍성기	인천서	278	홍원의	창원서	463	홍현아	기재부	65	황보영미	중부청	209	황영남	서울청	128
홍성기	진주서	461	홍원필	도봉서	164	홍현정	남대구서	393	황보정연	대구청	390	황영삼	고양서	283
홍성대	원주서	260	홍유남	조세재정	494	홍현정	법무법인	48	황보주	서울청	129	황영숙	서대전서	317
홍성도	서울청	334	홍유진	서울청	278	홍현지	북전주서	377	황보적	서울청	129	황영숙	남대구서	393
홍성미	서울청	134	홍유종	역삼서	188	홍형주	부평서	295	황상욱	동작서	169	황영철	인천세관	479
홍성민	국세청	111	홍윤기	전주서	381	홍혜령	대전청	312	황상인	금천서	158	황영표	부산청	424
홍성민	강남서	149	홍윤석	마포서	170	홍혜인	국세청	100	황상준	영주서	417	황영훈	부천청	215
홍성민	울산서	450	홍윤석	포천서	302	홍혜연	남대구서	160	황상진	중부청	207	황영희	화성서	250
홍성수	천안서	333	홍윤선	수원서	230	홍효숙	역삼서	189	황상진	거창서	453	황왕규	경주서	405
홍성수	제주서	466	홍윤종	부산청	426	홍후진	춘천서	262	황서진	송파서	185	황요섭	수성서	400
홍성식	기재부	74	홍용진	조세재정	496	화종원	진주서	461	황서한	강남서	148	황용섭	금천서	158
홍성옥	역삼서	188	홍은결	종로서	199	황경구	남동서	275	황석규	천안서	333	황용연	남양주서	220
홍성우	지방재정	490	홍은결	천안서	332	황경숙	인천서	278	황석채	기재부	61	황용연	용인서	243
홍성일	서울청	143	홍은기	강남서	148	황경숙	광주청	349	황석현	서울청	236	황용택	중부청	213
홍성자	대전청	310	홍은영	창원서	462	황경애	대전청	308	황석현	대구청	387	황우오	평택서	247
홍성준	서울청	126	홍은정	여수서	369	황경임	기재부	66	황선길	김포서	286	황운정	기재부	66
홍성준	인천청	273	홍은정	예산서	330	황경주	서초서	178	황선오	광주서	357	황웅재	강동서	150
홍성준	천안서	332	홍은지	연수서	296	황경호	해운대서	449	황선우	고시회	32	황원복	광주청	348
홍성천	삼성서	141	홍은지	북대구서	397	황경희	양천서	187	황선유	청주서	343	황원성	용인서	147
홍성표	화성서	250	홍은화	서대전서	316	황계숙	도봉서	164	황선익	종로서	199	황유솔	고양서	282
홍성표	순천서	366	홍인표	서초서	179	황계순	인천청	245	황선정	북대구서	396	황유진	기흥서	219
홍성하	금감원	83	홍자은	지방재정	490	황규동	여수서	369	황선주	김해서	455	황유섭	서울청	144
홍성한	서울청	129	홍장원	수원서	230	황규동	천안서	333	황선진	마포서	171	황유숙	동작서	168
홍성혜	서울청	129	홍장희	금감원	91	황규봉	인천청	273	황선태	해남서	370	황윤숙	은평서	194
홍성훈	국세청	105	홍장희	딜로이트	16	황규상	감사원	57	황선택	동안양서	224	황윤식	구미서	406
홍성훈	서울청	130	홍재옥	홍천서	264	황규석	평택서	246	황선화	서울청	130	황윤자	서울청	129
홍성훈	시흥서	232	홍정기	광주청	353	황규유	북대구서	315	황선화	삼성서	174	황윤정	구리서	216
홍성훈	서인천서	276	홍정민	동대문서	166	황규형	마산서	456	황선화	남동서	275	황윤주	부산세관	482
홍성희	삼성서	174	홍정민	송파서	184	황규홍	서울청	147	황성기	전주서	381	황윤철	서대전서	317
홍성희	서산서	325	홍정수	파주서	300	황규홍	서초서	179	황성룡	중부청	203	황은미	서울청	145
홍성희	조세재정	494	홍정수	동래서	441	황기오	서초서	179				황은수	충주서	345
홍세미	구리서	216	홍정연	국세청	100							황은아	남대구서	393
홍세민	국세청	117	홍정은	국세교육	122									

2022년 7월 14일 현재

2022 재무인명부

발　　　행　　2022년 7월 14일
발 행 인　　황춘섭
발 행 처　　조세일보(주)
주　　　소　　서울시 서초구 사임당로 32
전　　　화　　02-737-7004
팩　　　스　　02-737-7037
조 세 일 보　　www.joseilbo.com
정　　　가　　25,000원
I S B N　　978-89-98706-27-2